AUER
UMWELTETHIK

Meinen Kollegen und meinen Hörern
in Würzburg und Tübingen

ALFONS AUER

UMWELTETHIK

EIN THEOLOGISCHER BEITRAG
ZUR ÖKOLOGISCHEN DISKUSSION

PATMOS VERLAG DÜSSELDORF

Für das Mitlesen der Korrekturen danke ich
Frau Elisabeth Gropper,
für das Schreiben des Manuskripts
Frau Renate Fischer und Frau Elli Wolf.

CIP-Kurztitelaufnahme der Deutschen Bibliothek

Auer, Alfons:
Umweltethik: e. theol. Beitr. zur ökolog. Diskussion
Alfons Auer. – 1. Aufl. –
Düsseldorf: Patmos Verlag, 1984.
   ISBN 3-491-77291-5

1. Auflage 1984
Umschlaggestaltung: Peter J. Kahrl, Neuwied
Gesamtherstellung: Bercker GmbH, Kevelaer
ISBN 3-491-77291-5

Inhalt

Vorwort

»Es fällt niemand aus der Welt heraus, der nicht zuvor aus Gott herausgefallen ist.« Wenn wir dieses Wort des Dichters Ernst Wiechert auf unsere ökologische Thematik anwenden, könnten wir fragen: Sind wir etwa aus der Natur herausgefallen, weil wir zuvor aus Gott herausgefallen sind? Mancher Leser wird denken, dies sei eben die Frage eines Theologen, der von Berufs wegen fromme Reden im Munde führt; ihre Beantwortung trage zur Lösung der Probleme nichts bei und man könne sie darum ruhig vergessen. Aber das zitierte Dichterwort sollte uns zumindest an geschichtliche Entwicklungen erinnern, die wir auf keinen Fall vergessen dürfen.

Romano Guardini hat in seinen Büchern immer wieder auf das innere Gefüge von Natur, Subjekt und Kultur hingewiesen. Das Wort »Natur«, das im ausgehenden Mittelalter auftaucht und rasch an Bedeutung gewinnt, meint die Gesamtheit der Dinge, die uns umgeben, bevor der Mensch etwas an ihnen tut. Früher sprach man von »Schöpfung«. Indem man nun von »Natur« spricht, nimmt man die uns umgebende und uns tragende Natur Gott aus der Hand und stellt sie ganz und gar in sich. Jetzt gewinnt die in sich gestellte Natur entweder selbst eine geheimnisvolle numinose Tiefe: Sie wird allschaffende heilige Gott-Natur (Spinoza, Schelling u. a.); oder sie wird für den Menschen zum frei verfügbaren Material wissenschaftlicher Forschung und technisch-wirtschaftlicher Nutzung.

Neben der Natur hat die Neuzeit den Menschen als autonomes Subjekt entdeckt. Insofern dies in einem radikalen Sinn verstanden wurde, hat der neuzeitliche Mensch auch sich selbst Gott aus der Hand genommen und sich zum absoluten Souverän seines eigenen Daseins wie der ihn umgebenden Natur inthronisiert.

Zwischen Natur und Subjekt ersteht das Werk der menschlichen Freiheit: der Politik, der Wissenschaft, der Technik, der Wirtschaft, der Kunst, mit einem Wort: der Kultur. In ihrem radikalen neuzeitlichen Verständnis ist auch sie Gott aus der Hand genommen, die

11

Vorstellung des Schöpferischen ist von Gott auf den Menschen übergegangen. Guardini sieht das Gefüge von Natur, Subjekt und Kultur, wie es im neuzeitlichen Bewußtsein hervortritt, »im tiefen Widerspruch zum Christlichen« – und zwar nicht nur deswegen, »weil die geschilderten neuen Aufgaben mit einer Ausschließlichkeit verfolgt werden, welche das Ganze des Daseins zerstören mußte, sondern weil das Richtige jener Begriffe von einer Daseinsgesinnung beherrscht war, die sich gegen den Sinn der Offenbarung wandte« (Welt und Person. Versuche zur christlichen Lehre vom Menschen, Würzburg 1939, 18).

Sollen wir also ins Mittelalter zurückkehren? Gewiß nicht. Wir haben zwar keinen Grund es zu schmähen; denn es hat eine Daseinsform hervorgebracht, in der Menschsein glücken konnte. Aber auch das mittelalterliche Verständnis von Schöpfung hatte seine Zeit; heute ist die Zeit für anderes. Im Mittelalter war Gottes absolute Größe im religiösen Bewußtsein vielfach so übermächtig, daß er als der einzige Seiende empfunden wurde, demgegenüber alles andere als unwirklich erscheinen mußte. Der authentische Wert der von Gott erschaffenen Welt kam nicht hinreichend zum Tragen, er verdampfte schier in ihrer transzendenten Beziehung. Die Folge war, daß auch das spirituelle »Realisationsvermögen« (Karl Rahner) gegenüber der nicht unmittelbar religiösen Wirklichkeit nicht zur Entfaltung kam.

Die Geschichte ist nicht stehengeblieben. Was den Kern der Neuzeit ausmacht – wissenschaftliche Forschung und technische Nutzung der Natur; Erfahrung menschlicher Autonomie; Selbstdarstellung des Menschen nicht vorwiegend in Kultivierung der Innerlichkeit, sondern in der geschichtlich auferlegten Kultivierung von Welt –, darf nicht durch einen religiösen Kurzschluß abgeschwächt oder verdünnt werden. Es muß vielmehr als christliche Aufgabe erkannt und in einem umgreifenden Sinnhorizont unter das rechte Maß gebracht werden. Man braucht nur Guardinis »Briefe vom Comer See«, vor allem die letzten, zu lesen, um zu bemerken, daß auch er dies schon in den zwanziger Jahren klar erkannt hat. (Die »Briefe vom Comer See« hat Walter Dirks unter dem Titel »Die Technik und der Mensch«, Mainz 1981, neu herausgegeben.)

Das Neue muß unter das rechte Maß gebracht werden. Dieses Maß ist für Mensch und Welt vom Schöpfer »verfügt«; es wird zu fragen sein, was dies genauer heißt. Darum müssen die Christen heute ihren unvertretbaren Beitrag zum Glücken des Menschseins leisten. Dies ist gewiß keine leichte Aufgabe. Der christliche Glaube breitet keinen legendären oder mystischen Zuckerguß über Natur, Subjekt und Kultur. Diese müssen in ihm ihre Strenge, ihre Sachgerechtigkeit, ihre Redlichkeit behalten. Der Schöpfer hat den Menschen mitsamt seinen naturalen Daseinsgrundlagen in eigenes Sein und Wirken entlassen. Er hat ihm, nachdem er ihn erschaffen, nicht allsogleich ein detailliertes moralisches Gesetz und ein konkretes politisch-soziales Programm hinterhergereicht. Vielmehr ist der Mensch von Gott mit Vernunft und Freiheit ausgestattet worden, damit er selbst die Sachgesetzlichkeiten und die Sinngestalten der Welt auffinde und durchsetze. Was wir »Offenbarung« nennen, betrifft vor allem die Herkunft und das Ziel der Welt, im besonderen den tiefsten Sinn des menschlichen Daseins in ihr.

Die Findung der sittlichen Wahrheit steht also zunächst in der authentischen Kompetenz und in der authentischen Verantwortung der gesellschaftlich-geschichtlichen Vernunft des Menschen. Der Ethiker, auch der theologische, der sich um den rechten Umgang mit den naturalen Lebensgrundlagen sorgt, stellt sich in redlicher Zeitgenossenschaft in den Prozeß der Wahrheitsfindung hinein. Er hört auf die vielfältigen Äußerungen der gesellschaftlich-geschichtlichen Vernunft. Er achtet sorgfältig auf die im konkreten Umgang mit der Natur gemachten Erfahrungen und auf die Bemühungen um ihre fruchtbare Bewältigung. Er nimmt empirische Befunde zur Kenntnis, sucht sie aus einer umgreifenden Deutung des menschlichen Daseinssinns zu ordnen und zu verstehen und darin aufscheinende anthropologische Dringlichkeiten und Notwendigkeiten wahrzunehmen und zu artikulieren. Der theologische Ethiker fragt darüber hinaus nach der ökologischen Bedeutung des christlichen Glaubens und sucht die menschlichen Probleme von der christlichen Sinnvorgabe her kritisch-produktiv zu bewerten. –

Dies hat sich der Verfasser dieses Buches zur Aufgabe gemacht. Er hat über Jahre hinweg den Prozeß der ökologischen Bewußtseinsbildung mitvollzogen und versucht nun, die darin hervortretenden Ansätze ökologisch-ethischer Rationalität festzustellen, im Horizont eines bestimmten Verständnisses des Menschseins zu klären und zu einem »Modell« verantworteten Umweltverhaltens zusammenzuschauen. Durch zahlreiche Hinweise auf die einschlägige Literatur bietet er dem Leser die Möglichkeit, den Prozeß nachzuvollziehen und das ethische Ergebnis mitsamt der ihm zugrunde liegenden anthropologischen Option zu überprüfen. Nicht geringeren Wert legt er freilich auf die Herausarbeitung der ökologischen Relevanz des christlichen Glaubens. Er will ausführlich zeigen, welches bedeutsame ethische Potential die christliche Sinndeutung von Mensch und Natur als Grundorientierung und Motivation des Umweltverhaltens darstellt. Das Buch will für Verkündigung, Erwachsenenbildung und Religionsunterricht Hilfen bereitstellen, damit der Umweltethik eine tragfähige christliche Begründung gegeben werden kann.

In einschlägigen theologischen Veröffentlichungen stößt man nicht selten auf eine signifikante Nähe zu pessimistischen oder gar apokalyptischen Stellungnahmen aus dem säkularen Raum. Es wird sich zeigen, daß und warum die Akzente anders gesetzt werden können und müssen. Für den, der ihn vollziehen kann, verstärkt der christliche Glaube nicht nur Angst und Furcht, weil nach dem klaren Befund der Heiligen Schrift die Welt »im argen liegt« – »das Arge« hat durch die technologische Entwicklung fast unabsehbare Dimensionen erhalten –, sondern auch Gelassenheit und Engagement. Und dies tut uns not. Wir werden mit Sicherheit nicht aus der Geschichte entlassen, nur weil wir Angst haben vor dem Entsetzen, das wir selbst darin ausgelöst haben. Vielleicht haben am Ende gar jene recht, die meinen, daß wir mit den in Gang gekommenen technologischen Innovationen eben erst die Anker lichten, die uns noch an die Steinzeit ketten. Die Geschichte der technischen Erfindungen ist gewiß nicht identisch mit der Geschichte des Menschen überhaupt. Aber diese hat von jener doch auch unbestreitbar bedeutende Impulse erhalten. Wie dem auch sei – wir müssen sie auf jeden Fall bestehen, solange sie uns aufgegeben ist. Dieses Buch will Mut machen zur Geschichte.

Tübingen, Pfingsten 1984   *Alfons Auer*

Einleitung
DIE ÖKOLOGISCHE KRISE

Bis vor kurzem haben sich die Menschen der Industrienationen nicht nur ihres eigenen Lebens, sondern auch des Lebens ihrer Kinder und Kindeskinder sicher gefühlt. Ihre Umwelt schien in Ordnung zu sein. Flüsse und Seen sind zwar seit einiger Zeit verseucht, aber man kann ihr Wasser reinigen oder klares Wasser anderswo beziehen. Die Siedlungen in den Ballungsgebieten und die Landschaften, in denen sich Industriebetriebe niedergelassen haben, sind großenteils verschandelt, aber man kann ihnen an den Wochenenden und an den sich zunehmend vermehrenden Urlaubstagen entfliehen. Man weiß um die Chemikalien in vielen Lebensmitteln, aber man kauft sich andere, wenn man es sich leisten kann; wenn nicht, vertraut man darauf, daß die staatlichen Behörden die Toleranzgrenze verantwortungsbewußt festlegen und nachhaltig durchsetzen. Die Rede von einem lawinenhaften Anwachsen der Bevölkerung hat, freilich nur in unserem Kulturkreis, längst ihr Recht verloren.

Wenn man trotzdem seit einigen Jahren von »Wachstumstod« und »Überlebenskrise« spricht, dann hängt das vor allem damit zusammen, daß die Ölkrise die Industrienationen bis zum letzten Mann erreicht und daß schon in dem Bericht, den der Club of Rome unter dem Titel »Die Grenzen des Wachstums« zur Lage der Menschheit vorgelegt hat, die von jedem einzelnen erfahrene punktuelle Krise in ihrem wahren Horizont sichtbar geworden ist. Der Impuls der Zuversicht, den Robert Jungks Formel »Die Zukunft hat schon begonnen« ausgelöst hat, scheint plötzlich gebrochen. Mit dem Wort »Futurologie« verbinden viele nicht mehr die Vorstellung von Verheißung, sondern von Bedrohung. In einem Gutachten der Evangelischen Studiengemeinschaft für das Umweltprogramm der Bundesregierung ist die Vorstellung der Bedrohung verhältnismäßig früh schon deutlich formuliert. Es wird in aller Klarheit ausgesprochen, daß es sich hier nicht um ein vorübergehendes Problem handelt, das sich mit einigen politisch-ökonomischen Manipulationen in den Griff bekommen läßt, sondern um ein grundlegendes Problem unserer technologischen Zivilisation, das sich ständig ausdehnt. Man kann sich durch präzise Rechnungen ein Bild über das Ausmaß der Verschmutzung von Wasser und Luft und weiterer Störungen des ökologischen Gleichgewichts machen. Aber damit erreicht man nur an der Oberfläche liegende Symptome, man erkennt noch nicht die vielfältigen Ursachenzusammenhänge und erst recht nicht die Möglichkeiten der Beseitigung der Folgen. »Ernstere, aber noch weithin verborgene Folgen werden jene Schädigungen der psycho-physischen Konstitution des Menschen haben, die aus dem Zusammenwirken verschiedenartiger Umweltbelastungen entspringen. Sie sind bisher noch ungenügend erforscht... Wenn sie bewiesen werden können, ist es aber zu spät. Die schlimmsten Auswirkungen mag auf die Dauer eine schleichende Bedrohung haben: die Schädigung menschlichen Erbgutes durch bestimmte chemische Substanzen (Mutagene)... Die Größe der Gefahr läßt sich ahnen, wenn man weiß, daß jedes Jahr ca. 200 neue Chemikalien als Pestizide, Pharmaca etc. auf den Markt gebracht werden, deren mögliche mutagene Wirkungen uns unbekannt sind.«[1] Es braucht sich niemand mit langen Begründungen aufzuhalten, wenn er, von welchem Aspekt aus es auch sein mag, zur ökologischen Krise Stellung nehmen will.

I. BEGRIFFLICHE HINWEISE

Wenn wir von »Umwelt« sprechen, meinen wir das Gesamt unserer Lebensbedingungen, also nicht nur »die urwüchsige Natur«, sondern auch »den vom Menschen gestalteten Lebensraum«.[2] Man muß die mit dem Begriff »Raum« sich verbindende statische Vorstellung gänzlich beiseite tun. Es geht vielmehr um eine höchst dynamische Interdependenz zwischen dem Menschen bzw. anderen Lebewesen und ihrem Lebensraum. Die Umwelten der einzelnen Lebewesen sind in größere »biozönotische Lebensgemeinschaften« eingegliedert, die man als »Ökosysteme« bezeichnet.[3] Das Gesamt

---

[1] Zitiert in: *H.-D. Genscher* (Hrsg.), Materialien zum Umweltprogramm der Bundesregierung 1971 (Bundestagsdrucksache 6, 2710), 568.

[2] *H.-D. Engelhardt,* Umweltfaktoren und Krankheitsbedingungen 65; vgl. *M. Rock,* Umweltschutz 4–7; *O. Höffe,* Umweltschutz als Staatsaufgabe, in: Sittlich-politische Diskurse 138–141.

[3] *O. H. Steck,* Welt und Umwelt 20, versteht (mit F. W. Dahmen) unter einem Ökosystem »sehr verschieden große Ausschnitte der Erdoberfläche, in denen stets mehrere bis sehr viele Arten von Lebewesen zusammenleben und durch zahlreiche Beziehungen untereinander und mit ihrem Lebensraum verknüpft sind«.

der Daseinsbedingungen aller Lebewesen, das Gesamt also der Ökosysteme bezeichnet man als »Biosphäre«.

Heinrich Schipperges hat eine kurze Geschichte der Ökologie vorgelegt – angefangen von der klassischen »Ökonomik« der Griechen (Ökonomik als Lehre vom »oikos«, d. h. von der »Gesamtheit aller menschlichen Beziehungen und Tätigkeiten in einem Hause«) über die Systeme der Diätetik im ganzen arabischen und lateinischen Mittelalter und die »Hausväterliteratur« des 17. und 18. Jahrhunderts bis zum Zerfall der ökologischen Tradition im 19. Jahrhundert und zur gegenwärtigen Neubestimmung.[4] Der Begriff »Umwelt« scheint ihm für die Problematik der gegenwärtigen Situation zu blaß. Er bringt zwar die vielfache gegenseitige Abhängigkeit von Natur, Kultur und Gesellschaft zum Ausdruck. Doch scheint er auf der anderen Seite eher zu verschleiern, daß die natürlichen Ökosysteme sich längst nicht mehr selbst regulieren können, weil sie durch die neue Entwicklung aus ihrem Gleichgewicht gefallen sind. Schipperges fordert alle Einzelwissenschaften auf, »ökologisch denken« zu lernen. Sie müssen alle zusammenwirken, daß der Mensch seine »ökologische Nische«, d. h. den ihm angemessenen natürlichen Standort, neu entdeckt. Doch ist dies nur möglich, wenn wir Abschied nehmen von der für die neuzeitliche Wissenschaft typischen Einstellung, daß der Mensch uneingeschränkter Herr der Natur, diese aber willkürlich verfügbares Objekt seiner wissenschaftlichen Forschung und seiner technischen und wirtschaftlichen Nutzung ist. »Wir selber – leibhaftig – sind eingeschlossen in das System: Wir stehen mit der Natur im Ökolog!... Schon zeichnen sich allenthalben die Umrisse einer postindustriellen Gesellschaft ab, die nicht mehr ökonomisch verwaltet und durch Wirtschaft gesteuert wird, die eher ökologisch zu entwerfen und zu ordnen ist. Wir stehen im Übergang auch von einem ökonomischen Prinzip zu einer universellen Verantwortung, für die wir bisher weder die Maßstäbe erkannt noch die Prioritäten gesetzt haben.«[5]

Damit ist schon umrissen, was mit dem Begriff *»Umweltschutz«* gemeint ist. Er zielt auf Einstellungen, auf individuelle Verhaltensweisen sowie auf wissenschaftliche, technische, wirtschaftliche und politische Initiativen, durch die Umweltzerstörungen soweit wie möglich behoben, Umweltbelastungen soweit wie möglich vermie-

---

[4] Vgl. *H. Schipperges*, Auf dem Wege zu einem ökologischen Zeitalter?; eine Geschichte der Ökologie in neuerer Zeit bietet *O. Brunner*, Adeliges Landleben und europäischer Geist, Salzburg 1949.
[5] *H. Schipperges*, a.a.O. 235 f.

den und der gesamte vom Menschen zu verantwortende Lebensraum optimal gestaltet werden sollen. Umweltschutz ist gewiß zunächst eine technologische Aufgabe. Es geht um Lärmbekämpfung, um Reinerhaltung der Luft, um hydrologische Versorgung (Wasser).[6] Doch darf sich Umweltschutz nicht auf quantifizierbare Daten beschränken. Er bliebe damit eine Kur an den bereits bekannten Symptomen. Es geht jedoch um viel mehr. Die uns einigermaßen bekannten Eingriffe in das ökologische Gleichgewicht werden Folgen zeitigen, die sich in einem Regierungskatalog von Umweltschutz-Maßnahmen überhaupt nicht festmachen lassen. Man muß durch den zunehmenden Energieverbrauch mit Klimaveränderungen rechnen, die niemand auch nur abzuschätzen vermag. Man muß auch damit rechnen, daß die synergetische Wirkung der verschiedenen Belastungen im Hinblick auf das menschliche Erbgut, auf die psychosomatische Konstitution und Entwicklung sowie auf die sozialen Bedingungen des menschlichen Zusammenlebens nicht mehr einholbare Folgen haben wird.[7]

Die allmähliche Einsicht in die ökologischen Belastungen, in die natürlich entstehenden und in die vom Menschen heraufgeführten, hat das Bewußtsein dafür geschärft, daß der Bereich der »Umwelt« eine ungleich höhere ethische Relevanz besitzt, als man bis jetzt angenommen hat. Der Mensch muß sein Verhältnis zur Natur ändern. Er muß seinen Aufenthaltsort in der Welt, seinen »Oikos«, neu bedenken.

---

[6] Vgl. *M. Rock*, Umweltschutz 9 f.

[7] *G. Picht*, Umwelt und Politik 82 f, spricht von einer »gigantischen Demontage unserer Umwelt«. In der jungen Generation haben psychische Störungen, die nicht mehr auszugleichen seien, bereits epidemisches Ausmaß angenommen. In manchen Gegenden seien im Trinkwasser so starke Konzentrationen von Östrogen, daß die Frauen, die davon trinken, »antikonzeptionales Wasser« trinken, ohne darüber informiert zu sein. – *G. Hartkopf – E. Bohne*, Umweltpolitik I, bestimmen Ökologie als »interdisziplinär ausgerichtete, naturwissenschaftliche Disziplin (, die) die spezifischen Fachsichten zahlreicher naturwissenschaftlicher Einzeldisziplinen zu einer ganzheitlichen Betrachtung der natürlichen Umwelt zu integrieren versucht« (21). Ein umweltpolitisches Handlungskonzept, das die Gesamtheit der Lebensbedingungen der natürlichen, der ökonomisch-technisch determinierten und der politisch-gesellschaftlichen Umwelt umfaßt, rechnen sie erstaunlicherweise eher »der rationalistischen Kritik« als »einer rationalen Politik« zu (61 f). Ohne Berücksichtigung aller drei Dimensionen wird aber doch wohl auf Dauer schwer eine umfassende Umweltpolitik zu machen sein. – *O. Höffe*, Umweltschutz als Staatsaufgabe, in: Sittlich-politische Diskurse 138, rechnet zur Umwelt sowohl die sozialwissenschaftlich zu bestimmende Sozialumgebung wie die ökologisch zu bestimmende natürliche Umgebung und definiert Umweltschutz als »Sammelbegriff für alle Maßnahmen zur Bewahrung und Schaffung lebensgerechter Umweltbedingungen für die Menschen, eventuell auch für die Tiere und Pflanzen«.

II. ANALYSE DER ÖKOLOGISCHEN KRISE

Jeder Versuch, die ökologische Krise zu analysieren, muß sich den Fragen nach *Ursachen,* Dimensionen und Tendenzen dieser Krise stellen. Als tiefste Ursache macht man zu Recht jene Geisteshaltung haftbar, die das menschliche Bemühen um die Rationalität der Welt einseitig oder gar ausschließlich auf Zweckhaftigkeit, Nutzbarkeit und Brauchbarkeit fixiert hat. Die naive Erfahrung kann zwar wie beim einzelnen so auch bei der Menschheit im ganzen nicht der einzige Zugang zur Welt bleiben. Sie muß durch Reflexion und, wo sich dies anbietet und aufdrängt, durch eine wissenschaftliche Sicht ergänzt und vor Fehlentwicklungen bewahrt werden. In der neuzeitlichen Entwicklung ist nun aber die naturwissenschaftliche Erkenntnis und ihre technisch-ökonomische Umsetzung zum wesentlichen Ziel der menschlichen Bemühungen geworden. Dies hat dazu geführt, daß der Mensch sich als erkennendes und handelndes Subjekt von der ihn tragenden Lebenswelt distanziert und dieser nunmehr als frei verfügbarem Objekt gegenübertritt. Er selbst setzt der Natur Zwecke und Ziele, er bestimmt in unbeschränkter Willkür das Maß und die Formen ihrer Nutzbarkeit und Verwertbarkeit. In dem Maße, als die Ergebnisse der Rationalisierung und Technisierung im ökonomisch-sozialen Bereich rücksichtslos durchgesetzt werden, schreitet die ökologische Perversion voran. Die grandiosen Erfolge der technischen und wirtschaftlichen Manipulation der menschlichen Lebenswelt, immer neu stimuliert durch die Faszination des Fortschrittsglaubens, haben zu einer radikalen Veränderung der menschlichen Grundeinstellung geführt. Die äußere Dimension menschlicher Daseinsverwirklichung verdrängte die innere, der Lebensstandard die Lebensqualität, der Wille zum Haben den Willen zum Sein. Man hat speziell dem Christentum den Vorwurf gemacht, es habe wesentlich dazu beigetragen, daß der abendländische Mensch das mythische Naturverständnis mit seinen anthropologischen Implikationen hinter sich gelassen und aus der Natur ein Objekt willkürlicher und schrankenloser Ausbeutung gemacht hat. Dieser Vorwurf kann an dieser Stelle noch auf sich beruhen. Hier kommt es darauf an, die Geisteshaltung sichtbar zu machen, aus der letztlich der verhängnisvolle Einsatz des wissenschaftlichen und technischen Instrumentariums hervorgegangen ist. Die Umwertung der Werte hat den materiellen Fortschritt an die Spitze aller Ziele gerückt und ihn zum Maß aller Dinge gemacht. Die unausbleiblichen Folgen einer Wissenschaft, die durch die Aufspaltung von Natur und Mensch ungewollt die Auflösung der menschlichen Lebenswelt vorprogrammiert hat, sind Gleichgültigkeit, Hochmut und Ehrfurchtslosigkeit.[8] Von hier aus kann man Verständnis auch für provozierende Formulierungen gewinnen, wie etwa die von A. M. Klaus Müller: »Wissenschaft, so beginnt zunächst einigen wenigen Forschern heute aufzugehen, ist im Kern mörderisch und wird es nicht erst durch falsche Anwendung. Weil wir aber bereits Mörder sind, wenn wir allein den Gesetzen der Natur folgen und logische Wahrnehmung betreiben, ist die Krise von einer ungeahnten Tiefe und scheinbaren Ausweglosigkeit, hat sie sich im Zuge der ›Verwissenschaftlichung der Welt‹ zu jener beispiellosen Überlebenskrise eskalieren können, deren Feuerzeichen sich heute vor unseren Augen immer stärker zusammenballen.«[9] Solch radikale Aburteilung der Wissenschaft wird zurückzuweisen sein, aber die Provokation muß angenommen werden.

Schon der flüchtige Blick auf die Ursachen der Krise macht deutlich, daß sie sich nicht nur im wissenschaftlich-technischen Bereich auswirkt, sondern in mehrere *Dimensionen* hineinreicht. Nach Gerhard Liedke stellt sich das Umweltproblem über den naturwissenschaftlich-ökonomischen Bereich hinaus auch auf der politisch-gesellschaftlich-ökonomischen Ebene und schließlich auf der Ebene des kollektiven und individuellen menschlichen Bewußtseins.[10] Der Begriff »Umweltschutz« fixiert, wie schon angedeutet, die Vorstellungskraft allzu leicht auf die Verseuchung der Böden und der Gewässer durch Chemikalien, auf die gefährliche Überhandnahme des Geräuschpegels, auf die Verschmutzung der Luft durch Kohlendioxid, auf die Zerstörung der Landschaften durch Industrialisierung und Massenverkehr u. a. Auch wenn man die Ebene des menschlichen Bewußtseins zunächst einmal ausklammert, handelt es sich um eine ganze Reihe von Entwicklungen, die auch mit Hilfe modernster Techniken der Datenverarbeitung und der Systemanalyse nur unzulänglich erfaßt werden können.

Der Club of Rome sieht schon für die Gegenwart und erst recht für die Zukunft fünf Determinanten, die das globale Weltsystem tragen, aus dem Gleichgewicht geraten: Bevölkerungswachstum, Industrialisierung (und Kapitalbildung), Ernährungslage, Rohstoff-

---

[8] Vgl. *J. Illies,* Umwelt und Innenwelt 115; 106–125: Veränderte Umwelt – veränderte Innenwelt.
[9] Der Mensch an der Zeitmauer des Überlebens, in: Überlebensfragen 2 (1974) 34–66, hier 53; vgl. *O. H. Steck,* Welt und Umwelt 37.
[10] Von der Ausbeutung zur Kooperation 37.

gewinnung, Umweltverschmutzung.[11] Es ist die Interdependenz dieser verschiedenen Determinationen, die einerseits der Entwicklung das scharfe Gefälle und die hochgradige Gefährlichkeit verleiht, die andererseits alle analytischen und therapeutischen Bemühungen ungemein erschwert. So unvollkommen aber eine »synoptische Trendanalyse« auch ist und immer bleiben mag, sie hat doch schon jetzt gezeigt, »daß es das seit jeher als Erfolg und Glück angesehene Wachstum der Aktivitäten und Güter der Menschheit als solches ist, was unweigerlich an eine lebensgefährliche Grenze stößt«.[12]

Schließlich ist die Frage zu stellen, welche *Tendenzen* in der ökologischen Krise sichtbar werden. Die Entwicklung macht zunächst offenbar, daß der Mensch die Grundordnung seiner Lebenswelt nicht ungestraft in den Dienst der eigenen Willkür stellen kann. Man mag sich gegen die mythologische Formel von der Rache der Natur sperren, sie bringt doch die fundamentale Wahrheit zum Ausdruck, daß das menschliche Verhalten seine Sanktion in sich selbst hat, daß sich in der tatsächlichen Entwicklung irgendwann die Gegenprobe zur Richtigkeit bzw. zur Unrichtigkeit der menschlichen Entscheidungen einstellt. »Die Verwüstungen, die der Mensch angerichtet hat, bringen die Naturbeziehungen durcheinander und zerstören das von der Natur eingerichtete Gleichgewicht...; und nun rächt sie sich selbst an dem Störenfried, indem sie ihren destruktiven Energien freien Lauf läßt... Die Erde ist nahe daran, für ihren vornehmsten Bewohner unbewohnbar zu werden; ein weiteres Zeitalter vergleichsweiser menschlicher Kriminalität und Kurzsichtigkeit – und sie wäre endgültig in einen Zustand herabgesetzter Produktivität, einer zerstörten Erdoberfläche, klima-

---

[11] *D. Meadows u. a.,* Die Grenzen des Wachstums; vgl. auch *J. W. Forrester,* Der teuflische Regelkreis. Das Globalmodell der Menschheitskrise, Stuttgart 1972; der Verf. entwickelt ein weltweites dynamisches Modell, das auch der Club of Rome bei seinen Untersuchungen zugrundegelegt hat. In diesem weltweiten dynamischen Modell sind »Die Auswirkungen des Bevölkerungswachstums, der Kapitalinvestitionen, des geographischen Lebensraums, der Rohstoffvorräte, der Umweltverschmutzung und der Nahrungsmittelproduktion miteinander in Beziehung gesetzt: die Hauptfaktoren, deren gegenseitige Wirkungen die Dynamik unseres Weltsystems offensichtlich bestimmen« (a.a.O. 24; vgl. 24–31. 33–39).

[12] *M. Schloemann,* Wachstumstod und Eschatologie 12. – Eine detaillierte Darstellung der Umweltbelastung unterbleibt hier, weil sie nur oft Gedrucktes wiederholen könnte. Vgl. z. B. *E. Drewermann,* Der tödliche Fortschritt 9–44; detaillierter, kompetenter, nüchterner und darum eindrucksvoller *G. Hartkopf – E. Bohne,* Umweltpolitik I, 25–48 (Umweltbelastung in der BRD); dann konkreter in den Kap. 5–7 (Umweltchemikalien, Wasserwirtschaft, Abfallwirtschaft) und, für Bd. 2 angekündigt, in den Kap. 8–11 (Luftreinerhaltung, Lärmbekämpfung, Kernenergie, Naturschutz, Landschaftspflege und räumliche Entwicklung). Vgl. auch *G. Keil,* Der sanfte Umschwung 73–128.

tischer Extreme versetzt, so daß allgemeines Elend, Barbarei, wenn nicht gar die Auslöschung der menschlichen Rasse die Folge wären.« Man merkt es diesen Worten nicht an, daß sie bereits vor mehr als einem Jahrhundert von dem Amerikaner G. P. Marsh geschrieben worden sind.[13] Prophezeiungen dieser Art sind immer gewagt. Doch hat die Entwicklung der neuesten Zeit mindestens dies mit aller Klarheit sichtbar gemacht, daß der Mensch die Ambivalenz der Technik entweder nicht erkannt oder aber sträflich mißachtet hat.[14]

Aber die Krise offenbart bereits auch positive Tendenzen. Die Erfahrungen, welche die Menschen in ihrem technisch-ökonomischen Handeln an ihrer Umwelt machen, beginnen ein neues Verhältnis zur Natur zu evozieren. Es meldet sich immer stärker das Bewußtsein, daß die Überheblichkeit des Menschen und das darin begründete Ausbeutungsverhältnis der Natur gegenüber ins ökologische Elend führen, daß der Mensch mit der Natur das Fundament seines eigenen Daseins zerstört. Natur ist eben nicht das wissenschaftlich erkennbare und technisch beherrschbare Objekt menschlicher Ausbeutung, sondern die Weise menschlichen Daseins in der Geschichte.

Die Erfahrungen der jüngsten Vergangenheit evozieren nicht nur eine neue Grundeinstellung gegenüber der Natur, sie drängen auch auf entschlossene politische und wirtschaftliche Initiativen. Man spricht bereits von einem »Menschenrecht auf eine lebenswerte

[13] Zitiert in: *J. B. Cobb,* Der Preis des Fortschritts 29; vgl. auch *R. Zihlmann,* Auf der Suche nach einer kosmosfreundlichen Ethik 17: »In (den) Antworten der Außenwelt wird ein Urteil über den Menschen gesprochen, ein Urteil nicht nur über seine Techniken, Methoden und Pläne, mit denen er der Natur und der Materie gegenübertritt, sondern vor allem und zuerst ein Urteil über seine innere Gesinnung und Gesittung, d. h. über sein Ethos im tiefsten Sinne.«

[14] Ein einziges Beispiel soll dies verdeutlichen. Der Assuan-Staudamm war als technische Wohltat für das arme ägyptische Volk gedacht. Er stellt ohne Frage ein Großprojekt dar, das aus ökonomischer und sozialer Verantwortlichkeit geplant und durchgeführt wurde. Aber die Natur hat zurückgeschlagen. »Es ist eine einzige große Katastrophe, die man erreicht hat, die guten Hoffnungen sind nicht in Erfüllung gegangen, und alle schlimmen Erwartungen sind übertroffen worden. Der Grundwasserspiegel im Unterlauf des Nils ist katastrophal gesunken, so daß Dürreperioden eingetreten sind, wie man sie nie vorher kannte. Der erhoffte Gewinn aber im Oberlauf, nämlich das große Binnenmeer, das man hier schaffen wollte und an dem man schon Fischersiedlungen aufgebaut hatte, ist ebenfalls ein Mißerfolg. Man kann keine Fische ernten, denn der ganze See ist tief verkrautet von wildwuchernden Wasserpflanzen. Vor allem haben sich die Parasiten des Menschen hier ungeheuerlich vermehrt, und eine Bilharzia-Welle ungeahnten Ausmaßes plagt die Ansiedler, so daß man die Fischerdörfer rasch wieder evakuieren mußte, um die Menschen aus Lebensgefahr zu retten. So ist also in diesem Falle die Unkenntnis der Spätfolgen, das mangelnde geduldige Hinhorchen auf die Gesetze der Natur, der ... Grund gewesen, daß wir in eine Umweltkrise gerieten: die Ehrfurchtslosigkeit gegenüber dem Gleichgewicht der Natur« (*J. Illies,* Umwelt und Innenwelt 114 f).

Umwelt«. Die Umwelt-Konferenz in Stockholm (1972) hat zwar die Schwierigkeiten aufgedeckt, in die die Diskussion dieses Menschenrechtes führt. Aber man bleibt nicht bei Kongressen und Deklamationen stehen. Die Regierungen beginnen konkrete Programme für den Umweltschutz zu entwickeln. Die Regierung der Bundesrepublik Deutschland hat ein Umweltprogramm entwickelt, das bei aller vermeidbaren und unvermeidbaren Unzulänglichkeit Respekt verdient.[15] Bei der Erarbeitung des Programms haben 472 Sachverständige und Gutachter mitgewirkt, außerdem wurden über 300 Vorschläge aus der Bevölkerung geprüft und zum großen Teil berücksichtigt. Das Umweltprogramm zielt auf die Klärung und Abstimmung der Aktionen, Zuständigkeiten, Handlungsmittel, Fristen und finanziellen Mittel. Es enthält im Teil A die Grundzüge einer auf lange Sicht angelegten Umweltpolitik, im Teil B das Aktionsprogramm der Bundesregierung, näherhin die Maßnahmen, die kurzfristig eingeleitet und durchgeführt werden sollen, und die weitergehenden mittelfristigen Ziele. Als Hauptziele werden aufgeführt Umweltplanung auf lange Sicht (Umweltrecht, wirksame Beratungsverfahren bei allen umweltrelevanten Entscheidungen, organisatorische Straffung vorhandener Umweltbehörden, Integration des Umweltschutzes in die Struktur- und Raumordnungspolitik), Durchsetzung des Verursacherprinzips, Realisierung einer umweltfreundlichen Technik, Weckung und Stärkung des Umweltbewußtseins in der Bevölkerung und schließlich wirksamere internationale Zusammenarbeit. Peter Menke-Glückert bemerkt zu diesem Programm: »Ohne Übertreibung kann gesagt werden, daß die Bundesrepublik Deutschland in Europa jetzt an der Spitze des Umweltschutzes marschiert. Die Bundesregierung hat zum ersten Male ein umfassendes Gesamtkonzept der Umweltpolitik vorgelegt, das bei-

---

[15] Vgl. Umweltprogramm der Bundesregierung vom 29. 9. 1971 (Bundestagsdrucksache 6, 2710), fortgeschrieben in: Umweltbericht '76 vom 14. 7. 1976 (Bundestagsdrucksache 7, 5684). Die erste systematische praxisorientierte Gesamtdarstellung der Umweltpolitik der Bundesregierung liegt im 1. Band vor: *G. Hartkopf – E. Bohne,* Umweltpolitik I. Grundlagen, Analysen und Perspektiven, Opladen 1983. Im Vorwort ihres hervorragenden Werkes schreiben die Autoren: »Die vorliegende Gesamtdarstellung der Umweltpolitik zeigt die Grundzüge der bislang praktizierten Politik auf, würdigt Erfolge, legt Mängel offen und versucht, Orientierungspunkte für die Fortentwicklung des Umweltschutzes zu geben.« Allgemeine und spezielle Aspekte des Problems werden hier mit bewundernswerter Sachkenntnis und ohne jede ideologische Befangenheit präsentiert. – Zum folgenden vgl. *P. Menke-Glückert* (früher Leiter der Abteilung Wissenschaftsressourcen der OECD in Paris, von 1970 bis 1983 Leiter der Unterabteilung Grundsatzangelegenheiten des Umweltschutzes im Bundesinnenministerium und verantwortlich für das hier ausgearbeitete Umweltprogramm), Das Umweltprogramm der Bundesregierung, in: Humanökologie und Umweltschutz, hrsg. von E. von Weizsäcker (Studien zur Friedensforschung 8), Stuttgart–München 1972, 122–134.

spielhaft ist für die Europäische Gemeinschaft. Dabei ist es ihr Bestreben gewesen, die Grundsätze der Marktwirtschaft nicht zu verlassen.«[16]

III. BEWERTUNG DER ÖKOLOGISCHEN KRISE

1. Pessimistische Prognosen

Es wäre überraschend, wenn die Pessimisten die sich verschärfende ökologische Krise nicht als Anlaß für apokalyptische Visionen aufgreifen würden. Gerd-Klaus Kaltenbrunner weist auf Prognosen hin, die zum Teil vor mehr als einem halben Jahrhundert ausgesprochen worden sind (G. Sorel, O. Spengler, F. G. Jünger). Ludwig Klages hat schon vor dem Ersten Weltkrieg die Meinung vertreten, der zivilisatorische Fortschritt fege »wie ein fressendes Feuer« über die Erde hinweg, und wo er die Stätte einmal gründlich kahlgebrannt habe, da gedeihe nichts mehr, solange es noch Menschen gibt. In muttermörderischer Wut verheere der moderne Mensch das Leben der Erde und damit die Grundlage seiner eigenen Existenz.[17] Unter den Pessimisten finden sich neuerdings auch »seriöse Forscher«. Nach ihrer Meinung ist die Selbstvernichtung der Menschheit ein irreversibler Prozeß.[18] D. Lyle hat auf dem Brookhaven Biology Symposium (1969) gar die Meinung vertreten, »daß der Menschheit vielleicht noch 35 Jahre zum Leben geblieben sind«.[19] G. Foley hat die futurologische Bestseller-Literatur von 1970/71 analysiert. Danach lassen sich mit dem Computer sieben mögliche Zukünfte durchrechnen. Die Rechnung läuft in jedem Fall auf ein Katastrophenjahr um 2050 zu. Ein gewichtiger Faktor in der Rechnung ist immer die Umweltzerstörung: »In ihr schießen gleichsam die anderen Faktoren technologischer Entwicklung zusammen zum unaufhaltsamen ›Tag X‹.«[20]

Georg Picht widerspricht zwar der Auffassung, der Prozeß der Selbstvernichtung der Menschheit habe die entscheidende Grenze schon überschritten, doch befinden wir uns nach seiner Meinung »in einem mörderischen Wettlauf mit irreversiblen physikalischen Prozessen«.[21] Wenn dies richtig ist, dann ist in der Tat schwer zu

[16] A.a.O. 128.
[17] *L. Klages,* Mensch und Erde, Stuttgart ³1929, 9–41.
[18] Vgl. *G. Picht,* Umweltschutz und Politik 80.
[19] Zitiert in: *J. B. Cobb,* Der Preis des Fortschritts 30.
[20] *W.-D. Marsch,* Die Folgen der Freiheit 119. Vgl. *G. Foley,* Sind wir am Ende?, in: Frankfurter Hefte 26 (1971) 741–749.
[21] *G. Picht,* Umweltschutz und Politik 81.

sehen, wie man dem Pessimismus entkommen soll. Dann könnte auch ein totaler Baustopp für Kernkraftwerke und ein totaler Wachstumsstopp das Verhängnis nur verzögern, zumal neben dem irreversiblen physikalischen zusätzlich ein irreversibler psychischer Prozeß diagnostiziert wird. Carl Amery spricht von einer »raschen und geometrisch sich steigernden Psycho-Hospitalisierung der Randgruppen bis fast zum gesamten Personenbestand der Haupt- (d. h. der Volks-)schüler ab der 4. oder 5. Schulstufe« und schreibt dann: »Von diesem Alter ab herrscht heute in zahllosen Volksschulen vor allem der größeren Städte schon die Atmosphäre eines psychischen Schlachtfeldes, besser einer Walstatt nach verlorener Schlacht.«[22]

Auch Wissenschaftler sind Menschen, und es gibt unter ihnen Pessimisten, wie es sie in allen anderen Gruppen von Menschen gibt. Ihr Pessimismus schlägt im Ansatz, in der Durchführung und im Ergebnis ihrer Forschungen durch. Sie gewahren in allen Entwicklungen mit Vorliebe die Zersetzungs- und Zerfallsvorgänge und können darum im Fortschritt der Geschichte eigentlich nur Niedergänge feststellen. Friedrich Wagner etwa hat mit seinem Buch »Die Wissenschaft und die gefährdete Welt« ein ungemein kenntnisreiches Werk vorgelegt und seine Aussagen mit vielfältigen Belegen unterbaut. Trotzdem kann man sich des Eindrucks nicht erwehren, daß seinen Untersuchungen eine pessimistische Option zugrunde liegt, so etwa wenn er schreibt: »Die Irrationalisierung des Weltstoffs, die von der politischen bis zur biologischen Unterminierung des Lebens reicht, macht auch den Einfluß der Forscher-Gutachter immer irrationaler, die heutige Politiker in ›Entscheidungsfragen‹ beraten, gleich Schlafwandlern, die auf dem Dachfirst Schlafwandler zu stützen versuchen, um sie vor dem Absturz zu retten.«[23]

2. Optimistische Prognosen

Noch weniger als den Pessimisten traut man allerdings den naiven Optimisten, die auch weiterhin alles vom freien Spiel der Kräfte erwarten, ohne freilich einsichtig machen zu können, wie nach

---

[22] C. Amery, Wie werden unsere Enkel leben? 19.
[23] F. Wagner, Die Wissenschaft und die gefährdete Welt 320. G. Picht, Umweltschutz und Politik 81, ist im Hinblick auf die Politiker nur wenig zurückhaltender: »Keine Partei, keine Regierung, keine Nation, kein System und keine Ideologie hat ein Monopol auf Vernunft. Die Sicherung unserer Existenz hängt nur in sehr beschränktem Umfang davon ab, wer ans Ruder kommt. Weit wichtiger und schwieriger ist die Frage, ob man mit diesem Ruder überhaupt steuern kann.« Vgl. auch M. Schloemann, Wachstumstod und Eschatologie 16. 28.

dem Gesetz der ökonomischen Rationalität Kräfte ins Spiel kommen sollen, welche die bisherige Entwicklung zu korrigieren imstande sind. Für die Optimisten spricht allerdings, daß pessimistische Prognosen meistens durch die Entwicklung widerlegt worden sind. Dafür ein paar Beispiele. Biologen und Mediziner haben anläßlich der Erfindung der Eisenbahn die Prognose gestellt, der menschliche Körper halte eine solche Geschwindigkeit nicht aus. Als die Mondfahrt geplant wurde, haben wiederum Mediziner und Biologen die Warnung ausgesprochen, der Mensch könne nicht ohne Schwerkraft im freien Raum leben; nach spätestens acht Tagen trete der Tod ein. Auch diese Prognose war falsch. Joachim Illies bringt ein weiteres Beispiel: »Als vor etwa 30 oder 40 Jahren für die Arbeiter in der Schwerindustrie die zumutbaren Höchstmaße der Luftverunreinigung an ihrer Arbeitsstätte festgelegt wurden, gab man für ein sehr giftiges Gas, für das Schwefeldioxid, einen entsprechenden Grenzwert an: Wenn der überschritten würde, so hieß es in den älteren Gesetzen zum Schutze des Arbeiters, dann war ihm die Arbeit nicht mehr zuzumuten, denn dann war er nach Ansicht der damaligen Biologen und Mediziner ernsthaft gefährdet. Nun, diesen Grenzwert der Verunreinigung der Luft mit Schwefeldioxid haben Umweltforscher im vorigen Jahr auf der Zugspitze festgestellt, also an der Stelle mit der reinsten Luft, die wir hier in unserem Land überhaupt finden können!«[24] Klaus Scholder hat gegen die Weltmodelle von Meadows und Forrester, die die Katastrophe prognostizieren, ein »optimistisches Gegenmodell« vorgelegt.[25] Er wirft den beiden Wissenschaftlern vor, sie hätten das kritische Unterscheidungsvermögen zwischen technischen und geschichtlichen Modellen nicht aufgebracht. In der Tat muß

[24] *J. Illies,* Umwelt und Innenwelt 106.
[25] Vgl. *K. Scholder,* Grenzen der Zukunft, vor allem 41–54. Er geht davon aus, daß um das Jahr 2000 oder wenig danach die Bevölkerungswelle langsam ausläuft. Auch hinsichtlich der Rohstoffgewinnung, der Nahrungsmittelproduktion und der Umweltverschmutzung legt er Daten vor, die eine optimistische Zukunftsprognose nahelegen. Er beruft sich für sein Gegenmodell hauptsächlich auf die Erfahrung, »daß die Menschheit mit allen Schwierigkeiten und Herausforderungen fertig geworden ist, denen sie im Lauf ihrer Geschichte begegnete. Regelmäßig haben nicht die zahlreichen Unheilspropheten recht behalten, sondern diejenigen, die zäh, tapfer und geschickt Auswege und Lösungen gesucht und auch gefunden haben . . .« (a.a.O. 56). – *R. Dubos,* Die Wiedergeburt der Welt 289, bezeichnet sich als »verzweifelten Optimisten«; vgl. a.a.O. 174–180. 288–308. Er vertraut auf die Anpassungsfähigkeit der Gesellschaft an die Zukunft (180–187): »Alle Lebewesen scheinen mit einer Vielzahl von Mechanismen ausgestattet zu sein, die sie befähigen, Lebenseignung dadurch zu erreichen, daß sie auf die Veränderungen der Umwelt mit adaptiven Reaktionen antworten. Bei höheren Lebewesen und besonders beim Menschen werden die biologischen Anpassungsmechanismen durch adaptive soziale Prozesse ergänzt« (232).

man alle Trend-Extrapolationen mit Vorsicht behandeln, weil sie die Reaktionen des Menschen auf die sich einstellenden Gefährdungen nicht einkalkulieren können oder wollen.

Eine optimistische Grundeinstellung bringt nun freilich ihrerseits immer die Gefahr mit sich, daß die möglichen negativen Folgen der Entwicklung verharmlost und heruntergespielt werden. Dies hat sich besonders in der Anfangszeit der Atomenergiegewinnung gezeigt. Es gab zwar auch damals ernste Warnungen, aber vielen erschien die Atomenergie geradezu »als Strahlungsmitte einer erneuerten Welt«. Auf der ersten Internationalen Atomkonferenz für die friedliche Nutzung der Kernenergie (1955) meldeten sich utopische Zukunftsvisionen überschwenglich zu Wort. Man träumte einem »energetischen Paradies durch Kernkraftgewinnung« entgegen.[26] Friedrich Wagner, der mit solchen utopischen Vorstellungen hart ins Gericht geht, huldigt seinerseits einem erstaunlichen Optimismus hinsichtlich der »klassischen« Energieträger Kohle, Erdöl und Erdgas. Er bringt Belege dafür, daß die klassischen Energieträger auch bei Steigerung des Bedarfs noch Jahrhunderte ausreichen und daß überdies weite Gebiete der Erde noch gar nicht nach Energieträgern abgesucht sind. »Auch die bekanntgewordenen Kohlenvorräte betragen noch über das Tausendfache der jährlichen Weltproduktion, während der Anteil von Erdöl und Erdgas an der Energieversorgung der Erde im Laufe dieses Jahrhunderts von 3,8 v. H. auf 45,5 v. H. gestiegen ist und unschätzbare Kohlenfunde noch zu erwarten sind.« Auch Erdöl und Erdgas scheinen »noch unerschöpflich« zu sein. Einen wesentlichen Teil des Energieaufkommens könnte man allein schon dadurch decken, daß man die Wasserkraft voll nutzt. Auch die Sonnenenergie könnte »schon für sich allein das Energieproblem lösen, sobald es gelingt, auch nur einen Bruchteil der Sonnenstrahlen technisch zu nutzen...«. Im übrigen werde gegenwärtig noch eine Rohstoff- und Energieverschwendung in einem Ausmaß betrieben, daß der »Wirkungsgrad der Energietechnik auf ein paar Zehntel der möglichen Wirkung« beschränkt bleibe.[27]

3. Realistische Prognosen

Realistische Prognosen zeichnen sich gegenüber den optimistischen dadurch aus, daß sie die möglichen negativen Folgen in den

[26] Belege bei *F. Wagner*, Die Wissenschaft und die gefährdete Welt 280–296.
[27] Vgl. *F. Wagner*, a.a.O. 284 f. Heutige Auskunft über Rohstoffe und Ressourcen bei *G. Hartkopf – E. Bohne*, Umweltpolitik I, 1–8 (Vorräte). 48–52 (Verbrauch); vgl. auch *R. Dubos*, Die Wiedergeburt der Welt 198–208.

verschiedenen interdependenten Bereichen soweit als möglich in ihre Rechnung einbeziehen und außerdem eine entschiedene Änderung in der Grundeinstellung der Menschen fordern. Carl Friedrich von Weizsäcker ist in gleicher Weise gegen den prinzipiellen Technik-Pessimismus wie gegen den prinzipiellen Technik-Optimismus. Er kennzeichnet seine eigene Position mit den Worten, »gegen technisch bedingte Gefahren gebe es technische Mittel, und die eigentlichen Gefahren seien die menschlich bedingten. In der jetzigen Sprechweise läßt sich das so ausdrücken: Technik ist ein Mittel des verständigen Willens. Soweit unsere Vernunft ausreicht, kann Technik gesteuert werden; Technik aber kann kein Versagen der Vernunft ausgleichen.«[28] Wenn die eigentlichen Gefahren die 4menschlich bedingten sind, dann muß die bisherige einseitige Orientierung auf Wachstum und Konsum hin überwunden werden. Das geht nicht ohne einschneidende Beschränkung der Bedürfnisse und der Interessen der Menschen. Auf jeden Fall muß *das bisherige quantitative Wachstumskonzept durch ein qualitatives ergänzt* werden. Die Steigerung des Bruttosozialprodukts und des Volksvermögens muß auf das Gemeinwohl und auf das Wohl des einzelnen ausgerichtet werden. Es bedarf immer wieder politischer Entscheidungen darüber, wie die Zielstruktur unserer Wirtschafts- und Sozialpolitik den gesamtgesellschaftlichen, ja den menschlichen Erfordernissen vernünftig angepaßt werden kann. »Wir müssen die blinde quantitative Expansion durch eine Ökonomie ersetzen, die sich die qualitative Verbesserung der menschlichen Lebensbedingungen zum Ziel setzt.«[29] Der Lebensraum, in dem der Mensch sich als geistiges und soziales Wesen entfaltet, umfaßt wesentlich mehr Dimensionen als nur die der Wissenschaft, der Technik und der Wirtschaft, auf die hin sich die Selbstdarstellung des Menschen in den letzten Jahrhunderten mehr und mehr eingeengt hat. Die ökologische Gefährdung ist bereits so weit fortgeschritten, daß sie zwar noch nicht jeder einzelne am eigenen Leib massiv erfährt, daß alle sie aber immerhin klar zu erkennen vermögen. Dies sollte eine hinreichende Aufforderung sein, den von uns in Zukunft sicher abgeforderten alternativen Lebensstil bereits jetzt freiwillig zu realisieren.

Die bisherige Entwicklung hat deutlich gemacht, daß der totale Autonomismus der privaten technischen und ökonomischen Initiative keine Gewähr für eine verantwortungsvolle Verteilung und

[28] *C. F. von Weizsäcker*, Wege in der Gefahr 255.
[29] *G. Picht*, Umweltschutz und Politik 86.

Ausnutzung der vorhandenen Ressourcen mehr bietet. Man wird zwar keinem wirtschaftlichen Dirigismus das Wort reden, aber ohne eine gewisse parlamentarisch-demokratische Kontrolle werden eine vernünftige Großplanung der Wirtschaft und vor allem die Einbringung sozialer Elemente in den Prozeß der ökonomischen Rationalität in Zukunft kaum mehr denkbar sein. Es sind allerdings in der letzten Zeit immer wieder Zweifel geäußert worden, ob unsere repräsentative Demokratie überhaupt in der Lage sei, die ökologische Problematik in den Griff zu bekommen. *Ohne Änderung der gegenwärtigen Strukturen geht es jedenfalls nicht.* Georg Picht hat darauf mit Nachdruck hingewiesen. Er bestreitet keineswegs, daß im Rahmen der gegenwärtigen Möglichkeiten, besonders in der Bundesrepublik Deutschland, Beachtliches geschehen ist. Die Regierung habe ein eindrucksvolles Umweltprogramm vorgelegt. Wichtige Zweige der Industrie beteiligen sich mit erstaunlicher Aufgeschlossenheit. Auch die Länder haben beachtliche Initiativen ergriffen, und schließlich sei die Forschung an den Universitäten und Max-Planck-Instituten in Bewegung gekommen. Es sei »ein Gebot der Gerechtigkeit, nachdrücklich festzustellen, daß das, was heute innerhalb dieser Strukturen geschieht, dem freilich ungenügenden Optimum dessen nahekommt, was billigerweise von den beteiligten Instanzen erwartet werden« könne.[30] Dann allerdings stellt er doch die beklemmende Frage, ob in unseren hochentwickelten Industriegesellschaften vorausschauendes und planvolles politisches Handeln überhaupt noch möglich ist. Über den Sozialetat und die Subventionen wird nach seiner Auffassung der Großteil der staatlichen Mittel dem Konsum zugeleitet. Die Höhe der disponiblen Haushaltmittel ist immer mehr abgesunken. Die Regierungen haben Mühe, den auf sie eindrängenden Interessengruppen standzuhalten; sie reagieren mehr als daß sie regieren. Nun erfordert aber die Entwicklung der technischen Welt, daß immer mehr Haushaltmittel für die Infrastruktur der Gesellschaft verwendet werden, d. h. für das Bildungswesen und die wissenschaftlichen Institutionen, für Raumordnung, Verkehrswesen und Energiewirtschaft, für eine modernisierte und rationalisierte Landwirtschaft, für Krankenhäuser und Gesundheitsdienste (einschließlich der Maßnahmen zur Reinerhaltung von Wasser und Luft), für die Sozial- und Altersfürsorge und nicht zuletzt für die Einrichtungen des Strafvollzugs. Die Mittel für den Ausbau der gesellschaftlichen Infrastruktur können aber nur aufgebracht werden, wenn die Re-

---

[30] *G. Picht,* Umweltschutz und Politik 87–89, hier 89.

gierungen dem ständigen Druck der Interessengruppen standzuhalten vermögen und den permanenten Konzessionen an die sich ständig steigernden Konsumbedürfnisse ein Ende setzen. Picht ist der Meinung, daß wir heute bereits die technischen Möglichkeiten haben, die uns gestellten Probleme zu lösen. Aber die politischen Systemzwänge hindern die Regierungen, sie in der angemessenen Weise zum Einsatz zu bringen.»Wenn die Weltöffentlichkeit und die Regierungen einmal begriffen haben, daß es um Leben oder Tod geht, werden die Systemzwänge... außer Kraft gesetzt; dann werden politische Aktionen und ökonomische Leistungen möglich werden, an die wir heute nicht zu denken wagen.«[31]

Im Jahre 1976 hat die »Gesellschaft Deutscher Naturforscher und Ärzte« in Stuttgart ihre 109. »Naturforscherversammlung« abgehalten. Das Thema hieß »Der Mensch und sein Lebensraum. Eingriff und Wandel«. Rund 1000 Mitglieder der Gesellschaft haben an dem Kongreß teilgenommen. Heinrich Schipperges hat einen ausführlichen Bericht erstattet. Er beschließt ihn mit einem Satz, mit dem auch diese einleitenden Überlegungen zur ökologischen Krise abgeschlossen werden sollen:»Das ganze so aufwendige Szenarium um eine mehr oder weniger umfassende Systemanalyse ›Mensch und Lebensraum‹... würde ein sinnloses Spiel gewesen sein, würde man dahinter nicht die einmalige Chance für eine wissenschaftliche und politische Führungsschicht sehen, in gemeinsamer Arbeit ... Entscheidungen zu treffen und Verantwortung zu tragen für den Menschen und seine immer bedrohlicher in Frage gestellte Lebenswelt.«[32]

Die in der vorliegenden Untersuchung angestellten Überlegungen wollen dazu beitragen, daß diese Verantwortung deutlicher ins Bewußtsein tritt. Der 1. Teil stellt ein »Modell eines ökologischen Ethos« vor. Nach allgemeinen Vorüberlegungen wird vom individualethischen und vom sozialethischen Engagement für den Umweltschutz gehandelt. Anschließend werden in eigenen Kapiteln zwei Einzelprobleme ausführlich entfaltet, die Gewinnung von Kernenergie und die Problematik »alternativen« Wirtschaftens. Der 2. Teil fragt nach der ökologischen Relevanz des christlichen Glaubens. In den theologischen Beiträgen zur ökologischen Dis-

[31] A.a.O. 93. – Auch *G. Hartkopf – E. Bohne,* Umweltpolitik I, 18–21, beziehen eine realistische Position zwischen Unheilsprophezeiungen und Beschwichtigungsversuchen.
[32] Vgl. *H. Schipperges,* Der Mensch und sein Lebensraum. Programme und Ergebnisse der Stuttgarter Naturforscherversammlung 1976, in: Medizin – Mensch – Gesellschaft 2 (1977) 55–59, hier 59.

kussion steht meistens die Schöpfungstheologie einseitig im Vordergrund, falls andere Aspekte überhaupt zum Tragen kommen. Außerdem wird die zunächst von Historikern eröffnete Polemik gegen die biblisch-christliche Anthropozentrik inzwischen auch von etlichen Theologen übernommen und teilweise sogar verschärft vorgetragen. Darum wird die Bedeutung des Schöpfungsglaubens für ein ökologisches Ethos ausführlich entwickelt, doch soll auch die ökologische Bedeutung des Christusglaubens – ekklesiologische und eschatologische Perspektiven eingeschlossen – und des christlichen Wissens um die Sünde in angemessener Weise berücksichtigt werden. Damit soll auch der christlichen Verkündigung eine Hilfe angeboten werden. Die ökologische Bedeutung des christlichen Glaubens wird immer noch viel zu dürftig und zu oberflächlich vermittelt. Kein Wunder, daß das christliche Proprium in der ethischen Motivation wie in der Entscheidung ethischer Sachfragen nur kümmerlich effizient wird.

1. Teil
MODELL EINES ÖKOLOGISCHEN ETHOS

1. Kapitel
ALLGEMEINE VORÜBERLEGUNGEN: ETHISCHE IMPULSE

Das Sittliche ist nicht etwas, was zum Menschlichen hinzukommt. Es bringt die Verbindlichkeit optimaler Verwirklichung richtigen Menschseins zum Ausdruck. Es betrifft nicht nur die Frage nach dem guten Willen, sondern auch die nach dem rechten Weg, nach dem richtigen Handeln.

Die einleitenden Hinweise haben gezeigt, daß unser Verhalten gegenüber der Umwelt in einem bedrohlichen Sinn nicht richtig ist: es gefährdet die naturalen Grundlagen unseres Daseins. Aber wie müssen wir handeln, damit unser Verhalten richtig wird? Die Dringlichkeit dieser Frage wird unausweichlich aufgrund einer Reihe von Impulsen, die uns teils aus dem Bereich unserer Erfahrung, teils aus einem bestimmten Verständnis des Menschseins und teils aus Überlegungen treffen, in denen die existentiellen und die anthropologischen Impulse auf ein mögliches Konzept richtigen Menschseins hin kritisch-produktiv bedacht werden. Im folgenden werden zunächst diese Impulse aus der Erfahrung, aus der anthropologischen Option und aus der ethischen Reflexion aufgewiesen und gedeutet.

I. IMPULSE AUS DER ERFAHRUNG

Nicht erst seit Kant wissen wir, daß Erfahrung der »Probierstein aller Wahrheit« ist. Von der Weisheitsliteratur des Alten Testaments an war man sich durch die ganze ethische Tradition hindurch im klaren darüber, daß eine der Hauptquellen sittlicher Erkenntnis die Erfahrung ist, auch wenn sich dieses Wissen nicht immer in der gehörigen Weise durchgesetzt hat. Jeder Mensch erfährt die Spannung zwischen der tatsächlichen noch unerfüllten und vielleicht sogar sehr ungeordneten Gestalt seines Menschseins bzw. der gesellschaftlichen Zustände und ihrer lebensgeschichtlich bzw. gesamtgeschichtlich eröffneten besseren Möglichkeit. An der Erfahrung dieser Spannung zwischen dem wirklichen und dem möglichen besseren Sein – und nirgendwo sonst – entzünden sich sittliche Verbindlichkeit und geschichtliche Dynamik. Dem Menschen wird bewußt, daß er allein fähig ist, diese Spannung zu mildern, und daraus entsteht die sittliche Verpflichtung, die Bestimmung seines Menschseins auf Entfaltung und Erfüllung hin einzulösen. Dietmar Mieth hat den praktischen Erfahrungsvorgang nach drei Perspektiven als Kontrasterfahrung, Sinnerfahrung und Motivationserfahrung beschrieben und ausgelegt.[1]

1. Kontrasterfahrung

Die Kontrasterfahrung läßt deutlich werden, ob etwas »geht« oder »nicht geht«. Wir beobachten an uns selbst und an andern, inwieweit das tatsächliche Verhalten mit den erkannten und vertretenen Werteinsichten harmoniert. Schon das Kind macht solche Erfahrungen bei Eltern und Lehrern. Doch die Kontrasterfahrung führt schon bald in eine tiefere Dimension hinein. Das Kind und erst recht der erwachsene Mensch stellen fest, daß in der Treue zu den Grundwerten des Humanen menschliches Dasein glückt und daß es in der Untreue mißglückt. Wenn Vorstellungen und Verhaltensweisen gegen das eigentlich Menschliche verstoßen, verfehlt der Mensch den Sinn seines Daseins und frustriert sich selbst. Das Sittliche hat – im Unterschied zum Rechtlichen – seine Sanktion in sich selbst: In der lebensgeschichtlichen bzw. gesamtgeschichtlichen Entwicklung stellt sich die Gegenprobe zu sittlich richtigen, d. h. wirklich menschlichen, und zu sittlich falschen, d. h. unmenschlichen Einstellungen und Verhaltensweisen ein. Es zeigt sich, ob es damit »geht« oder »nicht geht«, ob Menschlichkeit entfaltet oder behindert oder gar destruiert wird.

Die schwere Umweltbelastung, die infolge unseres aggressiven und expansionistischen Verhaltens gegenüber der Natur eingetreten ist, hat in geradezu dramatischer Weise zu der Erfahrung geführt, daß es so nicht geht. Diese Erfahrung schlägt sich in einer Reihe von Büchern nieder, deren provokative Titel niemand dazu verführen sollten, sie als literarische Übertreibungen zu bewerten und unbekümmert beiseite zu legen.[2] Was in diesen Büchern zu le-

---

[1] *D. Mieth*, Die Bedeutung der menschlichen Lebenserfahrung. Plädoyer für eine Theorie des ethischen Modells, in: Moral und Erfahrung. Beiträge zur theologisch-ethischen Hermeneutik (Studien zur theologischen Ethik, hrsg. von D. Mieth und C. J. Pinto de Oliveira, Bd. 2), Freiburg/Schweiz 1977, 111–134, hier 120–124.

[2] Vgl. etwa *H. Gruhl*, Ein Planet wird geplündert, Frankfurt 1975; *G. R. Taylor*, Das Selbstmordprogramm, Frankfurt ³1975; *M. Mesarović – E. Pestel*, Die Menschheit am Wendepunkt, Stuttgart 1974.

sen ist, wird durch das gerade wegen seiner Nüchternheit so sehr
beeindruckende Werk über »Umweltpolitik« von Günter Hartkopf
und Eberhard Bohne weithin bestätigt. In einem gerafften Überblick über die Umweltbelastungen in der Bundesrepublik Deutschland und in detaillierten Darlegungen über Umweltchemikalien,
Wasserwirtschaft, Abfallwirtschaft u. a. dokumentieren die Autoren in eindrucksvoller Weise, was hier Kontrasterfahrung genannt
wird.[3] Vieles von dem, was unternommen worden ist, geht offensichtlich nicht. Wenn das Verhalten sich nicht ändert, wird die Umweltbelastung für die nächste Generation zur Katastrophe. In verschiedenen einzelnen Bereichen ist die Lage bereits heute katastrophal.

Die Kontrasterfahrung bezieht sich aber nicht nur auf die tatsächliche Umweltbelastung, sondern auch auf die inneren Einstellungen, die dazu geführt haben bzw. mit denen die Menschen darauf reagieren. Das exzessive Vertrauen auf die Vernunft, der eigentliche Motor der bedrohlichen Entwicklung, hat ebenso versagt wie
das exzessive Mißtrauen gegen die Vernunft, mit dem viele dieser
Entwicklung heute gegenübertreten. Das *exzessive Vertrauen* hat
sich vor allem in der Ideologie ständigen Wirtschaftswachstums
verdichtet. Diese Ideologie gründet auf einem fast religiösen Glauben daran, daß die Produktion unablässig maximal gesteigert werden muß, weil sonst dem individuellen und gesellschaftlichen Konsum nicht mehr Genüge geleistet werden kann. Die Wachstumsideologie hat, wie wir heute wissen, den Zusammenbruch des von
der Neuzeit entwickelten Modells der Kooperation von Wissenschaft, Technik und Wirtschaft initiiert. Dieses Modell, von Adam
Smith in seinen »Untersuchungen über die Natur und die Ursachen des Volkswohlstands« (1776) erstmals voll entwickelt, zielt
auf die Steigerung des Wohlstands aller durch Maximierung des
wirtschaftlichen Gewinns. Die Tatsache, daß in den Industrieländern ein früher nicht einmal vorstellbarer Wohlstand breiter Volks-
schichten erreicht worden ist, erschien und erscheint vielen heute
noch als unanfechtbare Legitimation des Modells. Daß einzelne
Vollstrecker des Modells in ihrem wirtschaftlichen Erfolg ein Zeichen ihrer Vorbestimmung zum Heil gesehen haben, besitzt heute
nur noch einen blassen Erinnerungswert an die calvinistische Interpretation des christlichen Glaubens.

Die Wachstumsideologie gründet im Glauben an die Machbarkeit. Das wissenschaftliche und technische Engagement der letzten

---

[3] *G. Hartkopf – E. Bohne*, Umweltpolitik I, 24–56. 258–478.

Jahrhunderte hat zweifellos seine Früchte getragen. Die Instrumente und die Maschinen, mit denen der Mensch sich die Möglichkeiten der Welt zunutze machen kann, sind vollkommener geworden. Dies hat das Vertrauen vieler Menschen bestärkt, man brauche nur den Wohlstand maximal zu fördern, um die Gesellschaft zu humanisieren. So wurde das Machbare zum entscheidenden Kriterium des technisch-wirtschaftlichen Handelns. Dessen Legitimation aus dem Sinnzusammenhang der gesamtgesellschaftlichen Lebenspraxis schien sich zu erübrigen.

Den Mangelerscheinungen, die in der neueren Entwicklung unübersehbar hervortreten, begegnet man mit Verdrängung und Zweckoptimismus. Schon die leiseste Resignation könnte ja den Einsatz im Dienste des ständigen Wachstums gefährden. Da und dort gründet sich der Optimismus auch auf weit ausgreifende evolutionistische Visionen, die bald mehr geschichtsphilosophisch (K. Marx), bald mehr biologisch (J. Huxley), bald mehr theologisch-religiös (P. Teilhard de Chardin) begründet erscheinen. Spätestens in unserer Zeit – so heißt es – sei der Prozeß der evolutiven Entwicklung in die Hand des Menschen übergegangen und müsse nun von seiner Freiheit verantwortet werden.[4]

Daß die eben charakterisierte Grundeinstellung letztlich von einem naiven und maßlos überzogenen Vertrauen auf die menschliche Vernunft getragen und getrieben ist, zeigen die Folgen der totalen Technik und der totalen Produktion. Man beklagt zu Recht die Generalisierung der technischen Rationalität. Die ursprünglich auf die Auseinandersetzung mit der Natur konzipierte Technik greift auch auf das gesellschaftliche Zusammenleben der Menschen über und läßt Humanität zu einem Gegenstand technischer Manipulation werden. Die sozialen Beziehungen werden zusehends versachlicht und entpersonalisiert. Genau darauf zielt die neomarxistische Kritik, besonders bei Jürgen Habermas: Der instrumentelle Bereich des Handelns (poiesis) wird auch auf den interaktionären Bereich des Handelns (praxis) ausgedehnt. Poiesis erfolgt zu Recht nach Herstellungsregeln, die keiner Rechtfertigung bedürfen, weil sie mit ihren Zielen automatisch gerechtfertigt sind; in diesem Bereich geht es um das handwerklich-technisch richtige Herstellen von Ge-

---

[4] *A. Ganoczy*, Der schöpferische Mensch und die Schöpfung Gottes 164, umschreibt etwa Teilhard de Chardins Vision der »schöpferischen und erlösenden Evolution« mit folgenden Worten: »Wie die vormenschliche Welt mit wunderbarer Zielgerichtetheit ihre Aufgipfelung in der Hominisation fand, so soll jetzt die Welt des Menschen sich fortschreitend humanisieren, personalisieren, sozialisieren, um ihre Vollendung in der alles umfassenden kosmischen Christusgestalt zu finden.«

genständen. Praxis dagegen hat es mit Zielen zu tun, die einer ausdrücklichen Rechtfertigung bedürfen. Hier geht es um die Frage, wozu die hergestellten Gegenstände dienen sollen und inwiefern sie in der Lage sind, das wahre Wohl des Menschen zu fördern.

Man beklagt weiterhin das Auseinanderklaffen von äußerem und innerem Wachstum. Die alte Technik hat sich an den vorhandenen Bedürfnissen des Menschen orientiert. Die moderne Technik produziert selbst Bedürfnisse in nie gekanntem Ausmaß. Dadurch fühlt sich der Mensch gezwungen, sich ständig neu an die durch die technischen Fortschritte geschaffene Situation anzupassen. Dieser Aufgabe ist er offensichtlich nicht gewachsen, er kann den technischen Fortschritt nicht oder noch nicht sinnvoll auswerten; dadurch entsteht eine Disparität zwischen innerem und äußerem Wachstum. Das äußere Wachstum wurde nicht rational verantwortet und nicht emotional bewältigt.

Die Kritik an der Generalisierung der technischen Rationalität und an dem Auseinanderklaffen zwischen innerem und äußerem Wachstum wird durch handfeste Einsichten verstärkt. Da ist die Einsicht in die Grenzen des Wachstums. Die erste Veröffentlichung des Club of Rome »Die Grenzen des Wachstums« (1972) hat wie ein Schock gewirkt: Man beginnt einzusehen, daß die Ausbeutung der Natur durch die technische Produktion nicht endlos fortgesetzt werden kann. Das Buch signalisiert eine Wende in der Entwicklung unserer ökonomischen und sozialen Technologie. Seine schockierende Wirkung auf die Öffentlichkeit ist wohl darin begründet, daß die Technologen selbst die fortdauernde Funktionalität ihres Modells – der Kooperation von Wissenschaft, Technik und Wirtschaft – in Frage gestellt haben. Der mögliche Kollaps des vielgepriesenen Systems erscheint plötzlich als reelle Gefährdung der Menschheit. Dazu kommt die Einsicht in die Grenzen der Planung. Friedrich H. Tenbruck hat mit seinen Untersuchungen »Zur Kritik der planenden Vernunft«[5] den Optimismus nicht nur wirklichkeitsfremder Ideologien, sondern auch zahlreicher Sozialwissenschaftler und Politiker hart angeschlagen. Er weist darauf hin, daß es eine letzte Unverfügbarkeit des menschlichen Daseins gibt. Man könne nicht darauf vertrauen, daß man nur die technologischen Methoden der Planung noch mehr zu vervollkommnen habe, um in bislang unverfügbar scheinende Bereiche hinein endlich Sinn und Ordnung zu bringen. Und schließlich dämmert immer mehr die Einsicht in die Irrationalität vieler für die Zukunft hochbedeutsamer Entscheidun-

[5] Freiburg–München 1972.

gen. Die Herstellung und der Einsatz der ersten Atombombe sind ein trauriges Beispiel dafür. 60 000 Arbeitskräfte haben unter Einsatz eines ungeheuren finanziellen und industriellen Potentials diese Bombe hergestellt; in wenigen Sitzungen des dafür zuständigen Ausschusses wurde über ihren Einsatz entschieden.[6] Eine letztlich nicht aufhellbare Irrationalität auf den verschiedenen Stufen der Entscheidung und der Durchführung hat zu einer maximalen Konzentration von Rationalität gedrängt, die ihrerseits wieder irrationale Folgen hatte. Vielleicht ist das typisch für die Situation, in der Wissenschaft und Technik sich gegenwärtig befinden. Beim Bau etwa eines Kernreaktors müssen Wissenschaftler, Techniker und Wirtschaftler mitbestimmen. Aber jeder von ihnen hat nur eine begrenzte Kompetenz. Die Vermischung von Verantwortungsbereichen und Kompetenzen macht eine Rationalisierung der Entscheidungsprozesse außerordentlich schwierig, vielleicht im letzten unmöglich.

Da der Mensch sich selten als Meister des Maßes bewährt, wundert es nicht, daß dem exzessiven Vertrauen auf die Vernunft ein *exzessives Mißtrauen,* daß der Wachstumsideologie eine Antiwachstumsideologie entgegentritt. Die offensichtlichen Gefährdungen und die bereits eingetretenen Zerstörungen – so sagt man – fordern die entschlossene Beendigung des exponentiellen Wachstums auf allen Gebieten der technischen Zivilisation. Den naiven Optimisten, die auch jetzt noch das freie Spiel der Kräfte favorisieren, treten freilich nicht nur nüchterne Kritiker, sondern ideologisch animierte Pessimisten entgegen, die für die radikale Lösung eines totalen Wachstumsstopps plädieren und dabei verkennen, daß ohne expandierende Wirtschaft auf weite, vielleicht schon auf mittlere Sicht angemessene soziale Leistungen nicht möglich sind. Uralte, ja geradezu archaische antitechnische Sentiments fühlen sich bestätigt: Die Machtergreifung des Technischen findet endlich ihre Sanktion. Die tiefsinnige Geschichte des alten Chinesen Dschuang-Tse wird neu beschworen: Als das Schöpfrad erfunden war, hat einer der Bauern sich nicht mit den andern gefreut; er befürchtete, im Umgang mit der Maschine könne er ein Maschinenherz bekommen. Man erinnert an den Mythos von Prometheus, an die melancholische Sage von der Büchse der Pandora mit den eingeschlossenen Übeln in der Form von Gütern und an jene andere Sage von Ikarus, der sich seine Flügel mit Wachs befestigt, um in die Sonne

[6] *G. Howe,* Technik und Strategie im Atomzeitalter (Studien zur politischen und gesellschaftlichen Situation der Bundeswehr, Bd. 1), Witten–Berlin 1965, 199.

fliegen zu können, und der dabei scheitert. Man klagt den menschlichen Forschungsmut an, der nicht davor zurückschrecke, das Atom, »das physische Symbol des Weltzusammenhangs« (J. Bernhart), zu zertrümmern. Zahlreichen Kritikern können Ernst und Redlichkeit nicht abgesprochen werden. Aber nicht selten verbirgt sich hinter solcher Kritik ein Sammelsurium von Romantizismen, Sentimentalitäten und Primitivitäten. Einzelne Motive reichen zurück bis zum hellenistischen Arbeitsethos und zum aristotelischen Intellektualismus, die alle körperliche Tätigkeit abwerten. Natürlich hat sich auch die enge Verbindung von Technik und Krieg im Gedächtnis der Menschen tief eingeprägt. Da und dort liegt der Kritik auch einfach eine romantische Verehrung des Natürlichen zugrunde, eine Abneigung gegen alles Künstliche und Mechanische, für die das ursprüngliche Produkt grundsätzlich den Vorrang vor dem synthetischen Stoff hat.

Die Antiwachstumsideologie äußert sich nicht selten als Flucht in die Innerlichkeit oder in die Vergangenheit. Man sagt sich los von dem neuzeitlichen Glauben, daß der Mensch sich nur verwirklichen könne, indem er möglichst viel Welt in seine Verantwortung übernehme. Man wendet sich wieder der alten Vorstellung zu, der Mensch müsse, um sich zu verwirklichen, den Weg nach innen beschreiten – in die Kontemplation, in die asketische Selbstdisziplinierung oder in die Zuwendung zu einem gnädigen Gott. Man sucht sein Heil in bestimmten Techniken der Meditation, in psychedelischen Trips, in weltflüchtigen Kommunen.[7] Hierher gehört auch die Sehnsucht nach Rückkehr in eine heile Vergangenheit. Man verkennt, daß man die geschichtliche Entwicklung nur nach vorwärts meistern kann, indem man die neu gewonnene Freiheit dazu benützt, mit der Welt in entschiedenerer Verantwortung umzugehen. Die Rückkehr in ein vortechnisches Zeitalter kann keine Lösung der gegenwärtigen Schwierigkeiten bringen – ebensowenig wie die Flucht in eine romantische Naturverklärung. Nichts gegen den ästhetischen Umgang mit der Natur, nichts gegen jene christliche Mystik, die in jeder Kreatur einen göttlichen Gedanken verwirklicht sah und allenthalben in der Natur nach Spuren Gottes suchte. Ästhetik und christliche Mystik der Natur sind heute noch sinnvoll und hilfreich. Aber man täuscht sich und andere über den Anspruch der geschichtlichen Entwicklung an den Menschen hinweg, wenn man beispielsweise den heiligen Franz von Assisi zum

---

[7] *K. Scholder*, Grenzen der Zukunft 101. 104, kritisiert »die elitäre Gedankenlosigkeit« und »die exzessive Bindungslosigkeit« solcher Sub- und Gegenkulturen.

Schutzpatron aller ökologischen Bemühungen proklamiert, ohne im gleichen Atemzug auch auf die Begrenztheit solcher Vorstellungen hinzuweisen.

Dem Zweckoptimismus der Wachstumsideologen entspricht der Fatalismus der Antiwachstumsideologen. Der Zusammenbruch des naiven aufklärerischen Fortschrittsglaubens hat zu einem Umschlag im heutigen Lebensgefühl geführt. Aber es ist der Wirklichkeit nicht angemessen und überdies nicht hilfreich, wenn Ängste und Mißtrauen sich in einem blinden Fatalismus verdichten. Nicht selten steckt solcher Fatalismus auch hinter den Versuchen, die öffentliche Meinung gegen all jene zu mobilisieren, die nicht die eigenen restriktiven ökologischen Vorstellungen teilen. Massenhysterie und Aggressivität leisten der Unvernunft Vorschub und verhindern vernünftig verantwortete Lösungen der geschichtlich anstehenden Probleme.

Exzessives Mißtrauen gegenüber der Vernunft dokumentiert in gleicher Weise Verlust des Maßes wie exzessives Vertrauen auf die Vernunft. In beiden Fällen handelt es sich um emotional oder ideologisch motivierte Fehlhaltungen, deren Versagen angesichts der gegenwärtigen Situation offensichtlich ist. Man muß im Hinblick auf diese Einstellungen wie im Hinblick auf die tatsächliche Umweltbelastung feststellen: So geht es nicht.

2. Sinnerfahrung

In der Erfahrung wird deutlich, was geht und was nicht geht. In der Erfahrung können aber auch Werte sichtbar werden, deren Verwirklichung das Gelingen des Menschseins gewährleisten würde; so wandelt sich Kontrasterfahrung in Sinnerfahrung. Sinnerfahrungen bringen dem Menschen zum Bewußtsein, daß inmitten der Beengtheiten und Unfreiheiten individuellen und sozialen Daseins unversehens Gerechtigkeit, Barmherzigkeit, Solidarität oder Liebe als menschliche Möglichkeiten aufleuchten und Einlösung fordern. Dietmar Mieth bringt solche Erfahrungen auf die Formel: »Es geht mir auf, es leuchtet mir ein, es überzeugt mich.« Sinnerfahrungen sind Möglichkeitserfahrungen – aber nicht im Bereich von Doktrinen oder Ideologien, sondern von real bezeugtem entschiedenen Engagement für das Humane.

Es gibt in der Tat heute so etwas wie Anzeichen einer Wiederentdeckung der gefährdeten humanen Werte. Es ist hier nicht die Rede von denen, die immer nur die »gute alte Zeit« preisen, und schon gar nicht von jenen, die das Heil darin sehen, daß endlich der von Jean-Jacques Rousseau erfundene »edle Wilde« herangebildet wird. Aber es gibt Anzeichen dafür, daß für das Leben des einzelnen wie für nationale »Erfolgsberechnungen« immaterielle Lebenswerte zunehmend als wichtig, ja sogar als die wichtigeren gegenüber den materiellen Lebenswerten erscheinen. In der neueren Literatur wird immer wieder hingewiesen auf die Untersuchungen von R. Ingelhart über den Wandel im Wertbewußtsein und in den politischen Stilen.[8] Die Ergebnisse dieser Untersuchung werden von anderen zum Teil bestätigt, zum Teil bestritten. Bei der Untersuchung wurde nach der Bedeutung verschiedener Werte gefragt. Sechs dieser Werte wurden einer materiellen Orientierung zugerechnet: Sicherung einer starken Landesverteidigung, Verbrechensbekämpfung, Ruhe und Ordnung, wirtschaftliche Stabilität, Wirtschaftswachstum, Kampf gegen steigende Preise, sechs andere Werte dagegen einer postmateriellen Orientierung: Verschönerung der Umwelt, Ideen statt Geld, freie Meinungsäußerung, freundlichere Gesellschaft, mehr Mitbestimmung, mehr Einfluß der Bürger. Das Ergebnis für die Bundesrepublik ist ziemlich eindeutig: Je jünger die Befragten sind, desto stärker treten die postmateriellen Einstellungen auf Kosten der materiellen in den Vordergrund. Nachfolgeuntersuchungen haben ergeben, daß die postmaterielle Orientierung sich konkretisiert in der Skepsis gegenüber dem Wirtschaftswachstum und gegenüber Großtechnologien, vor allem gegenüber Atomkraftwerken und Atomwaffen.[9]

In dem Abschnitt über »alternatives Wirtschaften« wird deutlich werden, daß diese postmateriellen Werte sich auch im Bereich des Wirtschaftens geltend machen. Die Prinzipien des Respekts vor der menschlichen Person, des Schutzes der kleinen Gemeinschaften und der universalen Verantwortung werden nachhaltig betont und als Mittel der Durchsetzung vor allem Partizipation und Mitbestimmung sowie die demokratische Kontrolle des großen Kapitals empfohlen bzw. gefordert. Dort wird auch davon die Rede sein, daß ein engagierter Vertreter neoliberalen Wirtschaftsdenkens, Wilhelm Roepke, deutlich Position bezogen hat für die menschlichen Werte und gegen den Kult der Produktivität, für echte Eigenverantwortung und gegen die totale Sozialisierung der Lebensvorsorge sowie für das überschaubare Maß und gegen die Machtübernahme durch Groß- und Kolossalunternehmen.[10] Die eigentliche Tendenz der

---

[8] The silent revolution. Changing values and political styles among western publics, Princeton 1977.

[9] Vgl. *L. von Rosenstiel*, Karriere: nein – danke?, in: Technik und Gesellschaft: Innovation durch Information, Ausgewählte Beiträge aus den IBM-Nachrichten 4, Stuttgart 1982, 44–50.

[10] Vgl. *W. Roepke*, Jenseits von Angebot und Nachfrage, Erlenbach–Zürich–Stuttgart [4]1966.

Unterscheidung zwischen materiellen und postmateriellen Werten ist vielleicht von Erich Fromm in seiner Unterscheidung zwischen »Haben« und »Sein« am eingängigsten artikuliert worden.[11]

Manche sind freilich der Meinung, der vorgebliche Wertwandel sei doch reichlich weit hergeholt.[12] Nach Joseph Huber etwa ist keineswegs sichergestellt, ob es sich hier nicht einfach um den herkömmlichen Unterschied im Wertempfinden der Generationen bzw. der Klassen handle; schließlich haben sich ja die jungen Menschen und die gesellschaftlich Benachteiligten immer zu idealen Werten bekannt. Verdächtig erscheint Huber, daß die Bewegung für neue Werte hauptsächlich von der Jugend der gebildeten Mittelschicht getragen ist – auch von ausgesprochen Wohlhabenden, denen ihre Ausrüstung mit materiellen Werten die Hinwendung zu immateriellen Werten relativ leicht mache. Für Huber ist der viel besprochene Wertwandel im Grunde nur ein Konsumwandel – genauerhin die Ausdehnung der Konsumentenwerte. »Ein Großteil des utopischen Blütenreichtums wird durch das Wachstum der Konsumentenwerte parasitär durchwuchert und vereinnahmt. Gemeinschaft, Teilnahme, Beteiligung, Gleichberechtigung, Selbstbestimmung, Selbstverwirklichung, Persönlichkeitsentfaltung, Bewußtseinserweiterung, Empfindsamkeit, Körperausdruck oder was immer – diese Werte bilden das ideelle Gewebe, auf dem die Kolonisateure des informellen Sektors (gemeint ist jener Bereich der Wirtschaft, der nicht unter dem Aspekt der Lohnarbeit strukturiert ist; Verf.) ihr Geschäft gründen. Psycho-Klientel und Freizeit-Kunden blasen ihren Wind in die Segel des warenintensiven Wachstums… Das Problem ist, daß die Utopien buchstäblich verkauft werden. Dabei findet sich das Profane bei den Poeten selbst: Kein Konsumkritiker, den ich kenne, konsumiert weniger, höchstens anders.«[13]

Ein kräftiger Schuß Wasser in den Wein eines Wertewandels, der sicher häufig weniger im Ethos als im Pathos seiner Träger stattfindet, kann für die Abklärung nur hilfreich sein. Aber die Tendenz sollte man nicht abstreiten. Aus der Kontrasterfahrung, die die Umweltbelastung und die Erkenntnis ihrer Ursachen ausgelöst hat, ist eine Sinnerfahrung entstanden. Hohle Deklamationen und realitätsferne Verstiegenheiten in dieser »Tendenzwende« werden sich

---

[11] *E. Fromm*, Haben oder Sein. Die seelischen Grundlagen einer neuen Gesellschaft, Stuttgart 1976. Andere Fürsprecher der postmateriellen Werte: Th. Roszak, I. Illich, E. F. Schumacher, R. Jung u. a.

[12] Vgl. *J. Huber*, Die verlorene Unschuld der Ökologie 153–157.

[13] A.a.O. 156.

von selbst erledigen. Wenn sich auch das Substantielle verlöre bzw. wenn es Substantielles hier gar nicht gäbe, dann wäre schwer zu erkennen, auf welche Weise denn überhaupt eine Überwindung der ökologischen Krise in Gang gesetzt werden könnte.

3. Motivationserfahrung

Kontrasterfahrung läßt deutlich werden: »Es geht« bzw. »es geht nicht«. Sinnerfahrung wird auf die Formel gebracht: »Es geht mir auf.« In der Motivationserfahrung schließlich überkommt den Menschen die Betroffenheit. Er ist plötzlich ganz sicher: »Es geht mich an.« Solche Betroffenheit duldet keine Ausflucht. Wer sich ihr entzieht, verweigert sich einer inneren Stimmigkeit, einer existentiellen Logik seines Daseins. Dem »reichen Jüngling« (Mt 19, 16–22) hat diese durchschlagende Betroffenheit gemangelt; auch dem exzessiven Raucher oder Trinker mangelt sie. Beide mögen Kontrast- und Sinnerfahrungen gemacht haben, doch die Motivationserfahrung ist offensichtlich ausgeblieben. Sie merken, daß Wissen noch nicht Tugend ist. Das Sittliche vollendet sich nur im Handeln.

Wie steht es mit der Motivationserfahrung im Bereich des Umweltverhaltens? Die Kontrasterfahrung ist klar und eindeutig gegeben. Hinsichtlich der Sinnerfahrung scheinen gewisse Zweifel angebracht. Sie verschärfen sich, wenn man nach einer wirksamen Erfahrung von Betroffenheit fragt. Auf den ersten Blick scheint freilich alles klar zu sein. Die »Grünen« und die »Alternativen« haben in den letzten Jahren eine ökologische Bewegung initiiert, die sich in der Öffentlichkeit erstaunlich rasch und wirkungsvoll ins Bild bringen konnte. Sie haben eine gesellschaftliche Diskussion in Gang gebracht, die auch denen, die sich nicht an ihr beteiligten oder gar gegen sie standen, den Stachel eines schlechten Gewissens gesetzt hat. Viele einzelne und kleine Gruppen sind hinreichend motiviert, aus einem neuen ökologischen Verständnis heraus ihre Lebensgewohnheiten im Umkreis von Ernährung und Wohnung, von Energie- und Wasserverbrauch, von Verkehr und Müllbeseitigung, von Gesundheitspflege und Krankheitsbehandlung zu überdenken und einen alternativen Lebensstil zu praktizieren. Unter dem Eindruck des ökologischen Schocks sind Regierungen und politische Parteien daran gegangen, Entwürfe einer neuen Umweltpolitik zu diskutieren und nötige Initiativen einzuleiten. Die ständige öffentliche Beschimpfung der politisch Verantwortlichen sollte niemand darüber hinwegtäuschen, daß diese seit mehr als einem Jahrzehnt zwar mit weniger Pathos und weniger publizistischem Aufwand, dafür aber mit einem ungleich höheren Aufwand an Informationsbereitschaft, an Beständigkeit, an Umsicht und planerischer Sorgfalt am Werk sind. Davon war bereits die Rede.

Ist die Motivation der einzelnen, der kleinen Gruppen, der politischen Parteien und der Regierungen stark genug, um ein neues ökologisches Bewußtsein, einen alternativen Lebensstil und eine solide und effiziente Umweltpolitik durchzusetzen? Joseph Huber, selbst einer der anregendsten Köpfe der Alternativbewegung, nimmt deren Impulse und Ziele kritisch unter die Lupe. Die Kapitelüberschriften seines Buches »Wer soll das alles ändern?« lauten: »Ein Feuerwerk von Ideen«, »Ein Karussell von Projekten«, »Ein Geflecht von sozialen Milieus« und »Ein Bündel politisch-ökonomischer Kräfte«. Im Klappentext formuliert er das Ergebnis seiner Analysen: »Ich weiß nicht, ob Sysiphos oder Janus für die Lage der Alternativbewegung das bessere Bild abgeben. Wenn es jedenfalls in der Geschichte nicht immer wieder oppositionelle Minderheitenkämpfe gegeben hätte, so würden wir gewiß in einem völlig unerträglichen Willkürsystem stecken und nicht in dieser tatsächlich widersprüchlichen Welt. – Selbstvertrauen ist nicht nur eine Frage der Massenbasis, und Macht kommt nicht nur aus Geldschränken und Gewehrläufen, sondern auch aus zündenden Ideen und guter Organisation. Eine lebendige Minderheit kann scheintote Mehrheiten durchaus zum Tanze bitten.« Man kann zu dieser Bewertung nur ergänzend anfügen, daß es sich bei den »Grünen« und »Alternativen« sicher nicht nur um jene 3–5 % handelt, die aufgrund ihrer psychischen Konstitution oder ihres Werdegangs in jeder Gesellschaft und in jedem Staat zur Opposition antreten und deren revolutionäres oder evolutionäres Pathos unter den variablen Medien sich in unserem Fall eben die ökologische Frage als Mittel ihrer Selbstdarstellung und Selbstdurchsetzung gewählt hat. Es gibt eine aus tiefer Betroffenheit stammende Motivationserfahrung weit über diesen Kreis hinaus. Aber die so Betroffenen und Motivierten sehen sich im gesellschaftlichen und im politischen Bereich schweren Widerständen gegenüber. Die Entschlossenheit, ökologische Einsichten wirklich zur Kenntnis zu nehmen und Konsequenzen daraus zu ziehen, ist nicht sehr weit verbreitet. Dagegen gibt es eine tiefe und schwer angehbare Lethargie. Man nimmt offenbar lieber 15 000 Verkehrstote in jedem Jahr und einen ständig wachsenden Energieverbrauch in Kauf, als daß man der Autoindustrie entschiedene Auflagen macht – zur Zeit scheint sich dies freilich zu ändern –, eine Herabsetzung der Höchstgeschwindigkeit durchsetzt und das Privatauto als alltägliches Verkehrsmittel in Frage zu stellen wagt. Die Zähigkeit unserer Denk- und Lebensgewohnheiten ist die wichtigste Verbündete einer auf exzessiven Konsum hin orientierten Wirtschaft. Das reale Wirtschaftswachstum ist vermutlich der entscheidende Faktor bei politischen Wahlen. Dabei übersehen die meisten, daß in die Statistiken des Wirtschaftswachstums auch die Ausgaben für die Folgen von Verkehrsunfällen, von gesundheitsschädigendem Genuß von Alkohol, Nikotin und Drogen sowie für die Beseitigung von Umweltschäden u. a. eingehen, obwohl sie gewiß von einer sachgerechten Betrachtung her nicht dem Bruttosozialprodukt zuzuschlagen sind. Bernhard Häring sieht eine der großen Schwierigkeiten für eine wirksame Umweltpolitik darin, daß die großen multinationalen Öl-, Auto- und Chemiekonzerne wenig Bereitschaft zum Studium und zur Respektierung der ökologischen Probleme sehen, »solange sie die ungehinderte Umweltverschmutzung als Gewinn buchen können«.[14] Gegen eine solche pauschale Behauptung lassen sich sicher handfeste Tatsachen anführen. Der Kern der Behauptung aber ist damit nicht aus der Welt zu schaffen. Vor allem aber gehört es zu den entscheidenden Kennzeichen unserer gegenwärtigen Situation, daß Wissenschaft, Technik, Wirtschaft und Politik in weiten Bereichen die gleichen Interessen verfolgen und darum auch intensiv miteinander kooperieren. Dies ist im Prinzip gewiß richtig und notwendig, aber es wird gefährlich, wenn sich daraus Konstellationen ergeben, in denen die gleichen Kräfte mit Hilfe des großen Geldes die Ziele wissenschaftlicher Forschung bestimmen, und vor allem, wenn sie aufgrund ihres geballten Einflusses längst als dringlich ausgewiesene ökologische Initiativen verhindern.

Solche Beobachtungen stimmen nicht optimistisch. Man kann nur hoffen, daß die Impulse der ökologischen Bewegung und die staatliche Umweltpolitik sich gegenseitig voranbringen. Wer sich auch nur einige Mühe gibt, die staatliche Umweltpolitik zu verfolgen, wird trotz ihrer vielen Unzulänglichkeiten nicht zögern, im Hinblick auf die Motivationserfahrung von einer steigenden Tendenz zu sprechen.

II. IMPULSE AUS DER ANTHROPOLOGISCHEN OPTION

Ethische Impulse in Richtung auf eine verantwortete Umweltgestaltung kommen, wie aus der Erfahrung, so auch aus der anthro-

---

[14] *B. Häring,* Elemente einer Umweltethik, in: Frei in Christus, Bd. 3, Freiburg–Basel–Wien 1981, 191–232, hier 213.

pologischen Option. Anthropologie ist die Lehre vom Menschen. Der Begriff wird hier offener verwendet als in der Tradition und ist darum weniger präzisierbar.[15] Insofern philosophische Anthropologie heute vor allem in den konkreten human- und sozialwissenschaftlichen Einzeldisziplinen betrieben wird, spricht Walter Schulz zu Recht von einer »Aufhebung der philosophischen Anthropologie« – wohl nicht nur in ihrer modernen von Max Scheler, Helmuth Plessner und Arnold Gehlen entwickelten Fragestellung, sondern auch in ihrer klassischen traditionellen Ausprägung. Die klassische Anthropologie von Augustin bis zum Existentialismus thematisierte im wesentlichen das Verhältnis von Geist (Vernunft und/oder Wille) und Leib. Die lange Zeit vorherrschende Tendenz der Vergeistigung wurde im 19. Jahrhundert abgelöst durch eine Tendenz der Verleiblichung. Beide Tendenzen aber verblieben im Umkreis einer metaphysischen Deutung: Walter Schulz spricht von der Epoche der »Geistmetaphysik« und der Epoche der »Leibmetaphysik«. Die moderne Anthropologie thematisiert die Sonderstellung des Menschen, wie sie sich aus dem Vergleich zwischen Mensch und Tier erheben läßt. Alle anthropologischen Konzepte sind schließlich nichts anderes als Interpretamente menschlicher Selbsterfahrung. Alle sind wahr, aber ihre Wahrheit ist immer eine begrenzte. Die Begrenzung ergibt sich vorwiegend aus der Prävalenz bestimmter epochaler Aspekte menschlicher Selbsterfahrung. Ihnen ist sie anzulasten, ihnen kommt sie zugute.

Auch heutige anthropologische Ansätze können die in der Tradition reflektierte Wahrheit nicht übergehen. Sie greifen die zentralen Anliegen der großen Anthropologien auf und legen sie auf die gegenwärtigen Probleme hin aus. Das geschieht auch hier, wo die ethischen Implikationen der ökologischen Problematik zu thematisieren sind.

Das Thema der klassischen Anthropologie »Geist und Leib« ist auch unser Thema. Aber wir verstehen Geist vor allem als Ichhaftigkeit oder Personalität. Und wir verstehen Leib vor allem als die durch Leiblichkeit vermittelte und damit auferlegte Verwiesenheit der menschlichen Person auf soziale Einbindung und – darauf liegt von der Thematik her der Schwerpunkt – auf naturale Verwurzelung. Und auch das Thema der modernen Anthropologie »Die Sonderstellung des Menschen« (M. Scheler, H. Plessner, A. Gehlen) bleibt für uns aktuell. Aber unser Interesse kommt ihm nicht zu im Hinblick auf die menschliche Sonderstellung gegenüber dem

[15] Vgl. *W. Schulz*, Philosophie in der veränderten Welt 335–467.

Tier – vor allem nicht im Sinne der modernen Anthropologie –, sondern im Hinblick auf die Sonderstellung des Menschen im Gesamt der Natur. Außerdem tritt das vorwiegend spekulative Interesse früherer anthropologischer Konzepte zurück gegenüber einem mehr praktischen Interesse: Selbstverwirklichung tritt gegenüber Selbsterkenntnis in den Vordergrund. An die Stelle von Wesensaussagen über den Menschen, die grundsätzlich ein für allemal gelten, tritt ein Leitbild, das zwar in seinem Kern auch ein für allemal gilt, das aber erst von der dem Menschen auferlegten Wirklichkeit her seine Konkretisierung erfährt, die im übrigen nie endgültig festgeschrieben werden kann.

Im folgenden wird ausgegangen von einer Bestimmung des Sittlichen, die ihren Wert als Interpretament für die Verbindlichkeit des optimal Menschlichen dadurch erbringen muß, daß sie sich konkret bewährt. Die wissenschaftliche Redlichkeit verlangt allerdings, daß auch die anthropologischen Implikate dieser Bestimmung des Sittlichen offengelegt werden.

1. Versuch einer Bestimmung des Sittlichen

Beim Sittlichen geht es nicht nur um Tun und Lassen, um Dürfen und Nichtdürfen, sondern letztlich um das richtige Menschsein, um die bleibenden Werte des Menschlichen. Wo individuelle Sittlichkeit im Vordergrund steht, geht man heute aus von Mündigkeit, Rationalität, Freiheit, Gleichheit, emotionaler Geborgenheit; wo es vorwiegend um gesellschaftliches Ethos geht, drängen sich Wertvorstellungen wie soziales Optimum, Gemeinwohl, formierte Gesellschaft, humane Leistungsgesellschaft oder auch – schon konkreter – Demokratisierung oder Mitbestimmung oder Ähnliches in den Vordergrund. Es handelt sich also um etwas, was man als Zielethik bezeichnen kann. Daneben gab und gibt es Versuche, die Einsichten in die Verbindlichkeit des optimal Menschlichen als Tugendlehre, Gebotelehre, Normenlehre, Pflichtenlehre oder Wertlehre zu systematisieren. Alle diese Konzepte sind als Interpretamente und damit als Auslegungsversuche zu verstehen. Ihr Wert richtet sich nach ihrer pragmatischen Tragfähigkeit im Hinblick auf eine angemessene Darstellung und Vermittlung des Sittlichen.

Unter dem Sittlichen wird in dieser Untersuchung der Anspruch verstanden, der von der Wirklichkeit her auf die menschliche Person zukommt. Der vieldiskutierte Begriff »Wirklichkeit« meint in diesem Kontext nicht nur die faktischen Gegebenheiten, sondern vor allem ihre je mögliche bessere, d. h. menschlichere Gestalt, der die Tatsächlichkeit nähergebracht werden soll. Das Wirkliche ist ja nie ein Vollwirkliches, es hat vielmehr stets weitere Möglichkeiten der Verwirklichung in sich. Der ethisch erweckte Mensch ist in der Lage, am bereits Wirklichen Noch-nicht-Wirkliches, aber Mögliches und darum Gesolltes wahrzunehmen. Er erfährt die Nichtidentität des Wirklichen und des Gesollten als sittliche Verbindlichkeit von unbedingter Geltung.

Die Wirklichkeit, von der hier die Rede ist, ist zunächst einmal der Mensch selbst. Die Anspruchswirklichkeit, die alles Handeln unter Verantwortung stellt, ist »die Anspruchswirklichkeit des Menschen selbst«.[16] Diese Anspruchswirklichkeit entfaltet sich in verschiedenen Dimensionen. Der Mensch ist Person und vermag als solche sein Eigensein bewußt aufzugreifen und in Erkenntnis und Freiheit zu entfalten und zu erfüllen: Er ist befähigt und verpflichtet, alles was er ist, im geistigen Selbststand zu zentrieren. Als Person ist er in Sozialität hineinverwiesen: Er bedarf der Gemeinschaft, um überhaupt ins Dasein zu treten und um seine Daseinsgrundlagen fortwährend zu sichern, aber auch um sich zusammen mit anderen im Wort und in der Liebe zur Erfüllung zu bringen. Und schließlich ist der Mensch über seine Leiblichkeit auch in die Naturalität, d. h. in die Stofflichkeit der Welt hineingegründet: Er bedarf der Dinge, um seine materielle Existenz zu fristen; er ist zugleich dazu berufen, die materiellen Dinge geistig zu durchdringen und zu beherrschen. Ob er mit ihnen in spielerischer Freiheit umgeht, ob er in der künstlerischen Gestaltung seinen und ihren Daseinssinn schöpferisch ausdrückt, ob er sich ihren Nutzwert zugute macht oder seine technische Herrschaft über sie aufrichtet, immer muß sein Verhalten wirklichkeitsgemäß und sachgerecht, d. h. sittlich geprägt sein.

Die Dreidimensionalität menschlicher Existenz (Personalität, Sozialität, Naturalität) kann sich nur im Horizont der Geschichtlichkeit entfalten. Der Mensch ist immer unterwegs zum Ganzen seiner selbst. Er nimmt sich aus den Bestimmtheiten der Vergangenheit an und entfaltet sich auf bessere Möglichkeiten der Zukunft hin. Die Strukturen der menschlichen Existenz kommen auf dem Weg durch die Geschichte hindurch immer klarer zum Vorschein. Geschichtliche Dynamik hat aber nichts mit Willkür und Beliebigkeit zu tun. Die Legitimation einer Entwicklung erweist sich ausschließlich an dem realen Gewinn an Freiheit, den sie in die Gesellschaft und in das Leben der einzelnen einzubringen vermag.

---

[16] *W. Korff,* Die naturale und geschichtliche Unbeliebigkeit menschlicher Normativität, in: Handbuch der christlichen Ethik, Bd. 1, 147–164, hier 147.

In Geschichte sich entfaltendes Menschsein ist nicht das Letzte, hinter das man nicht zurückgreifen kann. Vielmehr erfährt sich der Mensch durch eine innere Wesensunruhe als über sich selbst hinausverwiesen, er erfährt sich als ein in eine transzendente Wirklichkeit Hineingegründeter. Die christliche Botschaft interpretiert diese transzendente Wirklichkeit als den Gott, der sich in Jesus Christus den Menschen endgültig in Liebe zugewandt hat. Auch die Verwiesenheit in die Transzendenz gehört zur Wirklichkeit des Menschseins. Sobald und in dem Maße, als sie dem Menschen in Sicht kommt, muß sie sittlich eingelöst werden.

Diese Bestimmung des Sittlichen erfährt vom ursprünglichen Sinn von Ethik und Sitte her eine Vertiefung. Peter Kampits weist auf die Herkunft des Wortes Ethik hin. Es leitet sich her von *ethos* (mit Eta), dies aber meint ursprünglich jemandes Aufenthalt, also die Weide für das Vieh, den Himmel für die Sterne; für den Menschen meint es »jenen Wesensbereich, in dem er als Mensch seinen Aufenthalt hat, kraft dessen er Mensch ist«. Ethik wird auch abgeleitet von *ethos* (mit Epsilon), was Gewöhnung, Sitte oder Brauch bedeutet. Kampits will beide Bedeutungen so sehen, »daß der im Vollzug seines Menschseins sich selbst verwirklichende Mensch zu einer Grundhaltung gelangt, die als jeweiliges Ethos dann sowohl individuell als auch kollektiv das Richtmaß für seine verschiedenen einzelnen Handlungen und Vollzüge darstellt«.[17] In solchem Handeln verwirklicht der Mensch sich selbst, d. h., er versucht das zu erfüllen, was ihn in den verschiedenen Dimensionen seiner Daseinserstreckung als Menschen kennzeichnet. Die ethische Fragestellung zielt also »auf die Selbstverwirklichung des Menschen im ganzen seiner Lebenstätigkeit«.[18] Wenn der Mensch sich im ganzen seiner Lebenstätigkeit verwirklicht, dann wird schon an dieser Stelle überzeugend klar, daß mit einer ökologischen Ethik weder eine willkürliche Ausbeutung der Natur noch das Verharren in der Primitivität der Anfänge vereinbar sind. Unvereinbar ist auch der Versuch, möglichst viel von dem gemeinsamen Lebensraum so in Besitz zu nehmen, daß die Entfaltungsmöglichkeit anderer Menschen massiv beeinträchtigt wird. Eine Rückbesinnung auf den ursprünglichen Sinn von Ethik kann also für unsere Thematik hilfreich sein.

Das deutsche Wort Sittlichkeit leitet sich her von Sitte. Dieses führt sich auf die indogermanische Wurzel *suedh* zurück und be-

---

[17] *P. Kampits,* Natur als Mitwelt 62.
[18] A.a.O. 78.

deutet etymologisch seinem ursprünglichen Gehalt nach »Heimstätte menschlichen Seinkönnens und darin ordnende Wirkkraft menschlichen Lebens«. Ähnlich wie *ethos* (mit Eta) schließt demnach das Wort Sitte alles in sich, »was menschliches Zusammenwohnen ermöglicht, was den Zustand des Geordneten, Geregelten, Vertrauten, Gewohnten, Haltgebenden, Überschaubaren, Selbstverständlichen, allgemein Geübten und gemeinsam Verantworteten herstellt«.[19] Das Sittliche artikuliert also das Gesamt der Verbindlichkeiten, die sich für den Menschen ergeben, wenn er als Person in seinem sozialen und naturalen Lebensraum zu einer geglückten und erfüllten Existenz kommen soll.[20] Im Hinblick auf die ökologische Problematik sind in dieser Bestimmung des Sittlichen eine Reihe gewichtiger anthropologischer Implikate enthalten.

2. Anthropologische Implikate dieser Bestimmung des Sittlichen

a) Ablehnung des Dualismus Mensch – Natur

Wenn der Mensch den Anspruch vernehmen soll, der aus seinem »Aufenthaltsort«, d. h. aus dem Gesamt seiner Lebenswirklichkeit auf ihn zukommt, bedarf es einer radikalen Änderung jener Grundeinstellung, durch die die gegenwärtige ökologische Krise heraufgeführt worden ist, nämlich der dualistischen Gegenüberstellung von Mensch und Natur als Subjekt und Objekt. Dieser Dualismus hat in der Tat dazu geführt, daß die Anwendung der ethischen Kategorien auf den Menschen eingeengt wurde, während die Natur aus dem Bereich der ethischen Verantwortlichkeit ausgeschlossen und damit der willkürlichen Verfügung des Menschen ausgeliefert wurde. Zwar kann der Mensch mit der Natur nicht umgehen, ohne sie in einem gewissen Sinn zu versachlichen und zu objektivieren. Aber auch in dieser Objektivierung bleibt sie »Aufenthalt« des Menschen und ist darum seiner sittlichen Verantwortung anvertraut. Die geistesgeschichtlichen Hintergründe des Mensch-Natur-Dualismus sind in der neueren ökologischen Literatur immer wieder aufgewiesen worden.[21] Wo sich Mensch als Subjekt und Natur als von ihm isoliertes Objekt gegenüberstehen, gewinnt der Weg der naturwissenschaftlichen Erkenntnis und der technischen Beherrschung der Natur ein immer stärkeres Gefälle auf weitestmögliche ·Nutzung der ökonomischen Rationalität. Zugleich verschärft

---

[19] *W. Korff*, Theologische Ethik. Eine Einführung, Freiburg–Basel–Wien 1975, 48 f.
[20] Vgl. dazu die Definition des Sittlichen bei *P. Kampits,* Natur als Mitwelt 77.
[21] *G. Altner,* Anthropologische und theologische Überlegungen zum Mensch-Natur-Verhältnis 81–96, u. a.

sich die Fixierung des Menschen auf sich selbst bis hin zur totalen Verkehrung dessen, was in sinnvoller Weise mit Anthropozentrik bezeichnet werden kann.

b) Behauptung und Bestreitung von Eigenwert und Eigenrecht der Natur

In der neueren Diskussion wird nachdrücklich und teilweise recht pathetisch die Zuerkennung von Eigenwert und Eigenrecht an die Natur gefordert. Die Natur sei nicht nur Objekt des Menschen, sie besitze, wenn nicht Subjektivität, so doch echte Eigenständigkeit auch ohne den Blick auf den Menschen.[22] Frank Fraser-Darling kritisiert die Entfremdung des Menschen von den anderen Lebewesen und die Zurückstufung alles außermenschlichen Lebens auf den Status mehr oder weniger nützlichen Materials für den Menschen. Auf dieser Basis, so scheint ihm, vermag sich eine ethische Betrachtungsweise dieses Lebens kaum durchzusetzen. Darum seine These: »Das Leben besitzt sein eigenes Recht – das müssen wir anerkennen.«[23] Auch für Laurence H. Tribe gibt es keine Verständigung über unsere Verantwortung als Menschen – Verantwortung untereinander und gegenüber der Welt, wenn man den für sich selbst existierenden natürlichen Objekten keine »Rechte« zuerkennt. Die Zuerkennung von Rechten an vormals »rechtlose Entitäten« ist freilich weitgehend Sache kultureller Entwicklung;[24] einen absoluten Vorrang gegenüber entgegenstehenden menschlichen Interessen spricht Tribe den Rechten natürlicher Objekte allerdings nicht zu. Beide Autoren plädieren also offensichtlich deswegen für eine Zuerkennung von Eigenrechten an die Natur, weil sie nicht sehen können, wie sonst menschliche Verantwortung ihr gegenüber in ihrer Verbindlichkeit ausgewiesen werden kann. Die ausführlichste Darstellung des Problems findet sich bei Joel Feinberg. Doch scheint seine Darstellung mehr thetisch als argumentativ. Es »scheint« ihm, »daß im allgemeinen Tiere zu jenen Wesen gehören, denen man sinnvollerweise Rechte zu- oder absprechen kann«. Ob Tieren tatsächlich Rechte zukommen, hängt auch nach seiner Auffassung davon ab, ob wir Tiere um ihrer selbst willen rücksichtsvoll behandeln, ob wir ihnen ein solches Verhalten schulden, ob ein entgegengesetztes Verhalten ein Unrecht und eine Ver-

---

[22] Die im Folgenden zitierten Beiträge finden sich bei *D. Birnbacher* (Hrsg.), Ökologie und Ethik, Stuttgart 1980.
[23] *F. Fraser-Darling*, Die Verantwortung des Menschen für seine Umwelt 13.
[24] Vgl. *L. H. Tribe*, Was spricht gegen Plastikbäume? 58.

fehlung wäre. Weil er diese Auffassung vertritt, folgert er, daß Tieren tatsächlich Rechte zukommen.[25]

Die gegenteilige Position vertritt John Passmore. Er läßt sich als »humanen Chauvinisten« beschimpfen, weil er in seiner ethischen Argumentation die menschlichen Interessen gegenüber den Ansprüchen der Natur als absolut vorrangig behandelt. Eine ethische Behandlung des Verhältnisses des Menschen zur Landschaft, zur Flora und zur Fauna rechtfertigt sich für ihn durch Bezugnahme auf menschliche Interessen. Daß irgend etwas außer dem Menschen »Rechte« besitzen könnte, hält er für »gänzlich unhaltbar«: »Das Land, das ein schlechter Farmer in den Fluß abrutschen läßt, hat keinerlei ›Recht‹, an Ort und Stelle zu bleiben.«[26] Sehr viel reflektierter ist die Auffassung von Dieter Birnbacher. Seine Kritik an bestimmten theologischen Argumentationen kann hier außer Betracht bleiben; wie wenig stichhaltig sie ist, ergibt sich aus den theologischen Überlegungen im 2. Teil dieser Untersuchung. Seine philosophisch-ethischen Überlegungen sind differenzierter. Die menschliche Verantwortung gegenüber der außermenschlichen Natur leitet er von deren Leidensfähigkeit ab. Ob die Tiere deswegen auch »ein Recht« darauf haben, von uns vor Leiden bewahrt zu werden, bleibt offen. Für die Auffassung, daß der Natur »auch in ihrer unfühlenden Gestalt« eigene Würde und eigener Wert zugestanden werden müsse, werden im allgemeinen zwei zentrale Argumente angeführt, die Birnbacher vorstellt und kritisch würdigt. Da ist zunächst der »lebensmetaphysische« Aspekt, der vor allem von Albert Schweitzer in seiner Ethik der Ehrfurcht vor dem Leben vertreten wird. Birnbacher erscheint es allerdings zuwenig, wenn das Mitleid als Inbegriff des Ethischen verstanden wird; zur Ethik gehört »das Miterleben aller Zustände und aller Aspirationen des Willens zum Leben, auch seiner Lust, seiner Sehnsucht, sich auszuleben, auch seines Dranges nach Vervollkommnung«.[27] Das zweite Argument ist die ästhetische Beziehung des Menschen zur Natur. Wo der Mensch sie als schön erlebt, »ist die Natur durch einen spezifischen Zug von Autonomie, Selbständigkeit, wenn nicht sogar Selbstgenügsamkeit gekennzeichnet... Das Leben der Natur, das sich dem Menschen in der ästhetischen Relation in ihren sinnlich-ästhetischen beglückend-erotischen Qualitäten erschließt, hat sein Zentrum in sich, ruht in sich selbst, ist eine in sich geschlossene Ge-

---

[25] Vgl. *J. Feinberg*, Die Rechte der Tiere und zukünftiger Generationen 150 f.
[26] *J. Passmore*, Den Unrat beseitigen 229.
[27] *D. Birnbacher*, Sind wir für die Natur verantwortlich? 127–134, hier 130.

staltung – und diese dürfte der ästhetische Kern aller lebensmetaphysischen Deutungen, auch der Albert Schweitzers sein.«[28] Trotzdem scheint es Birnbacher unangemessen, die Natur als Subjekt, als »Wesen mit Selbstzweckcharakter, mit ›eigener Würde‹« zu betrachten. Die Schönheit der Natur wird nach seiner Meinung nur relevant, wenn sie von einem Menschen betrachtet wird.[29] Aber kann und muß man ihr Schönheit und damit eigene Wertigkeit wirklich absprechen, wenn sie unter keinen Umständen jemals Gegenstand menschlicher Betrachtung werden kann?

Der Streit um Eigenwertigkeit und Eigenrecht der Natur ist in Gefahr, zum müßigen Streit um Worte zu entarten. Auf keinen Fall darf das positive Anliegen übersehen werden, das überall dort vorherrscht, wo man der Natur Eigenwert und Eigenrecht zusprechen möchte. Wo die Natur zum bloßen Objekt wird, über das der Mensch wie über eine frei schwebende Sache verfügen kann, ist die ethische Kategorie der Verantwortlichkeit nicht mehr in angemessener Weise ins Spiel zu bringen. Auf der anderen Seite ist festzustellen, daß die Hinordnung der außermenschlichen Natur auf den Menschen keineswegs identisch ist mit ihrer Degradierung zur bloßen Sache. Dies ist im folgenden ausführlicher zu begründen.

c) Option für die Anthropozentrik

Soweit das Verständnis von Anthropozentrik sich aus einer dualistischen Deutung des Verhältnisses Mensch – Natur ergibt, bedarf es der Revision. Wo die Natur zum Nutzen der Menschen rücksichtslos ausgebeutet wird, muß man in der Tat von einer »schrankenlosen Anthropozentrik« sprechen.[30] Anthropozentrik ist überall dort mißverstanden, wo die Natur ausschließlich als Mittel für die Zwecke des Menschen bewertet und ausgenützt wird.[31] Doch damit

---

[28] Vgl. a.a.O. 130 f.

[29] *D. Birnbacher,* Sind wir für die Natur verantwortlich? 131 f: ». . . eine wohlgeordnete Natur, die niemals und unter keinen Umständen ein möglicher Gegenstand der Betrachtung durch ein fühlendes Wesen sein kann, ist nicht wertvoller und nicht weniger wertvoll als eine mißgestaltete Natur, zu deren Definition es gehört, daß sich zu keinem Zeitpunkt irgend jemand an ihrer Mißgestaltetheit stört. Wüßten wir mit Gewißheit, daß der Planet Erde vom Jahr 2000 an bis in alle Ewigkeit für Menschen unbewohnbar wäre, gäbe es keinerlei ethischen oder ästhetischen Grund, warum wir die Welt nicht als Müllhalde hinterlassen sollten.«

[30] *F. Furger,* Freiwillige Askese als Alternative 85.

[31] In diesem Sinn plädiert *W. Korff,* Technik – Ökologie – Ethik 9, für eine »wesentliche Korrektur an einem einseitigen ethischen Anthropozentrismus, der die außermenschliche Natur nur in ihrer Hinordnung zum Menschen sieht und sie darin zur bloßen Sache ohne Eigenwert macht«. Es muß freilich auch hier angemerkt werden, daß die Hinordnung der außermenschlichen Natur auf den Menschen noch keineswegs ihre Abwertung »zur bloßen Sache ohne Eigenwert« impliziert. *R. Spaemann,* Technische Eingriffe in die Na-

ist die konstitutive Verwiesenheit der Natur auf den Menschen keineswegs ausgeschlossen. Im folgenden wird jedenfalls die These vertreten: Die Natur kommt zu sich selbst nur im Menschen, nur in ihm erfüllt sich ihr Sinn.

Außer dem Menschen ist kein Geschöpf fähig, das vielgestaltige Wechselspiel im ökologischen Haushalt der Natur nachhaltig zu stören.[32] Aber der Mensch ist auch der einzige, der dieses Geschehen in seine Verantwortung nehmen kann. Carl Amery bewertet den Alleinvertretungsanspruch der Menschheit im Kosmos als »eine dumme und anmaßende Parole der Macht«.[33] Auch Hans Sachsse mahnt den Menschen zu Bescheidenheit: »Welche Arroganz, anzunehmen, alles Existierende hätte keinen Wert an sich und sei nur für ihn geschaffen, bloß weil er der letzte und jüngste Ansatz der Natur ist! Seine Aufgabe ist vielmehr, ein unendliches Erbteil der Natur zu verstehen, zu bewahren und sinnvoll, durch Einsicht in das Gegebene, weiterzuentwickeln.«[34] Aber ist es denn wirklich ein Widerspruch, allem Existierenden einen Wert an sich zuzugestehen und doch der Meinung zu sein, daß der Wert alles Nicht-menschlich-Existierenden nur vom Menschen verstanden, bewahrt und sinnvoll weiterentwickelt werden kann? Genau darin besteht die Sonderstellung des Menschen, daß ihm der »Alleinvertretungsanspruch im Kosmos« aufgegeben ist. Niemand außer ihm vermag sich selbst zu vertreten. Aber der Mensch hat eben nicht nur sich selbst und seine eigene Sache zu vertreten, vielmehr ist ihm die Verantwortung für alles Lebendige aufgegeben. Eben darum muß das bisherige anthropozentrische Verständnis des »Sozialen« aufgesprengt, müssen »Sinnkreis und Horizont des menschlichen Daseins ... neu geöffnet werden auf die ganze Erscheinungsfülle des Lebens hin«. Die ganze außermenschliche Natur muß in den Sinn-

tur als Problem der politischen Ethik, in: D. Birnbacher (Hrsg.), Ökologie und Ethik 197 f, gibt zu, daß es immer um den Menschen geht, wenn es um die Natur geht; man könne also die Hegung der Natur durchaus anthropozentrisch verstehen. Aber heute müsse die anthropozentrische Perspektive verlassen werden; denn »solange der Mensch sich Natur ausschließlich funktional auf seine Bedürfnisse hin interpretiert und seinen Schutz der Natur in diesem Sinn ausrichtet, wird er sukzessive in der Zerstörung fortfahren. Er wird das Problem ständig als ein Problem der Güterabwägung behandeln.« Kein Zweifel, ein anthropozentrischer Funktionalismus zerstört am Ende den Menschen selbst; wir erfahren das heute. Aber Hinordnung der Natur auf den Menschen bedeutet eben nicht ohne weiteres anthropozentrischer »Funktionalismus«. H. Jonas, Das Prinzip Verantwortung 29 f. 245 f, plädiert für die Leitidee »Pflicht zum Menschen«, will aber zugleich jede »anthropozentrische Verengung« ausgeschlossen wissen.

[32] Vgl. G. H. Schwabe, »Ehrfurcht vor dem Leben« – eine Voraussetzung menschlicher Zukunft 190.
[33] C. Amery, Das Ende der Vorsehung 211.
[34] H. Sachsse, Der Mensch als Partner der Natur 50.

kreis des Humanen einbezogen werden. »Dadurch erfährt das, was als human gilt, weil es ebenfalls zur Lebensgenossenschaft des Menschen gehört, eine Ausdehnung auf neue Beziehungsfelder, einen Zuwachs an Qualität. In dieser Zuwendung erweitert sich auch das Wirkfeld des Ethos.«[35]

Das dualistisch geprägte Verständnis von Anthropozentrik bedarf einer Revision, aber man wird an der Vorstellung der Anthropozentrik der Welt festhalten müssen. Der Mensch allein ist »Zweck an sich selbst«, er darf nie bloß als Mittel verwendet werden. Die Ehrfurcht vor der Natur ist kein in sich selber geltendes Prinzip, sondern muß »als eine im Personprinzip selbst mitangelegte Forderung verstanden werden«.[36] Humanes Ethos läßt sich nicht aus einem biologischen Sachverhalt aufbauen, sondern nur vom Menschen als moralischem Subjekt her. Von hier aus ergibt sich allerdings auch zwingend, daß alles menschliche Handeln von Vernünftigkeit und Verantwortlichkeit geprägt sein muß und sich der Beliebigkeit willkürlicher Verfügung entzieht.

Was hat es nun mit dem Begriff »Anthropozentrik« näherhin auf sich? Die Philosophie hat zu allen Zeiten, wenn auch nie unbestritten, die Stellung des Menschen in der Welt mit dem Interpretament »Anthropozentrik« auszulegen versucht. Dabei erschien der Mensch als Glied der Natur, als Mitte der Natur und als Herr der Natur. Zugleich wurde stets betont, daß die Sonderstellung des Menschen in der Welt sich nicht nur in der Freiheit zur Gestaltung und zum sinnvollen Gebrauch von Welt, sondern auch in der Freiheit zum Verzicht auf Welt dokumentiert.

Der Mensch ist Glied der Natur, in vielfältiger Weise von ihr abhängig und ihr verbunden. Abhängigkeit und Verbundenheit sind nicht zufällig oder gelegentlich, sondern wesentlich und darum dauernd. Weil er im Leibe existiert, ist der Mensch in den realen Zusammenhang mit der Natur eingegründet. Durch seinen Leib ist er in ihr und sie in ihm gegenwärtig. Die Besonderheiten der menschlichen Kommunikation mit der Natur weisen aber zugleich auch auf die menschliche Transzendenz gegenüber der Natur hin.

---

[35] *R. Zihlmann,* Auf der Suche nach einer kosmosfreundlichen Ethik 24 f. Sachlich ist dieser Auffassung uneingeschränkt zuzustimmen. Ob es richtig ist, den Begriff des »Sozialen« auf die ganze Erscheinungsfülle des Lebens zu öffnen, braucht hier nicht entschieden zu werden. Er bezieht sich in seinem eigentlichen Sinn auf Vergemeinschaftung und Vergesellschaftung von Menschen. Man sollte wohl besser – wie zwischen Mitwelt und Umwelt – zwischen sozialer und naturaler Einbindung des Menschen unterscheiden. Sprachliche Überschwenglichkeiten tragen zur Klärung von Sachfragen im allgemeinen nichts bei.

[36] *W. Korff,* Technik – Ökologie – Ethik 10.

Beides läßt sich unter einem dreifachen Aspekt verdeutlichen, unter einem teleologischen, einem genetischen und einem phänomenologischen.

Nach der teleologischen Betrachtungsweise ist der Mensch nicht einfach Glied der Natur, vielmehr ist diese in jeder Hinsicht auf ihn zugeordnet und kommt nur in ihm zur Erfüllung. Es klingt sehr unmodern, ist aber doch nicht zu bestreiten: Die Ordnung der Welt ist teleologisch strukturiert. Alle Dinge sind auf Höheres gerichtet. Im Kosmos der Dinge dient jedes dem jeweils Höheren, indem es sich ihm als Basis für seine Existenz anbietet. Das jeweils Höhere lebt von der Dienstbarkeit des je Niedrigeren. Letztlich aber dient alles dem Menschen und seiner Existenz und kommt darin zu seinem Daseinssinn.[37] Dies wird ermöglicht durch die Immanenz des Menschen in der Natur und durch deren Immanenz im Menschen.

Seit Albrecht von Haller, dem großen Physiologen des 18. Jahrhunderts, wissen wir, daß sich menschliche Kommunikation mit der Umwelt nicht, wie Descartes meinte, auf mechanisch-physikalische Weise ereignet. Kein Organismus ist seiner Umwelt passiv ausgeliefert, vielmehr gestaltet er sich aus seiner eigenen Mitte heraus in seine Umwelt regulativ-plastisch hinein.[38] Das zeigt sich etwa bei den physiologisch-biologischen Grundvorgängen der Atmung und der Ernährung. In der Atmung strömt die Luft durch unseren Leib hindurch. Ohne dieses Durchströmen von Luft kann er nicht leben. Aber das Atmen ist nicht ein passiver Vorgang, in dem am Leibe etwas geschieht. Vielmehr verwirklicht sich hier jenes regulativ-plastische Verhalten, das eine Ureigenschaft alles Lebendigen ist. Freilich ist dieses Verhalten von einer solchen Dichte der Notwendigkeit, daß es dem Menschen als passiver Vorgang erscheint und so auch von ihm in der Regel empfunden wird. Daß der menschliche Organismus nicht für sich selber leben kann, daß er sich nicht in Selbstverschlossenheit isolieren kann, daß er vielmehr ständig »Natur« in sich hineinnehmen muß, zeigt sich auch bei der Ernährung. Unser Leib nimmt ein anderes in sich hinein

---

[37] *J. de Vries – J. B. Lotz*, Philosophie im Grundriß, Würzburg 1969, 184: »Die niederen Bereiche sind so eingerichtet, daß sie den höheren eine geeignete Existenzgrundlage darbieten. Im letzten sind ihr Dasein und der Bauplan, der sie durchherrscht, vielfach einzig im Hinblick auf die höheren Stufen zu verstehen; sonst entbehren sie der Sinnerfüllung. Sie wären ein sinnloser Torso, wie ein Werkzeug ohne eine Hand, die es führt, wie ein großartig ausgestattetes Haus ohne Bewohner; das gilt zumal von der Natur in ihrer Gesamtheit gegenüber dem Menschen.«

[38] Vgl. *F. Büchner*, Vom Wesen der Leiblichkeit, in: Leib und Verleiblichung. Vom Ethos der Berufe (Beuroner Hochschulwochen 1948), hrsg. von F. Büchner, Freiburg 1949, 28–47, hier 34 f.

und verändert und bereitet dieses andere fort und fort. Es hört schließlich auf, es selbst zu sein, wird gänzlich umgewandelt in das Eigensein des Menschen, in sein Dasein und in seine Wesenheit.[39] In den Vorgängen der Atmung und der Ernährung erscheinen in eindrucksvoller Weise die Immanenz der Natur im Menschen und die Immanenz des Menschen in der Natur.

Die genetische Betrachtungsweise mag im Hinblick auf den konkreten Ursprungszusammenhang des Menschen im unklaren sein, die Tatsächlichkeit dieses Zusammenhangs wird nicht mehr bestritten. Der Mensch hat sich aus niederen Seinsstufen heraus entwickelt. Neuerdings hat Pierre Teilhard de Chardin mit visionärem Pathos die grandiose Entwicklung beschrieben, die immer neue Arten, immer komplexere Organismen, immer beweglichere Lebewesen hervorgetrieben hat und die mit unbeirrbarer Sicherheit jenem Punkt entgegeneilte, an dem die gesamte Entwicklung im Menschen durchgeschlagen hat.[40] Die genetisch-biologische Betrachtungsweise darf freilich nicht, wie oft versucht worden ist, zu einer Gesamtdeutung des Humanen verabsolutiert werden. Für Arnold Gehlen ist der Mensch schon biologisch betrachtet ein »Sonderentwurf«; seine biologischen Bedingungen sind einzigartig. Der Mensch besitzt nicht etwa nur oberhalb des Biologischen noch ein spezifisch Menschliches. Gehlen versucht gerade zu zeigen, daß auch jenes angeblich Tierhafte des »Unterbaus«, das wir nach biologischen Spielregeln deuten möchten, schon anders strukturiert ist als beim Tier: Es ist schon menschlich.[41] Noch deutlicher wird das bei Adolf Portmann. Während die biologistisch-evolutionistische Anthropologie ihren Beitrag zur Formung des Menschenbildes im Nachweis angeblich tierischer Grundlagen unseres Wesens erblickt, erhellen Portmanns Forschungen, daß es gar nicht möglich ist, von diesem Menschen einen Teil abzuschnüren, der der »vita-

[39] Vgl. *W. Staehlin,* Vom Sinn des Leibes, Stuttgart ³1953, 78 f.
[40] Vgl. vor allem *P. Teilhard de Chardin,* Der Mensch im Kosmos, München 1959; zur Interpretation vgl. *Th. Broch,* Das Problem der Freiheit im Werk von Pierre Teilhard de Chardin, Mainz 1977, und *J. Möller,* Menschsein: Ein Prozeß. Entwurf einer Anthropologie, Düsseldorf 1979, bes. 122–124, hier 123: In der Konzeption Teilhards wird »das Humanum das, was dem Kosmos Sinn gibt und in dieser Sinngebung auf ein konvergierendes Universum ausgerichtet ist. Der Mensch taucht aus dem Universum auf, weil das Personale schon von Anfang an am Werk war. Und das Personale vollendet sich im Universum, weil sich Komplexität nur so vollenden kann. Das bedeutet keine Vernichtung der Person, sondern eine Durchdringung des Universums von der Person her. Das Humane ist Prinzip der Evolution und zugleich kosmische Manifestation.«
[41] Vgl. *A. Gehlen,* Der Mensch. Seine Natur und seine Stellung in der Welt, Frankfurt ¹⁰1974; dazu *A. Portmann,* Zoologie und das neue Bild vom Menschen, Hamburg 1956, bes. 12.

le« oder der »tierische Anteil« und damit »das vom Biologen zu erforschende Teilstück« wäre.[42] Nicht einmal der menschliche Leib darf nur zoologisch betrachtet werden. Die »basale Anthropologie« hat erkannt, daß sie lediglich Teilergebnisse liefert, und kann darum für die philosophische Anthropologie eine echte Ausgangsbasis und einen wesentlichen Beitrag zum Verständnis dessen, was Menschsein heißt, liefern.[43]

Die phänomenologische Betrachtungsweise schließlich bestätigt und verschärft die Ergebnisse der teleologischen und der genetischen dadurch, daß sie den Menschen als »das ärmste Glied der Welt« sichtbar macht. Sie stellt allerdings zugleich fest, daß gerade darin die eigentliche Chance des Menschseins begründet ist. Nachdem Jakob von Uexküll das Tier als das Wesen beschrieben hatte, das genau und vollständig in seine natürliche Umwelt hineinverpaßt ist, hat Arnold Gehlen mit Berufung auf Johann Gottfried Herder den Menschen als »Mängelwesen« definiert. Während das Tier auf einen ganz bestimmten Komplex, näherhin auf die für seine Existenz notwendigen Gegebenheiten hin genau spezifiziert ist und lauter Rollen in festgelegten Szenen spielt, ist der Mensch unspezialisiert, organisch mittellos in die Welt hinein ausgesetzt und damit gezwungen, sich selbst um seine Existenz zu kümmern: Er muß, um leben zu können, tätig sein. Das biologische Mängelwesen Mensch ist also zugleich das notwendig »handelnde Wesen«. Darin sieht Gehlen das entscheidende Kennzeichen des Menschen. Darum stellt er ihn als einen einmaligen, sonst nicht versuchten Gesamtentwurf der Natur dar, den man eben nicht vom Tier her erklären kann. Im Gegenteil, meint er, die Vorstellungen und Begriffe einer biologischen Anthropologie sind gerade nicht von der Zoologie her zu entwickeln.[44] Weil der Mensch als »Umweltlaie« auf die Welt kommt, darum nur ist er zum »Autodidakten der Schöpfung« geworden. Er wird und muß sich Mittel schaffen, um den Mangel der Natur auszugleichen. Darin liegt eine gewichtige Erkenntnis beschlossen. Gerade dieser Mangel an Ausfertigung, an Spezialisie-

[42] A. Portmann, Um das Menschenbild, Stuttgart 1964, 72.
[43] H. Mynarek, Der Mensch als Sinnziel der Weltentwicklung, Paderborn 1967, hat mit einem umfangreichen Material aufgewiesen, daß der Mensch, an sich ein später Bürger dieser Erde und dieses Weltalls, sich trotzdem bis in die entfernteste Vergangenheit des Universums zurückerstreckt, indem dieses von seinen Anfängen an gleichsam tastend und zunächst auf scheinbar vielerlei Wegen ihn zu realisieren sucht, weil es in ihm zur Vollendung gelangt. Bereits in den Uranfängen der sich dann immer mehr organisierenden und komplizierenden Materie stecke ebenso wie in der biologischen und psychischen Evolution des untermenschlichen Bereichs der Pfeil hin zum Humanen, zum Personalen. – Zum Ganzen vgl. J. de Vries – J. B. Lotz, Philosophie im Grundriß 182–202.
[44] A. Gehlen, Der Mensch 9–85.

rung, an Verzahnung mit einer bestimmten Umwelt macht die bedeutsamste Kategorie sichtbar, unter der der Mensch zu sehen ist: die Kategorie der Möglichkeit.[45] Hier ist die Stelle, wo Armut umschlägt in Reichtum, wo die Beschränkung die Möglichkeit der Freiheit eröffnet. Damit drängt die erste Aussage, daß der Mensch Glied der Welt ist, zu einer zweiten und dritten Aussage weiter: daß der Mensch zugleich Mitte und Herr der Natur ist.

Der Mensch ist Mitte der Natur. Daß im Menschen der Reichtum der »unter ihm« liegenden Seinsstufen vereinigt ist, daß die ganze Welt sich in ihm trifft, daß er der »Schnittpunkt aller Linien, der Brennpunkt aller Strahlen, der Angel- und Wendepunkt aller Auf- und Abstiege« ist, dies wurde in der Geschichte der Philosophie immer wieder durch das Interpretament vom Menschen als »Mikrokosmos« ausgelegt.[46] Daß der Mensch mit allem verwandt ist und darum von ihm her alles andere erst letztlich verständlich wird, hat etwa Thomas von Aquin als Selbstverständlichkeit ausgesprochen: »Der Mensch ist irgendwie aus allen Dingen zusammengesetzt... Und deshalb wird der Mensch, weil alle Geschöpfe des Weltalls irgendwie in ihm zu finden sind, ein ›Weltall im kleinen‹ genannt.«[47] Dabei wird offensichtlich vorausgesetzt, daß die Vielfalt des Physiologischen, des Vegetativ-Animalischen und des Psychischen im Menschen nur zur Einheit werden kann, wenn diese einzelnen Bereiche nicht absolut selbständig, selbstwertig und

[45] Dies ist keine neue Entdeckung. Das sah man schon im Anfang der Neuzeit, als der Mensch sich selbst auf neue Weise in den Blick bekam. Damals hat Pico della Mirandola in seiner Schrift »De hominis dignitate« davon gesprochen, daß der Mensch trotz seiner biologischen Mangelhaftigkeit das glücklichste und aller Bewunderung würdige Wesen sei. Die Begründung dafür gibt er mit folgenden Worten: Gott stellte den Menschen in die Mitte der Welt und sprach zu ihm: »Keinen bestimmten Wohnsitz, kein eigenes Gesicht und keine besondere Gabe haben wir dir zugeteilt, o Adam. Dir soll zu eigen sein der Sitz, das Gesicht, die Gaben, die du dir selber wünschest, nach deinem Willen und deiner Meinung. Der anderen Geschöpfe Natur ist durch die von uns verfügten Gesetze bestimmt und eingeschränkt. Du bist durch keine Schranken eingeengt. Du sollst nach deinem freien Willen, in dessen Hand ich dich gegeben habe, dir jene Natur bestimmen. In die Mitte der Welt habe ich dich gestellt, damit du von dort mit Leichtigkeit überschauen könntest, was alles in der Welt ist. Nicht himmlisch, nicht irdisch, nicht sterblich, nicht unsterblich haben wir dich geschaffen: Du sollst, als dein eigener, freier und ehrenhalber schaltender Bildner und Gestalter (tui ipsius quasi arbitrarius honorariusque plastes et fictor) dir selbst die Form bestimmen, die du wählst. Es steht dir völlig frei, in die Unterwelt der Tiere zu entarten oder dich zu Höherem, Himmlischem zu erheben.« *G. Pico della Mirandola,* Die Würde des Menschen, übertragen von H. W. Rüssel (Lux et humanitas V) Fribourg, 2. Aufl., o. J., 52 f. Vgl. auch *A. Auer,* G. Manetti und Pico della Mirandola: De hominis dignitate, in: Vitae et Veritati (Festgabe für K. Adam), Düsseldorf 1956, 83–102, hier 93–102.

[46] Vgl. *J. de Vries – J. B. Lotz,* Philosophie im Grundriß 105. Vgl. *J. B. Metz,* Christliche Anthropozentrik, München 1962.

[47] Summa theol. I, 91, 1.

selbstwirksam nebeneinander hergehen, sondern wenn sich eine Hierarchie von Ordnungen und Stufen durchzusetzen vermag.[48]

Nun ist die Brauchbarkeit des Interpretaments »Mikrokosmos« oft angezweifelt worden. So sieht Karl Barth das Mißliche dieser »Spekulation« zunächst darin, daß hier der Versuch gemacht wird, der Anthropologie zugleich die Funktion einer Kosmologie zuzusprechen. Er bestreitet nicht, daß der Kosmos ohne den Menschen nicht sein kann. Aber man könne deswegen doch nicht behaupten, der Mensch sei der Kosmos in nuce, das Wesen des Kosmos sei im Wesen des Menschen enthalten, als ob der Kosmos nicht auch noch unabhängig vom Menschen in ganz anderen Dimensionen existieren könnte; wir wissen zwar nichts von anderen Dimensionen, aber wir hätten kein Recht, anzunehmen, daß sich das Wesen des Kosmos in der Beziehung zum Menschen erschöpfe. Barth findet die Spekulation vom Mikrokosmos auch deswegen bedenklich, weil dabei »über die nicht zu leugnende Zugehörigkeit des Menschen zur Erde hinaus unter Berufung auf seine geistig-seelische Natur seine Zugehörigkeit auch zum Himmel behauptet« werde; aber der Himmel sei eben kein Seinsbereich, der dem Menschen von Haus aus zugehöre – auch nicht aufgrund seiner geistig-seelischen Natur. Und schließlich erscheint K. Barth jene Spekulation deswegen unannehmbar, weil das Wesen des Menschen vom Kosmos anstatt von dessen Schöpfer her definiert werde; theologische Anthropologie könne aber nur verstanden werden als Lehre von dem von Gott geschaffenen und nur von Gott her zu erklärenden menschlichen Wesen.[49] Trotz dieser Bedenken wird man nicht bestreiten können, daß das Interpretament »Mikrokosmos« die Stellung des Menschen in der Natur im vorher umrissenen Sinn angemessen darzustellen vermag. Man muß nur wissen, daß es sich hier um ein Interpretament handelt, das nicht verabsolutiert werden darf. Es ist jedenfalls nicht verwunderlich, daß dieses Interpretament in der Philosophie und in der Theologie immer wieder auf Zustimmung gestoßen ist.[50] Es vermag zu verdeutlichen, daß alle

---

[48] Vgl. *O. Muck,* Christliche Philosophie (Berckers Theologische Grundrisse III), Kevelaer 1964, 172–176.

[49] Vgl. *K. Barth,* Die kirchliche Dogmatik III/2, 15 f.

[50] Vgl. die Hinweise bei *K. Rahner,* Art. Grundentwurf einer theologischen Anthropologie, in: Handbuch der Pastoraltheologie II/1, 20–38; *J. B. Metz,* Christliche Anthropozentrik 47–50; Die Deutsche Thomasausgabe, Bd. VII (10 f); *H. Mynarek,* Der Mensch als Sinnziel der Weltentwicklung; *H. Guggenberger,* Teilhard de Chardin. Versuch einer Weltsumme, Mainz 1963; Mysterium Salutis II, 589. Zum Ursprung der Mikrokosmos-Vorstellung bei Demokrit vgl. *W. Kranz,* Kosmos, in: Archiv für Begriffsgeschichte II (1955–57).

kosmischen Seinsbereiche im Menschen kulminieren, daß sie in ihm zu Geist und Freiheit erwachen und von ihm verantwortlich gestaltet werden können und müssen. Der Mensch spricht, indem er Welt ausspricht, *sich* aus: »sich als Mikrokosmos, Welt im kleinen, als Abbreviatur der Welt, antik-mittelalterlich gesehen, während die Blickrichtung der Neuzeit die Welt als ›Makro-Anthropos‹, Mensch im großen, als Prolongatur des Menschen sieht«.[51]

Der Mensch ist Herr der Natur. Die menschliche Transzendenz gegenüber der Natur wird vor allem darin sichtbar, daß ihm, und ihm allein, die Vermögen der Erkenntnis und des Handelns, der Sinnauslegung und schließlich der Verweigerung gegeben sind.

Der Mensch steht in der Natur nicht als Teil und Glied wie jedes andere Seiende, er vermag vielmehr in ihren Gang erkennend und handelnd einzugreifen. Er allein vermag die Gesetzlichkeiten der Natur zu erforschen und sie zu seinem Wohl oder zu seinem Schaden zu gebrauchen. Er ist den naturalen Vorgegebenheiten nicht in gleicher Weise preisgegeben wie Tiere und andere Lebewesen. Er ist nicht bloßer Zuschauer, nicht unbeteiligter Beobachter eines fertigen Kosmos. Es ist alter humanistischer Konsens, daß im Erkennen und Handeln, im »intelligere et agere«, menschliche Würde unmittelbar in Erscheinung tritt.[52]

Nun hat die Natur für den Menschen nicht nur Zwecke, sondern auch Sinn; es kommt ihr nicht nur Funktionalität, sondern Transparenz zu. Sie tritt dem Menschen nicht als pure Gegebenheit, sondern offen und durchsichtig gegenüber. Er vermag in ihr einen Sinn zu erkennen und einen Anruf zu vernehmen. Er darf die Dinge also nicht nur als Mittel gebrauchen, um seine biologische Mangelhaftigkeit zu überwinden, sondern muß sie als Träger besonderer Bedeutungen zur Sprache kommen lassen.

Das »Über-ragende« der Person bewährt sich nicht nur darin, daß sie die in ihr anwesende und die sie umgebende Natur erkennen und in Freiheit gestalten kann, auch nicht nur darin, daß sie ihre Sinnwerte wahrzunehmen vermag, sondern schließlich auch darin, daß sie sich dieser Natur gegenüber versagend verhalten kann. Das Tier sagt immer ja zur Wirklichkeit, wie es sie vorfindet. Der Mensch aber ist – nach einer bekannten Formulierung von Max Scheler – der »Nein-sagen-Könner«, der »Asket des Lebens«, der »ewige Protestant gegen alle bloße Wirklichkeit«. Im Verhältnis

[51] *W. Kern,* Zur theologischen Auslegung des Schöpfungsglaubens, in: Mysterium Salutis II, 474.
[52] Vgl. *A. Auer,* G. Manetti und Pico della Mirandola: De hominis dignitate 86–93.

zum Tier, dessen Dasein das verkörperte Philisterium ist, sei der Mensch der ewige »Faust«, die »bestia cupidissima rerum novarum, nie sich beruhigend mit der ihn umringenden Wirklichkeit, immer begierig, die Schranken seines Jetzthiersoseins und seiner ›Umwelt‹ zu durchbrechen, darunter auch seine eigene jeweilige Selbstwirklichkeit«.[53] Ohne die Freiheit zum Verzicht kann der Mensch sich nicht von der Natur absetzen, um zum Eigentlichen seiner Selbst zu kommen. Selbst der üppigste Konsum ist nur Mittel zur äußeren Daseinsfristung, er vermag aus sich selbst heraus am Sinn der Dinge keinen Anteil zu gewähren. Nur wer sich den Dingen gegenüber asketisch zu verhalten vermag, kann als Person und als Glied der Gemeinschaft zu sinnvoller Entfaltung und Fruchtbarkeit kommen.

d) Immanente Sanktion des Sittlichen

Recht verstandene Anthropozentrik setzt allem menschlichen Handeln an der Natur das Maß. Sie bringt nicht nur zum Ausdruck, daß die Natur auf den Menschen hin gebaut und nur vom Menschen her verstehbar und eben darum »menschlich« ist. Anthropozentrik schließt in gleicher Weise in sich, daß Menschsein nur aus dem Zusammenhang mit der Natur heraus entfaltet und erfüllt werden kann. Dieser Sachverhalt ist dem Menschen nicht nur durch rationale Argumente, sondern auch auf dem Weg der unmittelbaren Erfahrung zugänglich. Wenn er sich gegen das durch die Anthropozentrik gesetzte Maß verhält, wird er die Wirkungen dieses Fehlverhaltens zu spüren bekommen. In seiner konkreten lebensgeschichtlichen und in der gesamtgeschichtlichen Erfahrung stößt er immer wieder auf die Gegenprobe zu den Entscheidungen, die er trifft, und zu dem Verhalten, das er praktiziert. Wenn er sich dem Anspruch der Natur verweigert, richtet er Verwirrung und Zerstörung an – in der Natur sowohl wie in sich selbst; genau dies entspricht dem anthropozentrischen Prinzip. Es war bereits die Rede davon, und es wird noch des öfteren, auch im theologischen Teil dieser Untersuchung, davon zu sprechen sein, daß das Sittliche seine Sanktion in sich selbst hat. Der Mensch erfährt, ob er mit seinem Verhalten seine eigene Freiheit, seine Solidarität mit den Mitmenschen und seine Eingebundenheit in die Natur fördert oder aber behindert oder gar zerstört. Darum sprechen wir bildhaft von der »Rache der Natur« oder vom »Zurückschlagen der Natur«, wenn die Zerstörung naturaler Zusammenhänge oder die Ausbeu-

[53] M. Scheler, Die Stellung des Menschen im Kosmos, Darmstadt ²1928, 65 f.

tung naturaler Ressourcen zu tiefgreifenden Störungen der Wirtschaft und der Gesellschaft führen. Anthropozentrik bedeutet nicht Maßlosigkeit, sondern impliziert ein Verständnis des menschlichen Maßes, in dem auch das Maß der Natur als Anspruch enthalten ist. Wo der Mensch das Maß der Natur mißachtet, wird sein Handeln nicht nur unnatürlich und widernatürlich, sondern auch unmenschlich und widermenschlich.[54]

III. IMPULSE AUS DER ETHISCHEN REFLEXION

1. Ethische Ansätze heute

Die ökologischen Erfahrungen haben das sittliche Bewußtsein der Menschen aufgeschreckt. Dies zeigt sich besonders darin, daß sich in der ethischen Reflexion bereits eine ganze Reihe möglicher argumentativer Ansätze herausgebildet hat.[55] Im Grunde lassen sich die verschiedenen Ansätze auf zwei Betrachtungsweisen zurückführen, auf die anthropozentrische und die biozentrische. Beim biozentrischen Ansatz wird der Mensch als Teil oder Glied der Natur betrachtet. Daher die Maxime: »Der Mensch hat als Haushalter des Schöpfers bzw. als einziges planungs- und verantwortungsbewußtes Lebewesen eine besondere Funktion... (Er ist) befähigt und daher verpflichtet, für die Natur als Ganzes verantwortlich zu handeln.« In der anthropozentrischen Umweltethik erscheint die Welt als »Objekt des Menschen, d. h. als ein Lebensraum, der so weit zu erhalten und zu gestalten ist, als es die Bedürfnisse und

---

[54] *R. Guardini,* Die Technik und der Mensch. Briefe vom Comer See, Mainz 1981, 61–70, hat schon vor 60 Jahren – die »Briefe vom Comer See« wurden 1924 und 1925 in der Zeitschrift »Die Schildgenossen« erstmals veröffentlicht – darauf hingewiesen, daß die Technik früher, indem sie sich in die Natur eingefügt und sie nicht gesprengt hat, auch das menschliche Maß berücksichtigt und darum den Menschen getragen und ihn gesteigert hat und damit eben auch innerhalb der Reichweite eines letzten Maßes geblieben ist. In der neueren Technik habe sich dies geändert: »Dieses Geschehen ist unmenschlich – gemessen wenigstens an dem Menschen, der bis dahin gelebt hat; es ist unnatürlich, gemessen an der Natur, die bis dahin gewesen. Und du fühlst, wie unaufhaltsam dieses Geschehen alles zerstört, was aus der alten Menschlichkeit und aus dem Zusammenhang mit der Natur geschaffen worden ist.« In den anschließenden Briefen macht der Verfasser allerdings deutlich, daß das neue technische Geschehen in sich nicht verwerflich ist, aber nur durch eine neue menschliche Haltung gemeistert werden kann.

[55] Ihre Darstellung und ihre kritische Bewertung würde eine eigene Monographie notwendig machen. Wertvolle Hinweise finden sich bei *G. Hartkopf – E. Bohne,* Umweltpolitik I, 57–72, und besonders bei *G. M. Teutsch,* Neue Ansätze in Richtung einer human-ökologischen Ethik 36–52. Die Fragestellung ist freilich noch allzu neu, als daß man schon klare und durchdachte Konzepte erwarten könnte. Dafür bedarf es noch einer gründlichen Diskussion, an der vor allem die philosophischen und theologischen Ethiker sich mehr als bisher beteiligen müßten.

Wünsche des Menschen erfordern«. Daher die Maxime: »Der Mensch hat bei allen ökologisch relevanten Entscheidungen daran zu denken, daß diese Umwelt als menschenwürdiger Lebensraum mit bestimmten Mindestqualitäten erhalten bleibt.«[56] Gotthard M. Teutsch entscheidet sich grundsätzlich für eine anthropozentrische Konzeption, die allerdings nach seiner Meinung von Mißverständnissen befreit und entschieden radikalisiert werden muß.[57] Seine eigene Position bezeichnet er als »humanökologischen Ansatz«, wobei die Humanökologie die traditionelle Ökologie dahingehend ergänzt, daß sie den Menschen in ihre Forschung miteinbezieht. Im folgenden soll auf die von Teutsch vorgestellten »humanökologisch relevanten Ansätze«, die in sich sehr uneinheitlich sind, kurz eingegangen werden. Am bekanntesten ist zweifellos Albert Schweitzers Ethik der »*Ehrfurcht vor dem Leben*«. Hier wird zwar nicht verlangt, daß alles Leben absolut unantastbar ist, wohl aber wird die Haltung der Ehrfurcht gegenüber allem Lebendigen gefordert. Der Kernsatz dieser Ethik heißt: »Ich bin Leben, das leben will, inmitten von Leben, das leben will.« Teutsch selbst plädiert für eine »*Ethik der Lebewesen*«, in der die anerkannten Normen der zwischenmenschlichen Sozialethik in angemessener Weise auch auf das Verhältnis des Menschen zu anderen Lebewesen anzuwenden sind. Im Umkreis des Tier- und Naturschutzes wird eine Ethik des Mitfühlens und des Mitleidens mit allem Leben gefordert.[58] In einer *Ethik der Humanität* oder der Menschlichkeit wird deutlich gemacht, daß Humanität nicht nur als »ideales Menschsein« zu verstehen ist, sondern auch als »jene fühlende Bezogenheit zum Mitmenschen und Mitgeschöpf, die mitleidend und mitfreuend versucht, fremdes Leid zu verhüten und zu vermindern, fremdes Wohlergehen und Glück zu vermehren«.[59] Das Gebot der Menschlichkeit gilt also nicht nur gegenüber dem Mitmenschen, sondern auch gegenüber allen anderen Lebewesen. Im Anschluß an die Phänomenologen legt R. Reichardt eine »*humanökologische Wertlehre*« vor, in der der Mensch als wertendes Subjekt den anderen Lebewesen Werte zuschreibt, woraus dann für sein Handeln sich bestimmte Konsequenzen ergeben.[60] Unter dem Eindruck der

---

[56] *G. M. Teutsch*, a.a.O. 29. Fraglich erscheint hier nur, ob es legitim ist, den Lebensraum als »Objekt« zu betrachten.

[57] Vgl. a.a.O. 29.

[58] Vgl. dazu auch *G. M. Teutsch*, Soziologie und Ethik der Lebewesen. Eine Materialsammlung (Europäische Hochschulschriften, Reihe XXIII, Bd. 54), Frankfurt 1975.

[59] *A. Neuhäusler*, Grundbegriffe der philosophischen Sprache, München 1963.

[60] *R. Reichardt*, Prolegomena zu einer humanökologischen Ethik, in: H. Knötig (Hrsg.), Internationale Tagung für Humanökologie, Bd. 2, St. Saphorin 1976, 529–540, hier 531,

ökologischen Krise entwickelt Erich Kadlec eine *realistische Ethik.* Der traditionellen Ethik als »Humanethik« stellt er eine »Naturethik« zur Seite, die die menschliche Verantwortung gegenüber Pflanzen und Tieren thematisiert. Das moralische Prinzip der Naturethik lautet: »Bewahre die natürliche Ordnung, schädige niemals unnötig andere Lebewesen, sondern hilf ihnen!«[61] Kadlec ist sich voll bewußt, wie schwierig es ist, eine Abwägung der Güter und vor allen Dingen der Übel im Hinblick auf den Menschen und die anderen Lebewesen vorzunehmen. Hans E. Hengstenberg fordert ein *Ethos der Sachlichkeit,* das den Menschen in den Stand setzt, mit dem inneren Seins- und Sinnentwurf alles Seienden zu »konspirieren«, d. h. es in seiner Andersartigkeit zu verstehen, sich ganz mit ihm eins zu fühlen und ihm Gerechtigkeit widerfahren zu lassen.[62] Die *»Überlebensethik«,* vertreten vor allem von A. M. Klaus Müller, sieht das Prinzip künftiger Ethik darin, daß alles auf das Überleben als die notwendige Bedingung für den Fortgang des Menschengeschlechtes hingeordnet wird.[63] Und schließlich will die *»Verantwortungsethik«* die Gewissen schärfen, damit möglichst viele Menschen die Gefahren sehen, die durch die technischen Erfindungen für die Natur entstanden sind.[64] Im Umkreis der christlichen Theologie bemüht sich eine neue *»Schöpfungsethik«,* die anthropozentrische Arroganz aufzubrechen und den gesamten Umkreis des göttlichen Schöpferwillens zu respektieren. Hier tauchen die Vorstellungen auf, die im theologischen Teil dieser Untersuchung im einzelnen noch zu besprechen sind: die Motive des Bewahrens und Erhaltens sowie des Vorwärtsdrängens, der Mitgeschöpflichkeit und der eschatologischen Hoffnung.

Alle aufgeführten ethischen Ansätze versuchen zu zeigen, wie der Mensch sich angesichts der offenkundigen Gefährdungen der Umwelt gegenüber verhalten soll. Die zünftigen Ethiker aus dem Umkreis der Philosophie und der Theologie halten sich immer noch in einer gewissen Distanz zum Thema Ökologie. Sie scheinen verunsichert und werden gewiß die Probleme auch nicht lösen kön-

nennt folgende Maximen: Entfaltungsmöglichkeit für Lebewesen und Arten, Wohlbefinden bzw. Leidensvermeidung für Lebewesen, Hierarchie der Bezugseinheiten (Menschenleben über Tierleben), Unterlassung irreversibler Eingriffe in die Natur, möglichst große Diversifikation der Arten und Individuen.
[61] *E. Kadlec,* Realistische Ethik. Verhaltenstheorie und Moral der Arterhaltung, Berlin 1976, 144.
[62] *H. E. Hengstenberg,* Grundlegung der Ethik, Stuttgart 1969.
[63] *A. M. K. Müller,* Die präparierte Zeit. Der Mensch in der Krise seiner eigenen Zielsetzungen, Stuttgart 1972.
[64] Neben A. M. K. Müller vor allem *A. Portmann,* Naturschutz wird Menschenschutz, Zürich 1971.

nen. Aber Peter Kampits hat recht: Das Umweltproblem wird nicht durch Verzicht auf eine philosophische Ethik gelöst; es bedarf ihrer im höchsten Maße, auch wenn man ihre Möglichkeiten nüchtern einschätzt und ihr vor allem keine Heilsfunktion zuspricht. Mit Verwunderung freilich nimmt man zur Kenntnis, daß eine philosophische Ethik es nicht zu ihren Aufgaben rechnet, »einen Handlungskatalog zu erstellen, der in kasuistischer Weise dem einzelnen oder der Gesellschaft die Möglichkeit vorgibt, in jeder konkreten Situation das Richtige zu tun«.[65] Will sie diese Aufgabe etwa der theologischen Ethik überlassen? Philosophische und theologische Ethik sollten sich jedenfalls nicht zu gut sein, in dem nun anhebenden gesellschaftlichen Diskurs über das richtige ökologische Verhalten mitzudenken und sogar vorauszudenken. Es wird gewiß noch lange dauern, bis eine konkrete Ethik für diesen Bereich entwickelt werden kann. Aber hier kann niemand aus der Verantwortung entlassen werden, dessen Aufgabe es ist, über den Sinn des menschlichen Daseins und über dessen Durchsetzung in der konkreten Geschichte kritisch und produktiv nachzudenken.

Hier sei nur noch angemerkt, daß der Begriff »humanökologische Ethik« bei genauerem Zuschen als problematisch erscheint. Gotthard M. Teutsch will sich mit diesem Begriff offensichtlich in gleicher Weise gegenüber einer radikalen Biozentrik wie einer radikalen Anthropozentrik absichern. Im Grunde hat er beide Ansätze miteinander verbunden: Mit dem Wort »human« greift er den anthropozentrischen, in dem Wort »ökologisch« den biozentrischen Ansatz auf. Ethik ist immer Sache des Menschen und nur des Menschen. Leben ist ein biologischer Sachverhalt, darum läßt sich von ihm her Ethik letztlich nicht begründen. Ethik läßt sich, wie schon gesagt, nur vom Menschen als moralischem Subjekt her begründen. Früher hat man – unbefangener als heute, aber mit guten Gründen – zwischen Individual- und Sozialethik unterschieden. Sozialethik hat man nach den verschiedenen menschlichen Lebensbereichen unterteilt in Sexualethik, politische Ethik usw. Man könnte als grundlegende ethische Handlungsorientierung »Menschwerdung in Solidarität« oder »Solidarisches Selbstsein« statuieren.[66] Dagegen spricht lediglich, daß der Begriff »Solidarität« bisher für den zwischenmenschlichen Bereich verwendet worden ist und darüber hinaus auch nur in analoger Form Verwendung finden kann. Vor allem aber könnten die Befürworter einer ökologischen Ethik be-

[65] P. Kampits, Natur als Mitwelt 61.
[66] P. Spescha, Energie, Umwelt, Gesellschaft 142. pass.

fürchten, daß das Verhalten des Menschen zur Umwelt der Tiere, der Pflanzen und der leblosen Dinge hier verkürzt gesehen wird. Kein Interpretament vermag mit einer einzigen Formel alle Dringlichkeiten auszusprechen. Darum bleiben wir für diese Untersuchung bei der anthropozentrischen Option, die im theologischen Teil eine wesentliche Vertiefung erfahren wird. Der Kernsatz dieser anthropologischen Option heißt: Die entscheidende Anspruchswirklichkeit ist der Mensch. Jedes Ethos zielt auf eine dreidimensionale Optimierung menschlichen Daseins: auf die Findung der personalen Identität, auf Solidarität mit den Mitmenschen und auf den verantworteten Umgang mit dem naturalen Lebensraum.

2. Ansatz bei der Immanenz des Sittlichen

Ethische Reflexion wird ausgelöst durch Impulse aus der Erfahrung und vollzieht sich immer – bewußt oder unbewußt – im Horizont einer anthropologischen Option. Sie ist von Anfang an der ethischen Rationalität zugewandt. Ethische Rationalität aber ist der Wirklichkeit immanent. Wir sagten: Das Sittliche zielt auf die optimale Entfaltung des Menschlichen. Es fügt dem Menschlichen nichts hinzu noch auferlegt es ihm etwas, was ihm nicht von selbst schon als Anspruch innewohnt. Man kann auch sagen: Das Sittliche ist der Anspruch der Wirklichkeit an die menschliche Person. Der Mensch muß also die in der Wirklichkeit angelegten Ordnungsgesetze und Sinnwerte wahrnehmen und durchsetzen. Dies ist eine alte Einsicht. Bernhard von Clairvaux schreibt: »Ein Weiser ist, wem alle Dinge so schmecken, wie sie wirklich sind.« Und Johann Wolfgang von Goethe meint das gleiche: »Im Tun und Handeln kommt alles darauf an, daß die Objekte rein aufgefaßt und ihrer Natur gemäß behandelt werden.«[67] Wenn ich also wissen will, wie ich mich etwa in Ehe und Familie, Technik und Wirt-

---

[67] Vgl. *J. Pieper*, Die Wirklichkeit und das Gute, München ⁵1949, 11. Was *H. Henkel*, Einführung in die Rechtsphilosophie, München–Berlin 1964, 288, vom Recht schreibt, gilt auch für die Sittlichkeit: »Das Wort ›Natur der Sache‹ . . . bezeichnet im wissenschaftlichen Denken einen bestimmten Weg der Erkenntnis, der nicht auf Ideen hin gerichtet ist, sondern von den ›Dingen‹ ausgeht und sich an ihrem ›Maß‹ orientiert. Als eine solche Denk- und Betrachtungsweise kennzeichnet Schiller in dem bekannten und vielgenannten Brief an Wilhelm von Humboldt (vom 9. 11. 1795) ›Goethes solide Manier, immer von dem Objekt das Gesetz zu empfangen und aus der Natur der Sache ihre Regeln abzuleiten‹. Als Leitprinzip für das rechte Handeln versteht Adalbert Stifter die Maxime, stets das zu tun, ›was die Dinge fordern‹. Diese beruht, wie Bockelmann treffend formuliert hat, auf folgender Grundlage: ›In jeder Situation, in jeder Konstellation von Tatsachen, menschlichen Strebungen und historischen Tendenzen liegt ein Maßstab des Richtigen verborgen, den es auszuhorchen gilt. Er ist den Dingen immanent, nicht transzendent.‹« Vgl. *H. Jonas*, Das Prinzip Verantwortung 153.

schaft, Gesellschaft und Staat verhalten soll, muß ich zuerst wissen, was diese Lebensbereiche für die menschliche Person, ihre sozialen Beziehungen und ihren naturalen Lebensraum bedeuten, welche Gesetze in ihnen herrschen, welche Sinnwerte in ihnen zur Erscheinung kommen, welche geschichtlichen Möglichkeiten ihnen gegenwärtig offenstehen und welchen Begrenztheiten sie gegenwärtig ausgesetzt sind. Erst dann kann ich den Anspruch wahrnehmen, der mir aus ihnen entgegenkommt. Das wahre Sein der Wirklichkeit, die innere Wahrheit der Dinge wird so zum Maß und zur Norm des Handelns.

Mein Verhalten zur Umwelt ist also sittlich richtig, wenn ich sachgerecht handle, wenn ich die in diesem Bereich geltenden Gesetzlichkeiten und die hier vorgegebenen Sinnziele respektiere. Dem an der Umwelt Handelnden werden also nicht irgendwelche Normen von außen oder von oben oktroyiert. Normen oder Weisungen erscheinen vielmehr nur dann als begründet, wenn die in ihnen artikulierten Verbindlichkeiten als innere Momente dieses Verhaltens zur Umwelt erkennbar werden, wenn sie in diesem Umgang selbst ihre Dringlichkeit anmelden.

Man könnte auch sagen: Ich handle sittlich richtig, insoweit ich ökologisch richtig handle. Das heißt zunächst, daß ich die im naturalen Lebensraum vorgegebenen Sachgesetze und Sinngehalte, das Gesamt also der Zusammenhänge und ihrer Bedeutung kenne und respektiere, und zum anderen, daß ich sie in einer Weise auf das gemeinsame Wohl der Menschen hinordne, in der beide, der Mensch und die Natur, nicht nur keinen Schaden erleiden, sondern zu ihrer optimalen Sinnerfüllung kommen. Ethische Rationalität umschließt also sowohl die ökologische Rationalität (im engeren und unmittelbaren Sinn) wie die personale und soziale Rationalität, und zwar beide als Anspruchswirklichkeiten, d. h. unter dem Aspekt der Verbindlichkeit.

Wie artikuliert sich ethische Rationalität im Hinblick auf die menschliche Umwelt? Anders gefragt: Wer macht eigentlich die ökologische Moral? Die Frage ist wichtig, weil wir in diesem Bereich modellhaft erleben, wie sich eine ethische Orientierung herausbildet. Niemand wird im Ernst behaupten, ökologisches Ethos werde zunächst oder hauptsächlich in den wissenschaftlichen Instituten für philosophische oder theologische Ethik oder in den Amtsstuben kirchlicher Lehrämter artikuliert. Es ist ganz anders. Der Schock der ökologischen Krise löst eine Art Generalmobilmachung der ethischen Reflexion aus. Nun wird überall versucht, ethische Rationalität zu erheben und zu artikulieren: in kritischen Analysen der ökologischen Situation, in utopischen oder realistischen Entwürfen einer ökologischen Zukunft, nicht weniger eindrucksvoll auch im Selbstverständnis und in der Selbstdarstellung alternativer Gruppen, in der Präsentation von Konzepten eines neuen Lebensstils und in detaillierten Programmen einer staatlichen Umweltpolitik. Inmitten dieser Vielstimmigkeit werden dann nach und nach auch philosophische, theologische und kirchliche Stellungnahmen vernehmbar, die aus ihrer Sicht kritische Einwände, weiterführende Orientierungen und tiefere Begründungen in den Prozeß der Bewußtseinsbildung einbringen wollen. Nur ganz allmählich ergibt die Diskussion eine verlässigere Einsicht in Prinzipien, Kriterien, Normen und Modelle richtigen Umweltverhaltens. Was wir ethische Rationalität nennen, »erscheint« sozusagen aus der Synopse all dieser Aspekte.

Die hier zu leistende individualethische und sozialethische Reflexion zielt also darauf, die vielfältigen Äußerungen der gesellschaftlich-geschichtlichen Vernunft des Menschen anzuhören, sie kritisch-produktiv aufzunehmen sowie in einem umfassenden Sinnverständnis zu integrieren und zu ordnen.[68]

---

[68] Diese Untersuchung geht also den Weg »empirischer Argumentation«. Über »Grundformen heutigen ethischen Argumentierens« vgl. die Beiträge von *G. W. Hunold, F. Böckle* und *W. Korff* in: Handbuch der christlichen Ethik, Bd. 1, 46–117.

2. Kapitel
DAS ENGAGEMENT DES EINZELNEN FÜR DEN UMWELTSCHUTZ

Das Maß der menschlichen Freiheit war groß genug, unsere naturalen Lebensbedingungen zu gefährden und teilweise zu zerstören. Es ist auch groß genug, bereits eingetretene Schädigungen in großem Umfang wiedergutzumachen und weitere Verderbnis zu verhindern. Wenn wir so hoffnungslos konditioniert wären, wie uns die Behavioristen glauben machen wollen, dann lohnte es sich nicht, über ein ethisches Modell nachzudenken. Dann wäre es aber auch sinnlos, eine Lösung »jenseits von Freiheit und Würde« anzustreben. Denn woher sollten dann jene die Freiheit haben, die uns durch wissenschaftlich entwickelte Verhaltenssteuerung auf das von ihnen ausgedachte Rettungsmodell hin manipulieren wollen? Eine ethische Überlegung geht von der Voraussetzung aus, daß der Mensch – innerhalb bestimmter Grenzen freilich – die Möglichkeit hat, sein persönliches Leben selbst in die Hand zu nehmen. Das bedeutet für unseren Zusammenhang, daß er durchaus in der Lage ist, nach einer Phase grober Nachlässigkeit ein neues ökologisches Bewußtsein zu entwickeln, aus dem ein neues ökologisches Handeln sich ergibt.

I. ÖKOLOGISCHES BEWUSSTSEIN

1. Der einzelne als Instanz eines ökologischen Ethos
Der Verunreinigung der Luft, der Verseuchung der Gewässer und der Zerstörung der Landschaft kann gewiß nicht nur mit moralischen Appellen an den einzelnen gewehrt werden. Es bedarf dafür einer sozialethischen und einer politischen Konzeption; es bedarf auch einer gewissen Revision unserer ökonomischen Technologie. Aber man muß Peter Kampits nachdrücklich zustimmen, wenn er feststellt: »Der einzelne (ist und bleibt) – sicher in seiner Spannung zur Gemeinschaft – die entscheidende Instanz einer öko-

logischen Ethik.«[1] Der einzelne ist zwar durch Institutionen und Strukturen getragen und geprägt, aber Institutionen und Strukturen bestehen nun einmal aus einzelnen, und jeder einzelne trägt durch sein Verhalten zum Glücken oder zum Mißglücken der Gesamtentwicklung bei. Wenn der einzelne nicht als die entscheidende Instanz einer ökologischen Ethik zum Tragen kommt, dann endet jede Reform wirtschaftlicher und technischer Strukturen, wenn sie überhaupt in Gang kommt, im Leeren. Wer das Übel beheben will, muß es an der Wurzel fassen. Die Entwicklung des allgemeinen Wohlstands hat deutlich werden lassen, daß in jedem Menschen ein Kapitalist steckt. Auch der kleine Mann hat damit begonnen, seinen Besitz als Produktionsmittel zu verstehen und die Mehrung seines Wohlstands als höchstes Ziel zu betrachten. Hier bedarf es einer fundamentalen Umkehr. Die Kirchenväter haben die Auffassung vertreten, die Güter dieser Welt gehören der Menschheit als ganzer, und der einzelne dürfe nur so viele Güter gebrauchen, als er zu einer seinem Stand entsprechenden Lebensführung nötig habe. Darüber hinaus gebe es kein Recht auf Eigentum; der Überfluß müsse dem gemeinsamen Gebrauch zurückgegeben werden. Den sachlichen Gehalt dieser ethischen Auffassung müssen wir neu begreifen. Nur muß dieses Begreifen heute neben der sozialen auch die ökologische Dimension miteinschließen. Eine ausbeuterische Einstellung gegenüber den natürlichen Lebensgrundlagen ist durch eine solche ethische Einstellung jedenfalls radikal ausgeschlossen.

a) Weckung eines ökologischen Bewußtseins

Ökologische Ethik lebt wesentlich von der Einsicht des Menschen in die Zusammenhänge des Lebens. Die Lebensbedingungen des einzelnen und der Menschheit im ganzen sind in planetarische biosphärische Zusammenhänge eingebettet. Darum muß der Mensch sich bemühen, die anderen Lebewesen und ihre ökosystematische Zuordnung wenigstens anfanghaft zu erkennen.[2] Es geht

---

[1] Natur als Mitwelt 79.
[2] *F. W. Dahmen,* Das ökologische System, in: H. D. Engelhardt (Hrsg.), Umweltstrategie, Gütersloh 1975, 111–136, hier 128, bestimmt die gegenseitige Zuordnung der Gesamtheit aller Organismen als Ökosystem, d. h. »als Wirkungsgefüge von verschiedenen Lebewesen und deren Lebensbedingungen«. *H. D. Engelhardt,* Umweltfaktoren und Krankheitsbedingungen 65: »Der Begriff Umwelt bezeichnet hier sowohl die urwüchsige Natur als auch den vom Menschen gestalteten Lebensraum. Beide machen zusammen als komplexer, interdependenter Lebenszusammenhang zugleich seine Lebensbedingungen aus. Dieser Lebenszusammenhang wird auf globaler Ebene oft als Biosphäre bezeichnet, die sich aus zahlreichen Ökosystemen, d. h. mehr oder weniger abgegrenzten Lebensräumen, zusammensetzt, in denen Organismen und unbelebte Materie untereinander in Bezie-

zweifellos auf das Konto gedankenloser herkömmlicher Anthropozentrik, daß die meisten Menschen hinsichtlich der ökologischen
Zusammenhänge bis heute in einem Zustand erschreckender Unkenntnis verharren. Wir bemerken kaum, »daß wir planetarische
Geschichte machen; und zwar in einem bisher unbekannten, le-
bens- oder todesentscheidenden Umfang. Der letzte Mopedfahrer,
die letzte Waschmittelverbraucherin wirkt negativ an dieser Entscheidung mit... Die neue Ethik wird wirkungslos bleiben, wenn es
ihr nicht gelingt, große Massen mit ihrer planetarischen Geschichtsmächtigkeit vertraut zu machen...«[3]
Die Weckung eines ökologischen Bewußtseins würde zweifellos
dazu führen, daß der Mensch die Natur ernster nimmt und auch in
seinem Umgang mit ihr einen größeren Respekt beweist. Peter
Kampits bezeichnet die Natur als »Mitwelt des Menschen« und
sieht infolgedessen keine Schwierigkeit, »in einem übertragenen
Sinn auch von einer personalen und verantwortlichen Form von
Liebe der nichtmenschlichen Natur gegenüber zu sprechen«.[4] Es
besteht jedoch die Gefahr, daß man mit solcher Sprechweise der
semantischen Überschwenglichkeit Vorschub leistet. Von Liebe
kann man im strengen Sinn nur sprechen, wo sich zwei lebendige
Wesen einander zuwenden können. Von Liebe zur nichtmenschlichen Natur zu sprechen, ist nur möglich, wenn man das Verhältnis
von Mensch und Natur als »Partnerschaft« bewertet.
    Eine solche Bewertung erscheint jedoch, wie auch an anderer
Stelle ausgeführt wird, als sachlich unangemessen. Die Formel vom
»ökologischen Bewußtsein« bringt Wirklichkeit und Verbindlichkeit dessen zum Ausdruck, was man mit E. Spranger als »kosmovi-
tale Einsfühlung« bezeichnen kann.[5] Nur darf das Gemeinte nicht
im Sinne einer verschwommenen Einheitsmystik mißverstanden
werden. Führend in der Beziehung von Mensch und Natur ist immer der Mensch. Und die Voraussetzung für eine fruchtbare Ent-

---

hung stehen und voneinander abhängig sind. Auch die einzelnen Ökosysteme sind miteinander verbunden in einem Verhältnis wechselseitiger Abhängigkeit.«
[3] C. Amery, Das Ende der Vorsehung 235. Vgl. auch G. Altner, Zwischen Natur und Menschengeschichte 81–92 (»Ökologie und die Sonderstellung des Menschen«), wo das Verhältnis von Ökologie und Humanökologie diskutiert wird. So sicher es ist, daß die Be-
schreibung der Wechselbeziehungen zwischen allem Lebendigen auch den Menschen
miteinschließen muß, so problematisch erscheint die Auffassung, daß »Humanökologie
und Ökologie ... – bildlich gesprochen – in den beiden Brennpunkten einer Ellipse (stehen), deren Ganzes nur unter wechselseitiger Bezugnahme auf beide Brennpunkte bestimmt werden kann« (a.a.O. 91). Die Frage ist, ob durch ein solches Bild nicht doch die
Sonderstellung des Menschen innerhalb der Gesamtheit des Lebendigen zu kurz kommt.
[4] Natur als Mitwelt 75.
[5] Vgl. M. Rock, Umweltschutz 17 f.

faltung dieser Beziehung ist das Einssein des Menschen mit sich selbst, seine innere Übereinstimmung mit der Mitte und dem Grund seines Daseins. Wo diese innere Stimmigkeit des Menschen fehlt, kann er auch in seine Beziehung zur Natur nur Unordnung und Entfremdung hineintragen. In der zerstörten natürlichen Umwelt tritt die zerstörte Innenwelt des Menschen unerbittlich zutage.

b) Eintritt des Menschen in seine spezifische Verantwortung

Der Mensch ist das einzige Wesen in dieser Welt, das Verantwortung übernehmen kann. Früher hat sich diese Verantwortung vor allem darin gezeigt, daß er sich in die Ordnungen der Schöpfung eingefügt hat. Der natürliche Zusammenhang, in den wie selbstverständlich auch die Technik früherer Jahrhunderte eingebettet war, scheint in der Tat heute aufgebrochen. Je weiter die Geschichte vorangekommen ist, desto mehr hat der Mensch begriffen, daß ihn seine Vernunft und seine Freiheit nicht nur von den Ordnungen der Natur unterscheiden, sondern ihn auch über diese Ordnungen hinausweisen. Er muß die Gesetzlichkeiten und Sinngestalten der Natur erkennen und sie für die Entfaltung seines persönlichen und gemeinschaftlichen Lebens einsetzen. Damit ihm dies auf Dauer möglich ist, muß er ihr Gleichgewicht respektieren. Er darf die Natur nicht ausplündern, er muß sie in seine Verantwortung übernehmen. Der biblische Schöpfungsglaube, von dem später ausführlich die Rede sein wird, bestätigt diesen Auftrag des Menschen, sich die Erde »untertan zu machen« und über sie zu »herrschen«, stellt aber diesen Auftrag ausdrücklich als geschichtlichen Vollzug der Schöpfungsliebe Gottes dar. Es handelt sich also nicht um eine untätige, sondern um eine aktive und kreative Einfügung des Menschen in die großen ökologischen Zusammenhänge. Aktivität und Kreativität aber fordern den vollen und dauernden Einsatz der Vernunft, der Freiheit und der Phantasie. Wenn der Mensch sich dieser immerwährenden Anstrengung versagt, verweigert er seine eigene Menschwerdung. Denn er wird Mensch nur in dem Maße, als er die ihm geschichtlich auferlegten Entscheidungen entschlossen annimmt und verantwortlich durchführt. Was heißt das näherhin?

c) Konkrete Gestalten eines ökologischen Bewußtseins

Als erste Grundgestalt eines ökologischen Bewußtseins muß ohne Frage die *Ehrfurcht vor der Natur* gelten. Hier ist in der Tat eine lange und verhängnisvolle geschichtliche Entwicklung aufzuarbeiten. Nach Descartes erfährt der Mensch sich selbst zuallererst als denkendes Wesen: »Ich denke, also bin ich.« Von diesem Ansatz her betrachtet der Mensch die Natur als Objekt, macht sich mit seinen wissenschaftlichen Methoden über sie her und setzt sich damit in den Stand, sie technisch nutzbar zu machen. Es ist die Verabsolutierung dieser Position, die als eigentliche Ursache für die gegenwärtige ökologische Elendssituation dingfest zu machen ist. Albert Schweitzers Ethik der »Ehrfurcht vor dem Leben« stellt die genaue Gegenposition dar: Der Mensch erfährt sich als »Leben, das leben will, inmitten von Leben, das leben will«. Wenn der Mensch sich primär als Leben erfährt, das zutiefst mit anderem Leben verbunden ist, dann ist er nicht mehr das rein erkennende Subjekt, dem die Welt als Gegenstand beliebiger Manipulation gegenübertritt, er hat vielmehr selbst Anteil am Leben und weiß sich zu seiner Bewahrung in Pflicht genommen. Der Objekt-Subjekt-Dualismus zwischen Mensch und Natur ist damit überwunden. Man kann die Gemeinsamkeit des Menschen mit allem Lebendigen darin begründet sehen, daß auch die Natur beseelt ist.[6] Man wird nicht bestreiten können, daß Schweitzers Lebensethik erst in der gegenwärtigen ökologischen Krise in ihrer vollen Bedeutung gewürdigt werden kann. Freilich gerät Albert Schweitzer in eine unauflösbare Aporie, wenn er einen Unterschied zwischen höherem und niederem, wertvollerem und weniger wertvollem Leben nicht zulassen will. Es gibt offensichtlich eine Stufenordnung innerhalb der Lebewesen. Immer wieder müssen Menschen sich zum Opfer des niederen Lebens zugunsten des höheren entscheiden. Trotz mancher philosophischer und theologischer Kritik an Schweitzers Lebensethik muß man aber daran festhalten, daß ohne Rückkehr zur Ehrfurcht vor allem Lebenden keine Korrektur der neuzeitlichen Grundeinstellung gegenüber der Natur möglich ist. Der Mensch erfährt sich als »Leben, das leben will, inmitten von Leben, das leben will«. Die Gemeinsamkeit des Lebendigseins verbindet den Menschen mit allen anderen lebendigen Wesen; die Sonderstellung, die ihm unter allen lebendigen Wesen zukommt, verpflichtet ihn zur Verantwortung. Manche sprechen von der Pflicht zur Solidarität. Auch dieser Begriff bezieht sich freilich im strengen Sinn auf die Beziehung zwischen Menschen. Man sollte ihn hier nicht in einem übertragenen Sinn verwenden. Was gesagt werden soll, ist klar: Weil die Umwelt der konkrete Ort der geschichtlichen Existenz des Menschen

---

[6] Vgl. *H. Sachsse*, Der Mensch als Partner der Natur 27–39; seine Theorie von der Beseeltheit der Natur knüpft an den aus der griechischen Philosophie stammenden Entelechiebegriff an.

ist, bleibt sie in seine Verantwortung eingeschlossen. Ihre Mißachtung führt zur Zerstörung der menschlichen Lebensgrundlagen.

Als zweite Grundgestalt eines ökologischen Bewußtseins ist *die Rationalität* zu nennen. Allen romantischen Einsprüchen zum Trotz muß man feststellen, daß wir nicht zu viel, sondern immer noch zu wenig Rationalität haben; sonst würden ja unsere Techniker mit den sog. Nebenwirkungen ihrer Produkte im menschlichen wie im ökologischen Bereich eher zurechtkommen. Freilich darf der Begriff Rationalität nicht im verengten Sinn der instrumentellen Vernunft mißverstanden werden. Rationalität impliziert die Entschlossenheit, auch noch die Spätfolgen des technischen Handelns im humanen und im ökologischen Bereich von Anfang an soweit als möglich zu bedenken. Angesichts der tatsächlichen Entwicklung besitzt diese ethische Forderung hinreichende Einsichtigkeit: Wir müssen sie nicht aus abstrakten metaphysischen oder supranaturalen Prinzipien deduzieren, wir können »futurologisch dressierte Computer befragen..., um uns das ›jüngste Gericht‹ auszurechnen«.[7] Zur recht verstandenen Rationalität gehört auch die nüchterne heilsame Furcht vor möglichen Katastrophen in der nächsten oder in der ferneren Zukunft. Rationalität kann sich für den Menschen nach aller bisherigen Erfahrung nur fruchtbar auswirken, wenn sie im Bunde bleibt mit der Ehrfurcht vor der Natur. In der Tat scheint man sich heute einer gewissen Nähe der Technik zur Natur neu bewußt zu werden. Man erinnert sich wieder daran, wieviel die Technik in ihrer Entwicklung der Natur abgeschaut hat. Manche Fehlentwicklungen der Technik erbringen allerdings auch den Beweis, daß man zu wenig von der Natur gelernt hat. »Die Organisationsstrukturen und Regelmechanismen der Natur sind höher entwickelt als unsere Technik und unsere Organisationsstruktur. Von der Natur lernen heißt deshalb: verfeinerte und verbesserte Strukturen und Techniken entwickeln.«[8] Wenn der Mensch technischen Fortschritt von der Natur lernt, dann bedeutet das nicht, daß er die Natur nicht verändern darf, wohl aber müssen seine Veränderungen der Natur sich im Rahmen des ökologisch vorgegebenen Spielraums halten.

Eine dritte Grundgestalt eines ökologischen Bewußtseins ist die

---

[7] Vgl. *W.-D. Marsch,* Die Folgen der Freiheit 1–7.

[8] *A. Glück,* Anpacken statt Aussteigen 46.46–50 (»Technischen Fortschritt von der Natur lernen«; »Maßstäbe für den technischen Fortschritt«); vgl. a.a.O. 50: »Vorwärtsstrategie in der technischen Entwicklung heißt also: Den bisherigen Schwächen – Ressourcenverzehr und Zentralisierung – entgegenzuwirken und durch einen technischen Standard allmählich zu überwinden, der dem Vorbild der Natur mit ihrer Effizienz und ihrer Harmonie immer näher kommt.«

Genügsamkeit. Sie meint Mäßigung im Streben nach technischer Macht und Bescheidenheit der Zielsetzung, der Erwartung und der Lebensführung insgesamt.[9] Genügsamkeit steht nicht im Widerspruch zum Konsum, nicht zum notwendigen, aber auch nicht zum nützlichen und noch nicht einmal zum angenehmen Konsum, wohl aber zu jenem Konsum, der im Dienste uneigentlicher Bedürfnisse jene Güter vergeudet und verschwendet, von denen andere heute oder morgen leben könnten. Angesichts zahlreicher ökologischer Engpässe wird Genügsamkeit zum strengen Gebot. Aber Genügsamkeit ist ganz generell die Voraussetzung dafür, daß wir natürlicher und gesünder, authentischer und vor allem solidarischer leben. Lange wird es sich kaum durchhalten lassen, daß zahlreiche Menschen in den Wohlstandsländern in einem völlig unterentwickelten ökologischen Bewußtsein verharren und sich noch etwas darauf zugute tun, wenn sie der großen Masse der Armen einige Überbleibsel ihrer sinnlosen und ungerechten Verschwendung zukommen lassen. Verschwendung betrifft nicht nur den aktuellen Verbrauch an Konsumgütern, sondern auch den Umgang mit Rohstoffen, mit Gebrauchsgegenständen und mit der Wiederverwertung der Abfälle. Echte Genügsamkeit muß, um auf lange Sicht effizient zu werden, durch Ehrfurcht und Rationalität geprägt sein.

Die Rede von Genügsamkeit und Konsumverzicht hat einen moralinsauren Beigeschmack. Das ist zum Teil begründet in der Sache selbst, die sie anspricht, zum andern aber in der mangelnden Einsicht in die Zusammenhänge. Es fällt offenbar schwer, das Verhalten des einzelnen und den Trend der Gesamtentwicklung in ihrer gegenseitigen Zuordnung zu durchschauen. Man kann oder will nicht sehen, daß der schrankenlose Konsum des einzelnen die sozialökonomische Entwicklung im ganzen behindert; man kann oder will auch nicht daran glauben, daß der asketische Verzicht des einzelnen dem Ganzen dienlich sein soll, daß nur vernünftiger Konsum das Gleichgewicht im gemeinsamen Lebensraum fördert. Die These, daß das Sittliche seine Sanktion in sich selbst hat, wird in diesem Bereich eindrucksvoll bewiesen. Es waren die verantwortungslosen Haltungen und Entscheidungen im Bereich der Produktion und des Verbrauchs, die zur Deformation unserer Umwelt geführt haben.[10]

---

[9] Vgl. *H. Jonas – D. Mieth,* Was für morgen lebenswichtig ist. Unentdeckte Zukunftswerte, Freiburg–Basel–Wien 1983.

[10] *J. Illies,* Umwelt und Innenwelt 116–125, weist an einzelnen Beispielen (Benützen von Schlafmitteln, Zigaretten, Hormonpräparaten, Sexualität, Informationen u. a.) nach, daß verantwortungslose Haltungen und Entscheidungen zunächst die Deformation unserer

An dieser Stelle ist das Stichwort *Askese* fällig. Es benennt aber nach Ehrfurcht, Rationalität und Genügsamkeit nicht eine neue Grundgestalt eines ökologischen Ethos, sondern das Mittel, um jene zu erreichen. Der Mönchsvater Cassian hat den asketischen Verzicht als instrumentum perfectionis, d. h. als Werkzeug der Vervollkommnung verstanden. Man kann diese Vervollkommnung, die durch den Verzicht angestrebt wird, als »die Funktionstüchtigkeit jener sittlichen und religiösen Akte (auslegen, die) zur Fülle des Mensch- und Christseins führen«.[11] Es geht also in der Askese um die Agilität des Menschen, um seine Freiheit zu einem vernünftigen und sinnvollen Daseinsvollzug. Die menschliche Selbstverfügung im Handeln ist durch massive Bestimmtheiten eingeengt. Zu diesen Bestimmtheiten gehört das Habenwollen in allen Bereichen des menschlichen Daseins. Der Mensch muß seine ganze innere Kraft aufbieten, um agil und handlungsfähig zu werden, um im freien Spiel des Handelns über sich verfügen zu können. Solche Agilität kann der Mensch nie definitiv besitzen, sie ist ihm immer nur partiell zu eigen und ist stets im Werden. Sie ereignet sich immer nur dann, wenn der Mensch durch einen Akt des Verzichtes sich an irgendeiner Stelle aus seinen Bestimmtheiten emanzipiert. Jede emanzipatorische Bemühung stärkt die Agilität des Menschen; in jedem Verzicht überwindet er irgendeine Verfestigung seines Daseins und weitet damit den Spielraum seiner positiven Entfaltung aus. Das »Überragende« der menschlichen Person bewährt sich also nicht nur darin, daß der Mensch seine Welt in Freiheit erkennt, gestaltet und nutzt, sondern daß er sich ihr gegenüber versagend verhalten kann. Romano Guardini sagt in seinem Buch »Sorge um den Menschen«: »Nicht im Zugehen auf die Dinge, sondern mit dem Zurücktreten vor ihnen beginnt die Kultur. Erkennen, bewerten, entscheiden, formen und schöpferisches Hervorbringen – alles das hat zur ersten Voraussetzung jene Distanz, welche die Freiheit geistiger Bewegung ermöglicht.«[12] Ohne diese Distanz sind wir unfähig, aus der Fülle der uns angebotenen Möglichkeiten das uns Bekömmliche und Dienliche auszuwählen und dabei noch die Ansprüche unserer Mitwelt und unserer Umwelt in angemessener Weise zu berücksichtigen.

Nach Carl Friedrich von Weizsäcker »spiegeln alle Gefahren,

Innenwelt bewirken, daß wir an vielen Stellen, wo wir Mensch werden könnten, indem wir uns den Problemen mit menschlichen, d. h. geistigen Mitteln nähern, den Sieg schmählich vertun, weil wir auf die automatische Wirkung äußerer Mittel vertrauen.

[11] *R. Egenter,* Die Aszese des Christen in der Welt, Ettal 1956, 54; vgl. 27–29.
[12] Würzburg 1962, 59.

die wir vor uns sehen, keine technischen Ausweglosigkeiten, sondern eher umgekehrt die Unfähigkeit unserer Kultur, mit den Geschenken ihrer eigenen Erfindungskraft vernünftig umzugehen«. Darum fordert er die Bildung von Menschen, die mit den wachsenden technischen Möglichkeiten verantwortlich umgehen können. Erst in diesem Zusammenhang scheint es ihm angemessen, ernstlich von einer »asketischen Weltkultur« zu sprechen. Askese ist hier nicht die Selbstbescheidung des Armen, der sich mit dem Wenigen begnügt, das ihm zur Verfügung steht, sondern die freie Selbstbescheidung derer, die es sich verwehren, die von ihnen produzierten Güter ausnahmslos selbst zu konsumieren.[13] Er trifft sich hier mit Friedrich Cramer, dem Direktor des Göttinger Max-Planck-Instituts für experimentelle Medizin, der von »Fortschritt durch Verzicht« spricht. Cramer meint damit nicht, wir sollten die Zivilisationsgüter über Bord werfen, die uns die Technokultur gebracht hat, oder auf Gesundheit und soziale Einrichtungen verzichten. Er versteht unter »Neuer Askese« die Reduktion des Lebensstandards, die es in Freiheit zu übernehmen gelte, ehe sie unweigerlich auf uns zukomme; er meint mit seiner Formel »Fortschritt durch Verzicht« nichts anders als »die Selbstbehauptung des freien Menschen gegenüber der Verbraucherideologie«. Genau dies meint heutiges Ethos des Verzichts, daß die Menschen bereit werden, ihre eigene Lebenserwartung und ihre eigene Zukunft im Geiste der Solidarität mit dem Ganzen der Menschheit zu überprüfen.[14]

[13] C. F. von Weizsäcker, Die friedliche Nutzung der Kernenergie – Chancen und Risiken.
[14] Vgl. F. Cramer, Fortschritt durch Verzicht, in: Brennpunkte, hrsg. vom Gottlieb-Duttweiler-Institut für wissenschaftliche und soziale Studien, 6 (1975) 117–120; Ders., Fortschritt durch Verzicht 213–217. Für F. Cramer heißt Planung auch Beschränkung. Planung heißt Verteilung von Mangel, nicht nur Verteilung von Reichtum. Übrigens, ist Mangel wirklich etwas so Schlimmes? »Mangel ist in der langen biologischen Geschichte der Menschheit das Normale, ja geradezu der Triebkraft des Lebendigen. Die Beendigung des Mangels ruft schwerste, zum Teil fatale Störungen hervor, wenn sie nicht von entsprechenden Einsichten begleitet sind, die wir in Form der Askese, des freiwilligen Verzichtes, kennen. Die gegenwärtige Situation der Menschheit verlangt von uns Verzicht, Askese im Großen bei der Planung zukünftiger Gesellschaftssysteme, Askese der reichen Länder zugunsten der Entwicklungsländer, sie verlangt aber auch von jedem einzelnen eine neue Einstellung zum Kultur- und Zivilisationsprozeß, den ich ›Neue Askese‹ genannt habe« (215). Er erklärt dann genauerhin, was er unter »Neuer Askese« versteht. Nicht fasten, kasteien und harte Ordensregeln nach Art der Zisterzienser. »Auch nicht ein Über-Bord-Werfen der Zivilisationsgüter, die uns die Technokultur gebracht hat, keinen Verzicht auf Gesundheit als Anspruch, keinen Verzicht auf soziale Entwicklung, aber: Abgehen von der Idee des materiellen Fortschritts, Verzicht auf sinnlose Zivilisationsgüter, auf Chrom und Lack, auf Supersauberkeit, auf Modetorheit, auf Überfressen, auf Wohlstandsalkoholismus. Ich verstehe unter Neuer Askese, daß wir freiwillig das wählen, was notwendig auf uns zukommt, nämlich die Reduktion des Lebensstandards . . .« (216).

2. Bildung ökologisch engagierter Gruppen

Der einzelne ist und bleibt »die entscheidende Instanz einer ökologischen Ethik« (P. Kampits). Er muß bei sich selber anfangen, richtig zu handeln und in kleinen Schritten eine bessere Ordnung durchzusetzen. Aus solchen Anfängen können sich allmählich kleinere und größere Gruppen herausbilden, die bereit und willens sind, einen neuen Lebensstil zu entwickeln. Je entschiedener kleinere soziale Gruppen darangehen, ihren Lebensraum verantwortungsvoll zu gestalten, desto mehr nimmt die Umweltbelastung ab. Sie werden sicher kein Paradies auf Erden aufrichten, aber sie werden demonstrieren, wie man die naturalen Grundlagen des menschlichen Lebens respektiert und doch eine Lebenweise finden kann, die auf mehr Vernunft, auf mehr Freiheit und auf mehr Solidarität beruht. Dadurch kann im sozialen Umfeld echtes ökologisches Bewußtsein geweckt werden. Engagierte Gemeinschaften drängen zur Kommunikation mit Menschen, die noch nicht sensibilisiert sind. Ökologisch engagierte Gruppen präsentieren sich als Alternative zum gesellschaftlich Anerkannten und üben natürlich auch eine starke Faszination auf alle aus, die einen Hang zum Sektiererischen haben. Das ist unvermeidlich und darf sie nicht irritieren. Sie müssen den Mut zum Elitären aufbringen. Es ist offensichtlich ein sozialbiologisches Gesetz höherer Ordnung, daß diejenigen Gruppen, die die stärkste Kraft zur Askese entfalten, in der Gesellschaft führend sind.[15] Wahre Eliten weisen sich durch den Anspruch aus, den sie an sich selber, nicht durch den, den sie an andere stellen. Ihre Legitimation liegt in der bewußten Übernahme von Verantwortung für das wahre Allgemeinwohl. Die Impulse, deren wir für die notwendige Veränderung unseres gegenwärtigen Lebensstils bedürfen, sind weder vom Staat noch von den gesellschaftlichen Institutionen zu erwarten. Günter Keil beschließt sein Buch »Der sanfte Umschwung« mit der zuversichtlichen Feststellung: »Es ist die beste Eigenschaft unseres Gesellschaftssystems,

---

[15] *H. Schelsky,* Soziologie der Sexualität, Hamburg ⁵1956, 96: »Insofern das Opfer der sinnlichen Triebbefriedigung sich im allgemeinen Sozialbewußtsein als religiöser oder sittlicher Sollensanspruch höheren Ranges durchsetzt, verleiht jede Form radikalerer Askese ihren Trägern im Gewissen der anderen, triebgebundeneren Schichten eine soziale Autorität, die in keiner äußerlichen Herrschaftsordnung, sondern in der bis in die Vitalschicht hinabreichenden scheuen Anerkennung einer existenziellen Überlegenheit wurzelt. Das Urteil, ›die Autorität ist nur asketisch zu garantieren‹ (H. Ball), enthält also eine vielschichtige Wahrheit. Die freiwillige Verzichtleistung auf die sozial anerkannten Normalbedürfnisse einer Gesellschaft ist zu allen Zeiten das eigentliche Signum der geistigen Autorität und der Ausweis eines höheren menschlichen Ranges gewesen.«

daß der einzelne zusammen mit einer Gruppe Gleichgesinnter sehr viel in Bewegung bringen kann.«[16]

Ökologisch engagierte Gruppen leben wie alle kleineren und größeren Gemeinschaften nicht nur von einer Doktrin und von einer Aktion, die sie verbinden, sondern von Symbolen, in denen sich ihr zentrales Anliegen repräsentiert.[17] Gerhard Liedke stellt als ökologische Symbolhandlung »die einfache Mahlzeit« vor. Er nennt eine Reihe von Elementen, die sich für ihn aus der Praxis einfacher Mahlzeiten ergeben haben. In der einfachen Mahlzeit wird geteilt, was da ist. Teilen erscheint hier nicht als moralischer Appell, sondern als selbstverständlicher Ausdruck einer ökologischen Grundgesinnung. Die Reduzierung auf Einfaches motiviert die Teilnehmer zum sorgsamen Umgang mit den Nahrungsmitteln und übt sie damit in den Umgang mit der Schöpfung ein. Aus der Kommunikation des Teilens der einfachen Dinge ergibt sich die Kommunikation des Gesprächs und des Austausches. Naturale und soziale Beziehungen wachsen ineinander. Einige weitere Beobachtungen führen in die christliche Interpretation hinein: Die einfache Mahlzeit ist nicht nur ökologisches Symbol, sondern steht in großer Nähe zum eucharistischen Symbol des Mahles. »Alle Beobachtungen zur einfachen Mahlzeit treffen auch für das Mahl des Herrn zu.« Angesichts der sakralen Stilisierung des Abendmahls in den christlichen Kirchen könnte es hilfreich sein, wenn die naturale Werterfahrung aus dem einfachen Mahl darin zum Tragen käme. Aus der Zusammenschau beider Mahlgestalten ergibt sich außerdem die hohe Bedeutung des Dienens und des Dankens. Und schließlich wird dabei deutlich, daß wir Menschen Gäste sind und nicht »Besitzer und Eigentümer der Natur« (Descartes). Liedke faßt seine Beobachtungen über die einfache Mahlzeit als ökologische Symbolhandlung zusammen mit dem Hinweis, daß sie Aktionen und Umdenken nicht ersetze, daß sie aber »ein Baustein zur Schaffung eines ökologischen Klimas sein (könnte), den gerade wir Christen zu der Suche nach einem neuen Umgang mit der Erde beibringen können«.[18] Es kommt darauf an, daß solche Anregungen weitergegeben und in kleinen Kreisen, in Familien oder in Gemeinden eingeübt werden. Dadurch wird die Phantasie angeregt und die Sensibilisierung für die ökologischen Zusammenhänge geschärft. Versuche dieser oder ähnlicher Art könnten eine Herausforderung und ein ermutigendes

---

[16] Über solche Gruppen berichten *G. Liedke*, Im Bauch des Fisches 198–200, und *P. Spescha*, Energie, Umwelt und Gesellschaft 142–147.

[17] Zum folgenden vgl. *G. Liedke*, Im Bauch des Fisches 200–207.

[18] A.a.O. 207.

Zeichen dafür sein, daß der einzelne seine Lebensform humaner und zugleich natürlicher gestalten kann. Grundmuster richtigen menschlichen Lebens werden durch Symbole ungleich wirksamer vermittelt als durch lehrhafte Darstellung.[19] Man kann zwar die Meinung vertreten, daß in einer pluralistischen Gesellschaft die Umweltethik sich nicht an höchsten Idealen orientiert, sondern nur das in der Gegenwart mehrheitsfähige ethische Minimum verkörpert und gleichwohl unsere Zukunft sichert.[20] Wir wissen aber aus der Erfahrung, daß in einer Gesellschaft nicht einmal die einfache Sittlichkeit auf die Dauer durchzuhalten ist, wenn sich in ihr nicht hochethische Impulse wirksam erweisen.

II. ÖKOLOGISCHES HANDELN

Ökologisches Bewußtsein und ökologische Betroffenheit verändern die Wirklichkeit nicht. Bequemlichkeit, Statusdenken und eingefahrene Lebensgewohnheiten verhindern allzuoft den Durchbruch zum Handeln. Nur das Handeln vermag Schäden wieder gutzumachen, Gefahren abzuwenden und ein neues Lebensmodell durchzusetzen. Nun ist das ökologische Problem zwar ein globales Problem und kann ohne ein umfassendes strukturelles Konzept nicht gelöst werden. Darum ist es wichtig, »auf globalem Niveau zu denken«, aber globales Denken ersetzt nicht die konkrete Arbeit, die notwendig ist, um »die praktischen Probleme vor der eigenen Haustür« und – so muß man hier hinzufügen – im eigenen Hause zu bewältigen.[21] Natürlich gibt es hier kein ethisches Konzept im Sinne eines starren Ordnungsschemas, aber doch eine Art Grundmuster richtigen menschlichen Seins und Verhaltens, das sich als Modell eines vernünftigen, ökologisch verantworteten Ver-

[19] R. Dubos, Die Wiedergeburt der Welt 46: »Der Erwerb kollektiver Symbole mit all den damit verbundenen Werten, die in der jeweiligen sozialen Gruppe vorhanden sind, macht genau den Sozialisationsprozeß aus, durch den der Homo sapiens wirklich menschlich wird.«

[20] Vgl. G. Hartkopf – E. Bohne, Umweltpolitik I, 68.

[21] R. Dubos, Die Wiedergeburt der Welt 104. Vgl. a.a.O. 104–161 das Kapitel »Denke global, aber handle lokal«. Vgl. auch H. Zingel, Entwicklungspolitik und Besinnung auf einen alternativen Lebensstil, in: Lebendiges Zeugnis (1980) 45–55, hier 53 f: Aktionen wie »Jute statt Plastik, weniger Fleisch essen, Kaffee aus Guatemala« führen zu Erfahrungen, die im täglichen Leben am eigenen Leib gemacht werden. Aber es geht auch hier »zunächst noch alles durch den Kopf. Dennoch wird die Kopflastigkeit der westlichen Industriegesellschaften und ihre Bildungssysteme aufgebrochen. Es entsteht ein ›learning by doing‹, ein Lernen durch das Tun, das nicht nur die kognitive Ebene in das Lernen miteinbezieht, sondern auch die praktische und emotionale.«

haltens in den wichtigsten Bereichen des täglichen Lebens aufweisen läßt. Als die wichtigsten Lernfelder erscheinen Ernährung, Haushaltsführung, Landbau und Verkehr.[22]

Die Ermunterungen zu einer gesunden, bewußten, bescheidenen und maßvollen *Ernährung* stoßen sicherlich auf allgemeinen Konsens. Eine Reihe von Veröffentlichungen aus dem Umkreis der Medizin weisen in die gleiche Richtung.[23] Bioprodukte, die von gesunden Böden stammen und von lebensfeindlichen Chemikalien frei sind, verdienen den Vorzug vor denaturierten Produkten. Die gesundheitlichen Beweggründe, die ethischen Motivationen und die ökologischen Einsichten, die da und dort für den Vegetarismus vorgebracht werden, braucht man nicht zu teilen; es ist aber doch eine alte Weisheit, daß es der Gesundheit sehr förderlich sein kann, statt des täglichen Fleischgenusses auf Gemüse, Milchprodukte, Reis u. a. zurückzugreifen.

Ein weiteres Lernfeld ökologischen Handelns ist der umfassende Bereich der *Haushaltsführung*. Beim Einkauf übt der Konsument einen beträchtlichen Einfluß auf die Produktion wirtschaftlicher Güter aus. Er sollte sich darum für hochwertige Produkte entscheiden und minderwertige ausdrücklich zurückweisen; er sollte sich auch übertriebenen Tendenzen zum Modischen und den Anreizen zur Verschwendung widersetzen und vor allem – vielleicht sogar auf Kosten unmittelbarer Bedarfsbefriedigung – das Kriterium der

---

[22] Vgl. zum Folgenden besonders *W.-D. und C. Hasenclever,* Grüne Zeiten 184–197; *G. Liedke,* Im Bauch des Fisches; die von G. Liedke (194 f) angegebenen Quellen sind nur noch teilweise zugänglich; mehrere der hier angegebenen Institutionen haben auf Anschreiben nicht reagiert. Aus der ins Uferlose angewachsenen Literatur seien nur einige Titel hier genannt: Alternativkataloge, hrsg. vom Gottlieb-Duttweiler-Institut, Rüschlikon–Zürich; Informationsblätter des »Bundes Naturschutz in Bayern«; weitere, zum Teil recht ansprechende Informationen werden herausgegeben von den Ministerien für Umweltschutz, z. B. die Mappe »Umweltschutz in Haus und Garten« des Bayerischen Staatsministeriums für Landesentwicklung und Umweltfragen; weiterhin von der »Aktion saubere Landschaft« in Ingolstadt, vom Umwelt-Bundesamt in Berlin u. a.; schließlich sei hingewiesen auf das vom Presse- und Informationsamt der Bundesregierung herausgegebene »Energiesparbuch für das Eigenheim. Eine Anleitung zu Verbesserungen an Haus und Heizung« (Reihe: Bürger-Service 17), Bonn 1980, und auf den von der Akademie für Lehrerfortbildung Dillingen vorgelegten Bericht Nr. 27 »Ökologische Aspekte der Haushaltsführung« (1976). Zu den einzelnen Bereichen finden sich Literaturhinweise bei W.-D. und C. Hasenclever.

[23] Vgl. etwa *U. Lutz-Dettinger,* Förderung der Gesundheit und Lebensfreude durch körperliche und psychische Hygiene (Gesundheitserziehung und Hygiene II), Paderborn 1982; weitere Veröffentlichungen der Verfasserin in der Reihe »Gesundheitserziehung und Hygiene«: Band 1: Gesundheitserziehung und Hygiene im Kindergarten, in Schule und Unterricht; Band 3: Die Umwelt in ihrer Bedeutung für die Gesunderhaltung. Interessante Informationen und eine Menge konkreter Hinweise bietet *F. Moore-Lappé,* Die Öko-Diät. Wie man mit wenig Fleisch gut ißt und die Natur schont, Frankfurt [4]1980.

Dauerhaftigkeit der Gebrauchsgüter zugrunde legen; heute werden ja viele Güter nicht auf lange Haltbarkeit, sondern auf baldigen Verschleiß hin produziert. Wer auf dem Markt einkauft, wird leicht herausfinden können, wo es Lebensmittel gibt, die auf natürliche Weise gewachsen sind; die Bio-Ecken in manchen Läden verbuchen wachsenden Zuspruch. Der Kunde sollte sich auch bewußt werden, daß er aufwendige und überflüssige Verpackung mitbezahlen muß.

Ein anderer wichtiger Bereich in der Haushaltsführung ist der Energie- und Wasserverbrauch. Durch die Ölkrise ist das öffentliche Bewußtsein so geschärft worden, daß in den letzten Jahren sich eine deutliche Einsparung im Energieverbrauch durchgesetzt hat. Dabei mögen die finanziellen Gesichtspunkte stärker ins Gewicht gefallen sein als die ökologischen. Immerhin ist bei vielen mit dem Zwang zum Sparen der ökologische Groschen endlich gefallen. Es werden Öfen eingebaut oder wieder in Betrieb genommen, in denen Abfälle verbrannt werden können. Die Wände werden besser isoliert. Die Zimmertemperatur wird reduziert. Selten benutzte Räume werden weniger oder gar nicht mehr beheizt. Die Zahl derer, die Solaranlagen einbauen oder die Möglichkeit später eventuell zu verwendender Wärmepumpen vorsehen, ist im Wachsen. Für die Benutzung der Haushaltsgeräte wird zunehmend der Nachtstrom genutzt – was zwar billiger, aber unter ökologischem Aspekt nicht günstiger ist. Im gesamten freilich wird noch viel zuviel Energie und viel zuviel Wasser gedankenlos verschwendet. Wenn man bedenkt, daß im privaten Haushalt, im Kleingebrauch und im privaten Kfz-Verkehr in der Bundesrepublik Deutschland über die Hälfte der gesamten Endenergie verbraucht wird, wird deutlich, wie groß die Einflußmöglichkeiten sind, die jedem einzelnen im täglichen Leben zur Verfügung stehen.

Eine Menge von interessanten Anregungen gibt es für ökologisch angepaßtes Wohnen. Sie liegen vor allem im Bereich der Energiegewinnung und der Wärmenutzung für Warmwasserzubereitungen. Es wird besonderer Wert gelegt auf die Nutzung gesunder und natürlicher Bau- und Einrichtungsstoffe. Man achtet darauf, ein möglichst optimales Raumklima herzustellen sowie Belästigungen und Gesundheitsschäden durch die vielfältigen Lärmeinwirkungen zu reduzieren. Es gibt bereits eigene Institute für Baubiologie, in denen man die gesundheitlichen Wirkungen der bebauten Umwelt zu erkennen und für die praktische Anwendung dieser Erkenntnisse Anregungen zu vermitteln bemüht ist. Bioschreiner preisen Holz als das beste Baumaterial: »Es atmet, ist wasserdurchlässig, antistatisch, absorbiert beispielsweise Zigarettenrauch und hat obendrein seine spezifische Ausstrahlung.«[24]

Große Sorgfalt wird neuerdings der Beseitigung bzw. Wiederverwertung des Haushaltsmülls zugewendet. Altglas und Altpapier gehören nicht in die Mülltonne, sondern in den Altglas-Container oder in die Altpapiersammlung. Da und dort gibt es schon Mülleimer mit mehreren Teilbereichen, die eine Trennung von organischen Abfällen, Glas und Metall ermöglichen. Umweltministerien und Umweltschutzorganisationen geben vielfältige Hinweise auf Problemabfälle aus Haushalten (alte Batterien, Arzneimittel u. a.). Wie wichtig konkrete Hinweise und Aktionen in diesem Bereich sind, ergibt sich aus der Tatsache, daß seit dem Jahr 1960 sich die Menge des Hausmülls und hausmüllähnlicher Abfälle aus Industrie und Gewerbe vervierfacht hat; jährlich fallen pro Einwohner 300 kg an. Außerdem hat sich die Zusammensetzung der Abfälle wesentlich verändert; es geht nicht mehr nur um die Asche aus dem Herd und dem Ofen, sondern um Glas, Kunststoffe und Metalle, es geht auch um Altöl, um Chemikalien, flüssige Lack- und Farbabfälle, um mineralölhaltige Stoffe und viele gesundheits- und wassergefährdende Rückstände.

Ein drittes Lernfeld ökologischen Handelns ist die *Gartenarbeit* und der *Landbau*. Wer selber einen Garten oder ein Stück Land besitzt oder sich angemietet hat, kann als sein eigener Bauer sich mit Gemüse und Obst versorgen, die ohne Chemikalien gedeihen. Indem er selber seinen Garten umtreibt, lernt er eine neue Weise des Umgangs mit der Natur. Jeder Garten ist eine eigene Lebensgemeinschaft, die sich um so mehr entfalten kann, je weniger der Mensch in die natürlichen Abläufe eingreift und je mehr er die Natur gewähren läßt. Eine Fülle von Büchern und Informationsblättern geben jedem Interessenten Auskunft über die Vielfalt der Arten von Pflanzen und Tieren, die zum Nutzen und zur Freude des Menschen sich in einem Garten entfalten können. Besondere Förderung verdient heute die biologische Landwirtschaft, die sich in den letzten Jahren erfreulicherweise sehr viel bewußter etabliert hat. Die Berücksichtigung der biologischen Gesetzmäßigkeiten, der natürlichen Standortbedingungen und der natürlichen Kreisläufe ist ein wichtiger Beitrag zur Herstellung hochwertiger Nahrungsmittel. Es wäre in der Tat zu wünschen, daß möglichst viele kon-

---

[24] Vgl. den Bericht »Bioschreiner lassen das Holz gesund atmen« in der *Süddeutschen Zeitung* Nr. 180/1983. Vgl. auch den zitierten Bericht der Akademie für Lehrerfortbildung Dillingen über »Ökologische Aspekte der Haushaltsführung« 60–63.

ventionell wirtschaftende bäuerliche Betriebe auf biologischen Landbau umsteigen würden.[25]

Als letzter Bereich sei der *Verkehr* angesprochen. Gegen das Auto als eines der wichtigsten Symbole unseres Lebensstils ist schwer anzukommen. Die Tatsache, daß bei Berechnung der Vollkosten die Fahrt mit einem Pkw dreimal so teuer ist wie mit der Bundesbahn, scheint auch weniger Wohlhabende nicht allzusehr zu beeindrucken. Die ökologischen Aspekte (Energieverbrauch, Lärmentwicklung, Luftverpestung) finden allerdings zusehends Beachtung. Die alternativen Möglichkeiten, die in der Öffentlichkeit diskutiert werden, stellen kaum eine ernsthafte Beeinträchtigung der für unsere Wirtschaft lebenswichtigen Autoindustrie dar. Man kann ein Auto besitzen und trotzdem kurze Wege zu Fuß oder mit dem Fahrrad und große Strecken mit der Bahn zurücklegen. Und man kann zur Arbeit fahren mit öffentlichen Verkehrsmitteln oder in Fahrgemeinschaften. Die Autoindustrie kann selbst einen wichtigen Beitrag zur Eindämmung der bisher üblichen Nachteile leisten, wenn sie Kraftwagen auf den Markt bringt, die weniger Energie verbrauchen und mit bleifreiem Benzin angetrieben werden.[26]

Die Lernfelder ökologischen Handelns, die hier vorgestellt worden sind, müssen in einer geduldigen pädagogischen Bemühung in der Familie, in der Schule, in der öffentlichen Bildungsarbeit und in den Massenmedien konkret erschlossen und dem Menschen nahegebracht werden. Vor allem aber muß das ökologische Handeln in kleinen Gruppen eingeübt werden.[27] Die Zusammenschau der einzelnen Elemente ergibt ein Grundmuster ökologisch richtigen Handelns. Es scheint zwar nicht viel zu sein, was der einzelne beitragen kann. Aber wenn dieses Wenige von vielen getan wird, ergibt sich ein wichtiger Beitrag für die Bewältigung der ökologischen Krise. Es klingt ein wenig bombastisch, wenn W.-D. und C. Hasenclever ihr Konzept unter der Leitidee eines »ökologischen Humanismus« vorlegen. Diese Formel hat aber den Vorzug, die

[25] *G. Keil,* Der sanfte Umschwung 109, nennt die wichtigsten alternativen Methoden des biologischen Landbaus: Sie arbeiten im wesentlichen in natürlichen Kreisläufen und nutzen weitgehend die Fähigkeit dieser Kreisläufe zur Selbstregulation bei Belastungen; sie verzichten weitgehend auf künstliche Düngung und setzen statt dessen organische Düngung und Komposte ein; sie pflegen und ernähren das Bodenleben, die Flora und Fauna der Humusschicht und sorgen für die Erhaltung einer ständigen Vegetationsdecke, damit der Dünger nicht abgeschwemmt wird. Vgl. a.a.O. 95–128 (Kap. 5: Die grüne Industrie: Landmißwirtschaft statt Landwirtschaft).

[26] Vgl. *G. Keil,* Der sanfte Umschwung 183–187. 176 f u. 236 f (Über Sparsamkeit und Umweltfreundlichkeit von Elektroautos).

[27] Vgl. *G. Liedke,* Im Bauch des Fisches 182–188, wo über ein »Energiespiel« berichtet ist, das die pädagogischen Bemühungen mit Freude und Spaß auflockert.

fundamentale Bedeutung unserer natürlichen Lebensgrundlagen und zugleich die menschliche Verantwortung zum Ausdruck zu bringen. Bescheidener und konkreter umschreibt Plasch Spescha den »Neuen Lebensstil« mit der Formel »Auf dem Weg zur Konkretisierung solidarischen Selbstseins im Alltag«.[28]

---

[28] *P. Spescha*, Energie, Umwelt und Gesellschaft 142–147.

3. Kapitel
DAS SOZIALETHISCHE ENGAGEMENT FÜR DEN UMWELTSCHUTZ

Je stärker sich das ethische Bewußtsein entfaltet, desto nachhaltiger drängt es auf die Veränderung jener Strukturen, deren zunehmende Verhärtung den Ausbruch der ökologischen Krise verursacht hat. Es besteht ein weitreichender Konsens darüber, daß die Wertmaßstäbe, die in unserer Gesellschaft weithin bestimmend geworden sind, geändert werden müssen und daß diese Veränderung sich in einer konkreten gesellschaftlichen und wirtschaftlichen Neuorientierung auswirken muß. Manche plädieren für den Auszug aus der Gesellschaft, manche fordern den Umsturz unseres gesellschaftlichen Systems und den Abbau der gesamten Großtechnologie. Die Zahl derer, die auf eine eskapistische oder auf eine revolutionäre Lösung der Probleme setzen, scheint sich allerdings seit einiger Zeit wieder zu verringern. Auf jeden Fall aber müssen so weit als möglich die ethischen Potenzen aktiviert und zugleich angemessene strukturelle Innovationen in Gang gesetzt werden. Durch die wissenschaftliche, technische und wirtschaftliche Entwicklung sind die menschlichen Möglichkeiten in eine neue Dimension hineingewachsen, in der die Entscheidung zum Guten wie zum Bösen bisher unvorstellbare Ausmaße annehmen muß.

Man kann die Welt nicht verändern, wenn sich die Menschen nicht ändern. Aber die Lösung der ökologischen Probleme ist mit Sicherheit nicht nur ein individualethisches, sondern auch ein sozialethisches Problem. Die ethischen Normen haben sich bisher vorwiegend auf den menschlichen Intimbereich und auf das Zusammenleben in gemeinschaftlichen und kleineren gesellschaftlichen Gruppen konzentriert. Inzwischen hat man begriffen, daß es heute um den »Makro-Bereich der menschlichen Lebensinteressen« geht. Nie war »das Bedürfnis nach einer universalen, d. h. für die menschliche Gesellschaft insgesamt verbindlichen Ethik... so dringend wie in unserem Zeitalter einer durch die technologischen Konsequenzen der Wissenschaft hergestellten planetarischen Einheitszivilisation«.[1]

88

Die rationale Begründung einer Makro-Ethik tut sich – darauf wurde schon hingewiesen – verhältnismäßig leicht, weil sie auf die verheerenden Folgen hinweisen kann, die der Mißbrauch von wissenschaftlichen Erkenntnissen und technischen Errungenschaften bereits gezeitigt hat. Der Blick auf diese Folgen sollte ausreichen, um nicht nur eine ethische Umorientierung der Gesinnung in die Wege zu leiten, sondern auch die erforderlichen strukturellen Änderungen zu stimulieren. Der makro-ethische Impuls sollte die Wissenschaft ermuntern, Grundlagen und Ziele heutigen Lebens neu zu erforschen; er sollte alle Menschen, vor allem die Verantwortlichen in den Bereichen der Wissenschaft, der Technik, der Wirtschaft und der Politik unablässig antreiben, die wissenschaftlichen Erkenntnisse in einem entschiedenen sozialethischen Engagement durchzusetzen.

Individualethik und Sozialethik – so heißt es – müssen durch eine Umweltethik ergänzt und erweitert werden.[2] In der Tat gehört neben der Identität und der Solidarität auch die Einbindung in die naturale Umwelt zu den grundlegenden Dimensionen menschlichen Daseins. Einen eigenen Bereich der Ethik stellt die Umweltethik freilich nicht dar. Die Umwelt ist nicht selbst Trägerin einer eigenen Ethik, vielmehr gehört die verantwortliche Wahrnehmung ihres Schutzes in die ethische Kompetenz des Individuums und der Gesellschaft. Mit guten Gründen hat man in der Tradition zur Sozialethik nicht nur Gesellschafts-, Staats- und Kulturethik, sondern auch Arbeits- und Wirtschaftsethik gerechnet. Wie in der Arbeits- und Wirtschaftsethik unterscheiden wir darum auch im Bereich des Umweltschutzes das individual- und das sozialethische Engagement. Von letzterem ist in diesem Abschnitt die Rede.

I. WISSENSCHAFTLICHE ERFORSCHUNG DER GRUNDLAGEN UND ZIELE DES UMWELTSCHUTZES

1. Erforschung der ökologischen Systeme und Gleichgewichtsmechanismen

Dem Menschen wird immer mehr bewußt, wie sehr er in die Vorgänge der ihn umgebenden und tragenden Welt hineingegründet

---

[1] *K.-O. Apel,* Das Apriori der Kommunikationsgemeinschaft und die Grundlagen der Ethik. Zum Problem einer rationalen Begründung der Ethik im Zeitalter der Wissenschaft, in: Ders., Transformation der Philosophie, Band 2, Frankfurt 1973, 358–435, hier 359.

[2] Vgl. *H. D. Engelhardt,* Umweltfaktoren und Krankheitsbedingungen, in: Handbuch der christlichen Ethik, Bd. 2, 60–72, hier 64.

ist. Es ist die Aufgabe der Wissenschaft, vor allem der Biokybernetik, der Verhaltenskybernetik und der Systemanalyse, dieses Eingebundensein des Menschen in das Gesamt der ökologischen Systeme und Gleichgewichtsmechanismen genauer zu erforschen. In der Tat untersuchen eine ganze Reihe von Einzelwissenschaften mit zunehmender Intensität die Beziehungen der einzelnen Lebewesen (den Menschen eingeschlossen) zu ihren physikalischen, chemischen, organischen, klimatologischen Bedingungen.[3] Daß dabei die Stellung des Menschen im Ökosystem und seine damit gegebene Verantwortung bevorzugte Beachtung finden, versteht sich von selbst. Der Mensch kann in keiner Weise aus dem Ökosystem aussteigen. Er muß das gesamte Wirkungsgefüge von anorganischer und organischer Umwelt, in dem er steht, respektieren, wenn er sich selbst auf Dauer in Freiheit verwirklichen will. Selbstverwirlichung ist für ihn nur möglich in seinem naturalen Lebensraum. Allein die umfassende Einsicht in die vielfältigen Erscheinungen und Prozesse der natürlichen Umwelt kann verhindern, daß der Mensch bei seinen Eingriffen in diese nur den unmittelbar betroffenen Bereich im Auge hat und weitergreifende Auswirkungen auf sich selbst oder auf seine Umwelt übersieht. Adolf Portmann sieht im »Umweltschutz« mit Recht die beiden Aufgaben des Naturschutzes und des Menschenschutzes umgriffen; beides sind für ihn »Probleme von höchster politischer Tragweite«. Ökologie könnte nach seiner Meinung in nächster Zeit sehr wohl der wichtigste Aspekt der Naturwissenschaft sein. »Bald einmal könnte die Leistung im Bereich der Ökologie das Maß für die öffentlichen Mittel sein, die den Hochschulen zufließen, weil es sich allmählich herumgesprochen hat, daß von der Entwicklung dieser ökologischen Forschung und der Wirksamkeit ihrer Einsichten die Erhaltung unseres ganzen Daseins abhängen wird.«[4]

2. Prüfung der ökologischen Belastungsgrenzen und Risiken[5]

Die Wissenschaft hat nicht nur die Beziehungs- und Gleichgewichtssysteme zu erforschen, sie hat auch in einer angestrengten interdisziplinären Bemühung die Frage zu prüfen, ob und wann der technische und wirtschaftliche Einsatz bestimmter wissenschaftlicher Erkenntnisse die Belastungsfähigkeit einzelner Systeme bzw. des gesamten Ökosystems überschreitet und damit riskant wird.

[3] Vgl. *H. Adam,* Auf dem Weg zu einem humanökologischen Gewissen 114–116.
[4] *A. Portmann,* Naturschutz wird Menschenschutz 43.41.
[5] Vgl. zum folgenden *G. Altner,* Anthropologische und theologische Überlegungen zum Mensch-Natur-Verhältnis 104–107.

Nur auf diese Weise können Katastrophen verhütet werden.[6] Der technische Fortschritt ist nicht ein Wert in sich selbst, der im Gefälle seiner Eigengesetzlichkeit hemmungslos und bedingungslos vorangetrieben werden dürfte. Die sog. »Nebenwirkungen« technischer Entwicklungen auf den Menschen und auf die Umwelt müssen vorweg sorgfältig abgeschätzt werden. Mensch und Umwelt sind verletzlich und nicht unbegrenzt belastbar. Grenzüberschreitungen führen leicht zu irreversiblen Schädigungen der menschlichen Gesundheit oder der naturalen Lebensgrundlagen. Die Grenzen der Belastbarkeit sind gewiß schwer festzulegen, und es ist auch schwer auszumachen, welche Belastungen sich noch im Rahmen der Regenerationsfähigkeit des ökologischen Haushalts befinden. Die Hauptschwierigkeit scheint darin zu liegen, daß »Schädigungsprozesse ... zunächst relativ langsam und gewissermaßen verdeckt (verlaufen), weil ein intaktes Ökosystem viele Stöße auffangen und verarbeiten kann« und weil die Prozesse um so rascher verlaufen, »je mehr sich der Schadensverlauf dem kritischen Punkt nähert«.[7] Das Baumsterben, das man lange gar nicht wahrgenommen hat und das nunmehr von Monat zu Monat schrecklichere Ausmaße annimmt, ist ein »Lehrstück der Natur«, das den Menschen zu äußerster Vorsicht mahnen muß.[8] Die Schwierigkeit, richtige Kriterien zu entwickeln und anzuwenden, wird dadurch erheblich verschärft, daß wissenschaftliche Erkenntnisse gegen emotionale oder ideologische Fixierungen und gegen handfeste Interessen durchgesetzt werden müssen.

3. Erschließung neuer Energie- und Nahrungsquellen

Man wird davon ausgehen können, daß in kritischen Phasen die Einfälle und Erkenntnisse der Wissenschaftler und die Erfindungen der Techniker sich steigern. Entgegen zahlreichen Prognosen sind auch im Bereich der Energie- und Nahrungsversorgung Resi-

---

[6] H. Adam, Auf dem Weg zu einem humanökologischen Gewissen 122 f: Die Grenzen der Belastbarkeit »sind heute vielfach wohlbekannt, doch nimmt man unverantwortlicherweise das Risiko des Zusammenbruchs in Kauf: etwa in Erosionslagen im Hochgebirge, im Bereich von Lawinenschneisen oder bei der überlangen einseitigen landwirtschaftlichen Nutzung von Flächen oder einer allein nutzorientierten Monokultur«. Vgl. die wichtigen Überlegungen von H. Jonas, Das Prinzip Verantwortung 61–69, über die Notwendigkeit einer »Tatsachenwissenschaft für die Fernwirkungen der technischen Aktion« als einer Grundlage für eine »Heuristik der Furcht«.

[7] H. Glück, Das Baumsterben – ein Lehrstück der Natur für den Menschen, in: *Rheinischer Merkur/Christ und Welt* vom 29. 4. 1983.

[8] Wie schwierig sich die Prüfung ökologischer Belastungsgrenzen und Risiken konkret anläßt, zeigt eindrucksvoll das Kapitel über »Umweltverträglichkeitsprüfung«, in: G. Hartkopf – E. Bohne, Umweltpolitik I, 212–220.

gnation und Pessimismus nicht am Platz. Es zeigt sich immer wieder, daß die Schätzungen hinsichtlich der Rohstoffreserven durch die Entdeckung neuer Vorkommen und neuer Möglichkeiten der Nutzung überholt werden. Die Annahme des Meadow-Modells, Ressourcen seien feste endliche Größen, wird nicht von allen Autoren geteilt. Viele vertreten vielmehr die Auffassung, daß mit dem Wachstum der Bevölkerung und des Einkommens auch die brauchbaren Ressourcen wachsen. Die Erfindungskraft der Menschen und die Regulationsfunktion des Marktes verändern immer wieder in unvorhersehbarer Weise die Situation und die Entwicklung. Die Erde ist im ganzen unzweifelbar endlich, und der steigende Verbrauch gewisser Rohstoffe wird in absehbarer Zeit erschöpft sein. Ebenso sicher ist, daß die primären Energieträger substituierbar sind – Erdöl durch Ausbeutung von Teersanden, Ölschiefern und Kohle, vor allem durch die Entwicklung der Kernenergie und auf weite Sicht wohl der Sonnenenergie. Der eindrucksvollste Beweis der Ersetzbarkeit primärer Energieträger ist die Expansion des Kunststoffmarktes.[9]

Auch im Bereich der Nahrungsmittelgewinnung gibt es zuversichtliche Prognosen. Noch hungern freilich Milliarden von Menschen. Aber die Überzeugung setzt sich durch, daß dies nicht so sein muß und daß es bei gehöriger politischer Entschlossenheit durchaus Möglichkeiten der Abhilfe gibt. Die »Grüne Revolution« (Einführung neuer, besonders ertragreicher Pflanzensorten und Steigerung des Ertrags durch Kunstdünger und Schädlingsbekämpfung) könnte durchaus dazu führen, daß auch in den Entwicklungsländern die Nahrungsmittelproduktion rascher wächst als die Bevölkerung. Dabei müßten allerdings die ökologischen Fehler, die in den Industrieländern gemacht worden sind, vermieden werden. Ob dies der falsche Weg ist und man statt dessen »zum Typ der ›organischen Farmen‹ und Höfe zurückfinden (muß), die nachweislich dieselbe Rentabilität wie die konventionellen industrialisierten Betriebe erreichen können, ohne die Umwelt durch Monokulturen, Bodenerosion, Giftmüll u. ä. auf gefährliche Weise zu belasten«,[10] kann nur von Fachleuten entschieden werden. Unbestritten scheint heute zu sein, daß durch »systematische Ausnützung der Meere und neue Technologien zur Erzeugung der lebenswichtigen Proteine« der Produktionsraum ausgeweitet werden kann.[11] Solange

[9] Vgl. zum Ganzen K. Scholder, Grenzen der Zukunft 45–50.
[10] E. Drewermann, Der tödliche Fortschritt 56.
[11] K. Scholder, Grenzen der Zukunft 50.

solche Möglichkeiten noch bestehen, ist es jedenfalls unangebracht, einen Wachstumsstopp zu fordern. Es ist im Gegenteil durchaus denkbar, daß wir erst am Anfang eines entscheidenden technischen und wirtschaftlichen Durchbruchs stehen.

4. Erarbeitung von Methoden der Wiederverwertung von Abfallprodukten

Eine weitere Aufgabe der Wissenschaft besteht darin, die Vergiftung des menschlichen Lebensraums nicht durch bloße Schadensverhütung, sondern durch systematische Wiederverwertung der sich immer mehr häufenden Abfallstoffe zu beseitigen. Wissenschaft und Technik rechnen sich reelle Chancen aus, die gegenwärtigen Verschmutzungsraten erheblich zu senken und den Abfallberg langsam abzutragen. Die Rückgewinnung von Rohstoffen aus Abfällen und Schadstoffen erzielt eine doppelte Wirkung: Der Ausstoß an Schadstoffen und der Verbrauch an Rohstoffen wird in gleicher Weise herabgesetzt. In der Bundesrepublik Deutschland fallen jährlich 29 Millionen Tonnen allein an Hausmüll und hausmüllähnlichen Abfällen an. Noch viel höher liegen die Zahlen bei Klärschlamm, Bergbauabfällen, Industrieabfällen (119 Millionen) und vor allem bei den landwirtschaftlichen Betrieben (260 Millionen Tonnen im Jahr).[12] Wissenschaft und Technik müssen dazu beitragen, daß der Weg »von der Abfallbeseitigung zur Abfallwirtschaft« noch viel erfolgreicher als bisher gegangen wird. Abfälle auf der Ebene der Produktion und des Verbrauchs müssen stark reduziert und, soweit sie unvermeidlich sind, möglichst schadlos beseitigt werden. Das Hauptziel der Abfallwirtschaft aber liegt in der »Steigerung der Nutzbarmachung von Abfällen durch Verwertung als Rohstoff im Produktionsprozeß, (durch) Ausnützung des Energieinhalts (und durch) Rückführung in biologische Kreisläufe«.[13]

5. Hinterfragung der Interessen und der Theorien

Zur Erforschung der Grundlagen und Ziele ökologischer Planung und ökologischen Handelns sind nicht nur die Naturwissenschaften aufgerufen. Im Gespräch mit ihnen sollten die Sozialwissenschaften im ganzen Umfang des heutigen Verständnisses – auch die Ethik gehört zu ihnen – die kritische Frage stellen, ob nicht der Fortschritt allzusehr von bestimmten Interessen her forciert bzw.

---

[12] Vgl. *G. Hartkopf – E. Bohne*, Umweltpolitik I, 38 f; zum Folgenden 430–478.
[13] A.a.O. 435.

gelenkt wird. Naturwissenschaftliche Erkenntnisbemühungen sind, jedenfalls zu einem beträchtlichen Teil – von vornherein durch bewußte oder unbewußte Interessen gesteuert. Interessen sind selbstverständlich besonders dann im Spiel, wenn die Naturwissenschaften Forschungsaufträge vom Staat oder von der Industrie übernehmen. Dadurch verändern sich Gegenstand und Ziel der Forschung. Es geht nicht mehr nur um Erkenntnis der Wahrheit, sondern um praktische Nutzung der Erkenntnis. Dies ist keineswegs verwerflich, aber man muß die damit verbundenen Gefahren im Auge behalten, zumal sie offensichtlich eher zu- als abnehmen. »Typisch für die Forschung sind nicht mehr – wenn sie es je waren – schrullige Spitzweg-Typen, sondern jene Formen des organisierten Wissenschaftsbetriebs, die sich aufgrund der zunehmenden Verflechtung der Wissenschaft mit der Technik und damit auch mit der wirtschaftlichen und militärischen Praxis sozusagen zwangsläufig entwickelt haben. Die neue organisierte Wissenschaft hat eine ungeahnte soziale Macht entfaltet und einen tiefgreifenden Wandel des gesellschaftlichen, staatlichen und wirtschaftlichen Lebens ausgelöst. Das Ausmaß dieses Wandlungsprozesses ist teilweise noch gar nicht ins Bewußtsein getreten, teilweise hat er die Reflexion weit überholt.«[14]

Mit Recht betont Günter Altner die Notwendigkeit, tragende politische Theorien der Neuzeit (Sozialismus, Liberalismus, Kapitalismus) auf ihre Einseitigkeiten und auf ihre Begrenztheiten hin zu befragen.[15] Auch politische Theorien können durch Gruppeninteressen und ideologische Fixierungen enggeführt werden. Der Liberalismus sieht im Fortschritt nicht die gelungene Durchsetzung eines bestimmten Planes, sondern einen selbstregulativen Prozeß. Der orthodoxe Marxismus-Leninismus erwartet die Erfüllung seiner politischen Ziele von der technisch maximierten Produktivität. Der Kapitalismus ist in Gefahr, das Prinzip der ökonomischen Rationalität derart zu verabsolutieren, daß er, statt die berechtigten Interessen der einzelnen Menschen und der gesellschaftlichen Gruppen ausgewogen zu berücksichtigen, sich nur nach den eigenen Gewinnmechanismen orientiert. Aus alledem ergibt sich, daß Natur- und Sozialwissenschaften in dauernder Kooperation Grundlagen und Ziele eines vernünftigen, auf das Wohl des Ganzen bedachten ökologischen Modells erarbeiten müssen. Ihre Er-

---

[14] *A. Auer*, Ethische Implikationen von Wissenschaft 314.
[15] Anthropologische und theologische Überlegungen zum Mensch-Natur-Verhältnis 105. Vgl. besonders *H. Jonas*, Das Prinzip Verantwortung 245–392.

gebnisse müssen im Bereich der Technik und der Wirtschaft so bald und so intensiv als möglich zum Tragen kommen.[16]

II. SOZIALETHISCHE HANDLUNGSFELDER IM BEREICH DES UMWELTSCHUTZES

Die Zerstörung der Umwelt ist nicht ein frei schwebender Prozeß, sondern die Auswirkung gestörten und entordneten Menschseins. Darum impliziert Umweltschutz nicht nur technologische Mobilmachung, sondern menschliche Neuorientierung. Mit Recht stellen Günter Hartkopf und Eberhard Bohne fest: »Normativer Beurteilungsmaßstab (der Umweltpolitik) sind die Erhaltung der natürlichen Lebensgrundlagen und die allgemeinen Wertentscheidungen, die unserer freiheitlichen, pluralistischen Gesellschaftsordnung zugrunde liegen.«[17] Diese allgemeine Bestimmung bedarf der Konkretisierung – angefangen von der grundsätzlichen Zielbestimmung von Wirtschaft und Gesellschaft über die Beseitigung von Umweltschäden, den verantwortlichen Umgang mit den Ressourcen, die angemessene Gestaltung der Landschaft bis hin zur Begrenzung des Bevölkerungswachstums.[18]

Hartkopf und Bohne betonen mehrfach, daß die umweltpoliti-

[16] Vgl. *G. Hartkopf – E. Bohne,* Umweltpolitik I, 135: »Bei den Universitäten liegt ein Großteil der wissenschaftlichen Erforschung von Umweltproblemen. Bisher hat sich die Forschung vor allem auf die einzeldisziplinäre Bearbeitung naturwissenschaftlich-technischer Fragen konzentriert. Vernachlässigt wurden interdisziplinäre Forschungsansätze und die Kooperation zwischen naturwissenschaftlich-technischen Disziplinen, zwischen sozialwissenschaftlichen Disziplinen und erst recht zwischen naturwissenschaftlich-technischen und sozialwissenschaftlichen Disziplinen, da die Fakultäts- bzw. Fachbereichsgrenzen an den Universitäten wie eh und je kaum übersteigbar sind. Ferner ist das Angebot an umweltbezogenen Studien- und Ausbildungsgängen recht gering; zudem bleibt es meist bei einer Beschränkung auf einzelne Fachgebiete aus Naturwissenschaft und Technik.« Vgl. den Bericht über das Bad Nauheimer Gespräch 1983 »Umweltgestaltung und Umweltschutz im Spannungsfeld zwischen Gesundheits- und Wirtschaftspolitik« von *G. Rieck,* in: Ärztliche Praxis 35 (1983) Nr. 87 vom 29. 10. 1983.

[17] Umweltpolitik I, 57. A.a.O. 129–171 ist von den »Akteuren der Umweltpolitik« die Rede. In der Umweltpolitik sind neben den staatlichen Akteuren politische Parteien, wirtschaftliche Interessengruppen, Umweltorganisationen und Bürgerinitiativen, Kirchen, wissenschaftlich-technische Organisationen, Massenmedien und verschiedene Arbeitsgemeinschaften am Werk. Es ist in der Tat von entscheidender Bedeutung, daß alle gesellschaftlichen Kräfte und Gruppen am Willensbildungs- und Entscheidungsprozeß im Umkreis des Umweltschutzes beteiligt sind.

[18] *G. Hartkopf – E. Bohne,* a.a.O. 86–91, sprechen von umweltqualitätsbezogenen, emissionsbezogenen, ressourcenbezogenen, produktionsbezogenen und konsumbezogenen Zielen der Umweltpolitik; in dem bereits vorliegenden ersten Band werden als spezielle Themen untersucht Umweltchemikalien, Wasserwirtschaft und Abfallwirtschaft, für den zweiten Band sind angekündigt die Themen Luftreinhaltung, Lärmbekämpfung, Kernenergie sowie Naturschutz, Landschaftspflege und räumliche Entwicklung.

schen Ziele neben den herkömmlichen wirtschaftspolitischen Zielen (Stabilität des Preisniveaus, hoher Beschäftigungsstand, angemessenes Wirtschaftswachstum u. a.) als gleichrangig zu gelten haben. Damit formulieren sie die Auffassung der Bundesregierung. Im Gegensatz dazu hält es der Bundesverband der Deutschen Industrie für dringend erforderlich, »daß im Interesse einer dauerhaften Stärkung der privaten Investitionstätigkeit die Umweltpolitik voll in den Gesamtzusammenhang mit den wirtschaftspolitischen Erfordernissen eingeordnet wird«. Der Bundesverband der Deutschen Industrie fordert also eine »Einordnung« der umweltpolitischen Ziele in die wirtschaftspolitischen. Hartkopf und Bohne lehnen dies genauso ab wie eine »Einordnung« der wirtschaftspolitischen Ziele in die umweltpolitischen: »Bei grundsätzlicher Gleichrangigkeit beider Zielkomplexe kann es lediglich um ein vernünftiges Abwägen umweltpolitischer und wirtschaftspolitischer Belange im konkreten Fall gehen.«[19] Praktisch ist das sicher richtig. Grundsätzlich aber handelt es sich nicht um ein additives Nebeneinander von ökonomischen und ökologischen Zielsetzungen. Vielmehr müssen die Produktionsziele sich nach den ökologischen Gegebenheiten und Grenzen richten. Diese sind zwar in einem bestimmten Umfang technologisch variabel, sie bleiben aber bei aller Variabilität der verbindliche Rahmen für alles technische und wirtschaftliche Handeln.

1. Hinordnung von Wirtschaft und Technik auf den Menschen

Es muß mit allem Nachdruck festgestellt werden, daß Wirtschaft und Technik nicht Selbstwerte, sondern Dienstwerte sind. Sie stehen im Dienste menschlicher Selbstverwirklichung. Menschsein ist die schlechthin verbindliche Anspruchswirklichkeit. Wirtschaft und Technik sind also auf die optimale Entfaltung des Menschen in seinen sozialen und naturalen Verwiesenheiten hingeordnet. Wenn wir von dem dieser Untersuchung zugrundeliegenden Interpretament einer optimalen dreidimensionalen Entfaltung menschlichen Daseins ausgehen (Teil 1, Kapitel 1/II), bedeutet dies folgendes: Erstens, wirtschaftliche und technische Innovationen sollen zur Entfaltung menschlich-personalen Selbstseins beitragen, dürfen ihr zumindest nicht entgegenstehen. Zweitens, wirtschaftliche und technische Innovationen sollen die zwischenmenschliche Kommunikation fördern, sie wenigstens nicht zersetzen. Sie müssen, drittens, die Eingebundenheit des Menschen in die ökologischen Zu-

[19] Umweltpolitik I, 161 f. 84.

sammenhänge sowohl respektieren wie in angemessener Weise nutzbar machen. Die Anspruchswirklichkeit des Menschseins konkretisiert sich also für wirtschaftliches und technisches Handeln in den Grundzielen der Förderung von Identität, Solidarität und Naturalität. Diese Grundziele sind nicht erdichtet, sie sind mit dem Wesen und dem Anspruch des Menschseins selbst gegeben. Von dieser Zielbestimmung her kann man also sagen, daß technische und wirtschaftliche Unternehmungen insofern legitimiert sind, als sie sich als Instrumente der Befreiung des Menschen zu würdigem Selbstsein, als Instrumente eines fürsorglichen Miteinanders der Menschen und als Instrumente der Sicherung ihrer naturalen Lebensgrundlagen ausweisen lassen.

Nun haben Technik und Wirtschaft aufgrund ihres Eigengefälles eine starke Tendenz, dieses Zielgefüge auseinanderzureißen und sich der Einbindung in das unbedingte Ziel der menschlichen Selbstverwirklichung zu entziehen. Sie können Entwicklungen einschlagen, die personales Selbstsein des Menschen und zwischenmenschliche Kommunikation schwächen oder gar verhindern. In gleicher Weise können sie auch die naturale Eingebundenheit des Menschen in gefährlicher Weise mißachten. Die Erhaltung des naturalen Lebensraums ist der Rahmen, in dem Technik und Wirtschaft sich halten müssen. Weil die Lebenswelt des Menschen als ein begrenztes System unabdingbar Begrenzungen auferlegt, muß die Vorstellung eines beständigen maximalen Produktions- und Konsumwachstums insoweit revidiert werden, als sie die Regenerationsfähigkeit des Naturhaushalts überfordert. Die praktische Vernunft muß der instrumentellen Vernunft das Maß setzen, indem sie das technisch wirtschaftliche Handeln entschlossen auf Maßnahmen hinlenkt, die dem Menschen und seiner Lebenswelt auf Dauer wirklich dienlich sind. Die »Leitwerte des Bebauens« müssen mit »Leitwerten des Bewahrens« korreliert werden, d. h., das wirtschaftliche Wachstum muß auf soziale Gerechtigkeit und ökologische Verträglichkeit hin orientiert bleiben.[20] Das Kriterium der Maximierung des Fortschritts muß dem Kriterium der Optimierung des menschlichen Daseins untergeordnet werden. Soziale Gerechtigkeit und ökologische Rücksicht betreffen nicht nur die berechtigten Anliegen und Interessen der gegenwärtigen, sondern auch die der künftigen Menschheit, über die immer schon in der jeweiligen Gegenwart mitentschieden wird. Der bloß materielle Fortschritt schafft mögliche, aber nicht notwendige Voraussetzungen für das

[20] Vgl. *G. Liedke,* Von der Ausbeutung zur Kooperation 60 f.

Glücken des menschlichen Daseins, ist also nicht selber das Maß des Glücks. Das ist – wie im folgenden (Teil 1, Kapitel 5) hinreichend deutlich wird – kein Plädoyer für das Ende des Fortschritts.[21]

Es ist nicht verwunderlich, wenn es zwischen den Erfordernissen der Wirtschaftspolitik und denen des Umweltschutzes zu ernsten Zielkonflikten kommt. Solche Konflikte können im einzelnen nur durch eine kluge Berücksichtigung der ökologischen wie der ökonomischen Belange gelöst werden. Es geht um eine vernünftige Abwägung der Güter, der Risiken und der zu erwartenden und in Kauf zu nehmenden Übel. Die Zielkonflikte werden sehr oft verschärft durch ideologische Positionen und durch handfeste materielle Interessen. Die Umweltschützer sind aber auf dem Vormarsch. Das öffentliche Bewußtsein für die ökologischen Notwendigkeiten und Gefahren ist geschärft. Solange freilich die Regierungen bei den Wahlen nicht nach ökologischen, sondern einseitig nach ökonomischen Erfolgen bewertet werden, werden die sie tragenden Parteien immer versucht sein, den technologischen und wirtschaftlichen Belangen unangemessene Prioritäten einzuräumen.[22]

Im folgenden sollen die wichtigsten sozialethischen Handlungsfelder im Bereich des Umweltschutzes kurz vorgestellt werden. Eine detaillierte Behandlung ist in diesem Zusammenhang nicht möglich. Zwei Handlungsfelder, nämlich die Gewinnung von Energie und die Neuordnung im Bereich von Wirtschaft und Arbeit, sollen im Anschluß an diesen kurzen Überblick (in den Kapiteln 4 und 5) ausführlich dargestellt und unter ihrem ethischen Aspekt gewürdigt werden.

[21] *F. Cramer*, Fortschritt durch Verzicht 207, plädiert für das Ende des Fortschritts. Dies scheint ihm unumgänglich zu sein: »Das Ende des Fortschritts in einer konkurrierenden Weltgesellschaft und Weltökonomie kann nur herbeigeführt werden, wenn alle Menschen und politischen Gruppierungen gemeinsam und gleichzeitig beschließen, daß sie nun genug haben ...« Haben wirklich alle genug? Muß nicht der technisch-ökonomische Fortschritt mit aller Entschlossenheit betrieben werden, damit Milliarden von Menschen überhaupt erst das Lebensnotwendige bekommen? Gewiß muß der schieren Ausbeutung der Natur ein Ende gesetzt werden, aber ebenso wichtig ist, daß möglichst allen Menschen das unverzichtbare Minimum für die Entfaltung ihrer Freiheit zuteil wird.
[22] *A. Glück*, Das Baumsterben – ein Lehrstück der Natur für den Menschen, in: *Rheinischer Merkur/Christ und Welt* vom 29. 4. 1983, formuliert das neue Fortschrittsziel mit folgenden Worten: »Wir brauchen vermehrt Produktionsmethoden, die es uns ermöglichen, mit möglichst wenig Energieeinsatz und Rohstoffverbrauch, mit möglichst geringem Verbrauch an unvermehrbaren Naturgütern möglichst hochwertige Erzeugnisse herzustellen, die ihrerseits die Umwelt so gering als möglich belasten und die wir auf dem Weltmarkt zu konkurrenzfähigen Preisen verkaufen können.«

2. Beseitigung von Umweltschäden[23]

Es war vor allem die Erfahrung des Baumsterbens, durch die in den letzten Jahren die verheerenden Wirkungen der *Luftverunreinigung* ins Bewußtsein getreten sind. Es steht hier nicht nur die menschliche Gesundheit, sondern der Schutz von Pflanzen und Tieren sowie zahlreicher Lebens- und Futtermittel auf dem Spiel. Offenbar gibt es keine unstrittigen Kriterien für die Bewertung der Luftqualität. Die technologische Entwicklung in der Industrie und im Gewerbe und vor allem die starke Motorisierung sind die wichtigsten Ursachen für die zunehmende Luftverunreinigung. Die gefährlichsten Schadstoffe sind Kohlendioxid und Kohlenmonoxid, dann Schwefeldioxid, Stickoxide und organische Verbindungen. Für diese Schadstoffe, die genau ausgemacht werden können, sind quantitative Belastungsgrenzen in Form von Immissionswerten festgesetzt. Die Bekämpfung ist deswegen so schwierig, weil die Schäden oft weit entfernt von den Quellen der Emission auftreten. Die Schadstoffe können über lange Strecken in der Atmosphäre transportiert werden und gelangen mit dem Regen in den Boden und in die Gewässer.

Ein zweites Problem ist die Durchsetzung der Umwelt mit *Chemikalien.* Man spricht von 50 000 bis 60 000 verschiedenen Stoffen, die aus den Produktions- und Konsumprozessen mit Abwassern, Abgasen oder Abfällen in die Luft, ins Wasser und in den Boden gelangen. Es handelt sich großenteils um schwer oder gar nicht abbaubare Stoffe. Genaue Angaben über die gesamte Chemikalienbelastung der Umwelt scheinen nicht möglich zu sein. Die Belastung nimmt aber jährlich beträchtlich zu und wird zusehends unkontrollierbarer. Die rechtlichen Bestimmungen versuchen die Prinzipien der Vorsorge, der Kooperation und der Verursacherhaftung zum Schutz der menschlichen Gesundheit und der natürlichen Umwelt konkret durchzusetzen.[24]

Besondere Aufmerksamkeit verdient die Gefährdung *des Wasserhaushalts* in allen Bereichen. Das Grundwasser ist bereits bedrohlich abgesenkt. Kostbares Trinkwasser wird im großen Umfang für Zwecke verwendet, für die Wasser von minderwertiger Qualität benutzt werden könnte (Straßenreinigung, Bewässerung von Grünflächen, Spülwasser für Toiletten u. a.). Abfälle der chemischen Industrie sowie Phosphate aus Waschmitteln und von den Feldern weggeschwemmter Kunstdünger landen in den Flüssen

---

[23] Über die Details informieren *G. Hartkopf – E. Bohne,* Umweltpolitik I, 24–48. 258–478.
[24] Vgl. *G. Hartkopf – E. Bohne,* Umweltpolitik I, 301–332.

und in den Seen. Um ein Beispiel zu nennen: Man kann sich vorstellen, was es für das biologische Gleichgewicht des 4 km² großen und bis zu 60 m tiefen Tegeler Sees in Berlin bedeutet, wenn er täglich 160000 m³ Dreckwasser, vor allem ungeklärte Abwässer von den Ostberliner Rieselfeldern, schlucken muß. Es sterben in den Gewässern nicht nur die Fische; ganze Arten von Mikroorganismen gehen zurück. Die Belastung des Meeres stammt nicht nur aus der Schmutzfracht der Flüsse, sondern aus den industriellen und kommunalen Einleitungen von Küstenanliegern, von Ölverschmutzungen durch den Schiffsverkehr und von der Beseitigung von Sonderabfällen auf hoher See. Es ist fast nicht vorstellbar, wie die Wasserwirtschaft ihre Hauptziele zur Ordnung des Wasserhaushalts erreichen soll – näherhin »daß das ökologische Gleichgewicht der Gewässer bewahrt oder wiederhergestellt wird, die einwandfreie Wasserversorgung der Bevölkerung und der Wirtschaft gesichert ist, gleichzeitig aber auch alle anderen Wassernutzungen, die dem Gemeinwohl dienen, auf lange Zeit möglich bleiben«[25].

Von der *Abfallwirtschaft* war bereits die Rede. Auch in diesem Bereich gelten Vorsorge-, Verursacher- und Kooperationsprinzip. Nur wenn alle, die aus welchen Gründen auch immer zur Beseitigung von Abfällen verpflichtet sind, verantwortungsbewußt kooperieren, können alle Möglichkeiten zur Lösung des Problems realisiert werden: die größtmögliche Reduzierung der Abfälle, die Beseitigung der unvermeidlich anfallenden Abfälle (Deponieren, Verbrennen und Kompostieren) und, soweit möglich, ihre Wiederverwertung zur Gewinnung von Sekundärrohstoffen oder Energie – im Rahmen des technisch und wirtschaftlich Durchführbaren und des ökologisch Vertretbaren.

8 Millionen Bundesbürger sind durch *Lärmbelästigung* gesundheitlich so geschädigt, daß Herz- und Kreislauferkrankungen auftreten. Die wichtigsten Quellen des Lärms (der Verkehr auf Straßen, auf Schienen und in der Luft, Industrie und Gewerbe, Baustellen, Freizeitaktivitäten) sind wenigstens teilweise zu verstopfen. Als schlimmste Lärmbelästigung wird der Verkehr empfunden. Fachleute sprechen zwar von deutlichen Fortschritten in den verschiedenen Lärmminderungstechniken bei Kraftfahrzeugen, Flugzeugen und Maschinen. Andererseits scheint der Trend zu immer noch leistungsfähigeren Maschinen wenigstens einen zeitweisen Anstieg der Lärmbelastung unvermeidlich mit sich zu bringen.

[25] *G. Hartkopf – E. Bohne*, Umweltpolitik I, 357. Vgl. auch *G. Keil*, Der sanfte Umschwung 83–86.

In dem ständigen Zielkonflikt zwischen ökonomischen und öko-logischen Belangen müssen also die schädlichen Umwelteinwirkun-gen auf ein tolerierbares Mindestmaß begrenzt werden. Dieses Ziel wird angestrebt durch »quantifizierte Emissionsgrenzwerte für Ab-gase, Abwässer, Lärm und ionisierende Strahlen, die beim Betrieb von Anlagen nicht überschritten werden dürfen. Diese Grenzwerte werden entsprechend dem sich fortentwickelnden Stand der Tech-nik kontinuierlich verschärft.«[26]

3. Verantwortlicher Umgang mit den Ressourcen

Auch vom Zugewinn neuer Energien war im vorausgehenden Abschnitt schon die Rede. Im anschließenden 4. Kapitel über Kernenergie wird das Thema ausführlich dargestellt. Die Lage der Bundesrepublik auf diesem Gebiet ist besonders bedrängend, weil sie arm ist an Rohstoffen. Im Energiebereich sind lediglich die Kohlevorkommen einigermaßen bedeutsam. Erdöl und Erdgas er-bringen nur einen geringen Beitrag. Die Vorräte an metallischen und sonstigen mineralischen Rohstoffen liegen so niedrig, daß wir bei der Mehrzahl der Rohstoffe auf 70–100 % Einfuhr angewiesen sind. Der steigende Verbrauch führt dazu, daß die Eigendeckung tendenziell rückläufig ist. Man kann gewiß darauf vertrauen, daß durch technologische Innovationen im Laufe der Zeit ein beträcht-licher Zugewinn an neuen Energien möglich sein wird. Auf jeden Fall müssen die Naturreserven sparsam genutzt werden. Carl Fried-rich von Weizsäcker spricht der Energieersparnis geradezu »erste Priorität« zu – ganz besonders derjenigen, »die nicht das Wachs-tum des Sozialprodukts, sondern nur den Elastizitätskoeffizienten zwischen Energie und Sozialprodukt herabsetzt«.[27] Im übrigen wer-den auch in dieser Hinsicht die Prognosen des Meadow-Modells angezweifelt. Eine Arbeitsgruppe der Weltbank, die sich damit be-faßt hat, ist jedenfalls zu der Überzeugung gelangt, »daß die natür-lichen Ressourcen so lange ausreichen, bis man ihre Verwendung bewußt geändert hat, so daß der Bedarf unbegrenzt befriedigt wer-den kann«. Die Arbeitsgruppe hat keinen überzeugenden Beweis dafür gefunden, daß »die Menschheit in ungefähr 100 Jahren durch die Erschöpfung der nicht vermehrbaren Ressourcen ihrem Ende entgegengeht«.[28]

---

[26] *G. Hartkopf – E. Bohne,* a.a.O. 90. Zum Streit über die zweckmäßigste Strategie (vor al-lem der Gewässerreinhaltung) vgl. a.a.O. 368–372: Immissions- oder Emissionsprinzip.
[27] Die friedliche Nutzung der Kernenergie – Chancen und Risiken (letzte Spalte).
[28] Zitiert bei *K. Scholder,* Grenzen der Zukunft 49.

4. Angemessene Gestaltung der Landschaft

Die Erfolge des Naturschutzes sind beachtlich. In den Städten werden Grüngürtel ausgespart. Neue Siedlungen werden unter Einbeziehung weiter öffentlicher Räume entwickelt. Bayern allein hat zwei Nationalparks, 224 Naturschutzgebiete, 850 Landschaftsschutzgebiete und 19 Naturparks. Auf der anderen Seite kann nicht übersehen werden, daß sich auch bei uns in den letzten Jahrzehnten die Landschaft tiefgreifend verändert hat, am meisten in den Ballungsräumen der Industrie. Die Raumnutzungen für Zwecke der Siedlung, der Produktion, des Verkehrs, der Gewinnung von Bodenschätzen und nicht zuletzt der Freizeit und des Tourismus verursachen tiefe Eingriffe in die Umwelt. Es hat sich nicht nur das äußere Erscheinungsbild der Landschaft verändert, sondern auch die Beschaffenheit von Boden, Wasser und Luft sowie Bestand und Zusammensetzung der Pflanzen und Tierwelt.[29] Das alarmierendste Zeichen ist zweifellos das Waldsterben; daß bis heute noch nicht einmal seine Ursachen sicher erkannt sind, ist ein zusätzlicher Beweis für die ökologische Misere, in die wir geraten sind. Immerhin sind durch diese Entwicklung neue Aktivitäten zum Schutz der Tierarten, zur Bekämpfung der Schadstoffbelastung der Böden, zur Entwicklung ökologisch verträglicher Methoden im Landbau und zur Landschaftsgestaltung insgesamt in Gang gekommen. Architekten und Städteplaner machen alle Anstrengungen, die Lebensräume des Menschen sinnvoll zu gliedern und zu gestalten.[30] Das wichtigste Habitat ist heute, vermutlich mehr denn je, das Wohnhabitat. Hier gibt es interessante Impulse und Initiativen. Mit dem Projekt »Planquadrat« ist inmitten eines dicht verbauten Wohnbezirks in Wien, dessen Häuser fast durchweg älter als 80 Jahre sind, ein faszinierender Versuch unternommen worden, unter Mitarbeit der Bewohner, der Stadtverwaltung und der Stadtplanung ein ganzes Viertel zu verschönern und auf eine ganz neue Weise bewohnbar zu machen.[31] Die Katholische Aktion Österreichs hat eine Rei-

[29] Vgl. *G. Hartkopf – E. Bohne,* Umweltpolitik I, 52–54.
[30] Vgl. *H. Adam,* Auf dem Weg zu einem humanökologischen Gewissen, bes. 120 f. A.a.O. 127: »Befunde der Ethologie ... zeigen, daß der Mensch in überschaubaren Dimensionen lebend mit seiner Umwelt in harmonische Beziehungen treten kann und daß trotz starker Belastung nicht die gefährlichen ökologischen und ethologischen Grenzen überschritten werden müssen: Umweltzerstörung oder Gefährdung anderer durch Aggressionshandlungen sind dann nicht ein zwangsläufiges Geschehen. Die verschiedenen Aufenthalts- und Wirkorte des Menschen, seine Habitate, werden wir zu achten haben, sie den Kenntnissen der Wissenschaft entsprechend strukturieren und gliedern müssen.«
[31] Die Geschichte dieser Initiative mit allen dramatischen Details wird erzählt von den Initiatoren selbst: *Helmut Voitl – Elisabeth Guggenberger – Peter Pirker,* Planquadrat. Ruhe, Grün und Sicherheit – Wohnen in der Stadt, Wien–Hamburg 1977. Dieses Buch ist ein

he von Anregungen zusammengestellt, wie man in den Städten Kommunikation fördern und Vereinsamung, Kriminalität, Drogensucht, Alkoholismus und Selbstmord vermeiden kann. Einige dieser Forderungen seien genannt: Wohnungen dürfen nicht nur als »Schlafregale« und zur nächtlichen Aufbewahrung von Menschen konstruiert werden. In neuen Wohnblocks sollten Menschen verschiedener Alters- und Herkunftsgruppen zusammengeführt werden. Die Teilung in Schlaf- und Arbeitsstädte soll vermieden werden. Die unwirtlichen Städte sollen humanisiert werden, damit der Flucht in die Zweitwohnung entgegengewirkt wird. Altenheime und Krankenhäuser sollen in normale Wohngebiete integriert sein. Neue Formen des Zusammenlebens (Großfamilie, Familienzusammenschlüsse) sollten auch von den Baulichkeiten her ermöglicht werden. Damit der Kommunikationsnotstand in den Städten überwunden wird, sollen Begegnungsräume, Fußgängerzonen und Beratungszentren mit Sozialarbeitern eingerichtet werden.[32]

Neben dem Wohnhabitat hat sich im Zuge der Industrialisierung das Verkehrshabitat (Straßen, Plätze, Autobahnen, Schiffahrtswege, Luftwege) immer weiter ausgedehnt. Nachdem hier, wie lange schon im Bereich der Arbeit, die Möglichkeiten menschlicher Kommunikation zusehends zurückgedrängt und weithin sogar verlorengegangen sind, gewinnen neben dem Wohnhabitat die Erholungs- und Regenerationshabitate immer mehr an Bedeutung. Die Wucherung der Freizeitindustrie mit all ihren Folgen (Belastung durch den Fremdenverkehr, Konsumzwang usw.) läßt es freilich schon heute als im höchsten Maße dringlich erscheinen, daß auch in diesem Bereich das Kriterium der Maximierung durch das der Optimierung abgelöst wird. Der Tourismus ist vor allem in den letzten Jahrzehnten leider allzuoft nicht davor zurückgeschreckt, herrliche Landschaften zunächst in unerträglicher Weise zu verunstalten, ehe er ihnen die Menschen in Massen zuführt.[33]

---

eindrucksvolles Dokument dafür, was eine Frau und zwei Männer mit ihrem persönlichen Engagement in Bewegung bringen können. Es steckt auch für den Laien voller Anregungen. Inzwischen ist es in anderen Bezirken Wiens zu ähnlichen Aktivitäten wie im »Planquadrat« gekommen. Auch in München läuft ein Projekt »Planquadrat« unter dem Namen »Stadtoase«.

[32] Vgl. Katholische Aktion Österreichs (Hrsg.), Wie heute leben? 69–71.

[33] *K. M. Meyer-Abich,* Zum Begriff einer praktischen Theologie der Natur 11–20, hat darauf hingewiesen, daß unter den Kriterien der Bewirtschaftung der Natur zuerst das Kriterium der Schönheit berücksichtigt werden muß.

5. Begrenzung des Bevölkerungswachstums

Die menschenwürdigen Lebensmöglichkeiten auf dieser Erde sind begrenzt. Das Wachstum der Bevölkerung steuert auf einen kritischen Punkt zu. Nun gibt es für ein unbegrenztes Wachstum der Bevölkerung keine Argumente – wie wir sehen werden, auch keine theologischen Argumente. Die Bevölkerung kann und soll so weit wachsen, daß der zur Verfügung stehende Lebensraum tatsächlich von Menschen besetzt und genutzt wird. Man wird davon ausgehen dürfen, daß gegen Ende dieses Jahrhunderts die gegenwärtige dramatische Zunahme der Bevölkerung abebbt. In unserem eigenen Land hat vor einigen Jahren bereits eine rückläufige Entwicklung eingesetzt, die allerdings bereits wieder zum Stehen gekommen ist. Prognosen für das dritte Jahrtausend sind so gut wie unmöglich. Wenn die Schätzungen nach dem Ausweis der einschlägigen Literatur sich zwischen 3,5 und 65 Milliarden bewegen, vermögen sie kaum Vertrauen auf die ihnen zugrundeliegenden Berechnungen zu wecken. Die Achtung vor dem Selbstbestimmungsrecht der Menschen verbietet es, durch Gesetze oder durch politischen bzw. wirtschaftlichen Druck eine Geburtenbeschränkung in den Entwicklungsländern zu erzwingen. Seit der Weltbevölkerungskonferenz von Bukarest (1974) wissen wir, daß sich die Entwicklungsländer solche Versuche werden auch gar nicht gefallen lassen. Der einzige menschenwürdige Weg ist darin zu sehen, den Entwicklungsländern die echten Wohltaten der heutigen Zivilisation zu vermitteln. Dann wird sich allmählich die Einsicht durchsetzen, daß man seine Zukunft auch mit einer geringeren Kinderzahl sichern kann.

Nach diesem kurzen Überblick über sozialethische Handlungsfelder im Bereich des Umweltschutzes soll, wie angekündigt, auf zwei Einzelbereiche näher eingegangen werden, nämlich auf das Energieproblem und auf das Problem alternativen Wirtschaftens.

4. Kapitel
GEWINNUNG VON KERNENERGIE

Ethik befaßt sich mit der Wirklichkeit, wie sie sein soll. Sie darf sich aber nicht im luftleeren Raum, sondern muß sich in redlicher Konfrontation mit der Wirklichkeit, wie sie ist, etablieren. Eine abstrakt konzipierte Ethik bleibt leeres Glasperlenspiel. Im Umkreis der hier zu diskutierenden Thematik gibt es mit der Wirklichkeit, wie sie ist, d. h. mit der Erhebung und Bewertung der Fakten, keine geringere Beschwer als mit der Wirklichkeit, wie sie sein soll. Die folgenden Hinweise auf Fakten im Bereich des Energieproblems beschränken sich auf drei Aspekte, die für die Findung einer ethischen Orientierung besonders bedeutsam sind: auf Energiebedarf, Begrenztheit der Ressourcen sowie Risiken und Gefahren der nuklearen Alternative. Diese Hinweise müssen, wenn sie Gewicht bekommen sollen, einigermaßen detailliert vorgelegt werden.

I. FAKTEN IM UMKREIS DES ENERGIEPROBLEMS

1. Der Energiebedarf

Jedes Plädoyer für die Kernenergie beginnt mit der These, daß wir auch die nächsten Jahrzehnte ein anhaltendes Wirtschaftswachstum brauchen. Als Gründe dafür werden angegeben, daß die Weltbevölkerung ständig zunimmt und daß bedrückende sozioökonomische Ungleichheiten abgebaut werden müssen.

a) Bevölkerungswachstum

Das gegenwärtige Wachstum der Bevölkerung läßt sich nicht einfach hochrechnen. Die Wohlstandsfaszination in den Industrieländern ist ein ebenso unberechenbares Datum wie manche archaisch-tabuistische Fixierungen in einzelnen Entwicklungsländern. Auch wenn man mit einem allmählichen Umbiegen der Wachstumskurve rechnen muß, wird man für die nächsten 50 Jahre von einer Verdoppelung der Weltbevölkerung auf insgesamt rund 8 Milliarden ausgehen müssen. Dies ist sogar eine vorsichtige Prognose.[1] Für die wachsende Bevölkerung sind Arbeitsplätze bereitzustellen. Dafür ist um so mehr Energie nötig, als die Menschen sich in den Städten konzentrieren und ihre Arbeit sich in Großindustrien vollzieht. Wenn zudem die gleichen Ackerflächen für die gewachsene Bevölkerung höhere Ernten erbringen müssen und die Rohstoffe noch schwieriger zu gewinnen sind, wird für den zusätzlich notwendig werdenden Umweltschutz ein erhöhter Energieaufwand erforderlich sein.[2]

b) Abbau von sozio-ökonomischen Ungleichheiten

In den Industrieländern und vor allem in der Dritten Welt gibt es noch erhebliche soziale und wirtschaftliche Ungleichheiten. Ohne Wirtschaftswachstum in den Industrieländern können sie nicht gemildert werden. Nur durch eine gerechtere Verteilung der Güter kann die Welt auf die Dauer zu sozialer Stabilität gelangen. Das moderne Wirtschaftssystem, ob marktwirtschaftlich oder planwirtschaftlich organisiert, ist »seinen ganzen Regulierungsmechanismen nach auf Wachstum angelegt... (Wachstumsstillstand) führt zwangsläufig zum Verlust von Binnen- und Außenmärkten und damit zugleich zum Verlust an Arbeitsplätzen... All diese Fakten müssen ernst genommen werden, und zwar ohne sie unsachgemäß zu moralisieren, wo immer sie unter gesamtökologischem Aspekt neu zur Prüfung stehen. Nichts hilft hier weniger als eine von apokalyptischer Stimmungsmache angeheizte Totalkritik.«[3]

Der Pro-Kopf-Verbrauch an Energie liegt heute im Weltdurchschnitt bei 2 kW. In der Mehrzahl der Entwicklungsländer verbrauchen die Menschen aber nur 0,2, bei uns in der Bundesrepublik 6–7, in Amerika schon 10–12 kW pro Person. 70% der Weltbevölkerung verbrauchen weniger als 2 kW, 6% mehr als 7 kW pro Kopf. Wenn in den nächsten 50 Jahren eine Energieversorgungssteigerung auf 3–5 kW erreicht werden soll, müssen wir nach den Berechnungen der Fachleute mit einem jährlichen Anstieg von gegenwär-

---

[1] Vgl. *W. Heintzeler – H.-J. Werhahn* (Hrsg.), Energie und Gewissen 115 f (Diskussionsbericht), und *C. F. von Weizsäcker*, Deutlichkeit 48. *W. Kluxen*, Moralische Aspekte der Energie- und Umweltfrage 400, bemerkt zu Prognosen im allgemeinen: »Das Unerwartete ist zu erwarten, aber es gilt auch, daß dies gerade nicht ›erwartet‹ werden kann. Die Prognose kann daher nicht den Sinn der Voraussage, sondern nur den der Problematisierung jetziger Handlungsgewohnheiten haben; zumindest ist sicher, daß sie in der Zukunft Folgen haben werden.«

[2] Vgl. *K. Hörmann*, Atomenergie 32.

[3] *W. Korff*, Kernenergie und Moraltheologie 45 f.

tig 8 Milliarden Tonnen Steinkohleeinheiten (SKE) auf 24, vielleicht auf 35–40 Milliarden Tonnen SKE kalkulieren.[4]

Ein besonderes Problem besteht darin, daß die Bedarfsfrage in sich schwer abzuklären ist. Der Bedarf ist nicht einfachhin vom physischen Existenzminimum her festzustellen. Es ist vielmehr im höchsten Maße wünschenswert, daß jeder einzelne und jede gesellschaftliche Gruppe hinreichende Mittel zur Verfügung hat, um ihre Daseinschancen bewahren und in angemessener Weise ausweiten zu können. Die Vorstellung eines legitimen Bedürfnisses ist also je nach dem materiellen und kulturellen Status von Menschen und Völkern sehr verschieden.

c) Wirtschaftswachstum

Will man der wachsenden Bevölkerung Arbeit und Brot verschaffen und sozio-ökonomische Ungleichheiten abbauen, dann bedarf es eines anhaltenden Wirtschaftswachstums. Die Arbeitsplätze können nur erhalten werden, solange eine Volkswirtschaft gegenüber dem Ausland konkurrenzfähig bleibt. Dies ist nur bei hinreichender Energieversorgung möglich. Die Befürworter der Gewinnung von Kernenergie schließen aus den vorgestellten Daten, der Bau von Kernkraftwerken sei unverzichtbar. Nur mit solcher Technologie könne die notwendige Entlastung und Ergänzung der herkömmlichen Energiequellen erreicht werden. Im Hinblick auf andere Energieformen wäre mit einem vergleichbaren technologischen Standard frühestens in 20 bis 30 Jahren zu rechnen.[5] Die Gegner der Kernenergie widersprechen dieser Auffassung. Sie sind nicht gegen Wirtschaftswachstum, aber gegen die Verabsolutierung des Fortschritts. Nach ihren Berechnungen kann das notwendige Wirtschaftswachstum allein durch sparsame Energieverwendung erreicht werden (Verbesserung der Wärmedämmung, Nutzung der Abwärme, Zurückhaltung im Heizungsbereich, Umsteigen vom Individual- auf den öffentlichen Verkehr u. a.). Das Freiburger ÖKO-Institut gelangt zu dem Ergebnis, daß durch bessere Nutzungstechnik der Primärenergieeinsatz in der BRD in den nächsten 50 Jahren auf ca. 60 % des heutigen Wertes gesenkt werden kann.[6] Weiterhin

---

[4] Vgl. *W. Häfele*, Energieversorgung – Verantwortliches Handeln in Politik und Unternehmen 48 f, und *C. F. von Weizsäcker*, Deutlichkeit 48 f. Die »Laxenburger Studie« (*W. Häfele – W. Sassin*, Ressources and Endowments. An Outline on Future Energy System) geht von einem Pro-Kopf-Verbrauch von 4,4 kW im Weltdurchschnitt aus und kommt damit auf eine Verfünffachung des jetzigen Energiebedarfs in 50 Jahren. Vgl. auch *W. Korff*, Kernenergie und Moraltheologie 45, und *K. Hörmann*, Atomenergie 32.

[5] *W. Heintzeler und H.-J. Werhahn*, Energie und Gewissen 116 (Diskussionsbericht).

[6] Vgl. *W. Heintzeler und H.-J. Werhahn*, a.a.O. 116 f (Diskussionsbeitrag von K. F. Müller-

weist man auf die Möglichkeit einer Entflechtung von Wirtschaftswachstum und Energiewachstum hin. Carl Friedrich von Weizsäkker, der kein grundsätzlicher Gegner der Kernenergie ist, hält es für
möglich, Wirtschaftswachstum und Energiekonsum in beträchtlichem Umfang zu entkoppeln, indem man Energie durch Information substituiert. Voraussetzung dafür wäre allerdings ein entschieden disziplinierterer Umgang mit Energie.[7] Damit würde sich auch
das Problem der Arbeitsplätze neu stellen. Die Vollbeschäftigung
der letzten Jahrzehnte verdankt sich nach von Weizsäcker dem Umstand, daß nach dem Krieg eine gewaltige Aufbauarbeit geleistet
und der amerikanische Vorsprung eingeholt werden mußte. Man
werde in Zukunft mit einer gewissen Quote an Arbeitslosen rechnen müssen; zur Bewältigung dieses Problems werde man vor allem die Fähigkeit entwickeln müssen, mit dem Zuwachs an freier
Zeit sinnvoll umzugehen.[8] Schließlich erwarten die Gegner der
Kernenergie von den alternativen Energiequellen erheblich mehr
als die Befürworter. Zumindest im Hinblick auf einzelne Länder,
wie etwa Österreich und die BRD, wird entschieden behauptet,
man könne auch ohne Nutzung von Kernkraft vernünftige und hinreichende Energiepolitik treiben. Damit stellt sich das Problem, das
uns vom Energiebedarf her entgegentrat, nun auch von den Energieressourcen her.[9]

2. Begrenztheit der Ressourcen[10]

Hinsichtlich der Energievorräte muß man drei Gruppen unterscheiden: nur vermutete Vorräte, bereits nachgewiesene und wirt

Reißmann). Im Gegensatz dazu erkennt *R. Schulten*, Energieversorgung der Welt – Die
Fakten 21, dem Sparen für eine große Lösung des Weltenergiebedarfs keine erhebliche
Rolle zu. Vgl. auch *K. Hörmann*, Atomenergie 80–85.

[7] *C. F. von Weizsäcker*, Wege in der Gefahr 38. *W. Korff*, Hegen statt Ausbeuten 206, erwartet für die Zukunft einen »bewußten Übergang von energieverarbeitender zu informationsverarbeitender Beschäftigung und von der Güterproduktion zu Dienstleistungen,
ferner ... eine vernünftige Verteilung der dem technischen Fortschritt verdankten Freizeit, sowie ... eine zum Ausgleich führende stärkere Berücksichtigung des Wirtschaftswachstums der Dritten Welt«.

[8] Vgl. Deutlichkeit 105–107; Wege in der Gefahr 58; vgl. auch den folgenden Abschnitt
dieser Untersuchung (»Alternatives Wirtschaften«).

[9] Zum Vorausgehenden vgl. die interessante Hypothese *C. F. von Weizsäckers*, Diagnosen
zur Aktualität 33 f, Kulturen, die sich selbst als säkular stabil verstanden haben oder uns
als langfristig stabil erscheinen, seien nur so lange stabil gewesen, »als sie ein langsames
Wirtschaftswachstum vollzogen«.

[10] Für die folgenden kurzen Hinweise wurden vor allem eingesehen *J. Grawe*, Möglichkeiten und Grenzen neuer Technologien der Energiegewinnung; Der Bundesminister für
Forschung und Technologie (Hrsg.), Zur friedlichen Nutzung der Kernenergie, 1977,
13–83; *H. Grupe*, Kernenergie in Baden-Württemberg 1–18; *H. Knizia*, Energie, Ordnung, Menschlichkeit (mit Schwerpunkt auf den Hintergründen und Entwicklungsli

schaftlich gewinnbare Vorräte und schließlich die tatsächlich verfügbaren Vorräte. Die geologisch vorhandenen Vorräte werden nur zu einem geringen Teil tatsächlich wirtschaftlich genutzt. Man rechnet z. B. mit einem Gesamtumfang an Ölvorräten (»oil in place«) von 750 Milliarden Tonnen. Wenn man von einem Entölungsgrad von 40% ausgeht, bedeutet dies ein technisch gewinnbares Vorratsvolumen von rund 300 Milliarden Tonnen. Tatsächlich nachgewiesen sind bisher nur ca. 90 Milliarden Tonnen; man kann also eine Reserve von 200 Milliarden Tonnen annehmen.[11]

a) Nichtregenerative Ressourcen

An sich sind die gesamten vorhandenen Energieressourcen für jedes uns vorstellbare Wachstum der Bevölkerung ausreichend. Die auf mittlere Frist relevanten, weil wirtschaftlich nutzbaren fossilen (organisch erzeugten) Brennstoffe werden sich aber in vorhersehbarer Zeit erschöpfen. Das Erdöl wird im ersten Viertel des kommenden Jahrhunderts als Energielieferant deutlich zurücktreten. Bei Erdgas ist die Situation etwas günstiger. Die gegenwärtig gewinnbaren Reserven würden ca. 100 Jahre reichen. Mit den insgesamt vorhandenen Ressourcen (13 000 Milliarden SKE) käme man beim gegenwärtigen Weltenergieverbrauch mehr als 1300 Jahre aus (Vergleichszahl für Erdöl = 70 Jahre). Die wirtschaftlich gewinnbaren Kohlereserven reichen bei gleichbleibender Nutzung ungefähr 200 Jahre, die insgesamt vorhandenen für 3000–4000 Jahre. Der gegenwärtige Energieverbrauch könnte also auf der Basis fossiler Stoffe durch die wirtschaftlich gewinnbaren Reserven noch 100 Jahre, durch die insgesamt vorhandenen mehr als 1300 Jahre aufrechterhalten werden.[12] Von den nuklearen Brennstoffen wird auf absehbare Zeit nur das Uran von größerer Bedeutung sein.[13] Nun sind

nien); K. Hörmann, Atomenergie 85–97; W. Korff, Kernenergie und Moraltheologie 50–57; C. F. von Weizsäcker, Deutlichkeit 53–57; R. Schulten, Energieversorgung der Welt – Die Fakten; Alternative Möglichkeiten für die Energiepolitik (Texte und Materialien. Reihe A, Nr. 1), Heidelberg 1977 (Gutachten der Forschungsstätte der Evgl. Studiengemeinschaft, Heidelberg, Schmeilweg 5); gute Information auf knappem Raum bietet H.-J. Ziesing, Ist unsere Energieversorgung langfristig gesichert? Lebensdauer und Verfügbarkeit der Weltenergievorräte, in: Der Bürger im Staat 29 (1979) 168–176.

[11] Vgl. H.-J. Ziesing, a.a.O. 168. Die im Folgenden begegnende Unterscheidung zwischen regenerativen (Sonnenenergie und geothermische Energie) und nichtregenerativen Energieträgern (fossile Brennstoffe: Torf, Stein- und Braunkohle, Erdöl, Erdgas, Öl aus Ölschiefer und Ölsanden; nukleare Brennstoffe: Uran, Thorium, Deuterium, Lithium) schließt sich an die Darstellung H.-J. Ziesings, a.a.O. 169, an.

[12] Vgl. H.-J. Ziesing, a.a.O. 172; 169 f.

[13] H.-J. Ziesing, a.a.O. 173. Zur Zeit sind weltweit 200 Kernkraftwerke in Betrieb. Im Bau befinden sich noch einmal mehr als 200 KKW. 125 weitere Anlagen sind in Auftrag gegeben. Es werden also bald 500 KKW in Betrieb sein (Kapazität: 400 000 MW). Bis um das

aber die Vorräte an nuklearen Brennstoffen »äußerst begrenzt«. In Armerzlagerstätten und im Meerwasser gäbe es zwar praktisch nahezu unerschöpfliche Vorräte, doch sind diese jedenfalls vorläufig »eher als ein nur theoretisch zu nennendes Vorratspotential« zu betrachten.[14] Es hängt also alles vom Grad der Nutzung und damit von den eingesetzten Reaktortypen ab. Die heute und in den nächsten Jahrzehnten verwendeten Leichtwasserreaktoren nutzen den Energiegehalt des angereicherten Urans nur in Bruchteilen (0,7%). Einen wesentlich höheren Effekt würde man mit Hochtemperaturreaktoren erzielen, bei denen Uran-Thorium-Elemente als Brennstoffe dienen. Die sog. »Schnellen Brüter« würden das Spaltmaterial sogar 40- bis 70mal besser nutzen als Leichtwasserreaktoren und könnten überdies die bereits genutzten Mengen weiter erschließen. Ihrem Einsatz stehen jedoch noch schwere Bedenken entgegen. Immerhin streben die USA zunächst keine Wiederaufbereitung mehr an. Die Entwicklung in der BRD schien bis vor kurzem in eine ähnliche Richtung zu gehen (Kalkar, Gorleben); neuerdings haben sich die Befürworter durchgesetzt. Jedenfalls steht fest, daß eine mehr als vorübergehende Bedeutung der Kernenergie nur zukommen kann, wenn der Übergang auf Brutreaktoren vollzogen würde.[15]

Ohne solche Gefährdungen und von faktisch unbegrenzter Reichweite wäre die Fusion, bei der das Prinzip der Kernspaltung durch das der Kernverschmelzung abgelöst würde. In Fusionsreaktoren würden Deuterium und Lithium verwendet. Diese Brennstoffe sind zwar auch grundsätzlich »endlich«, könnten aber »selbst einen um das Zehnfache höheren Weltenergieverbrauch für mehrere 10 000 Jahre ... decken«.[16] Mit diesem Reaktortyp wäre faktisch eine gefahrlose und unbegrenzte Energieversorgung der Welt gewährleistet. Allerdings sind noch eine Reihe physikalischer und technischer Probleme zu lösen, die den Durchbruch zur Realisie-

Jahr 2000 wird die Kapazität auf 1300 bis 2400 GW (1 GW = 1000 MW), bis um das Jahr 2020 auf 5000 GW ansteigen.

[14] Vgl. a.a.O. 173 f.

[15] *H.-J. Ziesing,* a.a.O. 175, sieht (1979) die Voraussetzungen für diesen Übergang aufgrund der mit diesem Reaktortyp verbundenen spezifischen Schwierigkeiten »noch nicht als erfüllt« an. Vgl. *W. Korff,* Kernenergie und Moraltheologie 55 f. *A. Matt,* Versiegen die Quellen? Paniel-Gespräch internationaler Persönlichkeiten, Disentis 1974, 60 f, berichtet die Stellungnahme des Londoner Elektronenphysikers *D. Gabor.* Er hält »die Beseitigung radioaktiver Abfälle in den Spaltanlagen (insbesondere von Plutonium, der vielleicht giftigsten bekannten Substanz) und ihren Schutz vor Terroristen (für) ein so schwieriges Problem, daß man es sich nicht ohne Furcht vergegenwärtigen kann«.

[16] *H.-J. Ziesing,* a.a.O. 1974, in Anschluß an *M. Grathwohl,* Energieversorgung, Ressourcen, Technologien, Perspektiven, Berlin–New York 1978, 52.

rung dieser Technologie bis jetzt verhindert haben. Die Fachleute gehen davon aus, daß Fusionsreaktoren frühestens in 40–50 Jahren zu konkreter wirtschaftlicher Effizienz kommen.[17]

b) Regenerative Ressourcen

Der Begriff »regenerative Ressourcen« meint Vorräte, die unerschöpflich und darum von unbegrenzter Dauer sind. Die jährlich auf die Erdoberfläche eingestrahlte Sonnenenergie übersteigt den gegenwärtigen Weltenergiebedarf um mehr als das 20 000fache. Die wirtschaftliche Nutzung eines geringen Teils dieses Potentials würde die Menschheit von allen Energiesorgen befreien. Die Verschiedenheit des Anfalls brächte freilich erhebliche Speicher- und Transportprobleme mit sich. Immerhin, da keine Schadstoffe emittiert würden und keine Klimaveränderung zu befürchten wäre, bescheinigt man der Gewinnung von Sonnenenergie ökologische Unbedenklichkeit. Doch dies ist nicht unbestritten.[18] Längerfristig aber handelt es sich bei der Sonnenenergie möglicherweise um die »bedeutendste Option für eine langfristig sichere und umweltverträgliche Energieversorgung«, und darum sind alle Anstrengungen auf die Lösung der noch anstehenden Probleme zu richten.[19]

Die Wasserkraft ist in den Industrieländern weitgehend genutzt. Der Energiegehalt der Erde ist sehr hoch; die Schätzungen gehen auf 800 000 Milliarden Tonnen SKE. Die Temperatur in den in

[17] Die Grundlagenforschung auf dem Gebiet der Kernfusion wird weltweit mit großem Aufwand betrieben, doch konnte nach *J. Grawe*, Möglichkeiten und Grenzen neuer Technologien der Energiegewinnung 24, »die physikalische Machbarkeit der Fusion ... noch nicht nachgewiesen werden«. Ähnlich *D. Österwind*, Neue Energieversorgungssysteme, in: D. Görgmaier (Hrsg.), Energie für morgen – Planung von heute 133–143, hier 140: »... die Kernfusion (hat) die Schwelle der physikalisch-wissenschaftlichen Durchführbarkeit noch nicht überschritten.« Sensationelle Meldungen aus den USA (Ende 1982) über das Gelingen einer ersten Kernfusion scheinen sich nicht bestätigt zu haben. Über die verschiedenen Typen von Kernreaktoren: Der Bundesminister für Forschung und Technologie (Hrsg.), Zur friedlichen Nutzung der Kernenergie 84–151; *D. Österwind*, Neue Energieversorgungssysteme, *F. X. Schmidtner*, Das Kernkraftwerk, in: D. Görgmaier (Hrsg.), Energie für morgen – Planung von heute 133–143.41–66.

[18] *W. Häfele*, Energieversorgung – Verantwortliches Handeln in Politik und Wirtschaft 54, weist auf den ungeheuren Aufwand und auch auf ökologische Konsequenzen hin. Wenn in den nächsten 50 Jahren Sonnenenergie eingesetzt werden sollte, müßte allein für die Bereitstellung von Sonnenenergiefeldern die gegenwärtige jährliche Produktion von Stahl (700 Millionen Tonnen) und von Beton (700 Millionen Tonnen) verdoppelt werden. Die Bereitstellung dieser Materialien ist »ohne ungeheure Rückwirkung auf die Umwelt« nicht vorstellbar.

[19] Vgl. *H.-J. Ziesing*, Ist unsere Energieversorgung langfristig gesichert? 174 f. *R. Dubos*, Die Wiedergeburt der Welt 305, meint, die Solartechnologien könnten vermutlich erst gegen Ende des nächsten Jahrhunderts die Bedürfnisse der Industriegesellschaft befriedigen. Skeptisch im Hinblick auf baldige Nutzung der Sonnenenergie sind auch *G. Hartkopf – E. Bohne*, Umweltpolitik I, 9.20.

Frage kommenden Erdschichten ist freilich so niedrig, daß keine hochwertige Energie zu erwarten ist. Jedenfalls wäre für eine Nutzung eine lange Entwicklung und ein hoher Kapitalaufwand notwendig.

Das Ergebnis ist klar: Weil Erdöl in wenigen Jahrzehnten als Energieträger praktisch ausscheidet, wird die Versorgung sich weltweit auf andere Ressourcen umstellen müssen. Mittelfristig werden Kohle und Kernenergie (Fission) die wichtigsten Ressourcen sein. Auf weite Sicht kommen aus dem Umkreis der nichtregenerativen Energieträger die Kernfusion, aus dem Umkreis der regenerativen die Gewinnung von Sonnenenergie als entscheidende Optionen in Frage. Es bleibt also nichts anderes übrig, als mit den mittelfristig verfügbaren Ressourcen so sparsam, umweltfreundlich und effektiv als möglich umzugehen. Gleichzeitig müssen alle Anstrengungen gemacht werden, »um langfristig die Energieversorgung unserer Erde auf die Grundlage regenerativer Energiequellen zu stellen«.[20]

3. Risiken und Gefahren der nuklearen Alternative

a) Ökologische Schäden beim Normalbetrieb
   von Kernkraftwerken

Carl Friedrich von Weizsäcker ist auch nach dem Gorleben-Hearing bei seiner Auffassung geblieben, Kernkraftwerke seien im Normalbetrieb ungefährlich.[21] Man muß aber immerhin mit einer Veränderung des Lebensraums rechnen. Flüsse werden erwärmt, das Wetter wird beeinflußt und das Klima verändert. Die Ansiedlung von Industrien und das Anwachsen der Städte werden zur Zerstörung von Landschaften führen. Doch dies trifft – zum Teil sogar in erhöhtem Maß – auch für den Gewinn von Erdöl und Kohle zu. Man rechnet weiterhin mit radioaktiver Belastung der Umgebung. Hier gehen die Ansichten freilich weit auseinander. Die einen prognostizieren körperliche Schäden, Leukämie und andere Krebsarten sowie genetische Veränderungen. Andere halten die Belastung durch Kernkraftwerke für geringfügig. Ein gleich großes Kohlekraftwerk stelle z. B. ein Gesundheitsrisiko für die umliegende Bevölkerung dar, das 500- bis 2500mal größer sei als

---

[20] *H.-J. Ziesing,* a.a.O. 176. Ähnlich *C. F. von Weizsäcker,* Deutlichkeit 56: »Die Sonnenenergie kann in diesen Jahrzehnten zum mindesten eine wichtige Teilrolle in der Raumheizung und vielleicht in tropischer Klein-Energietechnik spielen. Die technischen Chancen der Fusion sind auch heute noch nicht mit voller Sicherheit zu beurteilen, und eine führende Rolle wird sie allenfalls nach dem Zeitpunkt übernehmen können, bis zu dem wir hier vorausblicken.«
[21] Diagnosen zur Aktualität 21.

112

das eines Kernkraftwerkes. Die durch ein Kernkraftwerk in der unmittelbaren Umgebung erzeugte Radioaktivität betrage nur 1% der natürlichen Radioaktivität. Sie liege also »weit unter dem, was die Natur als Schwankungsbreite der Radioaktivität eingebaut hat, d. h. daß etwa ein Wechsel des Wohnorts von München nach Heidelberg unter Umständen eine viel größere zusätzliche Umweltradioaktivität bedeuten könnte als das ständige Wohnen in der Nähe eines Kernkraftwerkes«.[22] Umstritten ist weiterhin die Versorgung der radioaktiven Rückstände. Anerkannte Fachleute sind zwar der Auffassung, daß nicht nur die Zwischenlagerung, sondern auch die Endlagerung technisch lösbar ist. Die radioaktiven Rückstände können in Keramik oder Glas eingeschmolzen und in tiefen Salzstöcken unterirdisch endgelagert werden. Die Möglichkeit einer technischen Lösung der Endlagerung bedeutet freilich nicht auch schon tatsächliche Lösbarkeit. Es bleiben Unsicherheiten im Raum, und darum nehmen die politischen Schwierigkeiten zu. Da gibt es ja noch weitere Fragen: Was wird aus den Kernkraftwerken, wenn sie nach einigen Jahrzehnten ausgedient haben? Können sie abgebaut oder »beerdigt« werden? Bleiben radioaktive Betonruinen zurück? Jedenfalls würden Abbruch bzw. Bewachung und Kontrolle des radioaktiven Schrotts beträchtliche Kosten verursachen. Der Reaktortechniker Rudolf Schulten meint zwar, langlebige Radioaktivität sei reversibel; man könne diese Stoffe bis in 50 Jahren durch große Geräte vernichten; man könne auch Kernkraftwerke und Wiederaufbereitungsanlagen vollkommen beseitigen, so daß die Bedingung der Reversibilität der Technik erfüllt sei.[23] Damit sind freilich nicht alle Probleme im Hinblick auf die Belastung künftiger Generationen gelöst. Die Notwendigkeit der Überwachung von Endlagerstätten und von ausgedienten Kernkraftwerken bleibt vermutlich doch eine schwere Hypothek über wenigstens 1000 Jahre hinweg. Man wird wohl mit neuen technologischen Entwicklungen

[22] R. Schulten, Energieversorgung der Welt – Die Fakten 26. Vgl. auch W. Korff, Kernenergie und Moraltheologie 58, und H. Grupe, Kernenergie in Baden-Württemberg 37–52; a.a.O. 50 die Stellungnahme der Strahlenschutzkommission 1976: »Eine eingehende Analyse ergab, daß ... keine relevanten Unterschiede vorliegen zwischen der natürlichen Strahlenexposition von außen und der äußeren Gamma-Bestrahlung durch künstlich radioaktive Stoffe, die in den Ableitungen von Kernkraftwerken auftreten.«
[23] Energieversorgung der Welt – Die Fakten 26; a.a.O. 29: »Darüber hinaus ist es nach dem heutigen Stand der Kenntnis auch möglich – falls sich spätere Generationen dazu entscheiden werden –, die radioaktiven Stoffe so umzuwandeln, indem man, nachdem die wichtigsten von ihnen abgetrennt worden sind, die Substanzen in eine Kondition hineinbringt, in der ihre Wirkung und ihr Gefahrenpotential durchaus den natürlichen Stoffen, z. B. dem natürlichen Uranerz, entsprechen.«

rechnen können, aber im Augenblick sind keine befriedigenden Lösungen in Sicht.[24]

b) Gefahren infolge von Betriebsunfällen

Schon bei Leichtwasserreaktoren können technische Störungen (Verstopfung von Rohren oder Kühlkanälen, Ausfall oder Blockierung von Pumpen, Störungen in der Wärmeabfuhr u. a.) auftreten. Insofern dadurch der Betrieb des Reaktors beeinflußt wird, muß dieser abgeschaltet werden. Dies geschieht in der Regel unverzüglich durch ein automatisches Schnellabschaltsystem, das für den Fall des Versagens durch zusätzliche Abschaltsysteme gesichert ist. In der BRD sind zur Mehrfachsicherung vier voneinander unabhängige Nachwärmeabfuhrsysteme vorgeschrieben.

Sehr viel größere Gefahren als bei partiellen Störungen treten bei einem Kernschmelzunfall auf. Solange der Reaktorsicherheitsbehälter intakt bleibt, dringt keine Radioaktivität nach außen. Falls aber noch vorhandenes Wasser sich mit dem Material der Brennstoffhülsen verbindet und dadurch Wasserstoffgas entsteht, kann dessen explosive Kraft das Reaktorgebäude sprengen; dann strömen möglicherweise Spaltprodukte in größeren Mengen in die Umgebung aus. Eine andere Gefahr besteht darin, daß im Zuge der Nachzerfallswärme Temperaturen bis zu 3000° C entstehen; in diesem Fall könnte der schmelzende Brennstoff den Sicherheitsbehälter nach und nach durchschmelzen, so daß Radioaktivitäten in großen Mengen in den Boden und das Grundwasser abgegeben werden. In diesem Fall muß im Umkreis von etwa 20 km mit einer großen Zahl von Toten und Strahlengeschädigten gerechnet werden.[25]

[24] Zur Frage der nuklearen Entsorgung und der Stillegung von KKW äußern sich zuversichtlich: die vom Bundesminister für Forschung und Technologie hrsg. Dokumentation »Zur friedlichen Nutzung der Kernenergie« (1973) 173–224; *M. Hagen,* Brennstoffversorgung und Entsorgung – zwei gleichrangige Probleme, und *E. Hofrichter,* Probleme der Endlagerung radioaktiver Abfälle in Salzstöcken, beide in: D. Görgmaier (Hrsg.), Energie für morgen – Planung von heute 67–80. 81–88; *R. Gerwin,* So ist das mit der Kernenergie 115–136; *F. Baumgärtner,* Sicherheit und Umweltschutz bei der nuklearen Entsorgung 75, kommt zu dem Ergebnis, »daß alle technischen Sicherheitsanforderungen in der nuklearen Entsorgung erfüllbar sind, ohne in ein technisches Neuland vorstoßen zu müssen – so wie es beispielsweise bei der Weltraumfahrt der Fall gewesen ist«. Vgl. auch *H. Grupe,* Kernenergie in Baden-Württemberg 35.

[25] Vgl. *W. Korff,* Kernenergie und Moraltheologie 58–62; *R. Schulten,* Energieversorgung der Welt – Die Fakten 26 f: Das eigentliche Problem besteht darin, daß nach Abschalten der Kernreaktion noch radioaktive Stoffe vorhanden sind, die zwangsläufig Nachwärme erzeugen. Diese Nachwärme kann durch ein einfaches und zuverlässiges System abgeführt werden. »Erst dann, wenn die Abkühlvorrichtungen mit ihrer hohen Zuverlässigkeit nicht funktionieren, was nur mit einer sehr geringen Wahrscheinlichkeit erfolgen kann, können sich die Brennelemente so stark erhitzen, daß die wichtigste Barriere für die radioaktiven Substanzen zerstört wird. Es kommt dann zu der Gefahr, daß die Radioaktivität in den eigentlichen Reaktor-Schutzbehälter emittiert wird, wo sie normalerweise

Nun wird gesagt, diese Risiken seien im Vergleich zu anderen Risiken, auch zu natürlichen Risiken, mit denen der Mensch leben muß, gering. Der Kernreaktor ist nicht nur in ökologischer Hinsicht »unbedenklich umweltfreundlicher (zu) nennen als ein fossilbefeuertes Kraftwerk«.[26] Er verursacht auch weniger Todesfälle als etwa die Kohlenförderung oder der Bruch des Staudamms eines Wasserkraftwerkes oder der Verkehr auf unseren Straßen (jährlich ca. 15 000 Tote). Man hat verschiedene Sicherheitsanalysen und Probabilitätsrechnungen versucht. Nach dem »Rasmussen-Bericht«, einer bekannten amerikanischen Studie aus dem Jahre 1975, müßte man bei einem gleichzeitigen Betrieb von 100 Reaktoren durchschnittlich alle 200 Jahre mit einem Kernschmelzunfall rechnen.[27] Nach der »Deutschen Risikostudie«, die unter Leitung von Professor W. Birkhofer, dem Geschäftsführer der Gesellschaft für Reaktorsicherheit, erarbeitet worden ist, muß man pro Reaktor alle 10 000 Betriebsjahre mit einem Durchschmelzunfall rechnen. Im Falle eines Versagens des Sicherheitsbehälters wäre allerdings nur bei 1% aller Kernschmelzunfälle mit unmittelbaren Schadensfolgen für den Menschen zu rechnen.[28]

Das 8. Jahreskolloquium (1983) des »Projekts Nukleare Sicherheit« im Kernforschungszentrum Karlsruhe (mit 400 in- und ausländischen Fachleuten) hat als »übereinstimmende Auffassung« der anwesenden Wissenschaftler zum Ausdruck gebracht, daß nach neuesten Erkenntnissen die Folgen von Kernschmelz-Unfällen »bisher erheblich überschätzt« worden sind. Das bisherige Bild müsse revidiert werden; in der »Deutschen Risiko-Studie Kernkraftwerke« (Teil B) müssen »die genannten Ergebnisse in eine quantitative Reduzierung der bisher erwarteten Folgeschäden« umgesetzt werden.[29]

bleibt. Wenn jetzt darüber hinaus durch irgendein Ereignis der Schutzbehälter eines Atomkraftwerkes auch noch versagt, kommt es unter Umständen zu starken Schäden nach außen. Es muß von vornehrein betont werden, daß nach dem Stand der heutigen Kenntnisse ein solches Ereignis außerordentlich unwahrscheinlich ist.«

[26] C. F. von Weizsäcker, Deutlichkeit 60; zum Folgenden 60 f.
[27] Vgl. C. F. von Weizsäcker, Deutlichkeit 61.
[28] Vgl. W. Korff, Kernenergie und Moraltheologie 62. Man muß allerdings berücksichtigen, daß die »Deutsche Risikostudie« eine vergleichsweise größere Fehlerbandbreite ansetzt als der »Rasmussen-Bericht«. C. F. von Weizsäcker, Wege in der Gefahr 27, sieht bei den weiteren Entwicklungen der Kerntechnik eine Gefahrenquelle in der Giftigkeit des Plutoniums, das aus der Technik der »Schnellen Brüter« anfällt. Er hält aber das Risiko für begrenzbar. »Man trifft bei den Fachleuten einhellig ein gewisses Erstaunen über die aktuelle Erregung des Publikums in diesem Punkt.« Daß es überhaupt keine risikofreie Technik gibt, zeigt sich schon an den obigen Hinweisen auf Unfälle bei der Kohleförderung, auf den Bruch eines Staudamms und auf die Verkehrstoten auf unseren Straßen.
[29] Bericht »Folgen von Reaktor-Unfällen bisher erheblich überschätzt?«, in: Südwestpresse, 5. 9. 1983.

c) Gefahren aufgrund kriegerischer oder terroristischer
   Anschläge
   Kriegerische oder verbrecherische Anschläge gegen Kernkraftwerke würden beträchtliche Gefahren heraufführen. Mit entwende-
tem spaltbaren Material können nukleare Sprengkörper gebaut und
damit Erpressungsversuche gemacht werden. Bei drohendem Ein-
dringen von Terroristen oder feindlichem Militär oder bei einem
drohenden Unfall ist auch nicht auszuschließen, daß es zu einer panischen Flucht der Belegschaft kommt. Hier würden nur automatische Sicherungen helfen. Gegen einen von der Reaktorbelegschaft
selbst absichtlich ausgelösten »Unfall« gäbe es natürlich keine
technische Sicherung. Doch bliebe nach Carl Friedrich von Weizsäcker eine so ausgelöste Katastrophe begrenzt und wäre mit anderen Unfällen der technischen Welt durchaus vergleichbar. Bei weiterer Entwicklung der Kerntechnik (»Schnelle Brüter« und Wiederaufbereitungsanlagen) müßte man mit der Möglichkeit rechnen,
daß Terroristen Plutonium entwenden und Kernwaffen bauen oder
jedenfalls, um eine Erpressung vorzubringen, im Besitz solcher
Waffen zu sein vorgäben. Diese Gefahr wird nur gemildert durch
die Selbstgefährdung, der sich die Terroristen durch Umgang mit
Plutonium aussetzten; ähnliches gilt von Sabotage an der Endver-
sorgung. Überdies erscheint der Abtransport von geraubten End-
produkten sehr schwierig und der »Nutzen« für Terroristen eher
begrenzt.[30] Schließlich wird man davon ausgehen müssen, daß die
Zerstörung eines Reaktors mit zielgenauen Waffen, auch mit konventionellen Sprengköpfen, prinzipiell möglich ist. Doch erscheinen kriegerische Angriffe auf Kernkraftwerke für den Angreifer
wenig sinnvoll, weil er ja in der Regel das Land nachher besetzen
oder gar besitzen will. Für die Betroffenen ist dies ein geringer
Trost. Wenig trostvoll ist auch die Überlegung, die Existenz von
Atomreaktoren erhöhe das Risiko in einem Krieg nur geringfügig,
weil die Bevölkerung einen Krieg, in dem der Feind die Kernreaktoren zerstören würde, ohnehin kaum überleben könnte.

d) Sozio-ökonomische Gefahren
   Die Risiken, die mit der bloßen Existenz und mit dem Betrieb
von Kernkraftwerken gegeben sind, führen mit Sicherheit zu beträchtlichen Beschränkungen der Freiheit und zunehmenden
Staatseingriffen. Es wird ein dichtes Netz von Bewachungs- und

---

[30] *C. F. von Weizsäcker*, Wege in der Gefahr 29–32; Deutlichkeit 63–68.

Kontrollinstanzen etabliert werden müssen. »Das Anwachsen der Kernenergie fordert nicht automatisch die Schaffung eines Polizeistaates, doch ist es schon problematisch genug, daß wir alle mit dieser Möglichkeit rechnen müssen«.[31]

Es wurde bereits darauf hingewiesen, daß die zunehmende Entwicklung der Kernenergie den technischen Fortschritt beschleunigen und wirtschaftliche und soziale Krisen heraufführen werde. Die fortschreitende Rationalisierung wird zu erhöhter Arbeitslosigkeit führen. Es wird allerdings auch die gegenteilige Ansicht vertreten, daß nämlich durch die Verhinderung von Kernkraftwerken eine Gefährdung der Arbeitskräfte in großem Umfang eintrete und daß überdies in der Kernkraftindustrie selbst zahlreiche Menschen Beschäftigung finden.[32] Auf jeden Fall muß man mit einer wachsenden Konzentration von Industrien und Menschen aus technischen und ökonomischen Gründen und damit auch mit neuen sozialen Problemen rechnen müssen.[33]

II. VERSUCH EINER ETHISCHEN ORIENTIERUNG

1. Vorüberlegungen

Zunächst ist an dieser Stelle in Erinnerung zu rufen, was über die *Immanenz des Sittlichen* gesagt wurde: Der Maßstab des Richtigen ist in der Wirklichkeit selbst angelegt. Den im Bereich der Energie-

---

[31] *A. J. Abs,* Atomenergie für friedliche Zwecke, in: Osservatore Romano (deutsch) vom 1. 12. 1978, 9. Vgl. auch *P. Weish,* Der Anfang vom Ende der Atomenergie, in: SOL. Zeitschrift der Friends of the Earth 4 (1980) 17–20: »Mit dem Ausbau der Atomtechnik im großindustriellen Maßstab ergibt sich die Notwendigkeit einer lückenlosen Überwachung des sog. Brennstoffkreislaufes, um die mißbräuchliche Verwendung spaltbaren Materials (wie Plutonium) verläßlich zu verhindern. Abstriche von der individuellen Freiheit sind damit untrennbar verbunden, Überwachung und Bespitzelung an der Tagesordnung.« Zitiert bei *K. Hörmann,* Atomenergie 71–73.

[32] *E. Schwarz,* Kernenergie – ein Problem der politisch-moralischen Führung (vervielfältigtes Vortragsmanuskript, zitiert bei K. Hörmann, Atomenergie 72).

[33] *G. Altner,* Atomenergie – Herausforderung an die Kirchen 272–291, weist mit besonderem Nachdruck auf die Risiken und Gefahren (gesteigertes technisches und gesundheitliches Risiko, terroristischer Mißbrauch, Einengung der Rechtsstaatlichkeit durch zusätzliche Sicherungsmaßnahmen, Langzeitrisiken) hin. Seiner Meinung nach laufen vor allem die mit der Plutoniumswirtschaft in Kauf zu nehmenden Risiken und Gefahren nicht nur den Sicherheitsbedürfnissen Mitteleuropas total zuwider, sondern sie gefährden das Überleben der Menschheit schlechthin. Im Gegensatz dazu hält *C. F. von Weizsäcker,* wie bereits bemerkt, Kernkraftwerke wenigstens im Normalbetrieb für ungefährlich. Vor allem die neuesten Untersuchungen über Krankheitserzeugung durch kleine Strahlendosen bezichtigt er der Übertreibung: »Trotz großen persönlichen Respekts vor der moralischen Motivation der Autoren empfinde ich diese Studien im Vergleich mit den Schäden, die wir in nichtnuklearen Industrien (z. B. der Chemie) dulden, als Mückenseien und Kameleverschlucken« (Diagnosen zur Aktualität 21).

versorgung Verantwortlichen werden nicht irgendwelche Weisungen oder Normen von außen oder von oben oktroyiert. Sittliche Weisungen oder Normen erscheinen als begründet, wenn die in ihnen ausgesprochenen Verbindlichkeiten bzw. Verbote als innere Momente des technisch-wirtschaftlich-gesellschaftlichen Prozesses erkennbar werden, in dem die Gewinnung von Energie stattfindet und auf das Wohl der Menschheit hingeordnet wird. Das Sittliche betrifft nicht nur die Gesinnung, es hat eine Sachverhaltsseite. Wir müssen nicht nur sittlich gut, sondern auch sittlich richtig handeln. Beide Momente zusammen erst konstituieren im vollen Sinn das Sittliche. Im Umkreis unserer Thematik konkretisiert sich die Sachverhaltsseite des Sittlichen etwa in folgenden Fragen: Was gewinnen die Menschheit im ganzen oder einzelne gesellschaftliche Gruppen mit der Kernenergie? Können, dürfen oder müssen die mit deren Nutzbarmachung gegebenen Gefahren in Kauf genommen werden, wenn der Bedarf in jeder Hinsicht legitimiert ist und andere Energiequellen jetzt oder in absehbarer Zeit nicht oder nicht mit der Ergiebigkeit fließen, die zur Deckung des Bedarfs notwendig ist? In welchem Maße können die Gefahren vermieden werden? Ist die Wirtschaftlichkeit der Kernenergie der anderer Energieformen überlegen?

Weiterhin ist daran zu erinnern, daß das sittlich Richtige in einem *hermeneutischen Dreischritt* erhoben bzw. begründet wird. Die Natur- und Humanwissenschaften haben eine analytische Funktion: Sie weisen die physikalischen, biologischen, psychologischen und sozialen Gegebenheiten auf, in die menschliches Dasein und Handeln situiert ist. Sache der philosophischen (und theologischen) Reflexion ist es, die von Natur- und Humanwissenschaften erhobenen Daten auf den umgreifenden Sinnhorizont des ganzheitlich Menschlichen hin zu überschreiten und von dort her auszulegen. Was den Menschen zum Menschen macht, was den Sinnverhalt seiner personalen Existenz und seiner sozialen Einbindung konstituiert, gehört Kategorien an, die mit den sog. exakten Methoden der analytischen Wissenschaften nicht erreicht werden können. Nun erst kann die Ethik authentisch ansetzen: Bei einer Zusammenschau der natur- und humanwissenschaftlichen Analysen mit philosophischen (und theologischen) Einsichten in den Sinn des Menschseins treten unverkennbare Notwendigkeiten bzw. Dringlichkeiten einer fruchtbaren und sinnvollen menschlichen Existenz hervor: Man stößt auf Mängel, die behoben, auf Gefahren, die vermieden, auf Möglichkeiten, die genützt werden müssen. Ethische Weisungen oder Normen sind das Ergebnis des Versuchs, die Erkenntnis existentieller Aufgegebenheiten in die Sprache der sittlichen Verbindlichkeit zu übersetzen. Ethik ist also konstitutiv auf die ständige Kooperation mit den empirischen Wissenschaften und den philosophischen (und theologischen) Deutungen des menschlichen Daseinssinnes verwiesen.

Schließlich, nach den beiden Erinnerungen an früher Gesagtes, ist auf die *Komplexität ethischer Urteile und Normen als »gemischter« Urteile und Normen* hinzuweisen. Eine »reine« Norm wäre etwa eine Norm, die »bloß aus einem sittlichen Werturteil besteht«, z. B. das Verbot des Mordens (nicht ohne weiteres des »Tötens«) oder der Vergewaltigung. Die innere Bosheit solchen Tuns ist vom Begriff her so eindeutig, daß kein Fall denkbar ist, in dem es nicht einen massiven Verstoß gegen die Würde und Freiheit des Menschen darstellen würde. Von »gemischten« Normen spricht man, wo mit dem sittlichen Werturteil ein Tatsachenurteil verknüpft ist. Das Verbot, jemandem Zyankali zu verabreichen, ist eine »gemischte« Norm. Sie trifft nur für den Fall zu, daß das empirische Urteil, Zyankali wirke tödlich, richtig ist. Für Tatsachenurteile ist die sachliche Kompetenz von Fachleuten erforderlich. Kompetenz für Werturteile läßt sich nicht in gleicher Weise monopolisieren. Einem weisen oder einem sittlich wachen und bewährten Menschen wird sie niemand absprechen. Eine erhöhte Kompetenz wird man auch den Kirchen sowie den Wissenschaften der Philosophie und Theologie zusprechen. Die Geschichte beweist, daß in diesen Institutionen mehr als irgendwo anders über ethische Fragen reflektiert worden ist – womit keineswegs jede hier vertretene Position pauschal gutgeheißen ist. Aber für Tatsachenurteile können diese Institutionen sowenig wie der weise oder der sittlich erweckte Einzelmensch eine spezifische Zuständigkeit vorweisen.[34] Damit liegt auch schon das Problem, das sich im Umkreis unserer Thematik erhebt, in aller Klarheit vor Augen.

2. Entfaltung

a) Die Gegensätzlichkeit der fachwissenschaftlichen Stellungnahmen

Angesichts der Gegensätzlichkeit der fachwissenschaftlichen Stellungnahmen scheint es keinen Weg zu einer eindeutigen ethischen Urteilsfindung zu geben. Die Vorteile der Gewinnung von

---

[34] Vgl. *B. Schüller*, Die Bedeutung der Erfahrung für die Rechtfertigung sittlicher Verhaltensregeln, in: Christlich glauben und handeln (Festschrift für J. Fuchs), hrsg. von K. Demmer und B. Schüller, Düsseldorf 1977, 261–286, hier 278.

Kernenergie werden nicht bestritten, wenngleich da und dort ihre Wirtschaftlichkeit ernsthaft in Frage gestellt wird. Hinsichtlich der Risiken und Gefahren (bei Produktion, Transport, Entsorgung und Endlagerung; Notwendigkeit der Einschränkung der Handlungsfreiheit) stehen wir aber vor einem unaufhebbaren Dissens. Karl Hörmann hat in seinem Buch »Atomenergie im Widerstreit von Politik, Ökologie und Ethik« diese Gegensätzlichkeit eindrucksvoll dokumentiert. Man wird die Zahl derer, die sich mit wissenschaftlicher Autorität geäußert haben, nicht gegeneinander aufrechnen können, zumal auf beiden Seiten Wissenschaftler von sehr verschiedenem Rang auftreten – hochrenommierte Nobelpreisträger und Träger unbekannter Namen. Nachdem im Jahre 1975 nicht weniger als 650 Fachleute einen »Offenen Brief« an die Abgeordneten des Deutschen Bundestags geschrieben und darin Notwendigkeit und Verantwortlichkeit der Nutzung der Kernenergie erklärt hatten, erhoben 2924 Personen, darunter Biologen und Mediziner in großer Zahl, als Unterzeichner des »Heidelberger Memorandums« warnend ihre Stimme. Diese Zahl ist eindrucksvoll, aber keineswegs überzeugend. Denn man wird kaum bezweifeln können, daß die 650 Befürworter ihre Zahl ohne Schwierigkeiten hätten aufstocken können – trotz der von den Gegnern inzwischen betriebenen emotionalen Aufrüstung.

Nur Experten haben noch die Chance, die Probleme zu durchschauen. Hat es Sinn, deswegen das Gespenst einer »Expertenkaste« oder einer »nuklearen Mafia« an die Wand zu malen? Wir kommen ohne die Experten auf keinem Gebiet mehr zurecht. Trotzdem bleibt die Frage berechtigt: Darf man den Experten trauen? Sind wir nicht aufgrund der wachsenden Einsicht in die undurchdringliche Verflochtenheit von »Erkenntnis und Interesse« allzu mißtrauisch geworden, als daß wir die Tätigkeit der Wissenschaftler nur unter rationalen Aspekten betrachten könnten.[35] Wohlgemerkt, Mißtrauen ist nicht nur gegenüber den Vertretern sog. exakter Wissenschaften, sondern auch gegenüber Philosophen

---

[35] *A. Koestler,* Die Nachtwandler. Die Entstehungsgeschichte unserer Welterkenntnis (suhrkamp taschenbuch 579), Frankfurt 1980, 13: »Wenn ich Kopernikus oder Galilei von dem Piedestal herunterhole, auf das sie die Naturwissenschafts-Mythenschreibung stellt, so geschieht es nicht, um sie herabzusetzen, sondern um dem verborgenen Wirken des schöpferischen Geistes nachzuspüren. Dennoch soll es mir nicht leid tun, wenn diese Untersuchungen nebenbei der Legende entgegenwirken, die Wissenschaft sei eine rein rationale Tätigkeit und der Wissenschaftler ein nüchtern-objektiver Menschentyp (, dem man deswegen eine führende Rolle in den Angelegenheiten dieser Welt geben sollte); oder daß er imstande wäre, sich und seiner Zeitgenossen mit einem logischen Ersatz für ethische Imperative zu versehen.«

und Theologen am Platz. Auch sie haben ein bestimmtes Vorverständnis hinsichtlich aller Probleme, mit denen sie konfrontiert werden. Vielleicht liegt sogar – bewußt oder unbewußt – bereits eine entschiedene Position vor, die sich von niemand in Frage stellen läßt. Die Gelehrten mögen imponierende Argumentationsgefüge vorstellen, aber das, was als logisch zwingendes Ergebnis am Ende steht, ist vielleicht in Wahrheit eine Option, die jeder denkerischen Bemühung vorauslag und für deren Begründung das Denken erst in Gang gesetzt worden ist.

Das Bild wird noch düsterer, wenn man bedenkt, was mit den sogenannten oder wirklichen Erkenntnissen der Wissenschaftler gemacht wird. Die einen benutzen kritische Stimmen von Wissenschaftlern, um mit ihnen für die Rückkehr zum Archaischen zu plädieren oder doch wenigstens der Gewinnung von Kernenergie jede ethische Legitimität abzusprechen. In ähnlicher Weise werden positive Stellungnahmen von denen eingesetzt, die das gegenwärtige sozio-ökonomische System festschreiben und perpetuieren wollen. Letztere gibt es in gehäufter Zahl in großen Industriefirmen, auf den verschiedenen Ebenen der Verwaltung und auch in den Forschungszentren.[36] Und sollte man schließlich es nicht auch für möglich halten, daß jemand das Pro und Contra in eindrucksvoller Manier möglichst gleichgewichtig demonstriert, um seine eigene Option für die Unentschiedenheit wissenschaftlich begründen zu können? Hörmann gesteht am Ende seines Buches, daß er vor allem im Hinblick auf das Erbe, das unsere Zeit mit Atomkraftwerken den kommenden Generationen hinterläßt, seine persönlichen Bedenken (noch) nicht überwinden konnte. Diesem Bekenntnis fügt er ein Zitat an, das – wie er ausdrücklich bemerkt – genau seine eigene Position wiedergibt: »Ich fühle mich wie viele andere Mitbürger und Zeitgenossen angesichts der Fülle widerstreitender Argumente, die von Fachleuten vorgebracht werden, nicht in der Lage, zu einem exakten und stichhaltigen Urteil in der Sache selbst zu gelangen, deren Tragweite ich trotz aller Informationen nicht ausreichend zu überblicken vermag. Dies ist allerdings schon ein Grund, der eher für das Nein als für das Ja spricht, denn es ist ein allgemeiner Grundsatz, daß man eine Entscheidung, deren Tragweite man nicht überblickt, besser aussetzt, wenn man nicht unbe-

---

[36] *C. F. von Weizsäcker*, Deutlichkeit 59, bemerkt, daß es auch in solchen Kreisen an der vollen Äußerungsfreiheit gebricht: »Nicht nur im sozialistischen, sondern auch in unserem liberalen System gilt, daß man sich seine Karriere leichter macht, wenn man privat und öffentlich sagt, was die Vorgesetzten privat und öffentlich hören wollen. Wie kann der Frager wissen, welche Antwort er glauben soll?«

dingt zu ihr gezwungen ist.«[37] Ist dies die Position der Unentschiedenheit? Wird sie am Ende einer ebenso mühsamen wie sorgfälti-
gen Untersuchung bezogen, oder hat sie als präexistente Option
das wissenschaftliche Bemühen erst aktiviert? Darüber kann niemand Gewißheit erlangen – der Leser so wenig wie der Verfasser.
Soll man es also einfach bei einem besonnenen Urteil wie dem von
Hörmann belassen, oder soll man sich einem anderen Autor an-
schließen, der sowohl Naturwissenschaftler wie Philosoph ist, der
die Fachliteratur sorgfältig studiert und mit einer großen Zahl von
Fachleuten wissenschaftliche Gespräche über das Thema Kernenergie geführt hat? Carl Friedrich von Weizsäcker – von ihm ist
die Rede – berichtet, er sei auf einer seiner Reisen einem hervorra-
gend ausgewiesenen Fachmann für Reaktorsicherheit begegnet.
Dieser habe sich ihm gegenüber unter vier Augen »über den auch
in seiner Institution geübten Meinungszwang zugunsten der Kernenergie« beklagt. Dann aber fährt der Autor fort: »Ich nahm mir
zwei Tage Zeit für ihn und bat ihn, mir alle die Gefahren, die er für
unzureichend berücksichtigt halte, im einzelnen aufzuführen. Nach
diesem Gespräch war ich im wesentlichen beruhigt. Er hatte eine
Reihe von Gefahren genannt, denen gegenüber die Sorgfaltspflicht
weitere Forschung und bessere Vorkehrungen gebot. Er hatte nicht
eine Gefahr genannt, die mir als eine das Maß anderer Techniken
überschreitende Gefährdung der Menschheit erscheinen konnte. In
diesem Urteil bin ich durch weitere Expertenbefragungen nicht
mehr grundlegend erschüttert worden.«[38]

b) Die Verschiedenheit der anthropologischen Optionen

Im vorausgehenden Abschnitt kam die Bedeutung von Optionen
schon kurz zur Sprache. Hier soll ausführlicher darauf eingegangen
werden. Die Entscheidung darüber, wie die Tatsachen und die
fachwissenschaftlichen Stellungnahmen bewertet und gedeutet
werden, ist wesentlich geprägt von der anthropologischen Option,
die ihrerseits wiederum durch Konstitution, lebensgeschichtliche
Entwicklung und weltanschauliche Grundorientierung des einzelnen bestimmt ist. Es handelt sich bei dieser Option eher um ein
Vorverständnis, um eine dem Denken vorausliegende Entschieden-
heit, die durch den tragenden Lebensinstinkt genährt wird, als um

---

[37] *K. Hörmann,* Atomenergie 149, zitiert aus: N. Leser, Atomare Sprengkraft und Stabilität
der Demokratie, in: Zukunft (1980) 10.
[38] Deutlichkeit 59.

eine Entscheidung, die am Ende eines rationalen Reflexionsprozesses steht.[39]

Die Option der Kritiker und Verweigerer ist von Carl Friedrich von Weizsäcker analysiert worden.[40] Er zeigt sich überrascht, daß die Schlacht um die Kernenergie neuerdings sich zugunsten ihrer Gegner neigt. Was bewegt die Menschen – fragt er –, der Kritik eher zu glauben als den Argumenten der Befürworter? Seine Antwort: Die Kritik, die von Anfang an die wissenschaftlich-technokratische Zivilisation begleitet hat, ist heute in einen »fast panischen Widerstand gegen eine bloße Willens- und Verstandeswunderwelt« umgeschlagen. Sie richtet sich nicht gegen bestimmte Technologien, sondern gegen das System selbst und das in ihm erscheinende »Böse«. Man kann diese Kritik nicht einfach beiseite tun, weil sich in ihr tiefe Krisen, ja Katastrophen vorankündigen. Die technologisch zentralisierte Großgesellschaft ist zwar effizienter als technisch weniger entwickelte Teilgesellschaften, aber zugleich auch anfälliger für Katastrophen, weil sie in einem ungleich höheren Maße davon abhängig ist, daß die Menschen die Lebensbedingungen eines großen Systems bewußter verstehen. Kritiker und Verweigerer sind getrieben »durch eine wachsende und vermutlich berechtigte Angst, daß der Bewußtseinsprozeß doch in lebensbedrohender Weise hinter dem realen technisch-ökonomisch-gesellschaftlichen Prozeß hinterherhinkt«. Die Befürworter der Kernenergie haben sich wie die Techniker, die sie entwickeln, auf eine rationale Bewältigung der Probleme festgelegt und können sich kaum vorstellen, daß dieses rationale Denken versagt und daß solches Versagen katastrophale Folgen haben kann. Man muß aber doch fragen, ob der Instinkt der Kritiker und Verweigerer nicht gegen das rationale Konzept ihrer Gegner im Recht ist. Soweit von Weizsäcker in seiner Analyse der Kritiker und Verweigerer.

Die Option der Befürworter vertraut darauf, daß die Rationalität

---

[39] *Ph. Schmitz,* Kernenergie und christliche Ethik 9–11, arbeitet drei solcher Vorverständnisse oder »Vorentscheidungen« heraus, gegen die eine rationale wie eine christliche Reflexion sich abgrenzen muß: die technokratische Einstellung, für die allein das Machbare Maßstab des Handelns ist, die neonaturalistische Einstellung, die nur ein Handeln nach den Gesetzen der vormenschlichen Natur als legitim erklärt und darum von neuem das »Zurück zur Natur« proklamiert, und die chiliastische Einstellung, die unter dem Druck apokalyptischer Visionen sich von Verantwortung und Engagement für die Zukunft der Menschheit dispensiert.

[40] Vgl. Diagnosen zur Aktualität 28–32; vgl. auch den lesenswerten Beitrag von *O. Renn,* Kernenergie und ihre Aufnahme durch die Bevölkerung, in: D. Görgmaier (Hrsg.), Energie für morgen – Planung von heute 105–120, der im Rahmen seiner Darstellung des Meinungsbildungsprozesses eine Art Psychogramm der Kritiker und Verweigerer entwirft. Natürlich könnte ein einigermaßen geschickter Kritiker oder Verweigerer ein ähnlich interessantes Psychogramm der Befürworter der Kernenergie ausarbeiten.

des Menschen hinreichend befähigt ist, die Rationalität der Wirklichkeit (Sachgesetze und Sinnwerte) wahrzunehmen und durchzusetzen. Hinsichtlich der wichtigsten Inhalte dieser anthropologisch-ethischen Option besteht ein weitreichender Konsens. Erstens: Der Mensch ist Zielpunkt aller technischen und ökonomischen Anstrengungen. Wissenschaft, Technik und Wirtschaft müssen sich durch ihren Dienst am Menschen legitimieren. Die grundlegenden Werte und Institutionen (Würde des Menschen, Freiheit, Gleichheit, Solidarität; Ehe und Familie, Religion, Sittlichkeit und Kultur) haben den schlechthinnigen Vorrang gegenüber den Gütern der Technik und der Wirtschaft. Ohne Frage ist mit der »sozialen Marktwirtschaft« ein vernünftiger und erfolgreicher Weg beschritten worden. Für ihre weitere Entwicklung wird entscheidend sein, inwieweit das bisherige einseitig quantitative Wachstumskonzept durch ein qualitatives ergänzt wird. – Zweitens: Die Pflicht der Solidarität bezieht sich auf die ganze Menschheit. Die geschichtliche Entwicklung hat zu sehr verschiedenen Anteilschaften an den Gütern der Erde geführt. Doch hat sich das sittliche Bewußtsein so weit entwickelt, daß die technologisch hochgerüsteten Industrienationen sich nicht mehr legitimiert fühlen, das von ihnen erstellte Sozialprodukt ohne Rücksicht auf die Entwicklungsländer in nationalistischer Verengung selbst vollständig zu konsumieren. Doch der Verzicht auf Kernenergie – so heißt es – ginge genauso wie die bisherige Nutzung von Erdöl, Erdgas und Kohle zu Lasten der Dritten Welt. – Drittens: Es besteht auch Konsens darüber, daß erhebliche Schäden, die durch die Technik verursacht werden, nur vorübergehend hingenommen werden dürfen und daß die Möglichkeit, Schadstoffe wieder zu beseitigen, bleibend gegeben sein muß. Fachleute sind sicher, daß radioaktive Stoffe in eine Kondition gebracht werden können, in der ihre Wirkung durchaus den natürlichen Stoffen entspricht, und daß Kernkraftwerke und Wiederaufbereitungsanlagen vollkommen abgebaut werden können. Damit wäre die Bedingung der Reversibilität der Technik erfüllt.[41] – Viertens: Ein qualitatives Wachstumskonzept fördert eine deutliche Bereitschaft zum Verzicht. Wo die Grenzen des Wachstums erreicht sind, muß der Mensch auch sich selbst Grenzen setzen. Insofern die Notwendigkeit von Kernenergie mit der Notwendigkeit eines maximalen wirtschaftlichen Wachstums begründet wird, muß dieses Ziel in Frage gestellt werden. Wohlstand ist weder ehrenrührig

---

[41] Vgl. *R. Schulten*, Energieversorgung der Welt – Die Fakten 19 f; dazu kritisch *R. Spaemann*, Technische Eingriffe in die Natur 491 f.

noch unsittlich, aber er ist auch kein Wert an sich. Jedenfalls wird es höchst problematisch, wenn allein oder auch nur vor allem wegen der luxurierenden Bedürfnisse »die Alternative der Kernenergie unausweichlich« wird.[42] Die Notwendigkeit des Bedarfs, die zu bestimmen gewiß große Probleme aufwirft, gehört zu den unverzichtbaren Voraussetzungen für eine verantwortliche Gewinnung von Kernenergie, solange diese mit erheblichen Risiken belastet ist.

Anthropologische Optionen sind unvermeidlich. Durchaus vermeidlich aber ist die gegenseitige Unterstellung mangelnder moralischer Integrität. Es gibt Gegner der Kernenergie, die die Moralität exklusiv für sich beanspruchen und den Befürwortern in Bausch und Bogen rücksichtslosen Materialismus und Mensch und Natur verachtenden Technizismus vorwerfen. Es gibt aber auch Befürworter der Kernenergie, die den Gegnern Scheinheiligkeit, Wirklichkeitsferne, archaische Infantilität und romantische Verstiegenheit vorwerfen. Dabei wird immer klarer, daß ein vernünftiges Gespräch über ökologisches Ethos ohne gelebtes Ethos des Dialogs fruchtlos bleibt.

c) Aspekte einer ethischen Orientierung

aa) *Kein absolutes Veto gegen Kernenergie*

Ein absolutes Veto gegen Kernenergie ist weder vom Aspekt der Umweltbelastung noch vom Aspekt der Sicherheit her gefordert. Unter dem Aspekt der Umweltbelastung hält die Kernenergie den Vergleich mit fossilen Brennstoffen leicht aus. Vom normalen Betrieb her gesehen wird man bei nüchterner Betrachtung »einen Kernreaktor unbedenklich umweltfreundlicher nennen als ein fossil befeuertes Kraftwerk«.[43] Die ökologischen Belastungen durch Kohlekraftwerke sind erst in den letzten Jahren ins öffentliche Bewußtsein getreten. Aufgrund des dramatisch ansteigenden Gehalts der Atmosphäre an Kohlendioxid rechnet man mit einer Verschiebung der europäischen Klimazonen um etwa 10 Breitengrade nach Norden. Das bei der Verbrennung von Kohle (wie auch bei Öl und anderen fossilen Brennstoffen) entstehende Kohlendioxid legt sich in der Luft wie ein Gasmantel um die Erde. Dieser Mantel läßt bei Tag die Sonnenwärme zur Erdoberfläche durch, blockiert jedoch bei Nacht die langwellige Abstrahlung der aufgeheizten Landmas-

[42] Vgl. *H. Weber*, Was heißt hinreichende Sicherheit? Zum Problem der Kernkraftenergie aus der Sicht des Moraltheologen (unveröffentliches Manuskript) 12.
[43] *C. F. von Weizsäcker*, Deutlichkeit 60. Diese Meinung hat der Autor auch nach dem Gorleben-Hearing nicht geändert; vgl. Diagnosen zur Aktualität 21.

sen in den Weltraum. Aus diesem Grund steigen in den Luftschichten zwischen Erdoberfläche und Kohlendioxidgürtel die Temperaturen wie in einem Treibhaus. Es genügt aber bereits eine langfristige Verschiebung von einigen Zehntel Grad, um die Menschheit mit bedrohlichen Katastrophen zu konfrontieren.[44] Unter dem Aspekt der Umweltbelastung steht die Kernenergie eindeutig besser da als die Kohle.

Schwieriger ist es mit dem Aspekt der Sicherheit. Welcher Grad von Sicherheit ist vorauszusetzen, damit die Gewinnung von Kernenergie als erlaubt bezeichnet werden kann? Eine *totale Sicherheit* gibt es nicht, vor allem nicht von vornherein.[45] Die Auswirkungen neuer Technologien werden erst in der Anwendung ganz und konkret spürbar. Es ist wohl noch nie eine Technologie mit einer totalen Unbedenklichkeitsbescheinigung eingeführt worden. Selbstverständlich bleibt es Aufgabe der Wissenschaft und der Technik, Gefährdungen jeder Art zu minimalisieren. Der Reaktortechniker R. Schulten sieht die Möglichkeit der Beseitigung bestimmter Nebenwirkungen vor allem darin, daß Kernenergie eine wandelbare und anpassungsfähige Energie ist.[46]

Wenn eine totale Sicherheit ausscheidet, bleiben noch statistische, komparative und moralische Sicherheit. Von der *statistischen Sicherheit* her ist ein absolutes Veto gegen die Gewinnung von Kernenergie keinesfalls zu fordern. Wenn man den Verlust von Menschenleben im Auge hat, schneidet sie gegenüber der Gewinnung fossiler Energie entschieden besser ab. Das Ausreichen einer *komparativen (vergleichsweisen) Sicherheit* wird teils behauptet, teils bestritten. In den letzten Jahren ist das Bewußtsein dafür wacher geworden, daß es überhaupt keine Energiegewinnung ohne Risiko gibt. Der Normalverbrauch von Öl und Kohle verseucht und verschmutzt die Städte und vernichtet die Wälder. Tankerunglücke

---

[44] *W. Gutermut,* Statt einer Eiszeit Riviera-Wetter?, in: *Südwestpresse* vom 10. 2. 1982: Man hält es für möglich, daß »die Kohlendioxyd-Glocke die Durchschnittstemperaturen der Erdatmosphäre bis Mitte des kommenden Jahrhunderts um 2–4 Grad ansteigen läßt. Das hätte verheerende Folgen: Abschmelzende Eismassen an den Polen würden zu weltweiten Überschwemmungen führen; die ebenso komplizierte wie labile Gesetzmäßigkeit der Welt-Klima-Maschine wäre auf Jahrtausende hinaus gestört«. Vgl. *G. Hartkopf – E. Bohne,* Umweltpolitik I, 15–18, und *H. Jonas,* Das Prinzip Verantwortung 333 f.

[45] Nach *C. F. von Weizsäcker,* Diagnosen zur Aktualität 21, sollte man auch nach Harrisburg die Kirche im Dorf lassen: »Man verlangt von der Kerntechnik etwa in der Technikgeschichte Beispielloses: Unfälle nicht durch ›trial and error‹, sondern durch absolute Voraussicht vermeiden zu lernen.« Vgl. die übersichtliche Darstellung der Probleme bei *A.-P. Butz,* Sicherheit von Kernkraftwerken, hrsg. vom Deutschen Atomforum, Bonn 1979 (also aus der Sicht eines Befürworters der Kernenergie).

[46] Vgl. *W. Heintzeler – H.-J. Werhahn* (Hrsg.), Energie und Gewissen 121 (Diskussionsbericht).

werden häufiger, und Grubenkatastrophen können trotz technologischer Absicherungen auch heute noch nicht wirksam genug verhindert werden. Von möglichen folgenschweren Klimaveränderungen aufgrund der Emission von Dioxid war bereits die Rede. Die zunehmende Beachtung, die laufende Schädigungen und schwere Einzelkatastrophen in der jüngsten Zeit finden, beginnt den allmählich entstandenen Gewöhnungseffekt auszuhöhlen. Dadurch gerät die Kernenergie in eine vergleichsweise günstigere Position. Carl Friedrich von Weizsäcker hat seine grundsätzliche Entscheidung für Kernenergie damit begründet, daß ihm nicht eine einzige Gefahr genannt werden konnte, die ihm »als eine das Maß anderer Techniken überschreitende Gefährdung der Menschheit erscheinen konnte«.[47] Der Sicherheitswissenschaftler A. Kuhlmann stimmt dieser Auffassung im wesentlichen zu; er meint sogar, es sei des Guten schon zuviel getan; infolge des öffentlichen Drucks seien immer höhere Sicherheitsauflagen gemacht worden; dadurch sei man in der Gefahr, »Pseudo-Sicherheit« zu schaffen. Er hält es nicht für verantwortbar, unentwegt wertvolles Volksvermögen für objektiv unnötige und sogar »unzulässige« Investitionen zur Erfüllung ständig sich überbietender Sicherheitsforderungen einzusetzen.[48] Andere freilich lehnen eine komparative Sicherheit mit der Begründung ab, die von der Kernenergie ausgehenden Gefahren seien wegen ihrer Schrecklichkeit und ihrer viele Generationen schädigenden Auswirkungen »von qualitativ besonderer Art«.[49] Was das genau heißt, wird allerdings nicht erklärt. Von der Tradition der christlichen Ethik her wird man eine *moralische Sicherheit* fordern müssen. Diese bleibt hinter der Stringenz eines mathematischen Lehrsatzes, eines logischen Urteils oder eines metaphysischen Prinzips zurück. Die Begrenztheit menschlicher Erkenntnisse und die Verworrenheit vieler Probleme machen nach der allgemeinen Lehre strikte oder totale Sicherheit unmöglich. Zweifel erscheinen zwar als »unnötig und unvernünftig«, aber durchaus als möglich.[50]

---

[47] Deutlichkeit 59.

[48] *A. Kuhlmann,* Die Industriegesellschaft zwischen Angst und Sicherheit, in: W. Heintzeler – H.-J. Werhahn, Energie und Gewissen 108–113; 110: »Ich gehöre aufgrund meiner beruflichen Arbeit zu denen, die Anspruch darauf erheben, über die inneren Verhältnisse der Sicherheitsprobleme hinreichend Kenntnis zu haben und daraus diesen etwas provokatorischen Standpunkt abzuleiten.«

[49] *J. Höffner,* Mensch und Natur im technischen Zeitalter, in: Zukunft der Schöpfung – Zukunft der Menschheit. Erklärung der Deutschen Bischofskonferenz zu Fragen der Umwelt und der Energieversorgung 1980 (Die Deutschen Bischöfe 28), 22–45, hier 44; vgl. auch *R. Spaemann,* Ethische Aspekte der Energiepolitik.

[50] *J. Mausbach – G. Ermecke,* Katholische Moraltheologie, Münster 1959, Bd. I, 172; vgl.

Robert Spaemann plädiert für totale Sicherheit und favorisiert damit eine tutioristische Position.[51] Der Tutiorismus hat in der moraltheologischen Diskussion des 17. Jahrhunderts generell für jegliches Handeln eine strikte bzw. die je größere Sicherheit gefordert; ein Zweifel ist damit unverträglich. Wo ein gewichtiges Bedenken im Raum steht, darf nicht gehandelt werden. Das kirchliche Lehramt hat den Tutiorismus als Übersteigerung und Verirrung verworfen.[52] Auf die Dauer behaupten konnte sich lediglich der Probabilismus, der sich mit Wahrscheinlichkeiten zufrieden gab: Man darf handeln, wenn die Erlaubtheit des Tuns probabel (wahrscheinlich) ist, wenn also gute, solide Gründe für die Erlaubtheit sprechen. Die Gründe brauchen aber nicht lückenlos zu sein; sie brauchen nicht jeden Einwand zu beseitigen. Freilich sah man durchaus die Grenzen des Probabilismus. Man hielt ihn nicht für anwendbar, wenn es z. B. um das Heil des Menschen oder um das menschliche Leben ging. R. Spaemann vertritt konsequent eine tutioristische Auffassung: Die Unschädlichkeit der Kernenergie muß glaubhaft gemacht werden. Glaubhaft aber ist sie nur, »wenn praktisch alle Fachleute sich haben überzeugen lassen..., wenn kein Sachverständiger mehr widerspricht«. Wenn der Beweis nur durch den Konsens aller Sachverständigen erbracht werden kann, dann ist er zur Zeit nicht erbracht und wohl überhaupt nicht erbringbar. Die Folgerung ist klar: »Daher ist die Inbetriebnahme von Kernkraftwerken zur Zeit ethisch auf keinen Fall gerechtfertigt. Und da der Staat das Subjekt der Verantwortung für die langfristigen Nebenfolgen menschlicher Handlungen ist, muß er die Inbetriebnahme verhindern.«[53] Solcher Tutiorismus mag eine optisch eindrucksvolle Position sein, aber er ist nicht lebbar. Er stellt eine Form des Rigorismus dar. Der Rigorismus aber ist nach Auffassung der traditionel-

---

auch *H. Weber,* Was heißt hinreichende Sicherheit? 3; hier auch der Verweis auf die berühmte und weitverbreitete Beichtsumme des Antonin von Florenz, wo die Ansicht vertreten ist, es sei ein Charakterzug des disziplinierten Menschen, jeweils mit der Sicherheit zufrieden zu sein, die auf dem betreffenden Gebiet einzig möglich ist; vgl. *B. Häring,* Das Gesetz Christi, Freiburg ^{8}1967, Bd. I, 218.

[51] Technische Eingriffe in die Natur 486–197. A.a.O. 486: »Wo uns ein eindeutig richtiges Handeln nicht möglich ist, da bleibt die Unterlassung des Handelns immer ein legitimer Ausweg, für dessen Konsequenzen wir keine Verantwortung zu tragen haben.« – Der Rückzug auf das Nicht-Handeln ist freilich ein »legitimer« Ausweg nur für den, der sich auf der Tribüne der Geschichte bewegt. Der Politiker muß auch für sein Nicht-Handeln und die dadurch eingetretenen Konsequenzen Verantwortung tragen.

[52] Auch der dem Tutiorismus nahekommende Probabiliorismus, demzufolge man sich immer für die Meinung mit der höheren Wahrscheinlichkeit entscheiden muß, und der gegenteilige Laxismus, der nur ein Minimum an Sicherheit forderte, vermochten sich nicht durchzusetzen.

[53] *R. Spaemann,* Technische Eingriffe in die Natur 497.

len Lehre der Tod jeder Moral, weil er den Menschen um seine Freiheit bringt.[54]

Neuere sozialpsychologische Untersuchungen haben ergeben, daß die heutige Identitätskrise des Menschen wesentlich mitbedingt ist durch die Spannung zwischen dem Leben in den Intimräumen der Familie, der Nachbarschaft und der Gemeinde einerseits und der unüberschaubaren Welt der ihm anonym, übermächtig und feindselig erscheinenden Großtechnologien andererseits. Je weniger die »Megamaschine« von Menschen durchschaut werden kann, desto mehr mißtraut er ihr, ängstigt sich vor ihr und sucht sich gegen sie abzusichern. »Wenn man Großtechnologie nicht versteht und daher auch nicht kontrollieren kann, wird absolute Sicherheit zur ›vernünftigen Minimalforderung‹. Bei einer probabilistischen Risikobetrachtung z. B. wird das Interesse der Öffentlichkeit nicht durch etwa ermittelte 99,9prozentige Sicherheit bestimmt, sondern durch das verbleibende Zehntel Prozent Risiko.«[55]

Nach alledem können Gewinnung und Einsatz von Kernenergie nicht als »in sich schlecht« und darum als sittlich absolut unerlaubt bewertet werden. In einer sachlichen Abwägung kommt den schädlichen Auswirkungen und den Risiken im Vergleich mit den zu erwartenden Gütern jedenfalls auf weite Sicht geringeres Gewicht zu. Im Blick auf den langfristig anders nicht zu deckenden notwendigen Bedarf können die verbleibenden Risiken in Kauf genommen werden – bei bleibender Verpflichtung zu ihrer je möglichen Minimierung.

Zur Frage der Zumutbarkeit des Risikos haben die Fachleute die entscheidende Kompetenz. »Und hier wiederum«, schreibt Wolfgang Kluxen, »muß man verlangen, daß ihre Auskunft einhellig positiv ausfällt; eine bloß ›überwiegende‹ Mehrheit würde nicht genügen, eine ›Minderheitenmeinung‹ – womit nicht vereinzelte Stimmen gemeint sind – fiele negativ schwer ins Gewicht. Man kann auch erwarten, daß der Sachverhalt in einer demokratisch verfaßten Gesellschaft öffentlich zureichend klargelegt wird; eine weittragende Entscheidung solcher Art bedarf breiter Zustimmung,

---

54 Keine unlösbaren Probleme der Reaktorsicherheit gibt es für *H. Grupe,* Kernenergie in Baden-Württemberg 23–36; *R. Gerwin,* So ist das mit der Kernenergie 93–114; *A. Birkhofer – G. Mansfeld,* Kernenergie und Sicherheit, in: D. Görgmaier (Hrsg.), Energie für morgen – Planung von heute 89–96; vgl. auch Der Bundesminister für Forschung und Technologie (Hrsg.), Zur friedlichen Nutzung der Kernenergie, 1977, 276–424.

55 *H.-C. Röglin,* Kommunikationskrisen der Großtechnologie, in: Technik und Gesellschaft: Innovation durch Information. Ausgewählte Beiträge aus den IBM Nachrichten (4), Stuttgart 1982, 76–84, hier 79 f; der Begriff »probabilistisch« ist hier allerdings nicht im Sinn der moraltheologischen Diskussion verwendet.

die freilich den Entscheidungsbefugten ihre eigene Verantwortung nicht abnehmen kann.«[56] Diese Auffassung ist zwar in ihren einzelnen sachlichen Gehalten durchaus zutreffend. Aber sie ist so vage, daß sie eine konkrete politische Entscheidung kaum mehr möglich macht. In einem demokratischen Staatswesen wird mehrheitlich entschieden, und es ist im einzelnen genau festgelegt, in welchen Fällen einfache und in welchen qualifizierte Mehrheiten den Ausschlag geben. Was heißt denn, eine »Minderheitenmeinung« fiele negativ schwer ins Gewicht, wenn den Entscheidungsträgern ihre eigene Verantwortung nicht abgenommen werden kann? Daß eine Minderheitenmeinung bei der Urteilsfindung »negativ schwer ins Gewicht« fällt, kann man erwarten und sittlich fordern. Aber entschieden werden muß eben mehrheitlich. Gerade bei »weittragenden Entscheidungen« wird man damit rechnen müssen, daß hart um sie gekämpft wird. Und es ist schon beachtlich, wenn dann für eine der möglichen Alternativen eine »überwiegende« Mehrheit herauskommt. Und schließlich – wie kann denn darüber entschieden werden, wo die Grenzen zwischen »überwiegender« und »einhelliger« Auskunft der Fachleute liegt, wo doch schon die Frage, wer zu den Fachleuten zu zählen ist, bei der zunehmenden Komplexität der Probleme immer schwerer zu entscheiden ist? Eine Mehrheitsentscheidung auf der Basis einer »einhelligen« Auskunft der Fachleute hat gewiß eine höhere Chance, richtig zu sein, als wenn eine Entscheidungsmehrheit nur auf einer »überwiegenden« Auskunftsmehrheit beruht. Aber eine absolute Richtigkeit vermag auch sie nicht zu gewährleisten. Vor allem aber muß eine Demokratie, die entschlossen ist, es zu bleiben, sich an ihre eigenen Spielregeln halten. Soviel Minderheit von Fachleuten ist vermutlich in den meisten anstehenden Entscheidungen gegen die Mehrheit aufzubieten, daß deren Einhelligkeit unerreichbar bleibt. Wie soll da noch politisch effektiv gehandelt werden!

bb) *Das Fernziel: Konzentration auf Kernfusion und Sonnenenergie*
Die heutige Weltenergieversorgung stützt sich im wesentlichen auf grundsätzlich erschöpfbare Vorräte. Es bedarf »des Übergangs auf regenerative (i. w. Sonnenenergie) oder quasi-regenerative (Kernfusion) Energiequellen«, um die Menschheit von ihren Sorgen zu befreien.[57] Allein diese Quellen wären praktisch unerschöpf-

---

[56] W. Kluxen, Moralische Aspekte der Energie- und Umweltfrage 421.
[57] H.-J. Ziesing, Ist unsere Energieversorgung langfristig gesichert? 175. G. Hartkopf – E. Bohne, Umweltpolitik I, 20, haben wenig Hoffnung, daß der »Übergang« schon bald stattfinden werde. H. Jonas, Das Prinzip Verantwortung 337, meint zwar: »Die Kernfu-

lich, ökologisch unbedenklich und frei von Sicherheitsrisiken. Es wurde bereits gesagt, daß die Kernfusion, falls bei ihrer wissenschaftlichen und technischen Entwicklung keine überraschenden Durchbrüche erfolgen, als verfügbare Energiequelle frühestens in etwa 50 Jahren in Betracht kommt. Die physikalischen und technischen Probleme scheinen beträchtlich zu sein. Ähnlich verhält es sich mit der Sonnenenergie; hier wären freilich mit der Erstellung von Sonnenkollektoren und Spiegeln auf Hunderten von Quadratkilometern auch ökologische Probleme gegeben, wenn sie auch sicher geringer wären als die ökologischen Vorteile. Wenn diese beiden Energiequellen erschlossen werden könnten, dann stünden fossile Brennstoffe (Öl, Kohle, Gas) als Rohstoffe für andere wichtige Zwecke (Erzeugung von Kunststoffen, Düngemitteln und Arzneimitteln) zur Verfügung. Die Möglichkeit der Substitution von Rohstoffen kann überhaupt für die Zukunft noch von erheblicher Bedeutung werden. Außerdem würde sich die Situation der meisten Entwicklungsländer wesentlich verbessern. Aus dem Gesagten ergibt sich, daß wissenschaftliche Forschung und technische Entwicklung entschlossen vorangetrieben werden müssen, um die Gewinnung von Sonnenenergie und die Kernfusion so bald wie möglich im großen Stil verwirklichen zu können. Was soll bis dorthin geschehen?

cc) *Die Zwischenphase*

Die Enquête-Kommission des Deutschen Bundestags hat sich darauf geeinigt, eine Zehnjahresperiode vorzuschlagen. Während dieser Zeit sollen zwar Leichtwasserreaktoren und Wiederaufbereitungsanlagen gebaut werden. Doch sollen auf der anderen Seite die Möglichkeiten des Sparens in aller Schärfe ausgekundschaftet werden. »Das Sparen und der weiche Weg müssen ihre Chance haben.«[58] Wenn das Sparen und der weiche Weg eine echte Chance

sion, wenn sie uns je beschert wird, könnte das Energieproblem auf immer lösen.« Er rät keineswegs von den wissenschaftlichen Bemühungen um ihre technische Realisierbarkeit und ihre ökonomische Nutzung ab; sie könnte Energie im Überfluß liefern. Weil aber Wärme in die irdische Umgebung nur begrenzt abgeführt werden kann, befürchtet er, daß bei maßlosem Energieverbrauch das »thermodynamische Veto« der Physik unvermeidlich ist. Die Bäume werden also nicht in den Himmel wachsen; es wird kein Energieparadies geben. Auch wenn wir Energie im Überfluß haben, können wir sie nicht unbegrenzt einsetzen, weil die Umwelt Wärmeabgabe nicht unbegrenzt verkraftet. Von hier aus begründet *H. Jonas,* a.a.O. 337–341, »Das Dauergebot sparsamer Energiewirtschaft und sein Veto gegen die Utopie«.

[58] *W. Häfele,* Die Energiekontroverse und das christliche Gewissen – Zusammenfassung des Tagungsergebnisses, in: W. Heintzeler und H.-J. Werhahn, Energie und Gewissen 139–145, hier 141.

haben sollen, dürfte dann nicht in der ganzen Zwischenzeit bis zum erwarteten Großeinsatz von Kernfusion und Sonnenenergiegewinnung der harte Weg nur so weit als unbedingt notwendig gegangen werden? Damit könnte sicherlich auch die immer noch zunehmende Emotionalisierung des Problems der Energiegewinnung weithin abgebaut werden. Für die Nutzung der Zwischenphase wären erforderlich: 1. *Resolute Energieeinsparung:* Das Freiburger ÖKO-Institut kommt zu dem Ergebnis, daß in den nächsten 50 Jahren durch Verbesserung der Nutzungstechniken sich der Primärenergieeinsatz in der BRD auf etwa 60 % des heutigen Wertes senken ließe. Der amerikanische Energiefachmann A. B. Lovins hält eine Einsparung von Energie um 20–25 % für die nächsten zwei Jahrzehnte für durchaus realistisch – und zwar ohne Reduktion des Lebensstandards.[59] Entscheidend ist also die Entwicklung besserer Nutzungstechniken im Rahmen der Gewinnung und des Verbrauchs von Energie. Bei der noch etwas reichlicher vorhandenen Kohle wird vor allem an Vergasung und Verflüssigung sowie an den Einsatz der Wirbelschichtfeuerung gedacht. 2. *Überführung weiterer geologischer Vorräte in wirtschaftlich gewinnbare Vorräte:* Wieweit solche Überführung gelingt, hängt von zahlreichen technischen, wirtschaftlichen und politischen Faktoren ab. Diese sind im einzelnen zu prüfen und im Rahmen des Möglichen zu berücksichtigen. 3. *Beschränkung des Anteils an Kernenergie:* Angemessener als der rasche Ausbau eines möglichst flächendeckenden Netzes von 500 bis 800 Kernkraftwerken erscheinen eine zurückhaltende Nutzung der Kernenergie, die allseitige Förderung der Bereitschaft zum Energiesparen sowie der Verbesserung der technologischen Sparmöglichkeiten im ganzen Umkreis von Produktion und Konsum und schließlich das entschlossene Beschreiten des »sanften Weges« der Energiegewinnung. Dafür lassen sich gewichtige Gründe angeben. *Erstens:* Bei der Beschränkung auf Leichtwasserreaktoren wären die vorhandenen Uranreserven in 4 bis 5 Jahrzehnten erschöpft. *Zweitens:* Der »Schnelle Brüter«, mit dem das Spaltma-

---

[59] Vgl. *C. F. von Weizsäcker,* Diagnosen zur Aktualität 18 f, referiert *A. B. Lovins'* Grundthesen; die dritte: »auf sehr lange Frist werde man dann ohne großen Verbrauch fossiler Energie *und* ohne Kernenergie auskommen können, nur mit ›renewables‹, also Sonne und vielleicht Geothermik«. *K. Knizia,* Energie, Ordnung, Menschlichkeit 268, lehnt dies entschieden ab; er spricht von »Pfadfinderromantik«: »Vorschläge wie von Lovins' entsprechen den Träumen eines im Wohlstand lebenden Menschen über die Schönheit einer Robinsonade.« *G. Keil,* Der sanfte Umschwung 164–250, hier 169, dagegen fordert im Sinne von Lovins »weit überwiegende Nutzung regenerierbarer Energiequellen in einer vollkommen dezentralisierten Struktur unter Abstützung auf konsequente, radikale Energieeinsparung in allen Bereichen«.

terial wesentlich besser genützt und die bereits genutzten Elemente weiter erschlossen werden könnten, ist in der Gesellschaft bislang nicht angenommen. Übrigens darf auch nach Ansicht des Bundesministers für Forschung und Technologie »die Zukunft der neuen Reaktorsysteme (Kalkar und Hamm-Schmehausen) ... heute nicht mehr so überschwenglich eingeschätzt werden wie bei Baubeschluß Anfang der siebziger Jahre«.[60] Und schließlich *drittens:* Das Problem der Endlagerung des Nuklear-Abfalls ist weder technisch noch politisch gelöst. Experten aus der Bundesrepublik Deutschland berichten nach Informationsreisen in die USA, daß der nukleare Abfall dort bisher nur provisorisch gelagert worden sei. Die Regierung habe über drei Jahrzehnte hinweg so gut wie nichts für die Lösung des Müllproblems getan. Im übrigen gibt ein Urteil des Obersten Gerichtshofs der USA den Bundesstaaten das Recht, neue Atomkraftwerke so lange zu verbieten, »bis die Bundesregierung ein ständiges Lager für den Nuklearmüll geschaffen hat«.[61] Bei uns liegen die Dinge besser. Der Entsorgungsbericht der Bundesregierung, der am 24. 8. 1983 vom Kabinett verabschiedet wurde, stellt fest, daß sich das Konzept für Zwischenlagerung und Wiederaufbereitung bewähre und daß, wenn bis um das Jahr 2000 im Salzstock von Gorleben und in der früheren Erzgrube Konrad (Salzgitter) die Endlagerstätten für radioaktiven Abfall verwirklicht seien, alle bis dorthin angefallenen Elemente endgültig gelagert werden könnten. Dies klingt nun aber auch nicht ermutigend. Mit der Einlagerung von schwachradioaktiven Abfällen und Teilen kerntechnischer Anlagen in der Grube Konrad hofft man zwar schon 1988 beginnen zu können. In Gorleben aber beginnt man demnächst erst mit der Erkundung »unter Tage«. Erst die Unter-Tage-Erkundung kann genau Aufschlüsse über das Innere des Salzstocks und über das nutzbare Salzvolumen erbringen. »Nur ihre Resultate werden Aussagen darüber erlauben, welche radioaktiven Abfälle in welchen Mengen an welchen Stellen des Salzstocks eingelagert werden könnten.« Falls die Erkundigungen positiv verlaufen, kann 1993 das atomrechtliche Planfeststellungsverfahren für den Bau des Endlagers beantragt werden. Frühestens Ende der neunziger Jahre könnte mit der Einlagerung der ersten radioaktiven Abfälle begonnen werden. Sollten aber die Ergebnisse negativ und der Salzstock in Gorleben für die Endlagerung ungeeignet

[60] Vgl. den Bericht »Riesenhuber: Die Entscheidung ist gefallen« in: *Frankfurter Allgemeine Zeitung* vom 28. 4. 1983.
[61] *Südwestpresse* vom 5. 9. 1983: »US-Sorgen mit dem Atommüll.«

sein, könnten kurzfristig andere Standorte benannt und für die weitere Arbeit die Gorlebener Erfahrungen nutzbar gemacht werden.[62] Vor allem im Hinblick auf das zuletzt Gesagte muß man fragen: Kann mit solchen Informationen Vertrauen begründet werden? Man wird an der Feststellung nicht vorbeikommen: Solange die Endlagerung nicht geklärt ist, erscheint die ethische Legitimation für eine wirtschaftliche Nutzung der Kernenergie im großen Stil nicht erbringbar – jedenfalls solange man nicht alle anderen Möglichkeiten entschieden verfolgt hat.[63] Einige Jahrzehnte könnten überbrückt werden, auch wenn der Gürtel enger geschnallt werden müßte. Eine solche selbstauferlegte Beschränkung würde gewiß Wissenschaft und Technik so stark unter Druck setzen, daß die Zwischenphase sich vermutlich nicht allzulange hinziehen würde.

Zugegeben, diese Stellungnahme ist nicht unwesentlich durch die Tatsache mitbestimmt, daß *Carl Friedrich von Weizsäcker nach dem Gorleben-Hearing vom 28. 3. bis 3. 4. 1979 seine Einstellung modifiziert* hat. In seinem Artikel »Die offene Zukunft der Kernenergie« analysiert er noch einmal die Gesamtsituation im Bereich der Energieversorgung. Er kommt zu dem Ergebnis, daß wegen der Knappheit der Uranvorräte der Übergang zur Brütertechnologie unvermeidlich ist. Nach einem Hinweis auf die von A. B. Lovins aufgezeigten Möglichkeiten der Energieeinsparung schreibt er: »Angesichts der vielen Gefahren und politischen Mißlichkeiten der Kernenergie wird mir immer zweifelhafter, ob die Überbrückung von 50 Jahren, die zur Not, mit vielleicht etwas größeren Schäden, auch fossil überbrückt werden könnten, überhaupt den Einsatz der Kernenergie rechtfertigen kann.«[64]

Der Optimismus, den von Weizsäcker Ende der 60er Jahre noch an den Tag gelegt hat, ist offensichtlich stark gedämpft. Damals war er noch der Überzeugung, daß die Kernenergie zur wichtigsten Energiequelle für die letzten Jahrzehnte unseres Jahrhunderts werde und der Preis der Kernenergie gegen Ende des Jahrhunderts tief

---

[62] Vgl. in der *Frankfurter Allgemeinen Zeitung* die Berichte »Bonn: Der Ausbau der Kernenergie ist gesichert« (25. 8. 1983) und »Bei Gorleben kann bald der Schachtbau beginnen« (6. 9. 1983).

[63] *W. Kluxen,* Moralische Aspekte der Energie- und Umweltfrage 419 f, stellt mit Recht fest: Die Frage der Vertretbarkeit des Risikos kann »nicht schon deshalb als entschieden gelten . . ., weil die Kerntechnik bereits angewandt wird und Schäden noch nicht eingetreten sind. Dies ist zwar nicht unbeachtlich, aber schon deshalb nicht ausschlaggebend, weil Tatsachen nicht Grundsätze begründen können; die Entscheidung, durch die sie geschaffen sind, ist nicht dadurch richtig, daß sie gefallen ist und bisherige Folgen unschädlich waren.«

[64] In: Diagnosen zur Aktualität 17.

sinken werde.[65] Dieser Wandel in der Position von Weizsäckers, der sich von Interessen so wenig leiten läßt wie von Emotionen, sollte doch wohl dazu ermuntern, die »Zwischenphase« der nächsten 50 Jahre als wissenschaftliche und technische Herausforderung zu betrachten, damit das Energieproblem auf eine Weise gelöst werden kann, die dem Umweltschutz und dem Anspruch auf Sicherheit in gleicher Weise Rechnung trägt.

[65] Über die Kunst der Prognose, in: Der ungesicherte Friede, Göttingen 1969, 57–76, bes. 64; vgl. auch: Kernenergie als wichtigste Energiequelle für die letzten Jahrzehnte unseres Jahrhunderts, Ruperto Carola XXI, Bd. 46 (1969), Beilage 3.

5. Kapitel
»ALTERNATIVES« WIRTSCHAFTEN

I. KRITIK AM INDUSTRIELLEN WIRTSCHAFTSSYSTEM

1. Darstellung

Die stärksten Impulse für die Entstehung alternativer ökonomischer Modellvorstellungen kommen aus der Kritik an der industriellen Gesellschaft. Seit ihren Anfängen hat die *Sozialkritik* nachdrücklich gefordert, daß das Kriterium der Maximierung des wirtschaftlichen Fortschritts durch das Kriterium der Optimierung des menschlichen Daseins abgelöst oder zumindest korrigiert wird. Die technisch-ökonomische Vernunft müsse sich von der politisch-sozialen Vernunft in die Verantwortung nehmen lassen, damit das technisch-wirtschaftliche Handeln entschlossen auf das Wohl des Menschen hingeordnet werde. Die Kritik am industriellen Wirtschaftssystem – auch in seiner Ausprägung als sozialer Marktwirtschaft – hat in den letzten Jahren jedenfalls an innerer Intensität eher noch zugenommen. Die Tatsache, daß ökonomisch-soziale und staatliche Institutionen sich weithin als ohnmächtig erweisen, die Probleme zu lösen, und daß die Experten sich über grundlegende Fragen uneinig sind, verschärft die Sorge, ob die Industriegesellschaft überhaupt auf dem richtigen Weg ist. Diese Legitimationskrise konkretisiert sich in Feindschaft gegen Technik und Industrie sowie gegen staatliche Bürokratisierung, im Gefühl der Ohnmacht der einzelnen gegenüber einer übermächtigen und anonymen Entwicklung, aber auch im Aufkommen einer neuen Wertorientierung, in der Wohlstand und Konsum gegenüber den sog. qualitativen Bedürfnissen zurücktreten.[1]

---

[1] Nach *B. Strümpel*, Wachstum oder Konsumaskese? – Alternative Ökonomie aus der Sicht der Wirtschaftspsychologie, in: A. Rauscher (Hrsg.), Alternative Ökonomie? 194–213, hier 203, hat sich in der BRD die Zahl derer, die die Technik eher für einen Segen als für einen Fluch halten, seit 1960 von 73 % auf 30 % verringert. *Ch. Watrin*, Ökonomie der »Alternativen« – eine Alternative? 124 f, meint, die Systemkritik der Alternativen unterscheide sich wenig von der Kapitalismuskritik marxistischer Provenienz: »Man versteht sich als kritisch, weist der ›Gesellschaft‹ die Schuld an bestehenden sozialen und

Der Sozialkritik hat sich die *ökologische Kritik* als Bundesgenossin an die Seite gestellt. Allein schon die schlichte Einsicht, daß die Lebenswelt des Menschen als ein begrenztes System unabdingbar Begrenzungen auferlege, zwinge zur Revision der Vorstellung eines beständigen maximalen Produktions- und Konsumwachstums. Die Ziele heutigen und künftigen Wirtschaftens seien von den Erfordernissen des Umweltschutzes her neu zu umschreiben und drastisch einzugrenzen. Die meisten Modelle alternativen Wirtschaftens – soweit man von »Modellen« reden kann – gehen von der Annahme aus, die westliche Industriegesellschaft, in der die Steigerung des materiellen Wohlstands oberstes Ziel ist, sei als System an die Grenzen ihrer Funktionalität gestoßen. Dafür werden auch in seriösen Analysen immer wieder drei Signale benannt, die im folgenden kurz verdeutlicht werden sollen.[2]

a) Leerläufe in der Produktion

Zunächst wird auf die Leerläufe in der Produktion hingewiesen. Ein immer größerer Teil des Zuwachses – so heißt es – erreicht den Verbraucher gar nicht, weil bestimmte Produkte wegen neuer modischer Trends, wegen des Nachdrängens wirklich oder vermeintlich qualifizierterer neuer Modelle, wegen fehlender Reparaturmöglichkeiten oder auch aus Prestigegründen gar nicht auf den Markt kommen, sondern gleich ausrangiert werden. Das etablierte Wirtschaftssystem wirkt, und zwar sowohl im Hinblick auf Investitions- als auch auf Konsumgüter, zunehmend sogar kontraproduktiv. Man spricht von »Leerlauf«, wenn die Folgekosten den Produktionszuwachs überrunden.[3] Hier fällt besonders ins Gewicht, daß

wirtschaftlichen Zuständen zu, fühlt sich von den Herrschenden manipuliert, verfolgt und ausgebeutet; man beklagt die Profitorientierung und den Warencharakter der Gesellschaft, führt den wirtschaftlichen Wohlstand der reichen Länder auf die Ausbeutung der Dritten Welt zurück und ist der Meinung, daß Umweltzerstörung und Ressourcenerschöpfung notwendige Folgen moderner Wirtschaftsweisen, vor allem der Marktwirtschaft, seien. Die eigene Position wird als Außenseitertum definiert, das ständig von der ›Megamaschine‹, den als Zwängen aufgefaßten Begrenzungen des täglichen Lebens bedroht ist.« – Ein Beispiel solcher Kapitalismuskritik marxistischer Provenienz bietet *R. Hickel,* Plädoyer für eine alternative Wirtschaftsordnung – Ausgangspunkte, Grundlagen, Perspektiven, in: A. Rauscher (Hrsg.), Alternative Ökonomie? 60–122.

[2] Für die Thematik »Alternatives Wirtschaften« werden hier unmittelbar herangezogen *J. Huber,* Wer soll das alles ändern; *J. Huber* (Hrsg.), Anders arbeiten – anders wirtschaften; *H. Ch. Binswanger – W. Geissberger – Th. Ginsburg* (Hrsg.), Der NAWU-Report; *H. Ch. Binswanger,* Umweltschutz im Rahmen eines Neukonzepts von Wirtschaft und Gesellschaft; *O. Renn,* Die alternative Bewegung: Ursprünge, Quellen und Ziele; *Ch. Watrin,* Ökonomie der »Alternativen« – eine Alternative?; *A. Rauscher* (Hrsg.), Alternative Ökonomie?

[3] Der NAWU-Report 105: »Beispielsweise ist es ein Leerlauf, eine Energiequelle zu entwickeln, bei der die ganze gewonnene Energie durch den Energiegewinnungsprozeß auf-

mit dem Mehrverbrauch an Material auch der Abfall und die Immissionen ansteigen. Damit werden Zusatzleistungen notwendig, die keinen Nutzen bringen. Es müssen Abwasserreinigungsanlagen, Lärmschutzvorrichtungen, Luftfilter, Kehrrichtverbrennungsapparaturen u. a. m. gebaut werden, weil wir sonst am Unrat, am Lärm oder an der Verunreinigung der Luft zugrunde gehen. Einzurechnen ist weiterhin der ganze Aufwand, den die Behandlung der Krankheiten und Neurosen erfordert, die durch die Lebensweise in einer Industriegesellschaft entstehen. Weil für viele die Distanz zwischen Wohn- und Arbeitsort größer geworden ist, gehören in diese Verschleißrechnung auch der tägliche Fahrtaufwand an Zeit und Energie, die Reparaturkosten für die bei Verkehrsunfällen demolierten Autos und die Krankenhauskosten für die dabei verletzten Menschen.

b) Vergeudung der Ressourcen und Umweltverschmutzung

Ein zweites Signal für das Anlangen unseres Wirtschaftssystems an den Grenzen seiner Funktionalität wird in der Vergeudung der Ressourcen und in der Verschmutzung der Umwelt gesehen. Die nichterneuerbaren Rohstoffe und Energieträger werden in bedrohlicher Weise aufgezehrt. Nicht nur die Herstellung von Maschinen und Bauten, auch die Produktion und der Verbrauch von Konsumgütern werden immer aufwendiger. Für die Beseitigung der Abfälle und der Immissionen müssen wieder neue Energien eingesetzt werden. Der durch wachsende Siedlungen und Produktionsgelände, durch Straßen und Flugplätze ohnehin schon verknappte Raum vermag den Abfall immer weniger zu absorbieren. »Global 2000« prognostiziert eine gefährliche chemische Umweltverschmutzung schon für die nächste Zukunft. Selbst wenn es gelänge, die chemische (und auch die radioaktive) Umweltverschmutzung in die relativ harmlose thermische Umweltverschmutzung umzuwandeln, stünde man in wenigen Jahrzehnten vor der »Hitzemauer«, durch die einschneidende klimatische Veränderungen und in ihrem Gefolge große ökonomische und soziale Krisen entstehen würden.[4] In der neueren Diskussion wird häufig darauf hingewiesen, daß diese Aufwendungen für die Leerläufe in der Produktion sowie für die

gebraucht wird. Leerlauf ist es aber auch, das Sozialprodukt über jenen Grenzpunkt hinaus zu steigern, wo durch eine vermehrte Produktion mehr Schaden als Nutzen entsteht, oder wo, um den Schaden konstant zu halten, schließlich ein so großer Teil der zusätzlichen Produktion für die Folgekosten abgezweigt werden muß, daß nichts mehr für den Konsum übrig bleibt, der Nettonutzen also null oder sogar negativer wird.«

[4] Vgl. *R. Kümmel*, Wissenschaftlicher Fortschritt und Verantwortung für die Zukunft, in: Stimmen der Zeit 200 (1982) 827–838, hier 835.

Beseitigung von Umweltschäden aller Art als Leistungen in das Bruttosozialprodukt (BSP) eingehen, obwohl sie nichts Nützliches, sondern Nutzloses oder gar Schädliches hervorbringen, das zudem neue Gegenmaßnahmen erforderlich macht. Da solche Aufwendungen nicht, wie es sachlich indiziert wäre, vom BSP abgezogen, sondern ihm zugeschlagen werden, entsteht der Eindruck, daß jedes Anwachsen des BSP auch ein Anwachsen des Wohlstands bedeutet.[5]

c) Drastische Zunahme der Arbeitslosigkeit

Ein drittes Signal für die »Wohlstandsfalle«, in die unser Wirtschaftssystem nach Meinung seiner Kritiker sich hineinmanövriert hat, sieht man in der erschreckenden Zunahme der Massenarbeitslosigkeit. In der EG sind z. Z. achteinhalb Millionen Menschen arbeitslos; das sind 8 % der Erwerbstätigen. Die Ursachen werden in den tiefgreifenden Wandlungen der wirtschaftlichen, technischen, sozialen und politischen Gegebenheiten gesehen. Die Tatsache einer drastischen Zunahme der Arbeitslosigkeit ist nicht zu bestreiten, doch müssen hier, wie auch zu den beiden vorher genannten Aspekten, einige differenzierende Bemerkungen gemacht werden.

2. Bewertung

Situationsanalysen gehören nicht in die authentische Kompetenz der Ethik. Wohl aber steht es ihr zu, solche Analysen nach möglichen ideologisch bedingten Einseitigkeiten oder Verzerrungen zu überprüfen. Eine Reihe von Vertretern alternativer Wirtschaftsweisen geht davon aus, daß der Zusammenbruch der industriellen Wirtschaft mit Sicherheit prognostiziert werden kann. Nun sind Zusammenbruchstheorien und daran aufgehängte utopische Zukunftserwartungen aus der Geschichte wenigstens insoweit vertraut, so daß man ihnen von vorneherein mit der gehörigen Skepsis begegnet.

Es gibt gewiß *Leerläufe in der industriellen Produktion*. Aber Leerläufe und Abfälle hat es auch bei vorindustriellen Produktionsweisen gegeben. Und niemand kann verlässige Auskunft darüber geben, ob die beklagte Auswucherung der Leerläufe nicht heutigen

---

[5] Der NAWU-Report 100–104: Sozialprodukt – der falsche Maßstab. Vgl. *J. Huber,* Die verlorene Unschuld der Ökologie 112: »Das BSP gibt nur Mengen an, keine Qualitäten. Das Geld, das mit Geburtshilfe, Geburtstagsfesten und Weihnachtsfeiern verdient wird, rechnet genauso dazu wie das Geld, das manche Leute mit Berufskrankheiten, Verkehrstoten und Bomben verdienen. (Das BSP gibt) in erster Linie Geldmengen an, und nur indirekt die Menge der wirklich erzeugten Produkte und der wirklich geleisteten Dienste, von ihrer Güte zu schweigen.« Vgl. auch *G. Keil,* Der sanfte Umschwung 305 f.

großtechnologischen Dimensionen in ähnlicher Weise angemessen bzw. unangemessen ist wie frühere Leerläufe der handwerklichen Arbeitsform. Leerläufe müssen freilich auf das unumgänglich Notwendige reduziert werden – vor allem im Blick auf die unweigerlich auferlegten ökologischen Begrenzungen.

Es gibt in der Tat *ökologische Grenzen*. Aber niemand kann mit Sicherheit nachweisen, daß wir ihnen in spätestens 50 oder 100 Jahren endgültig zum Opfer fallen, wenn wir keine radikale Kursänderung vornehmen. Jedenfalls sind Fachleute der Meinung, das Problem liege nicht im Vorhandensein, sondern in der rechten Verteilung und in der optimalen Nutzung der Ressourcen. Es werde in sicher nicht allzu ferner Zukunft bessere Methoden der Verarbeitung und der Wiederverwertung geben, es werde auch neue Materialien geben, sobald die zu erwartende Annäherung zwischen Industrie und Ökologie wirksam werde. Ende 1982 scheint den Amerikanern im physikalischen Versuch eine erste Kernfusion wenigstens partiell geglückt zu sein; viele versprechen sich von ihr, sobald sie technisch-ökonomisch realisiert werden kann, eine praktisch unbegrenzte, ökologisch und sicherheitstechnisch unbedenkliche Energiequelle. Andere beobachten bereits eine »merkwürdige Koalition zwischen der Ökologiebewegung mit ihren dezentralen Energieerzeugungsidealen einerseits und andererseits den multinationalen Konzernen, die dafür die nötigen Instrumente liefern«. Multinationale Konzerne, auch solche aus dem Ölgeschäft, haben schon auf Biomasse und Solarstrom zu setzen begonnen. Wird sich das Industriesystem von Kohle, Öl und Kernkraft als Energieträgern – Kohle und Öl werden als Rohstoffe in Gebrauch bleiben – schon deswegen verabschieden müssen, weil ihre Gestehungskosten insgesamt langfristig steigen? Gehört die Zukunft der Biomasse, der Solarenergie und dem Silicium? Darf man annehmen, »daß Kohle, Öl und Kernkraft im buchstäblichen oder übertragenen Sinne im Silicium-Zeitalter Stoffe vergangener Zeiten sind: Fossilien«?[6] Die bedrohliche Aussicht, bald an die Grenzen des Wachstums zu stoßen, evoziert ständig wissenschaftliche Fortschritte, die gestern noch für unüberwindbar gehaltene Grenzen allmählich zurückdrängen, wenn nicht aufheben. Jedenfalls vertritt Joseph Huber, gewiß kein

---

[6] *J. Huber,* Die verlorene Unschuld der Kernenergie 96–103, hier 96 f. Ob Huber heute noch zu seiner Auffassung über Kernfusion stehen würde, muß offenbleiben. A.a.O. 100 schreibt er: »Redlicherweise kann man ... über die Zukunft der Kernfusion heute nichts Zuverlässiges sagen. Vorläufig verbraucht Kernfusion immer noch mehr Energie, als sie hergibt, und ihre Umweltprobleme sind kaum geringer als die der Kernspaltung. Niemand rechnet auf absehbare Zeit mit ihrer industriellen Anwendbarkeit.«

Lobredner maximalen Produktionswachstums, die Auffassung, die Erde sei gar kein »geschlossenes System«, und man könne darum auch nicht vom »Raumschiff Erde« sprechen. Mensch und Umwelt seien in Wirklichkeit »entwicklungsfähige offene Systeme«, und es sei gerade die Bedrohung durch Grenzerfahrungen, die den Menschen herausfordere, durch wissenschaftliche Erfindungen, technologische Innovationen und soziale Reformen seine Möglichkeiten auszuweiten. »Es gibt Alternativen *in* der Industriegesellschaft, aber keine *zu* ihr.«[7]

Huber weist auch auf die alten und neuen Theorien über die »langen Wellen in der industriellen Entwicklung« hin.[8] Geschäftsleute und Politiker, vor allem Arbeitnehmer und Konsumenten, richten ihren Blick begreiflicherweise auf die kurzen Konjunkturzyklen von 5 bis 7 Jahren. Die langen Wellen, die man seit der industriellen Entwicklung, also seit 200 Jahren, nachweisen kann, dauern 40 bis 60 Jahre. Den großen Aufschwüngen folgen in aller Regel lange Abschwünge. »Dem Auf (der Prosperität) folgt ein Hoch (eine Stagnation auf dem erreichten Niveau), dann erst kommt das Ab (die Depression), was schließlich in ein Tief mit einer zögernden Stabilisierung mündet (einer Phase der Erholung).«[9] Doch kommt es bereits in der Phase des Abschwungs, wiederum in aller Regel, zu Basisinnovationen. Gegenwärtig befinden wir uns offenbar in einer langen Phase des Abschwungs. Aber der große technologische Innovationsschub ist bereits sichtbar: Mikroelektronik und neue Materialtechnologien, Gentechnologie und Biomasseverarbeitung, alternative Energietechniken sowie Umweltschutz mit Recycling und anderen Ökotechnologien werden die künftigen Schlüsselindustrien sein. In Gesprächen mit Wirtschaftsführern kann man sich die Bestätigung dafür holen, daß es sich hier nicht um Phantastereien handelt.

Aber wie steht es mit dem Problem der *Arbeitslosigkeit?* Hier gehen die Prognosen weit auseinander. Es spricht vieles dafür, daß künftighin sehr viel weniger Menschen als bisher in der Wirtschaft untergebracht werden können. Man nimmt an, daß der vor allem von der Mikroelektronik zu erwartende Innovationsschub einen sehr tiefen Einbruch in die Beschäftigungslage bringen wird, und spricht bereits von einer dritten industriellen Revolution nach der Einführung der Dampfmaschine (Ende des 18. Jahrhunderts) und

---

[7] A.a.O. 143.10.
[8] Vgl. a.a.O. 16–47.
[9] A.a.O. 41 (*J. Huber* nach *S. Kuznets*).

der des Elektromotors (Ende des 19. Jahrhunderts).[10] Nach der Untersuchung des »Stanford Research Institute« (Bericht auf dem Kongreß der amerikanischen Automobilindustriegewerkschaft UAW im März 1979) werden noch vor der Jahrtausendwende ca. 80 % der manuellen Arbeit automatisiert sein; auf den Bürostellen werde es kaum anders aussehen. Es könnte dann ausreichend sein, wenn jeder im Durchschnitt noch einige Stunden am Tag oder einige Tage in der Woche arbeitet.[11] Andere hingegen sind sicher, daß der technische Fortschritt auf die Dauer mehr Arbeitsplätze schafft als er beseitigt. Die neuen Maschinen müssen ja gebaut und die neuen technologischen Verfahren müssen bewerkstelligt werden, und außerdem führt der Produktionsüberschuß zu neuen Investitionen, die wiederum neue Arbeitsplätze schaffen.[12] So gut wie alle Prognostiker sind der Meinung, daß die Medienindustrie bis in zwei Jahrzehnten die Automobilindustrie als bisher bedeutendste Wachstumsbranche eingeholt haben wird. Das Schweizer Forschungsinstitut »Prognos AG« in Basel – alles andere als optimistisch – entwirft in einer kürzlich vorgestellten Studie ein interessantes Bild: Zunächst wird die Arbeitslosigkeit zunehmen, sich vielleicht verdoppeln oder gar verdreifachen. 1995 werden es möglicherweise 25–30 % Arbeitslose sein. Aber die Wirtschaft wird weiter wachsen. Die eigentlichen Motoren werden die neuen Technologien und Produkte sein. Die Möglichkeiten der Mikroelektronik für den Markt sind erst zu 5 % ausgeschöpft. Nach einer Phase hoher Arbeitslosigkeit wird es immer mehr Arbeitsplätze, sogar Mangel an Arbeitskräften geben.[13] Eine Studie des US-Arbeitsministeriums sieht neue Möglichkeiten vor allem im Ausbau der Solarenergie; hier könnten bis um die Jahrtausendwende 3–4 Millionen neue Arbeitsplätze entstehen. Die durch die EDV entstehenden Arbeitsverluste könnten durch den Umweltschutz ausgeglichen werden, in dem bis heute zwanzigmal mehr Arbeitsplätze geschaffen als vernichtet worden sind.[14] – Solche Aussichten sprechen, allerdings nur auf lange Sicht, gegen eine Dramatisierung des massiven

---

[10] Solidargemeinschaft von Arbeitenden und Arbeitslosen – Sozialethische Probleme der Arbeitslosigkeit. Eine Studie der Kammer der Evangelischen Kirche in Deutschland für soziale Ordnung, Gütersloh 1982, 23 f.

[11] Vgl. *A. Gorz,* Die neuen wirtschaftlichen Gegebenheiten der Beschäftigung und der Arbeitslosigkeit, in: Concilium 18 (1982) 705–710, hier 708 f.

[12] Vgl. *H. Puel,* Die neuen technischen Arbeitsbedingungen und die Beschäftigungsprobleme, in: Concilium 18 (1982) 699–705, hier 702. Das hier zitierte Sonderheft des Concilium steht unter dem Thema »Arbeitslosigkeit und Recht auf Arbeit«.

[13] Vgl. den Bericht in der *Südwestpresse* vom 11. 11. 1982 »Der Abschied vom Wachstumsglauben«, und *J. Huber,* Die verlorene Unschuld der Ökologie 120.

[14] Vgl. *J. Huber,* a.a.O. 120.

Anwachsens der Arbeitslosigkeit. Gewiß, solange diese Aussichten nicht verifiziert sind, werden sie in der Argumentation der Vertreter alternativer Wirtschaftsmodelle bestritten werden. Doch scheint sich hinsichtlich der langfristig günstigen Gesamtprognose ein so starker Konsens abzuzeichnen, daß es nicht als unangemessen betrachtet werden kann, wenn die Stoßrichtung der im folgenden anzustellenden Überlegungen durch ihn bestimmt wird.

II. ALTERNATIVES WIRTSCHAFTEN

1. Klärung des Begriffs

»Marktgängige Edelsubstantive« (Th. W. Adorno) und »Prestigewörter« (E. Topitsch) schleichen sich um so leichter in die Umgangssprache ein, je weniger die von ihnen gemeinten Vorstellungen sich inhaltlich präzisieren lassen und je intensiver sie das menschliche Bedürfnis nach Glück, Geborgenheit und Friede anzusprechen vermögen. Das Wort »alternativ« gehört ebenso sicher in den Bereich dieser Formeln wie das Wort »Lebensqualität«. Es spricht in der Verbindung »alternatives Wirtschaften« oder »alternative Ökonomie« zwar von einem Gegenkonzept zum heutigen Wirtschaftssystem, aber es schweigt sich völlig darüber aus, ob dieses Gegenkonzept die Ablösung des bisherigen Systems oder eine Ergänzung zu ihm oder den Ausstieg aus ihm beinhaltet. Nun gibt es allerdings die klare Auskunft, »alternatives Wirtschaften« verstehe sich als »Gegenökonomie« zum formellen oder institutionalisierten Wirtschaften. Was ist damit gemeint? Im *formellen Bereich der Wirtschaft* gibt es institutionalisierte Arbeitsplätze, die von einzelnen Personen besetzt sind und auf denen diese gegen Bezahlung Güter produzieren oder Dienstleistungen erbringen. Man teilt den formellen Bereich zumeist in den primären Sektor (Land- und Forstwirtschaft), in den sekundären Sektor (verarbeitendes Gewerbe) und in den tertiären Sektor (Dienstleistungen). Ganz anders verhält es sich im *informellen Bereich der Wirtschaft*.[15] Auch hier

---

[15] Die von *J. Huber,* Die verlorene Unschuld der Ökologie 123, und *Ders.,* Wer soll das alles ändern 36, zusammengestellten Bezeichnungen aus den westlichen Sprachen (Schattenwirtschaft, shadow economy, économie cachée [hidden economy], économie clandestine [occulte, souterraine], double emploi u. a.) meinen nicht generell den informellen Bereich der Wirtschaft, sondern oft auch Tätigkeiten jenseits ihres formellen und informellen Bereichs – Tätigkeiten also, die von denen ausgeübt werden, die in keinem der beiden Bereiche aufgehoben sind, sondern in einer unbestimmten Grauzone der Armut leben und sich hier durchbringen müssen. Einheitlich ist jedenfalls der Gebrauch der angeführten Bezeichnungen nicht.

sind zwar Millionen von Menschen in vielen Millionen von Arbeitsstunden tätig. Doch es gibt hier keinen Arbeitsmarkt mit festen Arbeitsplätzen; hier wird – häufig oder gar in der Regel – nicht gegen Bezahlung gearbeitet. Vielmehr werden hier eigenproduzierte Güter und eigengeleistete Dienste entweder verschenkt oder ausgetauscht. Dies geschieht in zwei weiteren Sektoren der Wirtschaft. Zum vierten Sektor rechnet man die Unterbeschäftigten oder die »Erwerbstätigen in Marginalstellung«, deren Tätigkeit und Einkommen in Arbeitsmarktstatistiken und volkswirtschaftlichen Gesamtrechnungen sowenig erscheint wie in Steuerberichten (z. B. Gelegenheitsarbeiter, Putzfrauen, Babysitter, in engen nachbarschaftlichen Beziehungen tätige Handwerker). Den fünften Sektor schließlich bildet die Hausarbeit, die – obwohl sie vermutlich den größten Arbeitsbereich darstellt – volkswirtschaftlich genauso unsichtbar bleibt wie die Tätigkeit im vierten Sektor.[16] Die Tätigkeit in diesen beiden Sektoren ist im Unterschied zu der in den Sektoren der formellen Wirtschaft selbstgestaltet, selbstgeplant, selbstverwaltet, arbeits-, personal- und beziehungsintensiv, nicht aber energie-, rohstoff- und kapitalintensiv, und schließlich auf Selbst-, Familien- bzw. Gruppenversorgung gerichtet. Für die Wiedergesundung der Wirtschaft hängt viel davon ab, daß die Tätigkeiten des vierten und fünften Sektors, die in den letzten Jahrzehnten zunehmend aus dem Leben der Familien und sonstiger kleiner Gemeinschaften ausgelagert worden sind, wieder dahin zurückgebracht, neu anerkannt und verstärkt werden, weil nur so familien- und gruppenbezogene Selbst-Reliance begünstigt wird.

Die Hoffnung geht dahin, daß die Zunahme des informellen Bereichs der Wirtschaft mit seinen persönlich befriedigenden und auf Gemeinschaft ausgerichteten Tätigkeiten das vorherrschende industrielle Konzept von Arbeit in Richtung auf »eine nach-industrielle Arbeitsauffassung (als einer selbstbestimmten, gesellschaftlich nützlichen und befriedigenden Beschäftigung)« vorandrängt.[17]

Es geht bei den Vertretern so verstandenen Wirtschaftens in der Regel *nicht um ein gegenökonomisches Konzept in dem Sinn, daß die bisherige industrielle Arbeitswelt evolutionär oder revolutionär über-*

---

[16] Vgl. *W. A. Dyson,* Für eine andere Arbeits- und Einkommensorientierung, in: J. Huber (Hrsg.), Anders arbeiten – anders wirtschaften 57–65, hier 58–61. *J. Robertson,* Zusammenbruch oder Durchbruch. Politik und Wirtschaft in der nachindustriellen Revolution, in: J. Huber (Hrsg.), Anders arbeiten – anders wirtschaften 36–54, hier 42, spricht in ähnlicher Weise vom »Marginal- bzw. Gemeinschaftssektor und dem Hauswirtschaftssektor«, die zusammen den »informellen Teil der Wirtschaft« konstituieren. Zum folgenden vgl. *W. A. Dyson,* a.a.O. 60–65.

[17] *J. Robertson,* a.a.O. 44.

wunden wird. Man ist sich vielmehr durchaus im klaren, daß der informelle Bereich den formellen nie völlig in sich integrieren kann. »Alternatives Wirtschaften« versteht sich also als Wirtschaften im Horizont »dualen Wirtschaftens«. Wenn man von »Dual-Wirtschaft« spricht, unterscheidet man zwar die beiden Bereiche der formellen und informellen Wirtschaft, strebt aber weder die Aufhebung des einen im anderen an, noch wünscht man eine dualistische Aufspaltung der Gesellschaft. Man hält es vielmehr gerade für erstrebenswert, daß möglichst viele erwachsene Menschen sowohl im Bereich der Erwerbswirtschaft wie im Bereich sinnvoller Eigenarbeit tätig sind. André Gorz formuliert diese Position folgendermaßen: ». . . jeder wird beiden Bereichen zugehören und ständig von dem einen zum anderen hinüberwechseln, vom Bereich gesellschaftlich festgelegter, notwendiger Arbeit zum Bereich selbstbestimmter Betätigungen, frei von der Beherrschung durch die wirtschaftliche Rationalität. Dieser zweite Bereich (den ich in ›Adieux au Prolétariat‹ die ›Sphäre der Autonomie‹ genannt habe) wird sowohl die Betätigungen der Großfamilie als auch die der informellen Interessengemeinschaften in den Stadtvierteln und der Vereinigungen zu gegenseitiger Hilfe oder persönlichen Schöpfertums umfassen. Er wird ohne Handelszweck die freiwillige Eigenproduktion der Güter und Dienste übernehmen, die nicht Gegenstand einer gesellschaftlichen Programmierung sein können und besser bewerkstelligt werden, wenn die Menschen und die Basisgemeinschaften nach ihren Wünschen und ihrer Vorstellungskraft darüber entscheiden. Das setzt natürlich voraus, daß die angewandten Mittel gemeinschaftsfähig sind in dem Sinne, wie Ivan Illich dieses Wort (convivial) verstand, und ständig allen und jedem zugänglich bleiben. Das wird nur dann der Fall sein, wenn der Autonomiebereich Ziel der Gemeinschaft selbst in ihrer Gesamtheit wird.«[18]

Da und dort – vermutlich nicht sehr verbreitet – gibt es freilich die *utopische Vorstellung,* man könne das gegenwärtige Wirtschaftssystem als solches dadurch überwinden, daß der sog. informelle Bereich der Wirtschaft alle wirtschaftlichen Tätigkeiten in sich integriert und nach den in ihm geltenden Prinzipien gestaltet. Wo so gedacht wird, sieht man das Ideal in einer radikalen Alternativ-Ökonomie zur gegenwärtigen Wirtschaft. Die kleinen Alternativ-Projekte, wie z. B. Taxi-Kollektive, Landkommunen, Lebensmittelläden, Schafzüchter, Bäcker, Altwaren- oder Entrümpelungsprojek-

---

[18] *A. Gorz,* Die neuen wirtschaftlichen Gegebenheiten der Beschäftigung und der Arbeitslosigkeit, in: Concilium 18 (1982) 705–710, hier 710.

te, wertet man dann als möglichen »Einstieg in eine allgemeine ökonomische Systemveränderung nach dem Motto: Alles fängt mal klein an, und auch der längste Marsch beginnt mit einem kleinen Schritt«.[19] Doch dies ist ein Trugbild. Die meisten dieser Projekte vermögen sich nicht selbst zu finanzieren. Sie leben von staatlichen und kirchlichen Subventionen, von abgezweigten Privateinkommen, von Förderungsvereinen und Solidaritätsfeten. »Ohne Sympathisantenmarkt würde alles zusammenbrechen. Überhöhte Preise, schlampige Arbeit, nachlässig-herablassende Bedienung, Unpünktlichkeit und Unzuverlässigkeit sind zwar nicht die Regel, aber auch keine besondere Ausnahme, und nur möglich, weil die Sympathisanten es eben hinnehmen und zahlen... Die ›alternative Ökonomie‹ (ist) ein bloßes Phantom.«[20] Ihre Projekte leben davon, daß zugleich viele andere außerhalb der Projekte, also innerhalb des verachteten oder verhaßten Systems arbeiten und mit dem von ihnen Erwirtschafteten die Projekte persönlich oder auf dem Weg über öffentliche Subventionen unterstützen. Auf die kritische Würdigung solcher radikal alternativ gemeinter Projekte wird noch die Rede kommen; hier ist nur darauf hinzuweisen, daß es solche utopischen Vorstellungen gibt, daß sie aber dort, wo sie realisiert werden, bei genauerem Zusehen sich rasch als Trugbilder erweisen.

Im allgemeinen wird freilich die Formel von der »alternativen Wirtschaft« in einem weniger radikalen Sinn verwendet; man versteht sie im Kontext der Dual-Wirtschaft. Dies zeigt prägnant der Titel des von Joseph Huber herausgegebenen Sammelbandes »Anders arbeiten – anders wirtschaften. Dualwirtschaft: Nicht jede Arbeit muß ein Job sein.« Die wirtschafts- und sozialpolitische Tendenz geht nicht auf den Umsturz der Industriewirtschaft, sondern auf eine entschiedene Aufwertung, eine innere Festigung und eine quantitative Ausdehnung des informellen oder autonomen Bereichs dieser Wirtschaft. Die Überzeugung, daß es Alternativen nur *innerhalb* der Industriewirtschaft, nicht aber *zur* Industriewirtschaft

---

[19] *J. Huber,* Wer soll das alles ändern 44; zum Folgenden 44–46.55 f.
[20] A.a.O. 45 f.55: »Durch... Dilettantismus, Psychochaos, uneffektive Selbstausbeutung, extremen Konsumverzicht, Sozial-, Staats- und sonstige Subventionsabhängigkeit... tragen bislang die meisten Alternativprojekte ungewollt, aber gewiß zu einer sehr unguten Entwicklung bei, nämlich zur Ausdehnung des doppelten Arbeitsmarktes und einer Doppelwirtschaft überhaupt. Auf dem doppelten Arbeitsmarkt gibt es zum einen im formellen Sektor die regulären guten Jobs, mit arbeitsrechtlich und tariflich gesicherten Einkommen und Arbeitsbedingungen. Zum anderen aber, am unteren und äußeren Rand des Systems und im informellen Sektor gibt es die schlechten oder gar keine Jobs, um die sich dann ein neuer Stand von ›alternativen‹ Tagelöhnern und Almosenempfängern streitet.« – Es versteht sich von selbst, daß »Doppelwirtschaft« und »duale Wirtschaft« nicht miteinander identisch sind. Nach Abschluß des Manuskripts erschien *J. Huber,* Die zwei Gesichter der Arbeit. Ungenutzte Möglichkeiten der Dualwirtschaft, Frankfurt 1984.

gibt, scheint sich weithin durchgesetzt zu haben.[21] Da man auch immer weniger darauf vertrauen kann, daß die Zukunft in einer ökologisch angepaßten »Dienstwirtschaft« (Umschichtung vom primären und sekundären Sektor der formellen Wirtschaft in den tertiären Sektor der Dienstleistungen) liegt, setzt man die Hoffnung vor allem auf eine »besser balancierte Dualwirtschaft«. Die meisten Menschen sollen im institutionellen und im informellen Bereich der Wirtschaft zugleich tätig sein. So schaffen sie einen Ausgleich zwischen Erwerbs- und Eigenarbeit. Wer dem Traum eines dualwirtschaftlichen »Ökosozialismus« anhängt, sieht in seinen Visionen den Menschen auch an beiden sozialen Netzen konstruktiv beteiligt und in beiden wohl aufgehoben – »dem sozialstaatlichen Netz eines dezentralisierten Systems mit selbstverwalteten Betrieben und dem sozialen Netz der eigenen Lebensgemeinschaften«.[22] Man bräuchte dann nur noch darauf zu achten, daß die Dual-Wirtschaft nicht in eine »Doppel-Wirtschaft« zerfällt, in der es zur Spaltung zwischen den im System der Markt- oder Staatswirtschaft gesicherten Wohlhabenden und den verarmten Gelegenheitsarbeitern oder Arbeitslosen kommt. – Doch genug davon. In diesem Zusammenhang ging es nur um die Klärung des Begriffs »alternatives Wirtschaften«. Darstellung und Bewertung der möglichen Strategien bleiben einem späteren Abschnitt zugewiesen (Abschnitt IV).

2. Experimentierfelder

Die eben angedeuteten kritischen Aspekte sollen das Problem nicht herunterspielen. Es scheint, daß es für immer mehr Menschen nicht mehr selbstverständlich ist, nach Abschluß der Ausbildung möglichst rasch einen etablierten Arbeitsplatz zu suchen und für immer darauf sitzen zu bleiben. Diese Tendenz ist durch die Wirtschaftskrise der letzten Jahre gedämpft, aber nicht gestoppt worden. Viele widersetzen sich dem Trend in die industrielle Arbeitswelt und fragen sich, wieviel Geld sie zu einem sinnvollen, sie menschlich erfüllenden Leben eigentlich brauchen und wieviel von dem, was lebensnotwendig ist, sie selbst herstellen bzw. leisten können. Was hierzulande geschieht, mag nicht selten nach subkultureller Getto-Ökonomie aussehen: Man steigt zwar nicht gänzlich aus den allgemein anerkannten Beschäftigungsmustern aus, aber man steigt um und sucht seine Erfüllung in alternativen Projekten im

---

[21] Vgl. *J. Huber,* Die verlorene Unschuld der Ökologie 10; *Ders.,* Wer soll das alles ändern 44 f, 55 f.
[22] *J. Huber,* Wer soll das alles ändern 103.

Bereich der Landwirtschaft, des Produktions- und Reparaturhandwerks, der Medien sowie der Erziehungs- und Öffentlichkeitsarbeit oder anderer sozialberuflicher und Freizeitdienste und schließlich des politischen Organisations- und Koordinationsbereichs: »in Landkommunen, Kfz-, Fahrrad- und Elektrowerkstätten, in Bäckerei-, Tischlerei-, Schneiderei-, Photo-, Graphik-, Taxi-, Transport- und Entrümpelungskollektiven, in Kunsthandwerk und Secondhand-Shops, in biologischen Lebensmittel- und Spielzeugläden, in Druckereien, Vertrieben und Buchläden, selbstgemachten Zeitungen, freien Radiostationen, in Film- und Videogruppen, in Kinderläden und freien Schulen, in Kommunikations-, Bildungs- und Tagungsstätten, in naturheilkundlichen, medizinischen und therapeutischen Selbsthilfegruppen, in Kneipen, Cafés und Gaststätten, in Gemeindeentwicklungsprojekten, kleinen Netzen, Solidaritätsfonds und bankähnlichen Assoziationen.«[23]

Die einzelnen Projekte sind wirklich »bunt wie der Regenbogen«. Doch kann man die meisten von ihnen zwei Grundformen zuordnen. Da sind zunächst (keineswegs nur junge) Menschen, die sich mit Familien, Nachbarn oder Freunden *professionell* auf ein Projekt einlassen, die etwa einen Bauernhof oder eine Schäferei oder eine Druckerei übernehmen; das Projekt finanziert ihren Lebensunterhalt, so daß sie auf dieser Basis durchaus ein ihnen werthaft erscheinendes Leben gestalten können. Man spricht von ca. 300 Projekten, denen die jeweilige Trägergruppe sich mit ihrer ganzen Existenz verschrieben hat; sie sind formell registriert und befinden sich als solche auch nicht in völliger Isolation von der formellen Wirtschaft. Andere (keineswegs nur ältere) Menschen bleiben in ihren Betrieben und engagieren sich in ihrer Freizeit nur nebenbei in einem alternativen Bereich – etwa ein Lehrer, der nachmittags in einer Kunsthandwerkstatt arbeitet, oder Eltern-Kind-Gruppen, therapeutische Selbsthilfegruppen, Einkaufsgemeinschaften oder sog. »kleine Netze«, von denen noch ausführlich zu handeln ist. Die zuletzt genannten Gruppen, Gemeinschaften und »kleinen Netze« können als »Eigenarbeitsprojekte« so konstituiert sein, daß sie sich mit den von ihnen hergestellten Produkten oder den von ihnen durchgeführten Dienstleistungen finanziell selbst tragen. Insofern ihre Träger freilich die Mittel für ihren Lebensunterhalt aus der institutionellen Wirtschaft (dazu gehören auch BAFÖG und

[23] Vgl. – auch zum Folgenden – *J. Huber,* Bunt wie der Regenbogen. Selbstorganisierte Projekte und alternative Ökonomie in Deutschland, in: Ders. (Hrsg.), Anders arbeiten – anders wirtschaften 111–121, hier 111.

Sozialgeld, nicht nur Lohn oder Gehalt) beziehen, tritt ihre »*dual-wirtschaftliche*« Eingebundenheit offen zutage.

Wir haben es hier offensichtlich mit einer »Bewegung« zu tun. Daß sie ernst zu nehmen ist, zeigt sich daran, daß nach einem Bericht des »Stanford Research Institute« aus dem Jahre 1976 in den USA bereits 5 Millionen Menschen aus dem industriellen Wirtschaftssystem ausgestiegen sind und ihre materiellen Bedürfnisse auf einen einfachen Lebensstil reduziert haben. Hazel Henderson, Co-Direktorin des Princeton Center for Alternative Futures, berichtet, daß die dezentrale und informelle Gegenökonomie in Amerika eine »Hochphase« erlebt: 50 Millionen Amerikaner gehören einer Genossenschaft an, 32 Millionen pflanzen sich ihr eigenes Gemüse, 5 Millionen sind Mitglieder in Gesundheitsselbsthilfegruppen usw.[24] Man wird manche von ihnen, aber vielleicht nicht einmal sehr viele, als »Spinner« und Sektierer einstufen können. Unbestreitbar aber dokumentieren sich in dieser Bewegung in gleicher Weise die Krise des gegenwärtigen Wirtschaftssystems wie die Besinnung auf ein Grundmuster einfachen, aber richtigen und gesunden Lebens.

III. PRINZIPIEN ALTERNATIVEN WIRTSCHAFTENS

Angesichts der von ihnen als Auswirkungen des industriellen Wirtschaftssystems herausgestellten Befunde (Leerläufe in der Produktion, Vergeudung der Ressourcen und Umweltverschmutzung sowie Anwachsen der Massenarbeitslosigkeit) fühlen sich die Vertreter alternativer Ökonomie-Konzepte in ihrem Mißtrauen gegen die Selbstheilungskräfte des Markts bestätigt. Wie sollten sie den weiteren Gang der Dinge noch dem freien Spiel der Kräfte überlassen? Wie sollten sie noch auf eine »unsichtbare Hand« vertrauen, nachdem dieses mystifizierte automatische Koordinationsprinzip sich – so sehen sie es jedenfalls – als der bare Durchsetzungswille der wirtschaftlich Mächtigen enthüllt hat? Sie wollen sich lieber von der Maximierung der Produktion und des Konsums verabschieden und auf humane Arbeitsbedingungen und sinnerfüllte menschliche Beziehungen setzen: Im deutlichen Unterschied zur älteren Generation habe sich die Jugend bereits von einer materia-

---

[24] Das Ende der Raubbau-Wirtschaft. Übergang zu einer Gesellschaft erneuerbarer Ressourcen, in: J. Huber (Hrsg.), Anders arbeiten – anders wirtschaften 197–212, hier 197.

listischen Lebensorientierung abgewandt und sich neuen Werten verschworen; die »stille Revolution« sei schon im Gang.[25]

1. Prinzipien

Es sind im wesentlichen drei Prinzipien, die nunmehr das Wirtschaften bestimmen sollen: der Respekt vor der menschlichen Person, der Schutz der kleinen Gemeinschaften und die universale Verantwortung.[26] *Jeder einzelne Mensch,* der auf der Welt geboren wird, hat ein politisches und wirtschaftliches Recht darauf, in einem minimalen angemessenen Umfang an den Weltressourcen Anteil zu erhalten. Ohne solche Anteilschaft kann den Menschenrechten keine wirkliche und universale Geltung verschafft werden. Nur auf dieser Basis kann sich dann das eigentlich Humane entwickeln: Selbstbestimmung, Selbstverwirklichung, Persönlichkeitsentfaltung. – Das Humane kann sich konkret nur entfalten, wenn der Mensch in *kleinen Gemeinschaften* geborgen ist, die des öffentlichen Schutzes sicher sein, die wie in geistiger so auch in wirtschaftlicher Sicherheit und Ausgeglichenheit leben können und sich nicht nur als anonyme Anhängsel an gigantische Wirtschaftssysteme und als Spielbälle in den Händen multinationaler Konzerne fühlen müssen. Es ist Aufgabe der Planung, die Selbstversorgung der kleinen Gemeinschaften in der rechten Spannung zwischen Autarkie und Interdependanz zu sichern. – Schließlich müssen alle sich mehr als bisher ihrer *universalmenschlichen Verantwortung* bewußt werden. Ressourcen und Technologien dürfen nicht weiterhin von den reichen Ländern monopolisiert werden. Die Bereitschaft zu vernünftigem Teilen muß über große geographische Entfernungen

---

[25] Vgl. *R. Inglehart,* The silent revolution. Chancing values and political styles among western publics, Princeton 1977.

[26] Diese Prinzipien lassen sich durch die ganze alternative Literatur nachweisen. Besonders eindrucksvoll entwickelt sie *R. J. Barnet,* Die mageren Jahre. Zukunft ohne Überfluß, Berlin–Frankfurt–Wien 1982 (The Lean Years – Politics in the Age of Scarcity, New York 1980), bes. 330–337. A.a.O. 330: »Die Alternative besteht in der Erkenntnis, daß Frieden und Wohlergehen für Arm und Reich ein neues Planungssystem notwendig machen, das mit anderen Anreizen operiert und in einer Reihe von Überlebenswerten verwurzelt ist, die zu diesem Zeitalter besser passen als zum Zeitalter der kapitalisitischen Akkumulation, das wir unlängst durchlaufen haben. Eine unverzügliche, revolutionäre Veränderung der Weltordnung ist nicht zu erwarten, doch die schnelle Evolution einer Überlebensstrategie ist sowohl notwendig als auch möglich.« R. J. Barnet, während der Kennedy-Regierung im Außenministerium und später als Berater im Verteidigungsministerium tätig, ist einer der Direktoren des unabhängigen Forschungsinstituts für politische Fragen in Washington. Die folgende Darstellung schließt sich weithin an Barnets Thesen an, weil er im Unterschied zu den meisten alternativen Autoren sich um eine theoretische Grundlegung seiner Position bemüht und ein immenses Sachwissen vorzuweisen hat.

hinaus geweckt und verwirklicht werden. Es ist die Aufgabe der Politik, Einrichtungen zu schaffen, die das ermöglichen.

2. Mittel der Durchsetzung

Die genannten Prinzipien kommen nur zum Tragen, wenn dem einzelnen und den Gemeinschaften echte Mitbestimmung eingeräumt, soweit als möglich das Bewußtsein der »Treuhänderschaft« entwickelt und mit der demokratischen Kontrolle des Kapitals – vielfach ist auch von Kollektiveigentum und Kollektivproduktion die Rede – ernst gemacht wird. Die wirtschaftlichen Führungskräfte halten im allgemeinen wenig von *Partizipation und Mitbestimmung*.[27] Sie verkennen nach dem Ausweis der Erfahrung weithin, daß effektive Mitbestimmung und Teilhabe die unabdingbare Voraussetzung nicht nur für die Entfaltung menschlicher Würde überhaupt, sondern für wirtschaftliches und politisches Engagement sind. Nur wo die Entfremdung abgebaut wird, kommt Lust am Leben und an der verantwortlichen Gestaltung der Verhältnisse auf. – Von höchster Bedeutung, vor allem für die Erhaltung und Erneuerung der Ressourcen, ist *das Bewußtsein,* »*Treuhänder*« *zu sein.* Nur aus der Erfahrung der Zugehörigkeit zu einer kleinen Gemeinschaft und zugleich zur umfassenden Menschheitsfamilie kann sich eine Einstellung herausbilden, in der man nicht einfach nimmt, was man haben kann, sondern sich aus dem Gefühl des Dazugehörens die notwendigen Begrenzungen auferlegt, damit nicht Entwicklungsländer und nachfolgende Generationen dem Elend preisgegeben sind. – Dies alles bleibt freilich ohne konkreten Effekt, wenn *die demokratische Kontrolle des großen Kapitals* unterlassen wird. Das große Kapital befindet sich in den Händen der internationalen Konzerne und Banken und fließt den internationalen Transaktionen zu, wenn es nicht durch demokratische Kontrolle für Investitionsprioritäten (Solarenergie, Billigwohnungen u. a.) zur Verfügung gehalten wird.[28]

Diese Auffassung könnte reichlich belegt werden. Statt dessen nur einige Hinweise. Der Londoner Publizist James Robertson sieht die Sache so: Wie vor 200 Jahren die technischen und wirtschaftlichen Fähigkeiten zum Durchbruch kamen, so müssen nun die personalen und sozialen Kräfte des Menschen sich entfalten

---

[27] *R. J. Barnet,* Die mageren Jahre 333, weist auf Tendenzen hin, die auf eine Minimalisierung der demokratischen Wertvorstellungen hinauslaufen.

[28] *R. J. Barnet,* a.a.O. 332: »Das Selbstbedienungssystem privater Planung und öffentlicher Anarchie muß durch neue Mechanismen zur besseren Kontrolle der nationalen Kapitalressourcen ersetzt werden.«

und die Entwicklung in eine neue Richtung drängen, von der »Entwicklung der Dinge« zur »Entwicklung der Menschen«, »von wirtschaftlichem zu personalem Wachstum, ...von zunehmender Betonung von Rationalität... zu zunehmender Betonung der Intuition..., von zunehmender Abhängigkeit von großen Organisationen und professionellem Wissen zu zunehmender Self-Reliance, ...von zunehmender Macht- und Entscheidungszentralisierung zu größerer Dezentralisierung, von zunehmender Abhängigkeit von umweltverschmutzenden Technologien, die Ressourcen verschwenden und die sich die Menschen, die mit ihnen arbeiten, als tote Anhängsel einverleiben, zur zunehmenden Entwicklung von angepaßten Technologien, zu lokalen und erneuerbaren Ressourcen, vom industriellen Konzept der Arbeit (Arbeitsplätze, die von Arbeitgebern geschaffen und kontrolliert werden) zu einem nach-industriellen Konzept der Arbeit als einer selbstbestimmten, befriedigenden und gesellschaftlich nützlichen Beschäftigung«.[29] Die Frage ist nur,

[29] *J. Robertson,* Zusammenbruch oder Durchbruch. Politik und Wirtschaft der nach-industriellen Revolution, in: J. Huber (Hrsg.), Anders arbeiten – anders wirtschaften 36–54, hier 37 f. *O. Renn,* Die alternative Bewegung: Ursprünge, Quellen und Ziele 43–57, stellt in einer Tabelle verschiedene Charakteristika der konventionellen und alternativen Gesellschaft (nach Lovins, Clark und Jungk) zusammen und arbeitet selbst folgende »Kennzeichen« der neuen Utopie heraus: Die Ablösung der Großtechnik durch eine »sanfte Technik«; die Ablösung der hochdifferenzierten, arbeitsteiligen Wirtschaft durch eine auf Kooperation aufgebaute, durch kleine Austauschnetze verbundene und durch ein größeres Maß an Selbstversorgung gekennzeichnete ökonomische Struktur (alternative Ökonomie); die Ablösung bürokratischer und repräsentativer politischer Steuerungsprozesse durch direkte demokratische Einflußnahme der Betroffenen (Basisdemokratie); (und schließlich) die Ablösung der einseitigen Konsumorientierung des Menschen und der für die Industriegesellschaft typischen Arbeitsmonotonie durch die weitgehende Vereinigung der Rolle von Konsument und Produzent und durch die Entdifferenzierung des Berufslebens, um interessante handwerkliche und geistige Arbeitsabläufe zu schaffen. *Ch. Watrin,* Ökonomie der »Alternativen« – eine Alternative? 123 f, sieht die »Ansätze« zu einer alternativen Ökonomie nur rudimentär entwickelt und nennt als »Hauptelemente des Entwurfs ... die demokratische Selbstverwaltung, den Verzicht auf Privateigentum an Produktionsmitteln, die Nichtorientierung am Profit, die allseitige Kooperation, die Selbstentfaltung der einzelnen, die Einkommensgleichheit und den Einsatz für alle Formen ökologisch orientierten Lebens und Wirtschaftens.« *J. Huber,* Wer soll das alles ändern 91 f, zitiert mit der gehörigen Skepsis aus *A. Gartner – F. Riessmann,* Der aktive Konsument in der Dienstleistungsgesellschaft. Zur politischen Ökonomie des tertiären Sektors, Frankfurt 1978, 52–55, die für im System etablierte Alternative typische Auffassung: »Die ökologische Utopie basiert nicht auf Nullwachstum, sondern vielmehr auf einer Verschiebung des Wachstums vom traditionellen Industriesektor hin zum Bereich der personenbezogenen Dienstleistungen, dem Dienst am Menschen, womit ein fühlbarer Rückgang der Arbeitslosigkeit einhergehen dürfte. ... Es müssen neue Vorstellungen darüber entwickelt werden, wie eine gute Gesellschaft auszusehen hat – nicht-hierarchisch, partizipatorisch, dezentralisiert. Die Begriffe der Effizienz und Produktivität müssen neu definiert werden. Die Hauptthemen werden wahrscheinlich Umverteilung, Partizipation, Lebensqualität sein – und Dienstleistung könnte dabei zum Schlüsselbegriff werden.« – Bei der Darstellung der Prinzipien alternativen Wirtschaftens und der Mittel zu ihrer Durchsetzung ergibt sich also bei Befürwortern und Kritikern ein ziemlich geschlossenes Bild.

wie man das herkömmliche Monopol der Technokraten und der Geldwirtschaft im etablierten System bricht. Von einem Sturz dieses Systems kann man kaum träumen. Soll man aus dem System aussteigen und ihm den Rücken kehren? Soll man den Versuch machen, es in ein ökologisches System zurückzuverwandeln? Oder soll man inmitten der heutigen Industriegesellschaft einen Freiraum für produktive Eigenarbeit und Selbstversorgung, einen Freiraum also für informelles Wirtschaften erkämpfen?

3. Hinweise zur Bewertung

Im Umkreis des alternativen Wirtschaftsdenkens fehlt das blinde Vertrauen auf jene geheimnisvolle »unsichtbare Hand«, die alle freien Initiativen der zahlreichen Marktteilnehmer über die von diesen unmittelbar beabsichtigten Ziele zugleich auf das allgemeine Wohl hinlenken soll. Auch die christliche Ethik hat hier ihre Reserven. Gewiß gibt es eine ökonomische Rationalität, d. h. einen Komplex von Sachgesetzlichkeiten, durch die in einem gewissen Umfang eine automatische Koordination der Marktvorgänge erreicht wird. Der Liberalismus hat allerdings die Leistungsfähigkeit des Koordinationsprinzips in ähnlicher Weise überschätzt, wie der Kollektivismus es unterschätzt hat. Für die christliche Ethik ist die Wirtschaft kein Naturereignis, sondern ein sozialer Prozeß, der vom Menschen verantwortet werden muß. Auch in der neueren Wirtschaftsgeschichte hat sich immer wieder bestätigt, daß die Gerechtigkeit im Sinn des je erreichbaren Optimums an Gemeinwohl sich nicht automatisch aus den wirtschaftlichen Prozessen ergibt. Nicht alle Wirtschaftssubjekte treten unter den gleichen Bedingungen in den Wettbewerb ein. Deswegen besteht immer die Gefahr, daß der Wettbewerb die oft nicht durch eigene Arbeit, sondern durch Vererbung erworbenen Vorteile nicht ausgleicht, sondern verschärft und sich damit letztlich selbst pervertiert. So kam es, daß der Staat die Wirtschaft immer mehr in Pflicht genommen hat. Die Einfügung der Sozialstaatsklausel in das Grundgesetz der BRD wurde allgemein als Selbstverständlichkeit empfunden. In der Wirklichkeit haben die Mischformen des Markt- und Planungssystems sich am besten bewährt. Wie die Zuordnung von Freiheit und Planung jeweils zu gestalten ist, kann nur aufgrund genauer Kenntnis der Gegebenheiten in den verschiedenen Bereichen gefunden werden.[30]

---

[30] Die katholische Sozial- und Wirtschaftsethik bringt von ihrem Schöpfungsverständnis her im ganzen doch mehr Vertrauen auf die regulierende Kraft des Marktes auf als die evangelische Ethik, die auch in ihrem Wirtschaftsdenken stärker von neutestamentlichen

a) Nähe zur christlichen Sozial- und Wirtschaftsethik

Als Prinzipien alternativen Wirtschaftens wurden vor allem Respektierung der Person, Schutz der kleinen Gemeinschaften und universalmenschliche Verantwortung, als Mittel ihrer Durchsetzung Partizipation, Bewußtsein der Treuhänderschaft und demokratische Kontrolle des Kapitals ausgewiesen. Ein solches Konzept liegt nahe bei den Vorstellungen christlicher Ethik. Auch für sie ist der Mensch der heutigen Industriewirtschaft allzusehr im technologischen Bereich verhaftet. Es geht ihr vor allem um den Schutz des personalen Faktors; ihm kommt gegenüber anderen Wirtschaftsfaktoren, vor allem gegenüber dem Kapital, unbedingte Priorität zu. Weil die Vermittlung menschlicher Personalität mit der wirtschaftlichen Sachwelt sich in der Arbeit vollzieht, wird der personale Charakter der Arbeit mit Nachdruck hervorgehoben. Die christliche Ethik nennt als Grundwerte einer humanen Wirtschaftsordnung Menschenwürde (Personalität, Menschenrechte, Entwicklung, Eigenständigkeit, Grundbedürfnisse), Solidarität (Weltgemeinschaft, Hilfeleistung, Partizipation) und soziale Gerechtigkeit.[31] Es versteht sich von selbst, daß in kleinen Gruppen – in Familien, Wohngemeinschaften, Mietshausgruppen, Nachbarschaften – diese Prinzipien eher zum Tragen kommen sollen und können als in Lohnarbeitsverhältnissen der formellen Wirtschaft. Darüber gibt es keinen Dissens. Die Schwierigkeiten beginnen dort, wo die Prinzipien in ein konkretes sozial- und wirtschaftspolitisches Programm für eine ganze Gesellschaft umgesetzt werden müssen. Davon wird noch die Rede sein.

b) Korrektur im Hinblick auf den Entfremdungsprozess

Konsumorientierte Lebenshaltung und funktionalistisch-instrumentelles Verhältnis zum wirtschaftlichen Handeln führen zur

---

Motiven her geprägt und teilweise auch vom religiösen Sozialismus beeinflußt ist. So bekennt sich z. B. *A. Rich,* Sozialethische Kriterien und Maximen humaner Gesellschaftsgestaltung, in: Christliche Wirtschaftsethik vor neuen Aufgaben (Festgabe A. Rich), hrsg. von Th. Strohm, Zürich 1980, 17–37, hier 37, zu seiner Option, die »in Richtung auf einen Marktsozialismus zielt, d. h. auf eine Marktwirtschaft mit zunehmender freigemeinschaftlicher Eigentumsordnung«; dies ist verständlich, wenn man bedenkt, daß A. Rich schon in seiner Jugend mit dem religiösen Sozialismus vertraut wurde und später mit Leonhard Ragaz in persönliche Verbindung gekommen ist.

[31] Vgl. z. B. *H. Zwiefelhofer,* Der Beitrag der Soziallehren der Kirchen zum Aufbau einer neuen Wirtschaftsordnung, in: Handbuch der christlichen Ethik, hrsg. von A. Hertz, W. Korff, T. Rendtorff und H. Ringeling, Bd. 3, Freiburg–Basel–Wien 1982, 349–364. Vgl. auch: Solidargemeinschaft von Arbeitenden und Arbeitslosen. Eine Studie der Kammer der Evangelischen Kirche in Deutschland für soziale Ordnung, Gütersloh 1982 (Freiheit, Teilhabe, Solidarität, Gerechtigkeit, Lebensmöglichkeit), und *A. Rich,* Sozialethische Kriterien und Maximen humaner Gesellschaftsgestaltung, a.a.O.

Selbstentfremdung des Menschen. Der einzelne fühlt sich durch ein dichtes Netz von psychologischen Mechanismen sowie von technischen und sozialen Strukturen in den Wirtschaftsprozeß hinein preisgegeben: Hier kommt es nicht auf ihn selbst, sondern auf seine Funktion als Konsument und Leistungsträger an. Je radikaler und ausschließlicher dieses Denken sich in ihm durchsetzt, desto weniger empfindet er in der Regel diese Funktionalisierung als »eine von außen kommende Behinderung, weil er selbst schon in seiner Denkweise ganz von da her geformt ist (und weil) er geleitet und getragen wird von den kollektiven Meinungen, Stimmungen und Affekten«.[32] Die Wirtschaft steht nicht mehr im Kontext seiner gewachsenen sozialen Beziehungen. Seine Tätigkeit ist in einem Arbeitsplatz institutionalisiert und vermarktet. Wie die Tätigkeit aller anderen, so ist auch die seine spezialisiert und damit eingeengt; die entwickelten Technologien können ja nur noch von Experten angewandt werden. Schließlich verselbständigen sich die Produkte gegenüber dem Menschen, der sie hergestellt hat; sie werden monetär abgegolten und als Ware bzw. als Dienstleistung verkauft.[33]

Natürlich gibt es in dieser unserer Welt überhaupt keine Wirtschaft ohne Entfremdungseffekte. Und Freiheit verwirklicht sich großenteils in der disziplinierten Übernahme von Zwängen. Doch haben sich die Zwänge in unserem Wirtschaftssystem für viele einzelne so verdichtet, daß Arbeit von ihnen kaum oder gar nicht mehr als personaler und sozialer Vollzug verstanden wird. Die Grundwerte des Humanen, wie sie von den Vertretern einer alternativen Ökonomie wieder in Erinnerung gerufen werden, erscheinen von hier aus ohne Frage als wirksames Korrektiv im Rahmen dieses Entfremdungsprozesses.

c) Kritische Hinweise

Die Probleme halten sich in Grenzen, solange man sich mit der Deklamation von Prinzipien begnügt. Nun ist der Ernstfall des Ethischen ja die konkrete Verwirklichung. Darum soll die Kritik zurückgestellt werden, bis die wichtigsten Strategien alternativen Wirtschaftens vorgestellt sind. Hier sei nur auf einige Aspekte hingewiesen, die sich jetzt schon aufdrängen. Man kann zunächst fra-

[32] O. F. Bollnow, Maß und Vermessenheit des Menschen, Philosophische Aufsätze, Neue Folge, Göttingen 1962, 61 f.
[33] J. Huber, Anders arbeiten – anders wirtschaften, in: J. Huber (Hrsg.), Anders arbeiten – anders wirtschaften 18–20, arbeitet als wesentliche Kennzeichen des Systems heraus: Vermarktung, Institutionalisierung, Professionalisierung, Technisierung, Monetarisierung.

gen, ob der vielzitierte Wertwandel von materieller zu personaler und sozialer Grundorientierung (vor allem in der jungen Generation) sich wirklich vollzogen hat bzw. vollzieht. Davon war an anderer Stelle schon einmal die Rede. Joseph Huber, ein gewiß unverdächtiger Beobachter, bestreitet das entschieden. Die »Stille Revolution« Ronald Inglehar ts habe nicht stattgefunden. Da und dort sei gewiß jugendlicher Idealismus am Werk, da und dort auch die Freiheit der Wohlhabenden, sich die Hinwendung zu erhabenen Werten leisten zu können. Im allgemeinen aber habe sich die Konsumorientierung behauptet. Schlimm sei, daß die Utopien buchstäblich verkauft werden: »Gemeinschaft, Teilnahme, Beteiligung, Gleichberechtigung, Selbstbestimmung, Selbstverwirklichung, Persönlichkeitsentfaltung, Bewußtseinserweiterung, Empfindsamkeit, Körperausdruck oder was immer – diese Werte bilden das ideelle Gewebe, auf dem die Kolonisateure des informellen Sektors ihr Geschäft gründen. Psycho-Klientel und Freizeit-Kunden blasen ihren Wind in die Segel des warenintensiven Wachstums.«[34] In der Tat ist schwer zu sagen, ob im Gesamt der ökologischen Bewegung das Ethos stärker ist oder das Pathos. Die Zeit wird den Weizen von der Spreu sondern. Wer den Menschen nimmt, wie er ist, wundert sich auch nicht über den merkantilen Mißbrauch utopischer Neigungen. Auf jeden Fall aber wäre es falsch, das Kind mit dem Bad auszuschütten. Nach beiden Richtungen ist Nüchternheit nötig, um sich vor falschen Einschätzungen zu bewahren.

Die vorgestellten Prinzipien alternativen Wirtschaftens müssen sich im Bereich der Konkretisierung bewähren. Eine kleine alternative Gruppe mag für ihre Kollektivproduktion im Rahmen etwa eines landwirtschaftlichen Anwesens auf Wachstum verzichten und sich mit Bedarfsdeckung zufriedengeben. Sie kann auch dezentral und basisdemokratisch verfahren. Sobald man aber den Vorgang auf die Dimension auch nur einer Gemeinde projiziert, wird es mit dem Verzicht auf Wachstum, aber auch mit Dezentralisierung und Basisdemokratie erheblich schwieriger – falls nicht ähnlich stabile religiöse und ethische Grundlagen da sind wie bei einer klösterlichen oder sonstigen religiösen Gemeinschaft. Ortwin Renn bringt ein Beispiel für die Schwierigkeiten einer Basisdemokratie, in der ja alle gleiches Recht der Mitsprache und Mitwirkung haben: »Haben sich die alternativen Theoretiker eigentlich einmal überlegt, was geschehen soll, wenn sich in einer Gemeinde die Bürger aus freien Stücken mehrheitlich für den Bau eines Kernkraftwerkes ein-

---

[34] *J. Huber*, Die verlorene Unschuld der Ökologie 156.

setzen würden? Vielleicht sogar mit einer alternativen Begründung. Denn Kernkraftwerke benötigen nur ein Zwanzigstel des Stahls und ein Sechzigstel des Betons wie ein Sonnenkraftwerk gleicher Leistung. Es ist das unveränderliche Kennzeichen aller Ideologien, anzunehmen, die Bürger eines Landes würden nach ›ehrlicher‹ Information immer genau das freiwillig machen, was im Rahmen der Ideologie als gut und erstrebenswert etikettiert worden ist. Leider oder besser gesagt ›Gott sei Dank‹ hat die Geschichte gezeigt, daß die Menschen viel unberechenbarer, vielseitiger und kontroverser waren, als es die Ideologien je wahrhaben wollten.«[35] Dies kann also hier schon gesagt werden: Sobald im Zuge einer Konkretisierung von Prinzipien alternativen Wirtschaftens Vorstellungen wie Kollektiveigentum oder Kollektivproduktion oder Basisdemokratie ins Spiel kommen, kann zwar noch über eine Verwirklichung in kleinen Gemeinschaften mit einheitlicher weltanschaulicher Ausrichtung diskutiert werden. Als Prinzipien für industrielles Wirtschaften in einer Großgesellschaft stehen sie nicht zur Debatte. Sie sind keine realistische und überdies auch keine konsensfähige ordnungspolitische Alternative. Dies wird deutlicher werden, wenn sich die Überlegungen nunmehr den möglichen Strategien alternativen Wirtschaftens zuwenden.

IV. STRATEGIEN ALTERNATIVEN WIRTSCHAFTENS

Für künftiges Wirtschaften werden im wesentlichen drei Möglichkeiten diskutiert. Die einen plädieren für die Radikalisierung der industriellen Wirtschaft, für den Durchbruch in die totale Technologie. Andere sehen das Heil im Ausstieg aus der gegenwärtigen Industriewirtschaft oder in dem Versuch, sie in eine ökologische Wirtschaft zurückzuverwandeln. Eine dritte Gruppe will im Rahmen der, wie man hofft, sich künftig ökologisch moderater gebärdenden formellen Industriewirtschaft den in beachtlichen Ansätzen bereits gegebenen informellen Bereich durch den Ausbau zahlreicher professioneller bzw. dualer Projekte verstärken.

1. Der Durchbruch in die totale Technologie der superindustriellen Wirtschaft

Für die meisten Entscheidungsträger der Industriewirtschaft ist die Welt – dies entspricht ihren Erfahrungen und ihren Wertvor-

---

[35] *O. Renn*, Die alternative Bewegung: Ursprünge, Quellen und Ziele 55.

stellungen – nicht nur technisch machbar, sondern der menschlichen Gestaltungskraft im vollen Umfang verbindlich überantwortet. Auch die zugestandenermaßen beklemmenden Umweltschäden können nach ihrer Überzeugung durch weitere Fortschritte der Technik behoben werden. Es gibt nicht zu viel Technik, sondern immer noch zu wenig, und vor allem ist die bisher entwickelte eine noch sehr unvollkommene, weil nicht hinreichend ökologisch ausgerichtete Technik.[36] Die Geschichte scheint solche Zuversicht zu ermuntern. In den wirtschaftlichen Krisenperioden – etwa 1825, 1886 oder 1935 – treten in der Tat die meisten technologischen Innovationen auf.[37] Die Voraussetzung für einen künftigen Durchbruch in eine ökologisch angepaßte »superindustrielle Wirtschaft« ist freilich, daß Energie im Überfluß da sein wird. Viele Fachleute sind davon überzeugt, daß die schon weithin aufgebrauchten fossilen Brennstoffe durch Kernenergie (Brüter- und Fusionstechnologie) sowie durch Sonnenenergie ersetzt werden können und daß die dann im Überfluß vorhandene Energie auch ausreichen wird, um die meisten Rohstoffe auszutauschen. Dann kann der technische Durchbruch auf allen Gebieten erfolgen. Man wird bald keine Schwierigkeit mehr haben, 15 oder 20 Milliarden Menschen zu ernähren. »In dieser Periode wird die Oberfläche unserer Erde komplett umgestaltet: von der Biosphäre der vorindustriellen Zeit, wo der Mensch sich als Teil der Natur betrachtete, zu der Technosphäre des postindustriellen Zeitalters, wo die künstlich geschaffene Welt des Menschen alle anderen Lebewesen dominiert.«[38] Kahn sieht für seine Zukunftsvision keine Probleme: Das quantitative Wachstum wird ins Qualitative umschlagen, und dann wird ein Zeitalter der Freiheit mit einer kreativen Gesellschaft und einem aristokratischen Lebensstil anbrechen.

Zweifel sind erlaubt. Wird es die totale ökologisch rücksichtsvolle expansionistische Industrie geben, von der die H. Kahn, D. Bell,

[36] Vgl. *G. Ropohl*, Die unvollkommene Technik, Wiesbaden 1980; *J. Huber*, Die verlorene Unschuld der Ökologie 114–118, vertritt (mit detaillierten Angaben) die Auffassung, daß der technologische Durchbruch auch finanzierbar ist.

[37] Vgl. *G. Mensch*, Das technologische Patt. Innovationen überwinden die Depressionen, Frankfurt 1975. Vgl. Der NAWU-Report 46–52, wo auf Modelle verwiesen ist, die aus dieser Denkweise entstammen, z. B. *R. C. Ridker* (Hrsg.), Population, Resources and the Environment, U. S. Government Printing Office 1972 (Diese Untersuchung einer regierungsamtlichen US-Kommission ist auf die nächsten 30–50 Jahre beschränkt.); *W. Leontief*, Die Zukunft der Weltwirtschaft. Bericht der Vereinten Nationen, Stuttgart 1977; *A. M. Weinberg – H. E. Goeller*, The age of Substitutability, or What We Do when the Mercury Runs out. Fifth International Symposium: A Strategy for Resources, Eindhoven 1975.

[38] Der NAWU-Report 50 f. Für dessen Autoren steht solcher Optimismus allerdings »auf schwankendem Boden«; vgl. dagegen *H. Kahn*, Vor uns die guten Jahre, Wien 1977.

J. Maddox u. a. träumen? Viele denken mit Grauen an eine solche Möglichkeit, andere sprechen von größenwahnsinniger Phantasterei. Aber man täusche sich nicht: Auch die härteste Superindustrialisierung will überleben. Sie kann es nur, wenn sie ihre Interessen nicht in selbstzerstörerischer Weise verfolgt. Die sog. totale Technologie hat nur eine Chance auf Zukunft, wenn sie sich ökologisch anpaßt, d. h. wenn ihre »Rationalität« sich nicht in instrumenteller Vernunft verhärtet, sondern das Ganze des menschlichen Lebens mit seiner umfassenden ökologischen Einbettung umgreift, wenn also Ökonomie und Ökologie in ein kompatibles Verhältnis kommen. Sonst rächt sich die Natur. Wilhelm Korff bemerkt zu Recht, »daß sich auf die Dauer kein Fortschritt auszahlt, der nicht zugleich von der Natur mitgetragen wird«.[39]

Es geht aber nicht um absolute Unterordnung der Ökonomie unter die Ökologie. Die Industrie kann durchaus in die Naturstoffe einbrechen, sie erschließen und nach eigenen Vorstellungen neu rekonstruieren. Der technologische Durchbruch realisiert sich durch die Ausweitung der bisher genutzten Räume genauso wie durch

---

[39] Wachstum oder Konsumaskese? – Aus der Sicht der Sozialanthropologie 1977: »Die Forderung nach der ökologischen Normierung technischen Handelns ist, von daher gesehen, keineswegs eine dem technischen Handeln äußerliche, der es sich kraft seiner Eigengesetzlichkeit entziehen kann. Sie erscheint vielmehr in ihm selbst, sofern es in der Hinordnung auf humane Ziele steht. Erst damit erscheint dann auch zugleich der Vorstellung jener der Boden entzogen, die Wesen und Anspruch einer ökologiebewußten Ethik aus einem prinzipiellen Gegensatz zur Technik begreifen zu müssen meinen ...« Vgl. auch *J. Huber,* Die verlorene Unschuld der Ökologie 109: »Was stattfindet, ist die Technisierung und Monetarisierung von ökologischen Zusammenhängen. Unter dieser Voraussetzung erzwingt die technische Störung des natürlichen Ökologiegleichgewichts eine technische Herstellung eines künstlichen Ökologiegleichgewichts, und dies reicht letztlich bis zur Manipulation der Wasserkreisläufe und des Erdklimas.« *J. Huber,* a.a.O. 13, bringt ein Beispiel für die neue »Allianz von Industrie und Ökologie«: »Die Firma Tokyo Kogyo will den Saudis aufblasbare Kunsthügel verkaufen, zehn Kilometer lang und sechshundert Meter hoch. Die halten die Wolken auf, so daß sie abregnen. Vielleicht, nach dem mißglückten Assuan-Staudamm, wird die Wüste doch noch einmal grün. Die Japaner brauchen noch eine Weile Öl, und die Saudis brauchen Regen und hätten das Geld, ihn zu bezahlen. Sollte dieses Projekt jemals verwirklicht werden, ist es gewiß ein ökologisches Projekt ersten Ranges *und* ein großindustrielles Projekt ersten Ranges.« Ein anderes Beispiel aus *R. Kümmel,* Wissenschaftlicher Fortschritt und Verantwortung für die Zukunft, in: Stimmen der Zeit 200 (1982) 827–838, hier 838: »Es scheint technisch möglich zu sein, viele 10 000 Megawatt starke Satelliten-Sonnenkraftwerke auf geostationärer Umlaufbahn zu errichten, die Sonnenenergie über Mikrowellen und Empfangsantennen auf der Erde als Elektrizität in das terrestrische Energieversorgungsnetz einzuspeisen. Ökonomisch geht die Rechnung auf, wenn die Industrialisierung des erdnahen Raums entsprechend den an der Princeton University und dem Massachusetts Institute of Technology ausgearbeiteten Plänen unter fast ausschließlicher Nutzung von Solarenergie und lunarer sowie asteroidaler Materialressourcen erfolgt. Der Schritt von der Erdoberfläche auf niedrige Erdumlaufbahn würde mittels der wiederverwendbaren Raumfähre erfolgen. Im Raum könnte sich dann eine schnell expandierende Zivilisation entfalten.« Vgl. auch *J. Huber,* a.a.O. 75.

»intelligentere neue Technologien« (J. Huber). Wenn die Industrie
mit erneuerbaren und praktisch unerschöpflichen Ressourcen (Mi-
nerale, Wasserstoff, Sonnenlicht, Biomasse) zu arbeiten beginnt,
dann bedeutet das »die technische Synthese von Industrie und
Ökologie ... Was wir in ersten ahnungsvollen Anfängen erleben,
ist nichts weniger als eine Ökologisierung und Psychologisierung
der Technik – und eine Technisierung der Psyche, der Bio- und
Öko-Sphäre.«[40] Der Durchbruch in die totale Technologie wäre also in dem Sinn zu verstehen, daß sowohl die ökologischen Notwendigkeiten respektiert als auch die ökologischen Möglichkeiten voll
ausgeschöpft werden. »Die Industrie paßt sich ökologisch an, und
die Ökologie verliert ihre industrielle Unschuld. Wenn die Ökologie eine Zukunft hat, dann nur in industrieller Form.«[41]

Damit erscheint der Durchbruch in die totale Technologie durchaus auch schon als eine realistische Alternative zum heutigen industriellen Wirtschaftssystem – für viele, vor allem für viele engagierte
Vertreter von Wissenschaft, Technik und Wirtschaft vielleicht die
einzig sinnvolle Alternative zur gegenwärtigen ökologisch noch
nicht angepaßten Ökonomie. In der Tat kann sie durch andere
»realistische Alternativen«, von denen (unter 3) die Rede sein wird,
nicht ersetzt oder abgelöst werden. Sie bleibt, wie Land- und Forstwirtschaft und Dienstleistungssektor, eine tragende Säule im Rahmen des formellen Bereichs dualer Wirtschaft. Bei den noch vorzu-
stellenden »realistischen Alternativen« handelt es sich weithin um
Innovationen im informellen Bereich der dualen Wirtschaft.

Aus zwei Gründen jedoch kann der Durchbruch in die totale
Technologie einer superindustriellen Wirtschaft nicht einfachhin
als »realistische« Alternative gelten. Zum einen sind die Voraussetzungen dafür vorläufig keineswegs gegeben; es wird noch lange
dauern, bis wir Energie im Überfluß haben. Und zum anderen sind
die Konsequenzen eines Durchbruchs in eine superindustrielle
Wirtschaft bei den Vertretern dieses Modells noch nicht hinreichend bewußt und reflektiert. Die Arbeitszeit wird sich verkürzen.
Was geschieht in dem Freiraum, in den ein Großteil der Menschen
entlassen wird? Die unter 3 einzuführenden Modelle versuchen
darauf eine Antwort zu geben, ohne an der bleibenden sozio-öko-

[40] *J. Huber,* Die verlorene Unschuld der Ökologie 163. Er fügt hinzu: »Wem die kalte
Schönheit dieser Aussichten die Sprache verschlägt, mag daran denken, daß auch unsere
heutige Zivilisation einem Buschmann nicht gerade das Herz erwärmt – und daß auch
der Busch kein Paradies war.«
[41] *J. Huber,* a.a.O. 12; vgl. auch die interessanten Hinweise bei *A. Glück,* Anpassen statt
Aussteigen, vor allem 61–76: »Wirtschaften wie die Natur.«

nomischen Bedeutung der industriellen Wirtschaft zu rütteln. Weil sie beides bedenken, die noch fehlenden Voraussetzungen und die zu erwartenden Folgen einer superindustriellen Wirtschaft, erscheinen sie in Wahrheit als »realistische Alternativen« zum gegenwärtigen Wirtschaftssystem.

2. Radikale Alternativen

a) Der Ausstieg aus dem gegenwärtigen Wirtschaftssystem
Zwischen den verschiedenen Strömungen bzw. Gruppen der Alternativen läßt sich keine klare Abgrenzung vornehmen. Unter den Zehntausenden von Menschen, die in alternativen Projekten zusammengefaßt sind, gibt es jedenfalls mehrere Tausende, die keine gesellschaftliche Nützlichkeit im Schilde führen, sondern in radikaler Introvertiertheit den Ausstand proben. Die einen sind mit der Welt und sich selbst verfallen, die anderen wollen bewußt zunächst einmal selbst überleben und dann vielleicht doch aus der Emigration heraus den Umsturz versuchen. Wo utopisches und moralisches Pathos zu einem radikalen Impuls verschmelzen, drängt man sicherlich zumindest mittel- oder langfristig auf die radikale Veränderung jener Strukturen, deren zunehmender Verhärtung man den offenen Ausbruch der ökologischen Krise anlastet: Es müssen nicht nur die grundlegenden Wertmaßstäbe unserer Gesellschaft geändert, vielmehr müssen in einer totalen Neuorientierung unser sozio-ökonomisches System und unsere gesamte Großtechnologie abgebrochen werden. Der Ausstieg aus dem System ist nur der erste Schritt der Mobilmachung.[42] Vor allem Theodore Roszak plädiert für eine Zerschlagung unserer Industrie- und Konsumgesellschaft. Nur wenn in einer resoluten Machtergreifung der Phantasie die entfremdete Gesellschaft aus der Geschichte ausgemerzt wird, kann eine neue – genauer gesagt – die ursprüngliche gute Welt wiederhergestellt werden. Klaus Scholder sieht in Roszaks Modell eine »typische Zusammenfassung der vielgestaltigen neuromantischen Opposition gegen die moderne Welt« und geht mit der »elitären Gedankenlosigkeit« Th. Roszaks scharf ins Gericht. Man wird nicht umhin können, dieser Kritik zuzustimmen. Natürlich kann man mit ein paar Menschen, die sich gegenseitig zugetan sind, zusammenleben und in gemeinsamer Bemühung für jeden Tag ein

---

[42] Vgl. *Th. Roszak*, Gegenkultur. Gedanken über die technologische Gesellschaft und die Opposition der Jugend, München 1971 (The Making of a Counter Culture). Vgl. auch *I. Illich*, Selbstbegrenzung. Eine politische Kritik der Technik, Reinbek 1975 (Tools for Conviviality); *Ders.*, The right to useful unemployment, London 1978.

paar Mahlzeiten zusammenbringen. Aber solche Kommunen leben selbst noch, wenn sie in der Stadt wohnen, von den technischen Vorgaben der Fachleute und der Institutionen, mit deren Hilfe sie Wasser und Strom erhalten, Straßen für ihre Autos oder Fahrräder zur Verfügung haben, ihre Abfälle beseitigen können usw. »Zieht die Kommune in ein klimatisch günstiges Gebiet, wo sie in der Weise der von Roszak gepriesenen neolithischen Dorfdemokratie lebt, so brauchen es ihr nur 10 000 weitere Kommunen nachzutun, um in der glücklichen Einsamkeit alle Probleme entstehen zu lassen, die eine moderne Großstadt auch hat, und die sie durch die Experten mehr schlecht als recht zu lösen versucht.«[43] Eine detaillierte Kritik ist hier nicht nötig und nicht möglich. Es ist klargeworden und wird im folgenden noch klarer werden, daß weder die eskapistische noch die revolutionäre Lösung des Problems in eine humanere Zukunft führen kann. Es müssen schon Wege gefunden werden, auf denen soziale Verantwortung in einer realistischen Weise wahrgenommen wird.

b) Rückverwandlung des technologischen in ein ökologisches Wirtschaftssystem

Gibt es eine Rückkehr aus der industriellen in eine ökologische Wirtschaft? Oberstes Gebot wäre hier die unbedingte Respektierung der ökologischen Kreisläufe. Es bedürfte keines Umweltschutzes, weil die natürlichen Ressourcen nicht über das Maß ihrer normalen Regenerierbarkeit hinaus in Anspruch genommen würden. Auch eine solche Option zielt auf radikale Systemveränderung. Es geht ihr nicht um eine Alternative innerhalb der Industriewirtschaft, sondern zu ihr. Industrie kann in diesem Modell nur insoweit zugelassen werden, als sie sich radikal in die vorgegebenen naturalen Ökokreisläufe einordnet und sich ganz von ihnen bestimmen läßt. Die futuristische Metapher vom »Raumschiff Erde« läßt sich in dieser Sicht nur so verstehen, daß Nullwachstum das absolute ökologische Prinzip jeder Industrie wird.[44]

[43] *K. Scholder,* Grenzen der Zukunft 103. Vgl. a.a.O. 127, Anm. 222. Vgl. auch die differenzierte Kritik *J. Hubers,* Wer soll das alles ändern 44–67, auf die hier nicht eingegangen werden kann. A.a.O. 55 wird dem »Parasiten«-Argument wenigstens ein Körnchen Wahrheit zugesprochen: »Die alternative ›Experimentierfreudigkeit‹ und Leistungsverweigerung, wie sie allerdings nur für *einige* gilt, ist nur möglich, weil zugleich andere *im* System dem dortigen Leistungsprinzip unterworfen sind und das von ihnen Erwirtschaftete via Sozialstaat oder persönlich und direkt umverteilen. Die hochgradige Abhängigkeit der Bewegung von öffentlichen Mitteln ist jedenfalls nicht von der Hand zu weisen.« – Es ist zu vermuten, daß der letzte Hinweis mindestens teilweise auch die im folgenden anzusprechenden alternativen Modelle umgreift.
[44] *J. Huber,* Die verlorene Unschuld der Ökologie 204 f: »Die ökologische Anpassung ist

Dieses Modell alternativen Wirtschaftens impliziert ohne Zweifel eine drastische Senkung des Lebensstandards für den einzelnen und die Gesellschaft. Es bedeutete den Abbau des gegenwärtigen Industriesystems mit seiner Erwerbswirtschaft und die Rückkehr zur reinen Bedarfswirtschaft. Da hierfür keine unabdingbare Notwendigkeit besteht, kann mit einer Zustimmung zu solchen Vorstellungen in der Gesellschaft nicht gerechnet werden. Warum auch sollen, wenn es nicht sein muß, die Menschen wieder wie ehedem ihre Zeit und Kraft in der Auseinandersetzung mit der widerspenstigen oder gar feindseligen Natur investieren! Ein Rückschritt der Kultur, jedenfalls im heutigen Verständnis dieses Worts, wäre unvermeidlich.[45]

Der Mensch hat sich im Laufe der Jahrtausende einen künstlichen Lebensraum geschaffen, durch den er sich in einem gewissen Umfang aus seinen naturalen Begrenztheiten emanzipiert und für neue Entfaltungsmöglichkeiten freigesetzt hat. Ließe man die Natur unberührt, könnten auf einem Quadratkilometer zwei Menschen leben, nicht wie heute 250, die überdies weit mehr als nur ihre primitiven natürlichen Bedürfnisse erfüllen. Die Rückwärtswendung vom künstlichen in einen natürlichen Biotop führte mit Sicherheit in eine Sackgasse der Geschichte. Es würden nicht nur schwere Versorgungskrisen und neue Abhängigkeiten von der Umwelt entstehen, vielmehr müßte die soziale Sicherung des Menschen weithin abgebaut und das Wachstum der Menschheit radikal gestoppt werden.[46] Die Natur ist keine absolute Norm für die Legitimation menschlicher Bedürfnisse, heute schon gar nicht mehr. »Heute verlangt jeder Mensch täglich nicht nur sein Brot, das in seiner Einfachheit die Nahrung des Steinzeitmenschen symbolisiert, sondern auch seine Ration Eisen, Kupfer und Baumwolle, seine Ration Elektrizität, Erdöl und Radium, seine Ration Entdeckungen, Film und internationale Nachrichten. Ein einfaches Feld – und sei es noch so groß – genügt nicht mehr; der ganzen Erde bedarf es, um unsereinen zu ernähren.«[47] Das Rad der Geschichte zu-

gekennzeichnet durch die Konzepte des Nullwachstums, der Schrumpfung oder der mehr oder weniger dynamischen Kreislaufwirtschaft auf dem ›Raumschiff Erde‹. Dies ist die Position des rechten Ökoflügels. Er fordert eine Wiederherstellung alter Werte (wie Heimat, patriarchalische Familie, berufliche Standesehre), Konsumverzicht und Askese, verbunden mit einem Verweis auf Innerlichkeit und immaterielle Werte ...«

[45] Vgl. Der NAWU-Report 119–121.216–221: Die platonische Utopie einer stabilen Gesellschaft.

[46] Vgl. *O. Renn*, Die alternative Bewegung: Ursprünge, Quellen und Ziele 50 f.

[47] *P. Teilhard de Chardin*, Der Mensch im Kosmos, München 1959, 238; vgl. dazu *W. Korff*, Wachstum oder Konsumaskese? – Aus der Sicht der Sozialanthropologie 170 f; *Ders.*, Technik–Ökologie–Ethik 1.9–11.

rückdrehen – dies würde eine drastische Verengung der menschlichen Lebensmöglichkeiten bewirken. Die Differenzierung der Gesellschaft, die Ausweitung der beruflichen Möglichkeiten für die meisten Menschen, die Vervielfältigung der Gestaltungsmöglichkeiten hinsichtlich des ganzen Lebensstils sind weithin Auswirkungen technologischer Industrie und Ökonomie. In der vorindustriellen Zeit war für die meisten Menschen der Lebens- und Berufsweg durch die Geburt und die damit gegebenen Möglichkeiten und Grenzen festgelegt. Der Sohn des Bauern wurde Bauer oder gar Knecht, der Sohn des Leibeigenen blieb leibeigen. Durch Heirat, durch Eintritt in den geistlichen Stand oder in den militärischen Bereich eröffneten sich für einzelne gewisse Variations- und Karrieremöglichkeiten. Im großen und ganzen aber blieben Neigung und Eignung unberücksichtigt.[48] Nur in einer technologisch und ökonomisch expandierenden Gesellschaft wachsen dem einzelnen jene Freiheiten und Entfaltungsmöglichkeiten zu, an die wir uns gewöhnt haben. Nur hier bildet sich neben der Freiheit nicht nur eine potentielle, sondern jene wirkliche Ebenbürtigkeit und Gleichheit, die schließlich auch die Voraussetzung für die Übernahme politischer Verantwortung und damit für eine pluralistische Demokratie darstellen, »wohingegen eine stationäre Gesellschaft in Ständen oder Kasten erstarren muß, die soziale Mobilität verhindern und die kreative Entfaltung des einzelnen einschränkend kontrollieren«.[49]

3. Realistische Alternativen

Außerhalb der arbeitsteiligen Industriegesellschaft und gegen sie – dies ist zusehends deutlicher geworden – gibt es keine realistischen alternativen Wirtschaftsmodelle. Es kann solche nur innerhalb der Industriewirtschaft geben, und es gibt sie in großer Zahl. Der kleinere Teil der alternativen Projekte (ca. 20 %) ist in den Bereichen Landwirtschaft, Produktions- und Reparaturtechnik sowie Transport, Verkehr und Handel angesiedelt, der viel umfänglichere (ca. 80 %) in den Bereichen Medien, Erziehungs- und Öffentlichkeitsarbeit, berufliche und Freizeitdienste und schließlich politische Arbeit sowie Organisation und Koordination. Die Projekte lassen sich in professionelle und duale gliedern.[50]

---

[48] *O. Renn*, Die alternative Bewegung: Ursprünge, Quellen und Ziele 55 f; auch zum Folgenden.
[49] *R. Kümmel*, Wissenschaftlicher Fortschritt und Verantwortung für die Zukunft, in: Stimmen der Zeit 200 (1982) 837.
[50] *J. Huber*, Wer soll das alles ändern 41 (professionelle Projekte). 42–44 (duale Projekte).

a) Professionelle Projekte

Kollektive von Ärzten oder Rechtsanwälten, von Handwerkern oder Lehrern, von Psychologen oder Publizisten u. a. m. betreiben im informellen Bereich der Wirtschaft Projekte im gesundheitlichen, im psychologischen, im politischen, im kulturellen oder im wirtschaftlichen Bereich. Diese Projekte stehen hier zunächst insoweit zur Rede, als sie professionell betrieben werden, d. h. als die Beteiligten aus ihrer Tätigkeit ihre materiellen Existenzgrundlagen gewinnen bzw. zu gewinnen suchen. Zumeist sind sie als oHG, als GmbH, als Genossenschaft oder als e. V. konstituiert, haben eine mehr oder weniger ausgebaute Rechtsform und bezahlen Steuern und Sozialabgaben, insofern ihre Tätigkeit Gewinn abwirft. In der Regel ist diese Tätigkeit bezahlte Tätigkeit. Sie dient aber nicht eigentlich dem individuellen Eigenbedarf, sondern dem des Kollektivs und macht sich für bestimmte Zielgruppen »gesellschaftlich nützlich« bzw. sucht auf dem Markt die Abnahme ihrer Produkte zu erreichen.

Der Berliner Sozialsenator Ulf Fink, der aus der christlichen Sozialpolitik kommt, hat kürzlich diese Hinweise für die Berliner Verhältnisse anschaulich konkretisiert.[51] Der Senator ist im Umkreis der Berliner »Szene« den dort arbeitenden Selbsthilfegruppen nachgegangen, weil er in ihnen Ansätze für eine näher an den einzelnen heranreichende Sozialpolitik sieht. Die vorhandenen Leistungssysteme versagen weithin insbesondere bei immateriellen Notlagen, etwa bei psychischer Erkrankung, Isolation oder Suizidgefährdung. Es entspricht nach der Meinung des Senators dem Subsidiaritätsprinzip, kleinere Gruppen arbeiten zu lassen, wo die sozialen und kollektiven Großinstitutionen nicht effizient genug sind. Genauere Angaben, wie sich die Selbsthilfeprojekte über die verschiedenen Bereiche des Gesundheitlichen, des Psycho-Sozialen, des Kulturellen, des Politischen und des Wirtschaftlichen verteilen, sind nicht gemacht worden. Die Projekte, soweit sie nicht als wirtschaftliche Produktionsgruppen sich selbst tragen, werden fi-

---

Die Definitionen von J. Huber werden hier nicht übernommen. Professionelle und duale Projekte gehören als solche ihrer Struktur nach in den informellen Bereich der Wirtschaft, was eine gewisse Zuordnung zu deren formellem Bereich nicht ausschließt. Der Unterschied liegt darin, daß die Träger professioneller Projekte von diesen auch leben (teilweise freilich aufgrund von Subventionierung!), während die Träger dualer Projekte in der Regel ihre materielle Basis aus einem festen Arbeitsverhältnis im Rahmen der formellen Wirtschaft gewinnen.

[51] Vgl. Herder-Korrespondenz 37 (1983) 113–119; ausführlicher dargestellt in: *U. Fink* (Hrsg.), Keine Angst vor Alternativen. Ein Minister wagt sich in die Szene (Herder-Bücherei 1061), Freiburg 1983.

nanziell unterstützt, und zwar nicht nur deswegen, weil in ihnen wegen ihrer größeren Nähe zu den in Not Befindlichen das menschliche Zusammenleben wesentlich verbessert wird, sondern weil sie gegenüber der finanziellen Verschwendung im institutionellen Bereich (dem Bericht zufolge vom Seniorenheim bis zum Krankenhaus) ungleich weniger aufwendig arbeiten. In Berlin, wo gegenwärtig ungefähr 1500 Selbsthilfeprojekte mit 10 000 bis 15 000 Personen tätig sind, konnten z. B. 1000 Krankenhausbetten abgebaut und damit jährlich 100 Millionen DM eingespart werden. Mit einem kleinen Teil der Ersparnisse wurden Sozialstationen aufgebaut. Selbsthilfeprojekte mit medizinischer Zielrichtung arbeiten vorwiegend im Bereich der Prävention, des Schutzes gegen Alkohol- und Drogenmißbrauch, des Zusammenlebens mit psychisch Kranken und sehr intensiv auch der chronischen Erkrankungen, zumal wo es sich um Hilfe für pflegebedürftige oder unheilbare Kranke handelt. Die Tätigkeit dieser Gruppen wird in ihrem Verhältnis zu den Aktivitäten der Familie und der Freien Wohlfahrtspflege als »ergänzend« bestimmt, insofern sie die wirklich Hilfsbedürftigen leichter und sicherer erreicht, und als »subsidiär«, insofern die Selbsthilfeorganisationen kleine und überschaubarere Einheiten darstellen, die unkomplizierter und unbürokratischer zugreifen können als die medizinischen bzw. sozial-caritativen Großorganisationen. Es zeigt sich übrigens, daß diese Gruppen mit den Familien bzw. mit den Verbänden der Freien Wohlfahrtspflege durchaus effektiv zusammenarbeiten können. Viele der kleinen Gruppen sind sogar im Deutschen Paritätischen Wohlfahrtsverband organisiert. Um Mißbräuchen vorzubeugen, wurden in Berlin Kriterien für die Arbeit der verschiedenen Gruppen entwickelt, und es ist außerdem ein Beirat gegründet worden, der die Senatsverwaltung bei der Vergabe von Mitteln berät. Soweit aus den Angaben des Sozialsenators erkennbar wird, handelt es sich hier so gut wie durchweg um »professionelle« Projekte, die aber eindeutig dem informellen Bereich der Wirtschaft zuzuordnen sind.

b) Duale Projekte

Die dualen Projekte liegen genau im Schnittpunkt zwischen dem formellen und informellen Bereich der Wirtschaft, und zwar unter einem doppelten Aspekt: Sie sind zunächst als Projekte teilweise auf den Markt, teilweise auf die eigene Subsistenz orientiert, und zum anderen sind ihre Mitglieder nur zu einem kleinen Teil voll im Projekt tätig und beziehen daraus ihren Verdienst, während die meisten Mitglieder voll oder teilzeitlich im formellen Bereich der

Wirtschaft tätig sind, mit dieser Tätigkeit ihr Geld verdienen und sich in der freien Zeit ohne Bezahlung in dem Projekt ihrer Wahl regelmäßig oder gelegentlich engagieren. Der Unterschied zu den professionellen Projekten besteht also – um es noch einmal zu sagen – darin, daß bei diesen alle Mitglieder ihren Lebensunterhalt aus dem Projekt beziehen, während bei den dualen Projekten die meisten Mitglieder ihre Subsistenz durch ihre Tätigkeit im formellen Wirtschaftsbereich sichern.

Damit rundet sich das Bild einer realistischen Alternative im Rahmen der Industriewirtschaft (nicht gegen sie). Es stellt sich hier eine Position vor, die entschieden für weiteres Wachstum plädiert, zugleich aber den Druck zu maximaler Ausweitung der Produktion um jeden Preis abbauen und ein differenziertes, ein qualitatives Wachstum favorisiert. Diese Position signalisiert einen Kompromiß zwischen Wachstum und Ökologie. Und hier liegt auch der Unterschied zwischen diesem Modell und dem zuerst genannten, in dem es um den »Durchbruch in die totale Technologie der superindustriellen Wirtschaft« geht: Bei letzterem geht es um die technische *Synthese* von Ökonomie und Ökologie, während das nunmehr zu verhandelnde Modell den *Kompromiß* zwischen Ökonomie und Ökologie anstrebt. Als Beispiel für diese Option soll das Konzept des Schweizer Nationalökonomen Hans Ch. Binswanger von der Hochschule St. Gallen für Wirtschafts- und Sozialwissenschaft skizziert werden. Dabei sollen sechs Schwerpunkte herausgehoben werden, die gelegentlich durch Hinweise auf andere Autoren verdeutlicht werden.[52]

Erstens: Weiteres Wachstum mit Tätigung von Investitionen, mit Erzielung von Gewinnen und Lohnerhöhungen *ist die unverzichtbare Basis unseres heutigen Wirtschaftens.* Ein totaler Wachstumsstopp würde das Ende unserer expandierenden Wirtschaft bedeuten. Ein abrupter Bruch mit der heutigen industriellen Wirtschaftsweise ist nicht einmal vorstellbar.

Zweitens: Weil wir uns den gegenwärtig erkennbaren Grenzen des Wachstums nähern, muß *der Verbrauch an nicht-regenerierbaren Ressourcen verzögert oder verlangsamt* werden. Das Kriterium des Qualitativen muß stärker zur Geltung kommen: Der Verbrauch

[52] Vgl. *H. Ch. Binswanger,* Umweltschutz im Rahmen eines Neukonzepts von Wirtschaft und Gesellschaft, sowie *H. Ch. Binswanger – W. Geissberger – Th. Ginsberg,* Der NAWU-Report, besonders Teil II und Teil III. Im I. Teil ist auch von den Problemen der Energiegewinnung die Rede. Wie H. Henderson, Das Ende der Raubbau-Wirtschaft, in: J. Huber, Anders arbeiten – anders wirtschaften 197–212, u. a. fordern auch die Verfasser des NAWU-Reports den Übergang zu verfeinerten Technologien, die mehr Verständnis für die biologischen und ökologischen Gegebenheiten aufbringen.

an Boden, Energie und Rohstoffen muß gedrosselt, die Erzeugung von Abfall reduziert, das Überhandnehmen von Leerläufen soweit als möglich verringert werden. Dies bedeutet eine gewisse Entkoppelung von Umweltverbrauch und Wachstum des BSP. Wenn man nach der bisherigen Faustregel der industriellen Wirtschaft für je ein Prozent Wachstum des BSP je ein Prozent Wachstum des Primärenergieeinsatzes als erforderlich betrachtete, dann sollte beim heutigen Stand der Technologien mit je einem Prozent Erhöhung des Umweltverbrauches ein je zweiprozentiges Wachstum des BSP möglich sein. Jedenfalls sollte der Energieverbrauch gegenüber der Steigerung des BSP gedrosselt werden. Dies ist wenigstens so lange unverzichtbar, bis neue ökologisch wie sicherheitstechnisch unbedenkliche und wirtschaftlich rentable Methoden der Energiegewinnung solche Einschränkungen gegenstandslos machen. Solange dies nicht der Fall ist, muß über verbesserte Technologien ein allmählicher Übergang zum Null-Wachstum des Ressourcenverbrauchs angestrebt werden. Andernfalls führt jede noch so niedrige Wachstumsrate schließlich zum völligen Abbau der Ressourcen und damit zur Zerstörung der wirtschaftlichen Grundlagen. Nach dem Übergang zum Null-Wachstum des Ressourcenverbrauchs könnte – immer nach Binswanger – die Wirtschaft trotzdem weiterhin jährlich um ein Prozent wachsen, ohne daß der Vorrat an Ressourcen bedrohlich abgebaut würde; jedenfalls würde er in diesem Fall noch Hunderte von Jahren ausreichen.

Drittens: In der Industriewirtschaft herrscht naturgemäß eine starke Tendenz zur Großtechnologie. Großtechnologie setzt hohe Investitionen voraus, hohe Investitionen aber fordern einen ständig steigenden Kapitaleinsatz und damit ein ständig wachsendes Kredit- und Geldvolumen. An diesem wirtschaftlichen Wachstum ist auch der Staat interessiert, weil er ohne entsprechende Steuern die Folgekosten des wirtschaftlichen Wachstums, vor allem im Bereich des Umweltschutzes und des Gesundheitswesens, nicht übernehmen kann. So ist er stets zur Hilfestellung bereit.[53] Dieses innere Geflecht von Tendenzen konstituiert einen schwer durchbrechbaren Wachstumszwang. Ein erster Weg, *diesen Wachstumszwang aufzubrechen,* wäre der Übergang zu energie- und rohstoffsparenden Investitionen. Die Investitions- und Kapitalisierungsprozesse sol-

---

[53] *H. Ch. Binswanger,* Umweltschutz im Rahmen eines Neukonzepts von Wirtschaft und Gesellschaft 217: Solche »Hilfeleistung« erfolgt »durch die Bereitstellung der institutionellen Voraussetzungen für eine kontinuierliche Kredit- und Geldschöpfung auf der Grundlage des Notenmonopols und der Ausstattung des (beliebig vermehrbaren!) Notengeldes mit gesetzlicher Zahlungskraft«.

len zwar nicht gestoppt, aber doch aus ihrer alleinigen Fixierung auf quantitatives Wachstum herausgelöst und auf den Weg zu energie- und rohstoffsparenden Investitionen gebracht werden. Damit bliebe die Erlös-Kosten-Spirale (im Sinn des Vorauseilens der Erlöse vor den Kosten) in sich unangetastet, nur ihr Inhalt würde sich den ökologischen Anforderungen stärker anpassen. Mit einem weiteren Vorschlag will Binswanger freilich den Mechanismus der Erlös-Kosten-Spirale selbst verändern. Ein Umsteigen von der Großtechnologie auf verstärkten Einsatz von rohstoff- und energiesparender mittlerer Technologie würde einen weitaus geringeren Kapitaleinsatz notwendig machen und damit dem Wachstumszwang im Sinne der Erlös-Kosten-Spirale weit weniger unterliegen.

Viertens: In die gleiche Richtung zielt der für unseren Zusammenhang besonders bedeutsame Vorschlag Binswangers, *bestimmte wirtschaftliche Tätigkeiten aus dem geldwirtschaftlichen Bereich herauszunehmen und in den Bereich der produktiven Eigenarbeit »zurückzuführen«.* Nicht nur im Umkreis der Güterproduktion, sondern auch der Dienstleistungen – hier besonders einschneidend in den letzten Jahrzehnten – sind immer mehr Funktionen aus den informellen sozialen Netzen der Familie, der Nachbarschaft, der Verwandtschaft und der Gemeinde herausgelöst und im formellen Bereich der Wirtschaft angesiedelt und hier vermarktet worden. Die Dienstleistungsgesellschaft bietet heute im großen Stil die Übernahme von Funktionen an, die früher durch kleine soziale Netze abgedeckt waren (Kinderhüten, Erziehen, Pflegen, Heilen, Beraten, Versichern u. a. m.). Binswanger plädiert nun für eine gewisse Begrenzung, genauerhin für eine gewisse Rückbildung des etablierten Systems – sowohl im Sektor der Güterproduktion als auch in dem der Dienstleistung – und für eine Wiederbelebung und Ausdehnung der Selbsthilfe und der produktiven Eigenarbeit in alten und neuen Gemeinschaftsformen. Joseph Huber formuliert das Anliegen sehr anschaulich: Es geht darum, »möglichst viele Lebenstätigkeiten, die mit der fortschreitenden Institutionalisierung, Technisierung, Professionalisierung und Monetarisierung ›außer Haus‹ gegangen sind, ganz oder teilweise wieder ›heimzuholen‹, sei es in Form moderner ›Heimarbeit‹ ... oder als Eigenwirtschaft und Selbsthilfe privater Haushalte und lokaler Gemeinschaften – und zwar vom Gemüsepflanzen und von den Handwerksarbeiten bis zur medizinischen Selbsthilfe, der Pflege Kranker und der Erziehung und Ausbildung«.[54]

---

[54] *J. Huber,* Anders arbeiten – anders wirtschaften, in: Ders., Anders arbeiten – anders wirtschaften 17–35, hier 24.

Fünftens: Es gibt für diese Neuorientierung drei Motive. Vom ersten, nämlich der allmählichen *Reduktion des Wachstumszwangs,* war bereits die Rede. Ein zweites Motiv liegt in der neuen Einschätzung, die der *Eigenwert der nicht-entfremdeten Arbeit* im allgemeinen Bewußtsein erfahren hat. Es war schon die Rede davon, daß das Prinzip der Autonomie, der Selbstverantwortung und Selbstgestaltung des einzelnen in seiner Arbeit und das Prinzip solidarischer Herstellung von Gebrauchsgütern sowie solidarischer Erbringung von Dienstleistungen sich seit einiger Zeit wachsender Hochschätzung erfreuen. Wichtiger als die Entwicklung von Dingen ist die Entwicklung des Menschen. Wichtiger als das Wachstum des Wohlstands auf der Basis völliger Einordnung in ein Wirtschaftssystem ist vielen heute die selbstbestimmte, persönlich befriedigende und gesellschaftlich produktive Tätigkeit.[55] Es scheint sich hier ein neues Verständnis von Identität des Menschen anzudeuten. Dietmar Mieth spricht von Identität als »solidarischer Identität« und meint damit, daß Arbeit nicht eigentlich als solche den Menschen glücklich macht, sondern erst dann, wenn Arbeit Kommunikation und Interaktion ermöglicht. Ähnliches gilt natürlich auch für die Freizeit.[56] Als drittes Motiv für die Stärkung des informellen Bereichs der Wirtschaft wird die *Überwindung der Arbeitslosigkeit* angegeben. Es bieten sich dafür verschiedene Wege an. Man kann den Wohlfahrtsstaat ausweiten und den Arbeitslosen Unterstützung bezahlen; damit ist freilich nicht die Arbeitslosigkeit, sondern nur der durch sie heraufgeführte materielle Notstand gemildert. Man kann versuchen, im Bereich der formellen Wirtschaft neue Arbeitsplätze zu schaffen oder den öffentlichen Dienst auszuweiten. (Bei Verstaatlichung des Produktionskapitals ist die Möglichkeit solcher Ausweitung durch Verlängerung der staatli-

---

[55] *I. Fetscher,* Wandlungen der ökonomischen Bedeutung und der Sinngebung von Arbeit, in: Concilium 18 (1982) 737–742, hier 741: »Neben der materiellen Kultur gibt es eine soziale, die nur auf ihr aufblühen kann, wenn diese keine Monopolansprüche erhebt. Auf der Grundlage einer generell verkürzten Wochen- oder Lebensarbeitszeit würde jedem einzelnen immer mehr Raum für die Entfaltung und Bestätigung seiner humanen Potenzen eingeräumt. Er könnte sich – ohne Rücksicht auf zu erzielendes Einkommen – produktiv und kreativ betätigen durch wissenschaftliche, künstlerische, caritative, kontemplative, interpretative Praxis. Nur wenn das gelänge, wäre die Gefahr gebannt, daß durch die Verlängerung der Zeit, während der ›nicht mehr gearbeitet werden muß‹, eine lähmende Leere entsteht, die nur durch zerstreuenden Konsum oder betäubende Mittel erträglich gemacht werden kann.«

[56] *D. Mieth,* Solidarität und Recht auf Arbeit, in: Concilium 18 (1982) 742–748, hier 746; a.a.O. 747: »Arbeit ist nicht so sehr Ort der Selbstverwirklichung als Ort der sozialen Selbsterwirkung«. In Anm. 20 erläutert Mieth: »Unter sozialer Selbsterwirkung verstehe ich eine Bildung des Selbst aus Interaktion und Kommunikation, die dennoch die Konsistenz und Kontinuität des menschlichen Subjekts nicht verhindert, sondern fördert.«

chen Lohnliste besonders verlockend.)[57] Man kann kleinere Betriebe neugründen, Kleintechnologien entwickeln und die vorhandene Arbeit auf alle Arbeitswilligen gerecht zu verteilen suchen. Doch bieten sich im Bereich der informellen Wirtschaft weitere Möglichkeiten an, und genau diese sollten nachdrücklich gefördert werden. Die Arbeitslosenunterstützung könnte umgeleitet werden, um Alternativen zur bisherigen Tätigkeit einzuführen – indem z. B. ein arbeitsloser Lehrer für eine außerschulische Tätigkeit bezahlt wird, anstatt nur seine Unterstützung entgegenzunehmen. Jedenfalls entsteht durch die Arbeitslosigkeit für viele Menschen ein Freiraum, in dem sie nicht der Frustration überlassen werden dürfen, sondern mit einem Angebot an selbständigen, persönlich sinnvollen und gesellschaftlich nützlichen Tätigkeiten konfrontiert werden müssen.

Sechstens: Damit ist bereits auf die *Verwirklichung* hingewiesen. Sie vollzieht sich in zwei Schritten: in einer Reduktion der Lohnarbeitszeit und in der Vermehrung der produktiven Eigenarbeit. Bislang haben die Gewerkschaften Produktivitätssteigerungen in Lohnerhöhungen und Urlaubsverlängerung umgesetzt. Angesichts der drastischen Zunahme der Arbeitslosigkeit sollte man – im Sinne des Modells Binswanger – neue Überlegungen anstellen. Wenn man die verbleibende Arbeit gerecht verteilen will, dann müssen alle oder doch sehr viele eine *Reduktion ihrer Lohnarbeitszeit* und damit auch einen Verzicht auf Lohnsteigerung, wahrscheinlich sogar zunächst eine Minderung ihrer Löhne hinnehmen. Das Recht auf Arbeit ist kein unbegrenztes. Wenn es allen in gleicher oder doch in ähnlicher Weise – wie die Gerechtigkeit es erfordert – zugebilligt werden soll, dann kann es nur vom vorhandenen Arbeitsbedarf her konkretisiert werden.[58] Verkürzung der Lohnarbeitszeit soll nun aber, wie gesagt, nicht einfachhin einen Zuwachs an Freizeit bedeuten, sie soll vielmehr einen *Freiraum für selbstverantwortlich gestaltete Eigenarbeit* eröffnen. Nicht-geldwirtschaftlich organisierte Bereiche hat es in der Wirtschaft immer schon gegeben. Bauernhof und Familienhaushalt stellen klassische Modelle einer solchen

---

[57] Vgl. *R. J. Barnet,* Die mageren Jahre 282–312.
[58] Drei interessante Beiträge über das Recht auf Arbeit bringt das Sonderheft von Concilium 18 (1982) über »Arbeitslosigkeit und Recht auf Arbeit«: *R. Krietemeyer,* Die Entstehung und Entwicklung des Rechts auf Arbeit (718–724); Internationales Arbeitsamt (Genf), Das Recht auf Arbeit in den internationalen Vereinbarungen (724–728); *F. Hengsbach,* Das Recht auf Arbeit im kirchlichen Verständnis (729–736). Vgl. auch *G. Keil,* Der sanfte Umschwung 307–311. – Nach Abschluß des Manuskripts erschienen *F. Hengsbach,* Sozialethische Überlegungen zum Recht auf Arbeit, in: Geht uns die Arbeit aus? Industriegesellschaft in der Krise (Hohenheimer Protokolle) 1983, und *H. Ryffel – J. Schwartländer,* Das Recht des Menschen auf Arbeit (Tübinger Universitätsschriften, Forschungsprojekt Menschenrechte, Bd. 4), Kehl–Straßburg 1983.

Wirtschaft »extra commercium« dar. Hans Ch. Binswanger plädiert für die »Wiederbelebung des nicht-geldwirtschaftlich organisierten Sektors der Wirtschaft, den wir als Eigenproduktion bezeichnen können, auf moderner Grundlage«.[59] Im Rahmen sog. »Kleiner Netze« sollen neue Möglichkeiten der Zusammenarbeit im Bereich von Nachbarschaften oder eines ausgebauten Systems von Sozialdiensten geschaffen werden. Im NAWU-Report ist für die Durchsetzung dieses Plans ein differenziertes Programm entwickelt.[60]

Speziell im Modell Binswanger geht es nicht nur um einen Weg zur Überwindung der Arbeitslosigkeit, sondern um die Durchbrechung des Wachstumszwangs, des der industriellen Wirtschaft immanenten Trends zur maximalen Produktivitätssteigerung. Diese Reduktion der Produktivitätssteigerung scheint im Hinblick auf die progressive Erschöpfung der Ressourcen unabdingbar. Aus diesem Grund *muß* die Reduktion nicht nur der Arbeitszeit, sondern auch des Lohnes in Kauf genommen werden. Aber die Reduktion *kann* auch in Kauf genommen werden, weil Lohnarbeit »zu großen Teilen nur scheinbar produktiver ist. Zwar werden in der gleichen Zeit größere Mengen hergestellt als durch die Eigenarbeit. Diese Mengen werden aber entweder überhaupt nicht mehr wirklich konsumiert und sind somit nutzlos oder verursachen bei der Produktion bzw. beim Konsum solche Schäden, daß die nachfolgende Produktion nur noch dazu dient, diese Schäden wiedergutzumachen.«[61]

Durchbrechung des Wachstumszwangs und Überwindung von Arbeitslosigkeit sind für Binswanger unverzichtbare Gebote der Ökologie wie der Sozialpolitik. Sein zentrales positives Anliegen scheint jedoch die *Ausweitung des Raums für selbstverantwortlich gestaltete Eigenarbeit* zu sein. Der Zwang, ein schweres ökologisches und ein schweres soziales Übel zu überwinden, drängt unsere Gesellschaft auf den Weg zu humaneren Formen des Zusammenlebens. Der von Joseph Huber herausgegebene Sammelband »Anders arbeiten – anders wirtschaften« dokumentiert, wie immer man zu den einzelnen Beiträgen stehen mag, klar und eindeutig, daß hier der eigentliche Schwerpunkt alternativen Wirtschaftsdenkens liegt. Christine und Ernst von Weizsäcker versuchen darin den Begriff der »Eigenarbeit« zu erläutern (sie ist »die ursprünglichste Form von Arbeit« überhaupt), ihre Nützlichkeit für den einzelnen

[59] Umweltschutz im Rahmen eines Neukonzepts von Wirtschaft und Gesellschaft 219.
[60] Der NAWU-Report 222–241.242–260.
[61] *H. Ch. Binswanger*, Umweltschutz im Rahmen eines Neukonzepts von Wirtschaft und Gesellschaft 220.

und die Gesellschaft einsichtig zu machen und politische Schritte zur Durchsetzung dieses Programms vorzustellen.[62] Der Kern dieses Programms ist die von Bernhard Teriet nachdrücklich ins Gespräch gebrachte Vorstellung der »Zeitsouveränität«. Die Teilarbeitszeit in ihren verschiedenen Formen ermöglicht es dem Menschen, dem Netz der Zwänge zu entkommen, die ein voller Einsatz in der Lohnarbeit notwendigerweise mit sich bringt. Je offener für den einzelnen die Möglichkeiten werden, über seine Zeit zu verfügen, desto flexibler wird er für die Planung seines Lebens, desto angemessener kann er seinen Bedürfnissen und Wünschen in den verschiedenen Lebensbereichen entsprechen. Die Möglichkeiten sind in die Diskussion gebracht: gleitende Arbeitszeit, Teilzeitarbeit, Job-Sharing, Jahresarbeitszeitvertrag, gleitender Ruhestand, um nur die wichtigsten zu nennen. Konkrete Lösungsvorschläge sind nach den Prinzipien der Gerechtigkeit und der Solidarität sowie nach den Kriterien der wirtschaftlichen und sozialen Praktibilität zu bewerten. Es scheint sich immer deutlicher herauszustellen, daß Zeitsouveränität und Arbeitsflexibilität langfristig, vielleicht sogar mittelfristig erreichbare Ziele darstellen – trotz der immer wieder vorgebrachten Bedenken – und daß dadurch dem einzelnen, den Familien und anderen Gemeinschaften eine echte Chance zu mehr Lebensqualität eröffnet wird. »Jedenfalls hat unsere Gesellschaft begonnen, angesichts der anhaltenden Massenarbeitslosigkeit das Monopol und die Dominanz der erwerbswirtschaftlichen Arbeit als Gravitationspunkt jeglicher Lebensplanung neu zu überdenken und zu relativieren.«[63]

Hans Ch. Binswanger ist sich durchaus bewußt, daß »der Rückzug aus der kapital- und geldwirtschaftlich organisierten Wirtschaft« nicht überstürzt erfolgen kann. Mit »Rückzug« ist die Herausnahme bestimmter wirtschaftlicher Funktionen aus dem formellen Bereich und ihre Rückführung in den der produktiven Eigenarbeit gemeint. Es kann sich überhaupt nicht darum handeln, den arbeitsteilig strukturierten großtechnologischen Teil der Wirtschaft aufzugeben und »wieder zur Urproduktion zurückzukehren«. Das

---

[62] *Ch. und E. von Weizsäcker,* Eigenarbeit in einer dualen Wirtschaft, in: J. Huber, a.a.O. 91–103.

[63] *B. Teriet,* Zeitsouveränität für eine flexible Lebensplanung, in: J. Huber, a.a.O. 150–157, hier 156. – Die Ergebnisse der neuesten Altersforschung legen, nebenbei bemerkt, eine Offenheit der flexiblen Altersgrenze auch nach oben hin dringend nahe. Auf dem gerontologischen Kongreß der Akademie für ärztliche Fortbildung in Bad Nauheim Ende August 1983 wurde nachdrücklich auf die Problematik einer zwangsweisen Frühpensionierung hingewiesen. Vgl. den Bericht in der *Frankfurter Allgemeinen Zeitung* vom 24. 8. 1983, S. 10.

Modell zielt auf die Wiederherstellung eines optimalen Verhältnisses von Fremdproduktion und Eigenproduktion, von Großtechnologie und mittlerer Technologie. Vor allem aber müssen angesichts der schwindenden Ressourcen die Wachstumsraten niedriger gehalten werden als in der letzten Zeit. Mit der Verlagerung eines Teils der formellen Wirtschaft in die Eigenproduktion erscheint dies machbar. Binswanger sagt unmißverständlich: »Im arbeitsteiligen Bereich der Wirtschaft (können und müssen) weiterhin Produktivitätsfortschritte erzielt werden und somit auch entsprechende Gewinne und Lohnzunahmen resultieren.«[64] Es handelt sich also bei dem St. Gallener Projekt nicht um eine Alternative zur Industriewirtschaft, sondern um eine nur in diesem Umfang neue Form von informeller sozio-ökonomischer Zusammenarbeit im Rahmen eines dual-wirtschaftlich strukturierten Ganzen.[65]

c) Versuch einer Bewertung

Die Aspekte kritischer wie positiver Bewertung, die im folgenden vorgebracht werden, gelten für die verschiedenen alternativen Projekte auf verschiedene Weise. Sie müssen verhältnismäßig allgemein bleiben. Eine detaillierte Bewertung fällt zunächst in die authentische Kompetenz der Volks- und Betriebswirtschaftslehre, teilweise auch der Sozialwissenschaften. Die Ethik muß sich zurückhalten, solange die zuständigen Fachleute es nicht für sinnvoll

---

[64] Umweltschutz im Rahmen eines Neukonzepts von Wirtschaft und Gesellschaft 221.

[65] *H. Ch. Binswanger* hat mit seinen Mitarbeitern für die »Kleinen Netze« Pläne ausgearbeitet, die zu erwartenden Budgets durchgerechnet und eine Infrastruktur von Arbeitsplätzen und Sozialdiensten in solchen »Kleinen Netzen« vorgestellt. Vgl. Der NAWU-Report 234–236. Daraus einige Hinweise über die vorgesehene Infrastruktur:

a) *Arbeitsplätze für die Bedürfnisse innerhalb des Wohnbezirks* (Mitarbeiter für Läden und Restaurants, Sozialarbeiter für Sozialzentrum und Beratungsstelle, Hebamme, Lehrstellen für Vorschule und Grundschule, Clubleiter, Animator . . .) *und für die Bedürfnisse innerhalb und außerhalb des Wohnbezirks* (Handwerker für technische Installationen, Geräte, Fahrzeuge; Angestellte für Datenverarbeitung, Bedienung der Kommunikationsmittel, Programmierer u. a.; freie Berufe [Journalisten, Künstler, Rechtsanwälte u. a.]).

b) *Die soziale Infrastruktur des Wohnbezirks: einfaches Sozialzentrum* (Betreuung der Betagten, Alleinstehenden, Außenseiter; *soziale Dienstleistungen:* Haushaltshilfe, Hauspflege, Mahlzeitendienst); *Basisgesundheitsdienst* (ärztliche Betreuung, Geburt und Tod in der gewohnten Umgebung, Kindergarten, Ausweitung des Spiel- und Kreativitätsbereichs); *Information – Bildung* (Bibliotheken, Gespräche und Diskussionen, Bürgerinitiativen); *Freizeit – Geselligkeit* (Kneipe mit Versammlungslokal, Klubs, Spiel, Sport); *der tägliche Konsumbedarf* (Verkaufsgeschäfte, »Flohmarkt« zum Tausch von gebrauchten Gegenständen, Verkauf von selbstgemachten Gegenständen, Flickstube, Schuhreparaturen).

c) *Randproduktion:* Landwirtschaft, Gartenbau, einfache Produktion von Gebrauchsgegenständen, Reparaturdienst, Recycling. Ein Teil der Arbeit soll also auch für eine »netzbezogene« Produktion verwendet werden. »Dadurch könnte die Abhängigkeit der Bewohner von der arbeitsteiligen Wirtschaft gemildert werden . . .«

halten oder jedenfalls zögern, sich umfassend mit der neuen Entwicklung bzw. den neuen Plänen auseinanderzusetzen. Im übrigen wird erst die Erfahrung eindeutig aufweisen, was geht und was nicht geht; sie wird manches verifizieren, manches falsifizieren.

Kritische Anfragen

Es geht hier nicht nur um das Modell der »Kleinen Netze« (H. Ch. Binswanger). Dieses ist zwar im Vorausgehenden stark im Vordergrund gestanden und wird deswegen auch im Rahmen der bewertenden Überlegungen – wenn auch meist nicht ausdrücklich – bevorzugt beachtet bleiben. Aber der Blick richtet sich auf alle wirklich oder vermeintlich »realistischen« Alternativen. Nachdem die mögliche bzw. wünschbare Infrastruktur von Arbeitsplätzen und Sozialdiensten im Umkreis der »Kleinen Netze« ausführlich vorgestellt worden ist, drängt sich zuallererst die Frage auf, ob in einem solchen Projekt nicht doch eine *reaktionäre Grundeinstellung gegenüber dem Fortschritt* ihren Ausdruck findet. Wenn man an die »Siedlungen« und »Wohnbezirke« denkt, die nach dem NAWU-Report bis ins Detail geplant sind, könnte der Verdacht entstehen, ob hier nicht Romantiker und Reaktionäre zusammenströmen, um sich eine eigene heimatlich-heile Welt aufzubauen, in der sie die großen Sozialkrisen der Menschheit überleben – ähnlich wie manche religiöse Gemeinschaften sich in möglichst autarken Wohngemeinschaften und Siedlungen zusammengetan haben, um »den Tag des Herrn zu erwarten«. Wenn nicht wirklich die große Zahl der Bewohner einer solchen Siedlung in beiden Zweigen der dualen Wirtschaft integriert ist und damit auch eine Integration der beiden Wirtschaftsbereiche gewährleistet bleibt, führt die Trennung der Personengruppen auf die Dauer sicher zu einer Spaltung der Wirtschaft und der Gesellschaft. Was nottut, ist aber nicht das Auseinanderdriften, sondern die gegenseitige Bezogenheit der Personengruppen und der Wirtschaftsbereiche. Eine Entwicklung, die praktisch den Auszug aus der Wirtschaftsgesellschaft bedeuten würde, brächte die »Alternativen« mit Sicherheit um ihre durchaus wünschenswerte sozio-ökonomische Effizienz.

Alternative Projekte, vor allem wenn sie nicht einem größeren Verbund eingegliedert sind, werden sich weiterhin der kritischen Frage stellen müssen, ob ihr Rückzug aus dem formellen Arbeits- und Wirtschaftsleben nicht durch *Gewinnsucht* motiviert ist. Sie geraten mindestens optisch in die Nähe der »Schattenwirtschaft«, in der vieles als Eigenarbeit oder Nachbarschaftshilfe ausgegeben wird, weil man so leichter die lästigen Steuern und Sozialbeiträge umgehen kann. Bedenkt man, daß viele Selbsthilfegruppen öffentliche Starthilfen oder laufende Subventionen erhalten und ihre Mitglieder im Fall des Scheiterns – gegenwärtig ist dies freilich schwieriger geworden – in die formelle Wirtschaft umsiedeln können, auf jeden Fall aber vom »sozialen Netz« aufgefangen werden, dann haben diese alternativen Projekte ein sehr viel *geringeres Risiko* zu bestehen als entsprechende Unternehmungen im Bereich der formellen Wirtschaft.

Weitere Probleme ergeben sich hinsichtlich der Wirtschaftlichkeit, der Funktionalität und der Stabilität der Projekte bzw. der sie tragenden Gruppen. Soweit sie im Bereich der Produktion tätig sind, müssen sie sich selber tragen. Da im Sinn der utopischen und der marxistischen Tradition vielfach dem Kollektiveigentum oder der »Kapitalneutralisierung« (hier gehört das Unternehmen der Allgemeinheit oder sich selbst und wird von der Belegschaft nur treuhänderisch verwaltet) der Vorzug gegenüber dem Einzeleigentum gegeben wird, werden sich über kurz oder lang Mängel hinsichtlich der *Wirtschaftlichkeit* einstellen. Güter, die allen gehören, werden erfahrungsgemäß schlecht genutzt und allzuoft verschwendet; Anlagen, die langfristiger Pflege bedürfen, verkommen. Wo keine klaren Regelungen getroffen sind, entstehen Streitigkeiten über Verpflichtungen beim Eintritt und über Ansprüche beim Austritt von Mitgliedern: Was muß man in den bereits erarbeiteten Gemeinbesitz einbringen, was kann man aus ihm mitnehmen? Können solche Projekte so bewirtschaftet werden, daß die nötigen Rücklagen für künftige Anschaffungen bzw. Renovationen bereitgestellt werden? Wenn alternative Modelle wirklich eine Schrittmacherrolle wahrnehmen wollen, müssen sie ihre finanzielle Realisierbarkeit unter Beweis stellen. Sie können sich nicht emphatisch von der Industriewirtschaft distanzieren und sich dann in dieser Distanzierung durch die Überschüsse der Großwirtschaft aushalten lassen. Unter heutigen Verhältnissen ist die Wirtschaftlichkeit auf vielen Gebieten eben auch von einer bestimmten Größenordnung abhängig.

Zweifel kommen auch im Hinblick auf die *Funktionalität* von Selbsthilfeprojekten. Selbstverwaltung und Basisdemokratie bringen naturgemäß Probleme mit sich. Sobald eine Gruppe ein rundes Dutzend von Mitgliedern überschreitet, bedarf es überschaubarer und handhabbarer Entscheidungsstrukturen, wenn nicht alles zerredet werden soll. Je weiter sich der Raum alternativen Wirtschaftens über den Intimbereich familiärer oder nachbarschaftlicher Gemeinsamkeiten ausdehnt, desto schwieriger wird die Zusammenarbeit. Man wird sich fragen müssen, ob die Spannung zwischen funktionalistischer Partizipation und dissoluter »Demokratisierung«, die sicherlich unvermeidlich ist, sich in erträglichen Grenzen hält, so daß die Funktionalität eines Netzes nicht gefährdet wird.

Auch die *Stabilität* der Projektgruppen ist schweren Erprobungen ausgesetzt. Familienbetriebe oder Vereine und Clubs herkömmlicher Art verfolgen ihre Ziele nach stillschweigend geltenden oder ausdrücklich institutionalisierten Regeln. Wo die Willensbildung im Hinblick auf anfallende wirtschaftliche Entscheidungen, wie es bei den meisten alternativen Projekten der Fall ist, durch Mitbeteiligung eines jeden einzelnen zustande kommen soll, treten große Probleme auf. Wie werden die Aufgaben verteilt? Wie werden die Erträgnisse verwendet? Welche Bedeutung gewinnen dabei Begabung und Leistung? Läßt der Einsatz nach, wenn er nicht berücksichtigt wird? Zersetzt sich die Gruppe, wenn man ihm Rechnung trägt?[66]

Eine schwere Belastung für alternative Gruppen liegt in der *sozialen Sicherung* ihrer Mitglieder. In professionellen Gruppen, die nicht auf der Basis des Kollektiveigentums arbeiten, stellt sich die Frage einer egalitären Einkommensstruktur. Dies gilt nicht nur für den Kreis der Mitglieder selbst, sondern auch für das Verhältnis der Löhne zum allgemeinen Lohnniveau. Wenn solche Gruppen vorbildlich wirken sollen, dann können sie nicht an der untersten Existenzgrenze dahinvegetieren. Das durchschnittliche Bruttoeinkommen in Industrie, Handel, Handwerk und öffentlichem Dienst liegt bei uns zur Zeit um 3000 DM. Es ist schwer zu sehen, wie die Mitglieder einer Projektgruppe sich sozial gesichert fühlen sollen, wenn ihr Entgelt merklich darunter liegt.[67]

Weiterhin ist nicht einsichtig zu machen, aus welchem Grund Projektgruppen von den Aufwendungen für die *Ausgestaltung des öffentlichen Bereichs* ausgenommen werden sollen. Können aber die Kosten für Straßen, Wasserversorgung, öffentliche Verkehrs-

[66] Vgl. *Ch. Watrin,* Ökonomie der »Alternativen« – eine Alternative? 133 f: »Die Geschichte aller spontanen Bildungen von Gruppen ist deswegen entweder eine Geschichte ihres schnellen Verfalls oder aber des Übergangs zu strukturierten Formen der Willensbildung, zur Entwicklung formeller Entscheidungsverfahren und zur Senkung der Entscheidungskosten. Das gilt beispielsweise für die ›alternative‹ Lebensform der Klöster, die sich ja in ihrer in die frühen Anfänge des Christentums zurückreichenden Geschichte als ein Leben in einer Ordnung am Rande der Gesellschaft, aber nicht als ein bloßes Randgruppenleben verstand; ferner für die spontanen Bildungen von Gemeinschaften in der vorindustriellen Gesellschaft, wie Gilden, Sekten, Kommunen, Bruderschaften, Genossenschaften und religiöse Gemeinden ...«
[67] Vgl. *J. Huber,* Wer soll das alles ändern 129 f.

mittel, Schulen und Krankenhäuser von Produktivprojekten mit-aufgebracht werden? Die Institutionen der Bildung zumal und des Gesundheitswesens leben davon, daß die Produktion Überschüsse erwirtschaftet. Wie ist es mit der wirtschaftlichen Konkurrenzfähig-keit »Kleiner Netze« und mit ihrer umgreifenden Solidarität auf Dauer bestellt, wenn solche weitgreifenden Verbindlichkeiten ein-gelöst werden müssen?

Ein wichtiges Problem ist das der *sozio-ökonomischen Koopera-tion*. Es gibt im Grunde kein autarkes Wirtschaften.[68] Alternative Gruppen konzentrieren oft ihre ganze Kraft auf die innere Ausge-staltung ihrer Arbeit und ihres Zusammenlebens und vergessen darüber, daß sie – ob sie wollen oder nicht – ihre Beziehung zur ar-beitsteiligen Wirtschaftsgesellschaft konkret und realistisch klären müssen. Sie können nach innen jeder monetären Abgeltung gelei-steter Dienste feierlich abschwören, nach außen können sie das Prinzip des naturalen Tausches auf keinen Fall durchhalten. Es bleibt ihnen nur der Weg zwischen der Skylla der auf dem Markt üblichen Tauschordnung und der Charybdis einer staatlichen bzw. gesellschaftlichen Reglementierung des Wirtschaftsprozesses. Da der Markt für viele Alternative eine verachtenswerte Größe ist und eine zentrale Planung die heiß begehrte Autonomie aufheben wür-de, müssen sie irgendeine Form interner Selbstregulierung anstre-ben. Aber der Preis dafür ist nach den bisherigen Erfahrungen viel zu hoch. Dies gilt nicht nur für den Bereich der Produktion, son-dern auch für den der Dienstleistungen. Es gibt im Umkreis der formellen Wirtschaft ein äußerst differenziertes Angebot von So-zialdiensten. Wie reagieren die Ärzte, wenn im »Kleinen Netz« ein Arzt, wie die Anwälte, wie die Handwerker, wie die Lehrer, wenn in den »Kleinen Netzen« Kollegen informell ihre Dienste überneh-men (vielleicht ohne Steuern und sonstige Abgaben)? Wird es zu konkreter Zusammenarbeit kommen? Wird es eine Isolierung der alternativen Gruppen geben, wenn sie die Selbstversorgung der Gruppe auf die Spitze treiben?

Und zum Abschluß dieser kritischen Anfragen noch einmal zu-rück zu dem Problem, das sich schon zu Beginn angemeldet hat: Wird die Ausweitung alternativen Wirtschaftens nicht zu einer *Spaltung der Gesellschaft* führen? Die in diesem Bereich Tätigen und die in traditionellen Arbeitsverhältnissen Beschäftigten werden sich hinsichtlich ihres Lebensstils, ihrer Vorstellungen und ihrer Wertordnung beträchtlich voneinander unterscheiden. Die schon

[68] Vgl. *Ch. Watrin*, Ökonomie der »Alternativen« – eine Alternative? 139 f.

in den einzelnen Belegschaften gegebene Polarisierung zwischen den Beschäftigten in den gehobenen und den niedrigeren Funktionen würde sich im Hinblick auf die in alternativen Modellen Tätigen verschärfen. Ein in diesem Raum sich möglicherweise ausbildendes neues Sozialbewußtsein könnte manches auffangen, aber auf die Dauer müßte man doch mit erheblichen Problemen rechnen. »Siedlungen«, in denen eine große Zahl einzelner Selbsthilfeprojekte mehr oder weniger miteinander vernetzt ist, sind noch lange keine Klöster. Und ein letzter Hinweis: Kritiker, die den Alternativen sehr nahestehen, äußern bereits die Befürchtung, daß die Kleingruppen von vielen darin Engagierten als Steigbügelhalter für ihre eigenen Interessen verwendet werden. Man spricht von einer »Kolonisierung des informellen Sektors« durch die neue »Sozialindustrie«.[69] Schon im formellen Bereich ist die Entwicklung da und dort bedrohlich. Sozialhilfe will ja Hilfe zur Selbsthilfe sein, sie wird aber leicht »zur beruflichen Entwicklungshilfe für die professionellen Helfer. Ein treffendes Beispiel hierfür liefern die gegenwärtig rasch sich ausbreitenden Gruppen- und Drogentherapien, ein schlimmes Beispiel die ... Konzepte von Elternschaftspatenten.«[70]

Positive Aspekte

Es sind vor allem ökologische Dringlichkeiten und Zwänge, von denen die Impulse für die Entstehung alternativer Wirtschaftsmodelle ausgehen. Nun mögen die Voraussetzungen, mit denen man sie heute legitimiert, schon in wenigen Jahrzehnten entfallen. Es ist, wie schon gesagt, nicht auszuschließen, daß wir einer Zeit entgegengehen, in der es Energie im Überfluß gibt. Man wird damit rechnen können, daß neue intelligentere Industrien die Beschaffung von Energie und die Verarbeitung von Rohstoffen mit immer weniger Verschmutzung und Schädigung der Umwelt erreichen können. Und es ist auch durchaus denkbar, daß die Phase massiver Arbeitslosigkeit durch eine neue Vollbeschäftigung abgelöst wird. Trotzdem behalten realistische Modelle alternativen Wirtschaftens *einen hohen Stellenwert* – und zwar aus zwei Gründen. Erstens haben wir mit ziemlicher Sicherheit einige Jahrzehnte vor uns, während der auf dem Energie- und Rohstoffsektor die neuen Voraussetzungen noch nicht gegeben sind. Und zweitens ist, wiederum mit ziemlicher Sicherheit, damit zu rechnen, daß die bevorstehenden

---

[69] *J. Huber*, Die verlorene Unschuld der Ökologie 130.
[70] A.a.O.

technologischen Innovationen für einen Großteil der Menschen auf Dauer eine beträchtliche Verkürzung der Lohnarbeitszeit, in welcher Form auch immer, bringen werden.

Industrielle Wirtschaft kann heute weithin nur noch in großtechnologischen Dimensionen effektiv sein. In bestimmten Bereichen aber (z. B. biologischer Landbau oder Verwendung von elektronischen Werkzeugen zur Dezentralisierung) ist eine *Ablösung von der Großtechnologie* durchaus möglich. Und hier liegt eine echte Chance für neue professionelle wie duale Projekte. »Sanfte« Technologien sind ökologisch angepaßt. »Mittlere« Technologien suchen den Ausgleich zwischen dem Aufwand an Kapital und Energie einerseits und Arbeit andererseits. »Angepaßte« Technologien sind auf den Menschen zugeschnitten und verringern die Entfremdungseffekte im Arbeitsprozeß. »Kleintechnologien« schließlich sind in ihren Funktionen leichter durchschaubar, für den Benutzer leichter handhabbar, bei ihm selbst (lokal) leichter einsetzbar und schließlich besser geeignet, individuellen oder Gruppenbedarf unmittelbar abzudecken.[71]

Als weitere positive Tendenz zeichnet sich mit der Entwicklung der Selbsthilfegruppen ganz allgemein eine *Ablösung von den Großinstitutionen* ab. Der Mensch sperrt sich dagegen, von einer gigantischen Anonymität im wirtschaftlichen, sozialen, medizinischen und auch im kulturellen Bereich verschlungen zu werden. Es entspricht durchaus dem Prinzip der Subsidiarität, wenn nachhaltig und vielfältig versucht wird, in kleinen Selbsthilfegruppen zu zeigen, daß von unten her vieles effektiver und zudem menschlicher gemacht werden kann. Hier liegt die Legitimation für die von der Sozialethik immer wieder beschworenen »kleineren, überschaubaren Einheiten ..., die näher am Mann bzw. am Notfall sein können als Großorganisationen und deswegen unkomplizierter und vor allem unbürokratischer helfen können«.[72] Man wird gewiß die familiären und nachbarschaftlichen Hilfsmöglichkeiten nicht unterschätzen dürfen. Aber sie brauchen dringend eine Ergänzung durch Projekt-

---

[71] Vgl. *O. Renn,* Die alternative Bewegung: Ursprünge, Quellen und Ziele 43–45; *Ders.,* Die sanfte Revolution – Zukunft ohne Zwang?, Essen 1980; *W. Edelmann – S. Baer,* Alternative Technologie – Gebot der Stunde, Berlin 1977; *G. Keil,* Der sanfte Umschwung; *G. Liedke,* Im Bauch des Fisches 25–34.

[72] Selbsthilfe als Alternative, in: Herder-Korrespondenz 37 (1983) 118; a.a.O. 117 verweist der Berliner Senator für Gesundheit, Soziales und Familie auf die Tatsache, daß 40 % der Haushalte in einer deutschen Durchschnittsgroßstadt (in Berlin 50 %) Ein-Personen-Haushalte sind; die Zahl beruht auf einer Schätzung, wird aber aufgrund der Volkszählung abgesichert werden können. Auf jeden Fall leben sehr viele Menschen, vor allem alte, in einer Isolierung, die sie für Großinstitutionen schwer erreichbar macht.

gruppen. Eine Gesellschaft und ein Staat, die frei sich regende Kräfte der Spontaneität und Eigenverantwortlichkeit nicht zu sinnvollem Einsatz kommen ließen, wären schlecht beraten. Daß solche Gruppen jedenfalls teilweise dem Staat erhebliche Kosten einsparen helfen, ist bereits früher vermerkt worden.

Wenn die Selbsthilfegruppen sich positiv entwickeln, werden sie einen wichtigen Beitrag zum Aufbau »humanerer Sozialräume«[73] leisten. Freilich ist dies nur möglich, wenn sie im Rahmen unserer dual konstruierten Wirtschaft verbleiben. Dann können sie die von Industrie und Technik bewirkte Differenzierung der beruflichen Möglichkeiten gegenüber der vorindustriellen stationären Wirtschaftsgesellschaft noch weiter entfalten. In kleinen Gruppen bzw. Netzen werden viele eine ihren Neigungen und Fähigkeiten entsprechendere Tätigkeit finden und ihren Bedürfnissen angemessenere Lebens- und Arbeitsstile entwickeln können. Sie werden bei ihrem Einsatz in menschlichen Nahbereichen mehr persönliche Anerkennung und Bestätigung finden. Sie werden nicht nur im Mitarbeiterkreis sich mehr Heimat und Nestwärme vermitteln, sondern dieses Angenommensein auch in ihrer Tätigkeit weitergeben. In Selbsthilfegruppen können auch die Arbeitsbedingungen menschengemäßer sein, zumal die einzelnen Arbeitsgänge ganzheitlicher durchgeführt werden können. Voraussetzung ist allerdings, daß die Projektgruppen sich nicht durch die Frustrationen aufwendiger Selbstverwaltungsideologien selbst um ihre Wirkung bringen. J. Huber sieht das Problem solcher Projektgruppen in der Tat darin, daß »exzessive Zeitopfer und gruseldynamischer Gruppenstreß« die Effektivität der Arbeit behindern.[74]

Weiterhin kommt viel darauf an, daß die Selbsthilfegruppen eine gute Kooperation mit den Familien und den Institutionen der Freien Wohlfahrtspflege anstreben. Es wurde bereits darauf verwiesen, daß ihnen in dieser Kooperation eine ergänzende und eine subsidiäre Aufgabe zukommt. Auch wenn Familien und Einrichtungen der Freien Wohlfahrtspflege, was dringend zu wünschen und zu fordern ist, noch stärker als bisher unterstützt und gefördert werden, bleibt noch genug zu tun. Nicht alle Probleme können über die Fa-

---

[73] Vgl. a.a.O. 118. – Auch im Rahmen der Industriewirtschaft gibt es Entwicklungen hinsichtlich der Arbeitsorganisationen, die in die gleiche Richtung weisen. Die Volvo-Werke z. B. haben sich vom traditionellen Fließband auf kleine Arbeitsgruppen umgestellt, die über Kooperationsformen und Rhythmus ihrer Arbeit selbst entscheiden. G. Keil, Der sanfte Umschwung 129–163, setzt sich an diesem und einer Reihe anderer Beispiele kritisch-produktiv mit Konzepten neuer Arbeitsformen auseinander. Auch in der formellen Wirtschaft können offensichtlich noch »humanere Sozialräume« geschaffen werden.
[74] Wer soll das alles ändern? 130.

milie gelöst werden, »weil es die Familie nicht überall gibt und weil sie dort, wo es sie gibt, in ihrer Sozialisationsfunktion vielfältig geschwächt ist. Deswegen müssen wir eben auch den Versuch machen, möglichst auf nachbarschaftlicher Basis kleine Netzwerke zu bilden und dürfen den einzelnen Menschen, der sich aufgrund seiner Lebensumstände nicht helfen kann, nicht einfach den großen Institutionen und Pflegeheimen überlassen.«[75]

Im Zusammenwirken freier Projektgruppen mit Familien und Wohlfahrtsinstitutionen könnte sich schließlich auch eine Chance herausbilden, daß mehr Menschen als bisher von einer einseitig materiell orientierten Grundeinstellung zu einer *entschiedener human, d. h. personal und sozial orientierten Kultur* in Bewegung gebracht werden. Vielleicht würde sich allmählich auch die Einstellung zum Konsum ändern. Vermutlich würde der Bedarf an kompensatorischem Konsum ebenso zurückgehen wie der nach demonstrativem Konsum. Auf jeden Fall würden Menschen, die in überschaubaren Gruppen arbeiten, leichter eine andere Vorstellung von Tätigkeit kennenlernen, die auch in ihre Lohnarbeit hinein wirksam werden könnte (falls sie in einem dualen Projekt mitarbeiten).

Projekte, die sich als Alternativen nicht zur, sondern innerhalb der arbeitsteiligen Industriewirtschaft verstehen, können durchaus zu einer *Avantgarde einer neuen Ordnung* werden. Die auf uns zukommenden Entwicklungen lassen es als im höchsten Maße wünschenswert und dringlich erscheinen, daß neue Lebensformen ausprobiert werden. Es wird in zunehmendem Maße Freiräume geben, die bei vielen nicht mehr durch Lohnarbeit ausgefüllt werden können. Darum verdienen alle Bemühungen, die für dieses Problem Lösungen suchen, der Ermutigung.

Es ist darum auch zu begrüßen, daß die hier angesprochenen Fragen in *zwei neuen kirchlichen Verlautbarungen* deutlicher als früher angesprochen werden.[76] Beide Stellungnahmen betonen grundsätzlich das Recht eines jeden Menschen auf Arbeit. Wo dieses Recht auf Arbeit in Phasen der Wachstumsminderung oder im Zuge weitgreifender Automatisierung der Produktions- und Verwaltungstätigkeiten nicht für alle im bisherigen Umfang eingeräumt werden kann, muß in redlicher Solidargemeinschaft von Arbeiten-

[75] Selbsthilfe als Alternative, in: Herder-Korrespondenz 37 (1983) 117.
[76] 1. Arbeitslosigkeit. Erklärung der Gemeinsamen Konferenz und Stellungnahme des Beirats der Gemeinsamen Konferenz zur Arbeitslosigkeit, hrsg. vom Sekretariat der Deutschen Bischofskonferenz und vom Zentralkomitee der deutschen Katholiken (5. 11. 1982);
2. Solidargemeinschaft von Arbeitenden und Arbeitslosen. Eine Studie der Kammer der Evangelischen Kirche in Deutschland für soziale Ordnung, Gütersloh 1982.

den und Arbeitslosen der Mangel gerecht verteilt werden, oder, positiv formuliert: die noch vorhandenen Arbeitsmöglichkeiten müssen auf alle, die Arbeit suchen, so gerecht wie möglich verteilt werden. Dies wird nur dann durchgesetzt werden können, wenn ein Großteil der Arbeitenden spürbare Verkürzungen der Arbeitszeit (ohne vollen Lohnausgleich) hinnimmt.[77]

Die Evangelische Stellungnahme geht darüber hinaus und handelt auch vom »alternativen Wirtschaften« (Nr. 127–129). Freilich wird der Begriff nicht ausdrücklich im Horizont einer dualen Wirtschaft verstanden. Es heißt: »Im großen und ganzen läßt sich sagen, daß alternatives Wirtschaften kleine, überschaubare Betriebsformen anstrebt, die sich durch reichen menschlichen Kontakt, eigene Gestaltungsmöglichkeiten, Umweltfreundlichkeit und Verzicht auf Wettbewerbsvorteile sowie Gewinnmaximierung auszeichnen.« (Nr. 127) Die Stellungnahme ist allerdings recht zurückhaltend: In einer hochtechnisierten Industriewirtschaft seien Formen alternativen Wirtschaftens »heute kaum unmittelbar praktikabel«. Im Rahmen der in der BRD vorherrschenden Wirtschaftsform erscheint den Verfassern der Stellungnahme »alternatives Wirtschaften lediglich als eine gewisse Ergänzung unseres Wirtschaftssystems mit seinen Freiräumen denkbar (Nr. 128). Es wird nicht bestritten, daß von denjenigen, die das Wagnis auf sich nehmen wollen, »die Freiräume einer sozialen Marktwirtschaft ... für die Erprobung derartiger neuer Arbeits- und Betriebsformen ... durchaus genutzt werden (können)« (Nr. 129). Eine Ermutigung wird man darin gewiß nicht sehen dürfen, zumal auch der Hinweis nicht fehlt, daß wie bei allen unternehmerischen Tätigkeiten in der Volkswirtschaft auch im alternativen Bereich jeder, der Pionierarbeit leisten will, auch das Risiko tragen muß. (Uneingeschränkt wird man dies freilich nur von alternativen Projekten im Produktionsbereich sagen können.) Schließlich ist die Rede von einem »Zweiten Arbeitsmarkt« und den hier möglichen Beiträgen zu einer »humanen Beschäftigungspolitik«. Doch handelt es sich auch hier – wie noch einmal ausdrücklich gesagt wird – um »die Nutzung der Freiräume in der vom Grundgedanken der Freiheit bestimmten Marktwirtschaft« (Nr. 129). Nicht weniger bedeutsam als diese Äußerungen erscheint die Tatsache, daß innerhalb der evangelischen Kirche auf diesem Gebiet praktische Versuche gemacht werden. Die vom Diakonischen Werk angestoßene »Neue Arbeit GmbH« hat zwar ein anderes Ziel und ist auch anders strukturiert

[77] Kath. Stellungnahme S. 18–20. Ev. Stellungnahme Nr. 65 und 92.

als etwa die »Kleinen Netze« Hans Ch. Binswangers. Aber sie zeugt von ähnlichem Einfallsreichtum und ähnlicher Entschlossenheit. Man kann nur hoffen, daß diese und ähnliche Modelle – auch solche, die aus welchen Gründen auch immer in den Gettos der Subkultur verkümmern – ansteckend wirken und bei vielen einzelnen und auch bei sog. gesellschaftlich relevanten Gruppen jene soziale Phantasie und Bereitschaft wecken, ohne die wir die großen Zumutungen der kommenden Jahrzehnte gewiß nicht in echte Chancen für ein menschlicheres Zusammenleben verwandeln können. Nach dem Ausweis der Geschichte sind jedenfalls nicht selten von kleinen Gruppen Anstöße gekommen, die langfristig auf die ganze Gesellschaft starke positive Wirkungen ausgeübt haben.

d) Bestätigung der Grundorientierung

Wer von der katholischen Soziallehre herkommt, hat längst bemerkt, daß das hier vorgestellte Modell im Grundsätzlichen eine bemerkenswerte Nähe zu den von ihr entwickelten Vorstellungen hat: Die Prinzipien der Solidarität, der Subsidiarität und der Föderation gelten hier wie dort. Im folgenden soll eine kleine Denk- und Erinnerungshilfe für jene gegeben werden, die vielleicht in langen Jahrzehnten theoretisch oder praktisch im Dienst der sozialen Marktwirtschaft gearbeitet haben und in dem hier vorgestellten Modell sozialistische Tendenzen am Werk sehen.[78] Zu ihrer Beruhigung möge ein unverdächtiger Zeuge herbeigerufen werden: Wilhelm Roepke, ein führender Vertreter der neoliberalen Schule.[79] Er ist sich der konstitutiven immanenten Gefährdung auch einer moderierten Marktwirtschaft stets bewußt geblieben. Wettbewerb ist für eine freie Wirtschaftsordnung unersetzlich, aber er bedarf, um nicht destruktiv zu wirken, der Dämpfung. Roepkes marktwirtschaftliches Muster ist eine »höhere Form des Rivalisierens« (189). In seinem Buch »Jenseits von Angebot und Nachfrage« hat er den genuin wirtschaftstheoretischen Bereich transzendiert und ist in die Dimension des Sittlichen und damit des Humanen im umfassenden

---

[78] A. Rich ist sicherlich vom Frühsozialismus beeinflußt. Bei H. Ch. Binswanger mögen Anregungen durch das Schweizer Allmendwesen wirksam geworden sein. Vgl. Christliche Wirtschaftsethik vor neuen Aufgaben (Festgabe für A. Rich), hrsg. von Th. Strohm, Zürich 1980, 17–37 (*A. Rich*, Sozialethische Kriterien und Maximen humaner Gesellschaftsgestaltung); 183–206 (*S. Herkenrath*, Soziale Aspekte des schweizerischen Allmendwesens im 19. Jahrhundert. Überlegungen zu L. Ragaz' »Dorfkommunismus«); vgl. auch a.a.O. 165–182 (*M. Mattmüller*, Über die Affinität des christlichen Denkens zur Genossenschaftsidee).

[79] Vgl. *W. Roepke*, Jenseits von Angebot und Nachfrage, Erlenbach–Zürich und Stuttgart ⁴1966; die Zitate sind im Text selbst durch Angabe der Seitenzahl in Klammer nachgewiesen.

Sinn vorgestoßen. Drei seiner wichtigsten Thesen sollen hier in Erinnerung gerufen und damit seine grundsätzliche Übereinstimmung mit der Grundorientierung des hier favorisierten Modells alternativen Wirtschaftens angedeutet werden. Wilhelm Roepke streitet

1. *für die menschlichen Werte und gegen den Kult der Produktivität.* Produktivität, materielle Expansion um jeden Preis und Lebensstandard können nicht als Höchstwerte für die Wirtschaft proklamiert werden (166). »Entscheidend sind die Dinge jenseits von Angebot und Nachfrage, von denen Sinn, Würde und innere Fülle des Daseins abhängen, die Zwecke und Werte, die dem Reiche des Sittlichen im weitesten Verstande angehören« (22). Roepke setzt der Physik der Wirtschaft »ihre Psychologie, ihre Moral, ihren Geist, kurzum ihre Menschlichkeit« entgegen (382).

2. *für echte Eigenverantwortung und gegen die totale Sozialisierung der Lebensvorsorge.* Natürlich ist Roepke nicht gegen Lebensvorsorge und auch nicht gegen das dazu nötige Minimum an staatlichem Zwang, wohl aber gegen den vom Sozialismus heraufgeführten oder doch angestrebten Wohlfahrtsstaat. Die Sozialisierung der Einkommensverwendung verändert, zumal wenn sie auf alle gesellschaftlich wichtigen Funktionen zielt, in beängstigender Weise das moralische Klima einer Gesellschaft. »Caritas, Ehrenamtlichkeit, Freigebigkeit, beschauliches Gespräch, Otium cum dignitate und alles, was Burke mit dem ... Wort ›unbought graces of life‹ zusammenfaßt – es erstickt nunmehr unter dem würgenden Griff des Staates. Alles wird jetzt – eine paradoxe Folge des Wohlfahrtsstaates – kommerzialisiert, alles Gegenstand der Berechnung, alles durch den staatlichen Pumpapparat der Geldeinkommen getrieben. Wenn so gut wie nichts mehr ehrenamtlich geschieht, weil es an Leuten fehlt, die dafür wohlhabend genug sind, wenn Bürgergeist und Gemeinsinn sich abstumpfen und sich oben in Ärger und unten in Neid verwandeln, dann müssen wir mit einer allgemeinen Professionalisierung und Kommerzialisierung aller Leistungen rechnen« (247).

Das Leitbild einer wohlbestellten Gesellschaft ist für Roepke »die verantwortliche Eigenvorsorge mit ihrem Kranz an solidarischer Gruppenvorsorge«, und dieses Leitbild kann man nicht preisgeben, »ohne die Grundlagen einer freien Gesellschaft selber zu erschüttern und den Unterschied vom Kommunismus auf einen bloß gradweisen zu verringern« (256 f). Nichts ist für eine gesunde, dem Menschen gemäße Gesamtordnung schädlicher als Vermassung und Konzentration. Effektive Selbstverantwortung und Eigenständigkeit können mit nachbarlicher Gesinnung und echtem Bürgersinn nur im Gleichgewicht bleiben, wenn die sozio-ökonomischen Strukturen, in denen wir leben, »das menschliche Maß nicht überschreiten« (23). Darum kämpft Roepke

3. *für das überschaubare Maß und gegen die Machtübernahme durch Groß- und Kolossalunternehmen*. Konzentration ist für ihn »die eigentliche Sozialkrankheit unserer Zeit« (55). Darum dürfen selbständige Betriebe und Unternehmungen nicht noch mehr verringert werden. Die Härte der Arbeitsverhältnisse muß gemildert werden, soweit es die Struktur der Betriebsorganisation und die Natur der Marktwirtschaft zulassen. Und schließlich müssen Gegengewichte gegen die Abhängigkeiten im Arbeitsverhältnis gebildet werden (vor allem Eigentumsbildung). Roepke beklagt bitter eine »zentristisch-mechanistische Neigung des zeitgenössischen ökonomischen Denkens«, wie sie vor allem in der auf John Maynard Keynes zurückgehenden Tendenz zur Makroökonomie zutage tritt (367 f). In der Wahrung bzw. Wiederherstellung des überschaubaren Maßes liegt für ihn die Therapie für die zentristische Wirtschaftsgesellschaft. Er fordert eine Rückbesinnung »auf eine gewisse Kompartimentierung der Gesellschaft, auf den Respekt vor dem Gewordenen, auf ein Mindestmaß an Buntheit und Gliederung der Gesellschaft horizontal und vertikal, auf Familienüberlieferung, auf Sonderdisposition, auf den Ausgangspunkt des Ererbten als unerläßliche Bedingungen einer gesunden und glücklichen Gesellschaft« (349). Die Gewichte haben sich allzusehr zugunsten der »Groß- und Kolossalunternehmen« (361) verschoben. Hier sind Korrekturen nötig – aber nicht in Richtung auf »Partikularismus, Krähwinkelei und Kirchturmspolitik«, vielmehr muß der Dezentrist zugleich der »überzeugteste Universalist« sein (350). Aber es bleibt dabei: Das Menschliche kann nur im überschaubaren Kreis gedeihen. »Marktwirtschaft einer atomisierten, vermassten, proletarisierten und der Konzentration anheimgefallenen Gesellschaft ist etwas anderes als Marktwirtschaft einer Gesellschaft mit breiter Streuung des Eigentums, standfesten Existenzen und echten Gemeinschaften, die, beginnend mit der Familie, den Menschen einen Halt geben, mit Gegengewichten gegen Wettbewerb und Preismechanik, mit Individuen, die verwurzelt (sind) und deren Dasein nicht von den natürlichen Ankern des Lebens losgerissen ist, mit einem breiten Gürtel selbständigen Mittelstandes, mit gesundem Verhältnis zwischen Stadt und Land, Industrie und Landwirtschaft, und mit vielen anderen Dingen, die zu nennen wären, wenn wir die ›natürliche Ordnung‹ beschreiben wollen, und von denen in mei-

nem früheren Buche ›Maß und Mitte‹ ausführlicher die Rede gewesen ist« (60).

Wenn man sich die drei vorgestellten Thesen vor Augen hält, wird man nicht bestreiten können, daß zumindest die grundlegende Orientierung des wirtschaftlichen Denkens Wilhelm Roepkes wesentlichen Anliegen heutiger ökonomischer Alternativmodelle entgegenkommt. Diese Feststellung gewinnt an Gewicht, wenn man die von Roepke fast prophetisch vorausgesehene Entwicklung des letzten Jahrzehnts mit berücksichtigt.

2. Teil

DIE BEDEUTUNG DES CHRISTLICHEN GLAUBENS FÜR EIN ÖKOLOGISCHES ETHOS

Vorbemerkungen

1. Der heutige Mensch ist nicht der erste, der aufgrund fundamentaler Gefährdungen gezwungen ist, über vernünftigere Modelle der Daseinsgestaltung nachzudenken. Es gibt den Menschen immer nur in konkreter Geschichte und in einem konkreten soziokulturellen Milieu, und dies schließt zu allen Zeiten die Erfahrung zugleich von Würde und Ohnmacht ein. Kann die christliche Botschaft ihm bei der Bewältigung dieser Erfahrung hilfreich sein? Sie zeigt jedenfalls nicht einen für immer geltenden konkret konturierten Lebensstil und schon gar nicht konkrete materialethische Normen für das Weltverhalten aus; Lebensstile und Normen zu kreieren, ist zuallererst Sache der gesellschaftlich-geschichtlichen Vernunft des Menschen. Der Christ ist zunächst Mensch wie jeder andere auch; es gibt für ihn kein besonderes weltethisches Einmaleins, kein besonderes weltethisches Alphabet; das Menschliche ist menschlich für Heiden wie für Christen. Wohl aber stellt die christliche Botschaft den Glaubenden in einen neuen Sinnhorizont. Mit diesem neuen Sinnhorizont ist jenes neue Gesamtverständnis gemeint, in dem die durch Christi Tod und Auferstehung durchgesetzte fundamentale Neubestimmung der menschlichen und weltlichen Wirklichkeit ausgelegt wird. Weil nun der Mensch in konkrete Geschichte verwiesen und auch das Heil ihm nur in konkreter geschichtlicher Vermittlung durch die Kirche angeboten wird, kann eine für das menschliche Dasein relevante theologische Reflexion nur auf der Basis redlicher *Zeitgenossenschaft* sinnvoll sein. Wer die geistigen Bewegungen der jeweiligen Gegenwart nicht als seine eigenen existentiell mitvollzieht, kann die christliche Botschaft nicht für die Menschen auslegen, die sie nach ihrer innersten Intention erreichen will. Überdies muß der Theologe sich bewußt bleiben, daß es nicht nur Wahrheit des Heils, sondern auch Wahrheit der Welt gibt, daß Gottes Weltwille und Weltliebe sich nicht nur durch die Kirche, sondern auch durch den Geist, die Freiheit und die Liebe der Menschen geschichtlich vermitteln. Wenn der Theo-

loge, und sei's nur im verborgensten Winkel seines Herzens, von
der Überzeugung ausgeht, die Welt im ganzen sei kaum mehr als eine moralische Wüste, die urbar zu machen die Kirche ausgesandt
ist, wird er nicht begreifen können, was die Geschichte heute entscheidend vorantreibt; er wird weder die »Autonomie der Moral«
noch »die Moral der Autonomie« (J. Schwartländer) zu erkennen
und anzuerkennen vermögen. Nur respektvolle Zeitgenossenschaft
macht den Theologen fähig und bereit, die Wahrheit des Heils mit
der Wahrheit der Welt fruchtbar ins Gemenge zu bringen und die
christlichen Aussagen über den Menschen sinnvoll auf die jeweilige Gegenwart hin neu auszulegen.

2. Auf Zeitgenossenschaft gründende Theologie hat sich, auf
welche Weise auch immer, stets um das bemüht, was man seit Paul
Tillich als *»Korrelationsmethode«* bezeichnet.[1] Diese Methode geht
davon aus, daß Offenbarung nicht ein geschlossenes System »göttlicher Wahrheiten« ist, das der Kirche wie ein toter Schatz anvertraut ist, sondern die Selbstmitteilung Gottes an die Menschheit.
Versteht man unter Offenbarung eine Anzahl von Sätzen, durch die
Gott die Menschen in einer immer und allgemein gültigen Form
über die Grundlagen und Ziele ihres Daseins informiert hat, dann
hat es die Theologie verhältnismäßig leicht. Dann braucht sie nur
die in jahrhundertelanger Arbeit immer mehr differenzierten Vorstellungen und die sie begründenden Argumentationsgefüge immer
mehr zu verfeinern und zu einem überzeugenden System auszu-
bauen.[2]

Der um Zeitgenossenschaft bemühte Theologe versucht, soweit
dies überhaupt möglich ist, die gesamte Wirklichkeit des je gegenwärtigen Lebens, seine vorwärtsdrängenden Tendenzen und Impulse genauso wie seine Gefährdungen und Verwirrungen, voll in sein
Bewußtsein aufzunehmen. Er versucht beides so klar wie möglich
zu analysieren und dann mit den grundlegenden Aussagen der
christlichen Offenbarung zu konfrontieren. Diese Vermittlung zwischen den Dringlichkeiten der geschichtlichen Situation und der
christlichen Glaubenserfahrung, zwischen existentiellem Fragen
und christlichem Antworten ist die eigentliche Intention der Korrelationsmethode: »Die Theologie formuliert die in der menschlichen Existenz beschlossenen Fragen, und die Theologie formuliert
die in der göttlichen Selbstbekundung liegenden Antworten in
Richtung der Fragen, die in der menschlichen Existenz liegen . . .

---

[1] Vgl. bes. *P. Tillich,* Systematische Theologie, Bd. I, Stuttgart ³1956, 73–80; Bd. II, ³1958,
19–22.
[2] Vgl. *A. Ganoczy,* Der schöpferische Mensch und die Schöpfung Gottes 191.

Sie gibt eine Analyse der menschlichen Situation, aus der die existentiellen Fragen hervorgehen, und sie zeigt, daß die Symbole der christlichen Botschaft die Antworten auf diese Fragen sind.«[3]

»Korrelation« bedarf der Konkretisierung und der Differenzierung. Sie ermöglicht genauerhin ein Dreifaches: die Integrierung der Wirklichkeit in einem umgreifenden Sinnhorizont, die kritische Auseinandersetzung mit ihren destruktiven Tendenzen und die stimulierende Ermunterung ihrer positiven Impulse. Voraussetzung ist allerdings, daß die Offenbarung mit ihrem vollen Sinngehalt ins Spiel kommt. Theologische Konzeptionen, die einseitig entweder von der Schöpfung oder von Jesus Christus oder von der Hoffnung auf jenseitige Erfüllung oder auch von der sündhaften Verderbtheit des Menschen her konstruiert sind, werden der Offenbarung nicht gerecht und sind überdies in der Praxis nicht hilfreich. Wie bei der Analyse der Wirklichkeit müssen auch bei dem Bemühen um die Interpretation der christlichen Botschaft auf diese Wirklichkeit hin alle Einseitigkeiten vermieden werden. Der Sache angemessen und für die Praxis hilfreich ist nur »Konvergenzargumentation« (J. Gründel), »korrelative Ausgewogenheit« (A. Ganoczy). Im übrigen darf nicht verkannt werden, daß integrierende, kritisierende und stimulierende Effekte nicht nur von der christlichen Botschaft her geltend gemacht werden können und geltend gemacht werden, daß vielmehr auch in der gesellschaftlich-geschichtlichen Entwicklung selbst Elemente von ganzheitlicher Sinnerfahrung, selbstkritischer Reflexion und vorwärtsdrängendem Humanisierungsstreben enthalten sind.

Kann eine solche Theologie Anspruch auf Wissenschaftlichkeit erheben? Solange die logisch-mathematische Methode und deren naturwissenschaftlich-technische Umsetzung das Zentrum der Wissenschaft besetzt halten, wird alles Reden – nicht nur theologisches – von Freiheit, Verantwortlichkeit, Spontaneität, Kreativität und geschichtlicher Vernunft als wissenschaftlicher Rationalisierungsversuch zurückgewiesen werden. Es gibt allerdings seit einiger Zeit Einsichten und Erfahrungen, die das kritische Vermögen in den sog. exakten Wissenschaften schärfen und die Ohnmacht der Sinnwissenschaften mildern. In den Naturwissenschaften bleibt der Anspruch auf Gültigkeit auf den Bereich eingeengt, der durch das Experiment abgedeckt ist; ihre Ergebnisse können, seitdem man sich dessen bewußt geworden ist, nicht mehr als absolut betrachtet werden. Außerdem hat sich das Selbstverständnis der exakten Wissen-

---

[3] *P. Tillich*, Systematische Theologie I, 75 f.

schaften, sie betrieben Forschung rein um der Wahrheit willen, als irrig erwiesen; sie geraten offenbar nicht selten in die Dienstbarkeit der Wirtschaft und des Staates. Vor allem aber haben die exakten Wissenschaften einen Zustand heraufgeführt, in dem die Selbstvernichtung der Menschheit möglich geworden ist. Sie können der Sinnfrage gar nicht mehr ausweichen; sie begegnen ihr mindestens in der Rechtfertigung ihrer Ziele und in der Verantwortung für ihre Folgen.[4]

Philosophie und Theologie als Sinnwissenschaften befassen sich mit dem Gesamthorizont, der alle anderen Wissenschaften einschließt. Sie erbringen spezifische und nur ihnen mögliche Beiträge zur Frage nach Ursprung, Sinn und Ziel aller Wirklichkeit und damit auch aller Wissenschaft. Diese Position respektiert die Autonomie der einzelnen Wissenschaften; an der Eigengesetzlichkeit ihrer Gegenstände und ihrer Methoden kann hier kein Zweifel aufkommen. Nun ist aber jede wissenschaftliche Einzelerkenntnis der einen Grundwahrheit zugeordnet, ohne deren Gewahrwerden sie nicht voll zu sich selbst kommen kann. Insofern steht die Autonomie der Einzelwissenschaften in Relation zu Theologie und Philosophie, die sich beide auf ihre je eigene Weise mit der Grundwahrheit befassen. Wenn damit für Philosophie und Theologie eine Begründungsaufgabe zur Integrierung der anderen Wissenschaften in Anspruch genommen wird, dann werden jene nicht aus der konstitutiven dialogischen Struktur von Wissenschaft überhaupt herausgehoben. Philosophie und Theologie auf der einen, die übrigen Wissenschaften auf der anderen Seite entfalten sich in relationaler Autonomie und werden dadurch zu gegenseitiger Kritik fähig.

3. Nun wird in der ökologischen Diskussion immer nachdrücklicher eine neue »*Theologie der Natur*« gefordert. Jürgen Hübner plädiert genauerhin für eine »Theologie der Natur in ihrer Eigenständigkeit«, »der Natur ohne den Blick auf den Menschen«.[5] Er lehnt eine »theologische Deutung der Natur« ab; hier bleibe eben die Natur Objekt, und in der gängigen Wortverbindung »Theologie der Natur« läge dann gewissermaßen ein »genitivus obiectivus« vor. In der nunmehr zu erarbeitenden »Theologie der Natur« dürfe diese aber gerade nicht mehr bloßer Gegenstand, bloßes Objekt sein, vielmehr komme dem Gegenstand selbst Subjektivität zu: »Er ge-

---

[4] Vgl. *A. Auer,* Ethische Implikationen von Wissenschaft. Zum Folgenden vgl. die Ansprache Johannes Pauls II. in Deutschland (Verlautbarungen des Apostolischen Stuhls, hrsg. vom Sekretariat der Deutschen Bischofskonferenz, Heft 25) 1980.

[5] Schöpfungsglaube und Theologie der Natur, in: Evangelische Theologie 37 (1977) 49–68.

winnt den Charakter eines Partners.«[6] Man muß in der Tat zugeben, daß bei einer »theologischen Deutung der Natur« diese zum »Objekt« wird. Aber das bedeutet keineswegs, daß sie, wenn sie grammatikalisch Objekt ist, auch für den menschlichen Umgang zum Objekt der Verrechnung und Ausbeutung degradiert wird. Eine theologische Deutung muß vielmehr die Eigenwertigkeit der Natur voll anerkennen. Sie muß die Fragestellungen, die aus dem modernen Naturverständnis selbst erwachsen, zur Geltung bringen.[7] Doch kann man daraus nicht die Folgerung ziehen, in der Wortverbindung »Theologie der Natur« müsse Natur den Status eines »genitivus subiectivus« einnehmen. Man wird doch im Ernst nicht behaupten können, daß etwa im Evolutionismus Pierre Teilhards de Chardin oder in der geschichtsphilosophischen Konzeption Wolfhart Pannenbergs oder in der »Praktischen Theologie der Natur« Klaus M. Meyer-Abichs »die Natur ohne den Blick auf den Menschen« betrachtet wird.[8]

Eine »Theologie der Natur«, wie sie Jürgen Hübner favorisiert, will den christlichen Schöpfungsglauben in der Auseinandersetzung mit den Problemen des modernen Naturverständnisses zur Geltung bringen. Dem kann man nur zustimmen, nicht aber der Folgerung, eine »Theologie der Natur« müsse sich dann in der Weise etablieren, daß in ihr Natur »genitivus subiectivus« wird. In der Theologie als dem »logos theou« ist Gott »genitivus obiectivus« und »genitivus subiectivus« zugleich. Theologie spricht von Gott, aber sie legt nur aus, was der offenbarende Gott selbst gesprochen hat. Natur in der Wortverbindung »Theologie der Natur« als »genitivus subiectivus« zu bezeichnen, das gibt keinen Sinn – es sei denn, man wage sich auf dem Weg der Analogie mit einer selbst für katholische Theologen verwunderlichen Entschlossenheit vor.

Theologie reflektiert die in der Heiligen Schrift dokumentierte und im christlichen Glauben erfahrene Selbstmitteilung Gottes. Gott teilt sich dem *Menschen* mit, der Natur nur, insofern sie der geschichtliche Daseinsraum des Menschen ist. Die Selbstmitteilung Gottes an den Menschen ereignet sich in Schöpfung, Erlösung und Vollendung. Der Glaube an die Erschaffung der Welt und der

---

[6] A.a.O. 52 f. 61: »Die Welt als Gottes gute . . . Schöpfung kann nicht mehr Objekt von bloßer Benutzung, Verrechnung oder Ausbeutung – auch im geistigen Sinne – sein, sie wird vielmehr zum Gegenüber.«

[7] *J. Hübner*, a.a.O. 62 f, weist mit Recht auf den Symmetrie- und Harmoniegedanken als bestimmendes Element der Weltdeutung oder auf den Grundansatz einer Weltdeutung aufgrund der klassischen biologischen Entwicklungslehre hin. Solche Denkmuster sollten in der Theologie viel entschiedener aufgegriffen werden.

[8] A.a.O. 49; vgl. 51 f.

Menschen durch Gott impliziert eine Ermunterung der menschlichen Vernunft und Freiheit, die in der Anfangsgestalt der Welt eingeschlossenen Möglichkeiten im Verlauf der Geschichte auszukundschaften und soweit als möglich durchzusetzen. Der Glaube an die Zuwendung Gottes zum Menschen in Jesus Christus impliziert eine Verheißung an die menschliche Vernunft und Freiheit, insofern darin der Mensch und die ihm anvertraute Welt endgültig von Gott angenommen sind und alle noch ausstehende Geschichte und ihre schließliche Vollendung als Enthüllung dessen erscheinen, was in der Auferstehung Jesu begonnen hat. Die biblische Lehre von der Sünde schließlich impliziert eine Warnung an die menschliche Vernunft und Freiheit; die Sündenfallgeschichte von Gen 3 macht deutlich, in welches Verhängnis die Überschreitung der dem Menschen gesetzten Grenzen führt.

Die hier skizzierten methodischen und sachlichen Ansätze sollen in der folgenden Überlegung entfaltet werden.

1. Kapitel
GRUNDAUSSAGEN EINER
THEOLOGIE DER SCHÖPFUNG

Manche Untersuchungen zu unserem Thema erwecken den Eindruck, eine »Theologie der Natur« gründe allein auf dem christlichen Schöpfungsglauben. Auch wenn man solche Einseitigkeit vermeiden will, bedarf der Glaube an die Schöpfung in diesem Kontext eingehender Reflexion. Diese Dringlichkeit ergibt sich zunächst aus der Tatsache, daß in der gegenwärtigen ökologischen Diskussion von verschiedenen Seiten gerade die Theologie der Schöpfung (im besonderen die in ihr vertretene göttliche Beauftragung des Menschen mit der Herrschaft über die Welt) massiv diskreditiert wird. Sie ist aber auch darin begründet, daß der Glaube an die Schöpfung für die christliche Begründung einer neuen Umweltverantwortung in der Tat von grundlegender Bedeutung ist. Die folgenden Überlegungen konzentrieren sich auf die beiden für die ökologische Thematik entscheidenden Aspekte des Schöpfungsglaubens, auf die Kreatürlichkeit und auf die Anthropozentrik der Welt.

I. KREATÜRLICHKEIT DER WELT

1. Schöpfung

Israel hat in seiner Geschichte immer wieder erfahren, daß sein Gott mächtiger ist als die Götter der Nachbarvölker. Aus dieser Erfahrung hat sich die Vorstellung entwickelt, daß die mächtige Anwesenheit Gottes nicht nur der geschichtlichen Gegenwart zuteil geworden ist, sondern bis in den Anfang der Geschichte zurückreicht. So geht es denn in den Urgeschichten des Jahwisten (Gen 2,4 – 3,24) und der Priesterschrift (Gen 1,1 – 2,4 a) sowie in den sog. Schöpfungspsalmen (bes. Ps 104,8 und Ps 19) weniger um die Aufhellung einer in unendliche Fernen sich verlierenden Urgeschichte. Es geht vielmehr um kardinale Aussagen über die gegenwärtige Wirklichkeit, in der Israel lebt. Es geht um »geschichtliche Ätiologie« (K. Rahner). Um die gegenwärtige Situation bis in ihr Fundament hinein verständlich zu machen, zeichnen die Hagiographen in prophetischer Rückschau, in »retrospektiver Prophetie« (H. Groß) den geschichtlichen Weg der Menschheit nach rückwärts und machen über den Anfang von Mensch und Welt Aussagen, die als »geoffenbarte« einen verbindlichen Charakter für uns haben. Die Schöpfungsgeschichten sind aus der Heilslehre der Bundesgeschichte erwachsen und sind als gläubige Besinnung auf das Mysterium Gottes und der Welt im Bundesvolk entstanden. Wir haben nicht einmal Grund anzunehmen, daß die Geschichten über die Schöpfung und das Paradies »auf einer geheimnisvollen Überlieferung aus der Urzeit beruhen«.[1] Die eigenen Erfahrungen über die Nähe Gottes in der Geschichte und über sein schöpferisches Handeln am Anfang der Geschichte reichen als Erklärung dafür, daß in den ersten Kapiteln der Genesis »die dichtesten und intensivsten Äußerungen über Gottes all-überragende Mächtigkeit« entfaltet worden sind.[2]

»Im Anfang schuf Gott Himmel und Erde« (Gen 1,1). Mensch und Welt haben ihren Urgrund im schöpferischen Erkennen und Lieben Gottes. Die theologische Rede von der Herkunft der Kreaturen aus Gott, von ihrer Kreatürlichkeit also, meint nicht einen einmaligen Vorgang, sondern einen Anfang, der Dauer hat und der sich durch die Geschichte hindurch entfaltet. Das »Wort« der Schöpfung ist und bleibt das seinshafte Lebenszentrum aller Kreaturen. Durch die Schöpfung sind sie immerfort unmittelbar zu Gott, und ihre Verbundenheit ist nach Intensität und Tiefe in der Fortdauer nicht geringer als im ersten Augenblick der Erschaffung. Diese totale und stets aktuelle Abhängigkeit von Gott schließt aber keineswegs ein, daß Gott nun auch alles, was er durch sein schöpferisches Wort in den Kreaturen angelegt hat, allein und unmittelbar verwirklichen will. Er will soviel wie nur möglich durch Kreaturen vollziehen. Gott schafft die Kreaturen so, daß sie sich selbst schaffen und entfalten können. Gott ist also immer noch am Werk in dieser Welt, seine Schöpfung ist noch immer im Gang.

Die theologische Rede von der Kreatürlichkeit will verdeutlichen, was die biblischen Worte »schaffen«, »sprechen« und »segnen« meinen. »Schaffen« (bara) ist »ein theologisch bestimmtes Verbum, dessen Subjekt ausschließlich Gott ist«.[3] Dieses Wort ist

---

[1] *P. Smulders*, Theologie und Evolution. Versuch über Teilhard de Chardin, Essen 1963, 63.
[2] *H. Groß*, Theologische Exegese von Genesis 1–3, 438.
[3] *H. Groß*, a.a.O. 429.

dem schöpferischen Tun Gottes vorbehalten. Darum kann es die Abhängigkeit alles Geschaffenen von Gott besonders eindrucksvoll zum Ausdruck bringen. In Gen 1,27 (»Gott schuf also den Menschen als sein Abbild, als Abbild Gottes schuf er ihn; als Mann und Frau schuf er sie«) kommt das Verbum gleich dreimal vor: Eindrucksvoller können das schöpferische Engagement Gottes auf der einen und die Verdanktheit des menschlichen Daseins auf der anderen Seite nicht zum Ausdruck gebracht werden. Was Gott sonst noch erschafft, stellt nicht einfach eine Anhäufung von Gegenständen dar, sondern »die Welt des Menschen«: »Die Welt, die Gott schafft, ist als Welt des Menschen gemeint.«[4] Da »schaffen« bei Deutero-Jesaja (40,26.28; 45,7; 54,16 u. a.) vor allem auf künftiges Heilsschaffen Gottes angewendet wird, bildet das Verbum bara eine wichtige Brücke zwischen dem schöpferischen Handeln Gottes in der Geschichte und an ihrem Anfang.

Das Wort »schaffen« wird verdeutlicht durch das Wort »sprechen« (dabar). Daß Gott sprach und daß aufgrund dieses Sprechens die Welt wirklich wurde, bezeugt Gen 1 nicht weniger als siebenmal, und zwar vor jedem einzelnen Schöpfungswerk (VV. 6.9.11.14.20.24.26). Sonst ist das Zeugnis für das schöpferische Sprechen Jahwes im Alten Testament eigentlich spärlich. Erst in den späteren Büchern, vor allem bei Deutero-Jesaja, in den jüngeren Psalmen und in den Weisheitsbüchern tritt es deutlich hervor. Das Neue Testament bietet wenige, aber sehr deutliche Belege. In 2 Petr 3,5 heißt es, daß die Himmel kraft des Wortes Gottes von je bestanden. Nach Röm 4,17 »ruft (Gott) das, was nicht ist, ins Dasein«. Der Johannesprolog (1,3) bestätigt besonders eindrucksvoll: »Alles ist durch das Wort geworden, und ohne das Wort wurde nichts, was geworden ist.« (Vgl. auch Hebr 1,2; 11,3 u. a.)[5] Der Ursprung der Schöpfung aus dem freien »Wort« Jahwes bezeugt den personalen Charakter des kreativen Geschehens. Hier gibt es weder eine gleichzeitige Entstehung von Gott und Welt aus einer anonymen Urmasse noch eine Emanation der Welt aus Gott, noch eine pantheistische Verschmelzung von Gott und Welt, noch ein deistisches Zurücktreten Gottes von seiner Welt.[6] Damit setzen sich die biblischen Schöpfungsgeschichten deutlich ab von den Weltentstehungslehren des alten Orients. Im biblischen Verständnis der Schöpfung waltet Freiheit, nicht ein unbestimmter dunkler Zwang.

[4] C. Westermann, Genesis 1–11, 121.
[5] W. Kern, Zur theologischen Auslegung des Schöpfungsglaubens, in: Mysterium Salutis II, 464–545, hier: 467–477.
[6] Vgl. H. Groß, Theologische Exegese von Genesis 1–3, 429 f.

Die Verdanktheit der Welt tritt in dem Wort »segnen« (baruk) am stärksten hervor. Im Segen spricht Gott den Geschöpfen Fruchtbarkeit und Fülle zu. Von Anfang an gilt der Segen Gottes nicht Israel, sondern der Menschheit als ganzer. »Er besteht darin, daß Gott die Menschen wie alle Lebewesen (Gen 1,22) mit der Kraft der Fruchtbarkeit und der Vermehrung ausstattet . . .«[7] Der »Schöpfungssegen« gilt nicht für alle Zukunft in der gleichen Weise. Die Priesterschrift rechnet damit, daß dieser Segen seine Wirkung getan hat, wenn die Menschheit die Erde in Besitz genommen hat und es keines weiteren Wachstums mehr bedarf.[8] Dies ist für die theologische Bewertung der gegenwärtigen Situation gewiß von höchster Bedeutung. Weder die Vermehrung der Bevölkerung noch die Inbesitznahme der Welt ist in sich ein Wert, der unter allen Umständen maximal gesteigert werden müßte. Es handelt sich hier um einen Segen, nicht um ein Gebot. Irgendwann in der Geschichte ist der dem Menschen zugewiesene Lebensraum erfüllt.[9] Aber der Segen bleibt, er hält sich auch durch alle menschlichen Verfehlungen hindurch. Die biblische Urgeschichte schließt mit dem Satz, daß in Abraham, dem Stammvater vieler Völker, »alle Geschlechter der Erde Segen erlangen« (Gen 12,3).

2. Gottes Freiheit in der Schöpfung

Die Verben »schaffen«, »sprechen« und »segnen« dokumentieren die Freiheit der Schöpfung. Gott steht unter keinem Zwang – weder unter dem Zwang, sich seine Göttlichkeit vorzubehalten, noch unter dem Zwang, sich in Welt hinein zu verströmen. Der biblische Gott muß nicht schaffen, er muß sich nicht selbst nach außen darstellen. In schöpferischer Spontaneität stiftet er anderes und setzt es frei in seine Eigentlichkeit. Zumal die Vorstellung einer Schöpfung durch das Wort bringt absolute Mühelosigkeit und Leichtigkeit zum Ausdruck: »Es hat die kurze Äußerung von Jahwes Willen genügt, die Welt ins Dasein zu rufen. Ist aber die Welt das Produkt des schöpferischen Wortes, so ist sie damit . . . seinsmäßig scharf von Gott selbst geschieden; sie ist weder ein Ausfluß

---

[7] E. Jenni – C. Westermann, Theologisches Handwörterbuch zum Alten Testament, Bd. I, München 1971, 354–375, hier 369; vgl. auch C. Westermann, Genesis 1–11, 192–194; O. H. Steck, Welt und Umwelt 56.

[8] Vgl. N. Lohfink, »Macht Euch die Erde untertan«? 138.

[9] A. Ganoczy, Der schöpferische Mensch und die Schöpfung Gottes 133, weist darauf hin, daß die Verbindung von Schaffen und Segnen die Ausrichtung der Schöpfung auf Sinn hin nachdrücklich unterstreicht: Gottes »segnendes Schaffen trägt Kräfte des Begründens, des Respekts, des Wohlwollens und des Zum-Ziele-Führens in sich. Es will die progressive Selbstwerdung seiner Schöpfungen.«

(Emanation) noch eine mythisch zu begreifende Selbstdarstellung des göttlichen Wesens und seiner Kräfte.«[10] Wo Schöpfung sich als Wort ereignet und als Segen Kraft und Fülle zuwendet, da weist zugleich alles auf Freiheit, auf die Freiheit des Schöpfers und auf das Eigensein der Geschöpfe.

Es führt nicht nach vorwärts, sondern nach rückwärts – hinter die geläuterte biblische Vorstellung vom Schöpfergott zurück –, wenn heutige Theologen, die das Aufkommen der ökologischen Probleme speziell dem christlichen Verständnis der Schöpfung anlasten, für die Abschaffung des Christentums plädieren und aus pragmatischen Gründen den Pantheismus favorisieren. Gerade der Pantheismus steht der ökologischen Problematik gänzlich hilflos gegenüber. Er mag der Natur eine religiöse Weihe vermitteln, aber er vermag mit ihrer Ambivalenz und ihrer »Feindseligkeit« unter sich und gegenüber dem Menschen nichts anzufangen. Es führt auch nicht weiter, wenn der Pantheismus menschliche Gefühle auf die Natur überträgt; wie soll sie damit fertig werden, wenn schon der Mensch mit seinen menschlichen Gefühlen nicht zurechtkommt. Und schließlich vermag der Pantheismus zwar dem Ganzen der Welt einen letzten Sinn zuzusprechen, aber die Vielfalt der Einzeldinge vermag ihren Eigenwert nicht zu behaupten. Es ist nichts gewonnen, wenn der Mensch den Dingen gleichgestellt wird. Es gibt eine Lösung der Probleme nur, wenn der Mensch die Dinge an Würde und an Kraft des Geistes so sehr überragt, daß er sie in Freiheit zu seinem und ihrem Gedeihen gestalten kann.[11]

3. Menschliche Erfahrung der Schöpfung als Gabe

Mythisierende und pantheisierende Ansätze des Naturverständnisses können einer Ausbeutung der Natur eher Vorschub leisten, weil der Mensch seinen Raubbau mit den in ihr waltenden Zwängen leichter legitimieren oder wenigstens entschuldigen kann. Anders ist es, wo die Welt als Gabe des Schöpfers an den Menschen verstanden wird. Odil H. Steck hat in seinem Buch »Welt und Umwelt« die biblischen Texte daraufhin sorgfältig untersucht. In der Jahwistischen Urgeschichte erscheint die Schöpfung als ein Vorgang, als ein Geschehen, in dem Jahwe den Menschen seine Güte und die Fülle des Lebens zuwendet. Der also beschenkte Mensch

---

[10] G. von Rad, Theologie des Alten Testaments I, 156.
[11] Vgl. etwa R. L. Means, Warum sich um die Natur sorgen?, in: F. A. Schaeffer, Das programmierte Ende 89–96, und die Kritik F. A. Schaeffers an Means' pantheistischer Position, a.a.O. 11–26. Zur spielerischen Freiheit des in der Schöpfung sich entfaltenden Gottes vgl. H. Rahner, Der spielende Mensch, Einsiedeln ⁵1960.

muß sein Handeln in der Welt orientieren an den Wertsetzungen, den Verheißungen und dem Segen, der in der Schöpfung auf ihn zukommt.[12] In den Schöpfungspsalmen begegnet dieselbe Grunderfahrung: In der vorfindlichen Welt erscheint die ständige konkret-aktuelle Gewährung von Leben, Dasein und Versorgung. Der Sänger sieht die Welt »im elementaren Sinn als Geschehen von Lebenszuwendung . . ., das allem konkret Lebendigen immer schon voraus und außerhalb seiner Verfügung ist, als Wirken Gottes des Schöpfers«.[13] Ähnlich ist es in der Urgeschichte der Priesterschrift: Auch hier wird nicht über Anfänge »gefabelt«, die in unkontrollierbarer Vorzeit liegen, vielmehr deuten hier glaubende Menschen die Grundlagen ihrer eigenen Lebenswelt als eine Stiftung, die von »Anfang« her auf sie zukommt.[14]

Unter den »thematischen Aspekten«, die Steck aufgrund seiner Beobachtung an den genannten biblischen Texten herausarbeitet, erscheint u. a. »die Gabe des Lebens als orientierende Grunderfahrung bei der Wahrnehmung der natürlichen Welt und Umwelt«.[15] Im Umgang mit der Schöpfung erfährt der Mensch sein eigenes Geschaffensein. Darin aber entdeckt er auch grundlegende Orientierungen und Wertsetzungen für seinen Umgang mit der Welt. Die Kraft der durch den Umgang mit der Schöpfung vermittelten Erfahrung führt zu hilfreichen Einsichten nicht nur über die Möglichkeiten, sondern auch über die Grenzen des Menschen im Umgang mit seiner Welt.[16] Freilich darf man nicht übersehen, daß eine an-

[12] Vgl. *O. H. Steck*, Welt und Umwelt 54–62.
[13] A.a.O. 63–69, hier 67: »Die Gewährleistung von Leben ist also auch hier . . . die tragende Erfahrungskategorie sinnhafter Erfassung der natürlichen Welt als Schöpfung Jahwes.«
[14] A.a.O. 70–85, hier: 71.76.
[15] A.a.O. 124–131.
[16] Vgl. dazu *O. H. Steck,* Welt und Umwelt 154–171 (»Das Problem der natürlichen Welt und Umwelt als Schöpfung angesichts von Gegenerfahrungen«). Vgl. außerdem *O. H. Steck,* Zwanzig Thesen als alttestamentlicher Beitrag zum Thema: »Die jüdisch-christliche Lehre von der Schöpfung in Beziehung zu Wissenschaft und Technik«, bes. 284–286: Die biblische »Grunderfahrung artikuliert sich darin, – daß die natürliche Welt in der Perspektive eines vorgegebenen, sich der Erfahrung als ständiges Geschehen elementar imponierenden Raumes noch vor jeglichem Eingriff des Menschen gesehen wird, – daß die tragende Kategorie in solcher sinnhaften Erfassung der vorgegebenen natürlichen Welt das kontingente Dasein von Leben, von Lebensraum, Lebensversorgung und Lebensfrist für alles Lebendige ist; die Schöpfungstexte zeigen diesen zentralen, qualitativen Bezug auf die Selbsterfahrung des Lebens in seiner elementaren Sinn- und Werthaftigkeit deutlich, – daß die Kontingenz der sinn- und werthaften Erfahrung von Leben und Welt für Leben eine Subjekt-Objekt-Gegenüberstellung Welt – Mensch ebenso verwehrt wie exakte Empirie als suffiziente Methode des Welterkennens, sondern sich als Reflexion und Lobpreis des Schöpfergottes ausspricht, der schafft, was sich Leben niemals selbst gibt, – daß Welterfahrung in diesem Sinne Gotteserfahrung ist, und zwar Erfahrung der welt- und menschenüberlegenen Macht, des Könnens und der Wohltat Gottes zugunsten allen Lebens.«

gemessene Auslegung der biblischen Texte nicht nur die damalige, sondern auch die heutige Grunderfahrung berücksichtigen muß; und heutige Grunderfahrung weist auf Freiheit, Autonomie und Gestaltung ebenso wie auf deren unerbittliche Grenzen.

Die Erfahrung der Welt als Gabe findet ihren Ausdruck im Staunen, in der Selbstbescheidung und in der dankbaren Lobpreisung Gottes. Das Staunen bezieht sich darauf, daß es die Welt, die es an sich gar nicht geben muß, dennoch wirklich gibt. Wenn Schöpfung keinen anderen Grund hat als die auf den Menschen sich ausrichtende Liebe Gottes, dann erfährt der Mensch im Staunen ihre Ungeschuldetheit, ihre Verdanktheit. Dies ist in der Tat Israels grundlegende Erfahrung durch die ganze Geschichte hindurch.[17]

Wenn schon der biblische Mensch im Umgang mit seiner Welt an die Grenzen des Möglichen und an die Gefährdung durch die eigene Versuchlichkeit geraten ist, dann hat der heutige Mensch mit seinen ungleich intensiveren, zumindest aufdringlicheren Erfahrungen noch weniger Anlaß, utopische Vorstellungen über wissenschaftlichen und technischen Fortschritt zu nähren. Zumal für den christlichen Menschen, den das Neue Testament über seine Sündhaftigkeit unmißverständlich belehrt, ergibt sich aus der Erfahrung der Ambivalenz neuester technischer Entwicklungen die unabdingbare Forderung, sich der Grenzen menschlicher Möglichkeiten bewußt zu werden und auch im Entwurf künftiger Lebensmodelle sich an jenes Maß zu halten, das die biblisch-christliche Tugend der humilitas, der Selbstbescheidung, dem Menschen zu allen Zeiten gesetzt hat.[18]

Der Mensch des Staunens und der Selbstbescheidung läßt sich schließlich durch die biblischen Urgeschichten auf den Dank und den Lobpreis gegenüber dem Schöpfergott zurückverweisen. Die Schöpfungspsalmen heben die Bestimmung des Menschen zum Lob besonders eindrucksvoll hervor. Der Mensch, der Gottes Werke erkundet und seine Überlegenheit in der Welt entdeckt, verfällt nicht dem Selbstruhm und der Selbstfaszination, sondern sieht sich durch die Werke Gottes zu hymnischem Lob und Dank herausge-

---

[17] *G. Altner,* Zwischen Natur und Menschengeschichte 42: »Gottes Schöpfer- und Heilshandeln wird als das Unerwartete und als das Nichtvoraussagbare erfahren ... Gott ist der, der das, was nicht ist oder sich nichtig fühlt, ins Sein ruft. Ob sich diese Aussage nun auf die Erschaffung der Welt, die geschichtliche Bewahrung Israels oder die Zurechtbringung gescheiterter und hoffnungsloser Existenzen bezieht, immer ist jene Erfahrung der Ermöglichung von Existenz, des Lebendürfens gemeint, die eine neue Etappe der nichtvoraussagbaren Zukunft einleitet.«

[18] Vgl. *A. Ganoczy,* Der schöpferische Mensch und die Schöpfung Gottes 127.

fordert.[19] Heinrich Groß weist darauf hin, daß der strophisch aufgebaute Bericht in Gen 1 eine »kultische Dimension« aufweise. In Gen 1,5.8.13.19.23.31 heißt es jeweils in monotoner Eindringlichkeit: »Es wurde Abend, und es wurde Morgen, erster (usw.) Tag«. Diese ungewöhnliche Bestimmung und Begrenzung des Tages ist nach Groß nur »von den in der Offenbarungsgeschichte erfahrenen Haupt-Heilstaten Gottes an Israel her« zu verstehen. Darin trete eine liturgische Festlegung des Tageslaufs hervor. Längst vor der Abfassung von Gen 1 sei der Tageslauf durch Abendopfer (Erinnerung an den Auszug aus Ägypten) und Morgenopfer (Erinnerung an den Bundesschluß am Sinai) liturgisch eingefaßt und bestimmt gewesen. Auf diese Weise werde die kultische Dimension der Erinnerung an die Heilsgeschichte auch ausgedehnt auf die Erinnerung an die Schöpfung.[20]

II. ANTHROPOZENTRIK DER WELT

Das Stichwort »Anthropozentrik der Welt« markiert – neben dem der »Kreatürlichkeit« – den zweiten entscheidenden Aspekt in der gegenwärtigen Diskussion, insoweit diese die Theologie im eigentlichen Sinn tangiert, d. h. insoweit sie die Theologie kritisch herausfordert und insoweit sie von der Theologie selbst mitgetragen wird. Im folgenden soll zunächst von der heutigen Bestreitung der Anthropozentrik die Rede sein. Von der philosophischen »Option für die Anthropozentrik« der Welt wurde schon früher (1. Teil, 1. Kapitel, II, c) gehandelt. In einem zweiten Schritt wird die biblisch-christliche Auslegung der zentralen Stellung des Menschen in der Welt vorgelegt. Schließlich folgen einige Hinweise auf die Verträglichkeit einer christlich interpretierten Anthropozentrik mit der Theozentrik der Welt.

1. Heutige Bestreitung der Anthropozentrik

Wer von der Überlegung herkommt, daß die Erfahrung der Welt als Gabe des Schöpfers an den Menschen sich in ehrfürchtigem Staunen, demütiger Selbstbescheidung und lobpreisender Dankbarkeit ausdrückt, dem erscheint es als selbstverständlich, daß dem Menschen eine Sonderstellung in der Welt zukommt und daß diese Sonderstellung sich im verantwortlichen Umgang mit ihren Gütern

[19] Vgl. *H. W. Wolff*, Theologie des Alten Testaments 328–330; vgl. auch *A. Arens,* Die Psalmen im Gottesdienst des Alten Bundes, Trier 1961.
[20] Vgl. *H. Groß*, Theologische Exegese von Genesis 1–3, 426 f.

konkretisieren muß. Nun gibt es eine Reihe von Autoren, die gerade diese Aussage der biblischen Urgeschichten als eigentliche und letzte Ursache der gegenwärtigen ökologischen Krise deklarieren. Die Diskussion scheint sich auf die Stellung des Menschen in der Natur als das Kernproblem zuzuspitzen.

Der amerikanische Historiker Lynn White hat wohl als erster massive Kritik am christlichen Schöpfungsverständnis geübt.[21] Aufgrund des christlichen Schöpfungsglaubens haben die Naturwissenschaftler ihre Aufgabe darin gesehen, die Gedanken Gottes in der Schöpfung aufzufinden und nachzudenken, die Techniker aber haben ihre Legitimation darin gefunden, daß sie die von Gott dem Menschen übertragene Herrschaft über die Welt konkret geschichtlich durchsetzen. White hat recht: »Es gibt in der ganzen Welt keine einzige Religion, die in solchem Maße anthropozentrisch ist wie das Christentum – besonders in seiner westlichen Ausprägung . . .« Er stellt sich aber als Historiker ein schlechtes Zeugnis aus, wenn er dem Christentum die ausdrückliche Erklärung zuschreibt, »es sei Gottes Wille, daß der Mensch die Natur für seine eigenen Zwecke ausbeuten solle«. Wenn einmal die Wirkungsgeschichte von Gen 1,27 f im einzelnen untersucht sein wird, wird sich herausstellen, wie falsch diese Behauptung Whites ist. Nur von einem so verkehrten Ansatz aus kann White die Meinung vertreten, daß heutige Naturwissenschaft und Technologie »so von orthodoxer christlicher Arroganz gegenüber der Natur durchtränkt (sind), daß von ihnen allein keine Lösung der ökologischen Krise erwartet werden kann«.[22] Ähnlich großzügig verfährt mit der Wirkungsgeschichte von Gen 1,27 f der deutsche Soziologe Gerhard Kade. Für ihn ist es christliche Auffassung, daß der Wille Gottes erst dann geschieht, wenn der Mensch die Natur für seine eigenen Ziele »ausbeutet«, wenn der Mensch eine »unbegrenzte Herrschaft« über die Schöpfung aufrichtet. Ihre katastrophale geschichtliche Zuspitzung haben die christlichen Impulse in der wissenschaftlich ermöglichten Kooperation von Technik und Ökonomik und in der »Überführung des christlichen Schöpfungsmythos in die ökonomische Ideologie der bürgerlichen Gesellschaft« gefunden.[23] Angeregt wohl von Lynn White hat auch der amerikanische Theologe John B.

[21] *L. White,* Die historischen Ursachen unserer ökologischen Krise, in: Gefährdete Zukunft. Prognosen anglo-amerikanischer Wissenschaftler, hrsg. von M. Lohmann, München 1973, 20–28, und in: F. A. Schaeffer, Das programmierte Ende 71–88.

[22] *F. A. Schaeffer,* Das programmierte Ende 81.88.

[23] *G. Kade,* Ökonomische und gesellschaftspolitische Aspekte des Umweltschutzes, in: Gewerkschaftliche Monatshefte 5 (1971) 3–15, hier 5 f.

Cobb die Ursache für die ökologische Misere in der durch die Schöpfungsgeschichten begründeten Sonderstellung des Menschen gesehen, wenn er auch im gesamten sich wesentlich zurückhaltender äußert.[24] Die stärkste publizistische Effizienz wurde der Kritik am christlichen Schöpfungsverständnis fraglos durch das Buch von Carl Amery »Das Ende der Vorsehung« zuteil. Hier ist die Rede vom göttlichen Auftrag zur »totalen Herrschaft«; diese sei letztlich darin begründet, daß der Mensch »Bild Gottes« und damit durch einen »tiefen Graben« von den übrigen Geschöpfen prinzipiell geschieden sei.[25] Amery sieht den biblischen Herrschaftsauftrag von Gen 1,27 f und die gegenwärtige Praxis des Raubbaus und der Ausbeutung vor allem durch drei geschichtlich bedeutsame Zwischenschritte vermittelt: durch die mönchische Ethik, durch den Calvinismus und durch die neukatholische Leistungsethik. Unverkennbar kommen in dieser Konzeption seit Max Weber geläufige Argumente neu ins Spiel. Amery vertritt zwar nicht die Ansicht, das Christentum habe selbst die ökologisch so gefährliche Konsum- und Produktionsmoral der Christenheit bewirkt. Immerhin seien es jüdisch-christliche Leitvorstellungen, die von Wissenschaftlern, Technikern und Wirtschaftlern und schließlich auch von politischen Ideologen übernommen worden seien und mit deren Hilfe die triumphalistische Einstellung gegenüber der Natur theologisch legitimiert werde. Auch Dennis L. Meadows und John W. Forrester, beide Mitarbeiter der MIT-Untersuchungen über »Grenzen des Wachstums«, sehen die Ursachen der gegenwärtigen Krise jedenfalls zum Teil in der Wirkungsgeschichte von Gen 1,28. Meadows stellt zwei sehr unterschiedliche Menschenbilder heraus: ein östliches, in dem der Mensch tief in das Gewebe natürlicher Prozesse eingebettet ist, und ein mehr westliches, in dem der Homo sapiens aus seiner geistigen Fähigkeit auch das Recht ableitet, die anderen Geschöpfe für seine Zwecke auszubeuten. Forrester behauptet gar, das Christentum sei »eine Religion des exponentiellen Wachstums«.[26]

Zu den entschiedenen Bestreitern der Anthropozentrik ist aus dem Umkreis der katholischen Theologie neuerdings Eugen Drewermann mit seinem Buch »Der tödliche Fortschritt« (1981) gestoßen. Er hält es für verhängnisvoll, daß das Christentum mit seinem

[24] J. B. Cobb, Der Preis des Fortschritts 51.
[25] C. Amery, Das Ende der Vorsehung 16 f.
[26] D. L. Meadows u. a., hrsg. von H. E. Richter, Wachstum bis zur Katastrophe? Stuttgart 1974, 28–30; J. W. Forrester, Die Kirchen zwischen Wachstum und globalem Gleichgewicht, in: D. L. Meadows, Das globale Gleichgewicht, Stuttgart 1974, 253.

Anthropozentrismus die Naturordnung völlig auf den Kopf gestellt und das Schicksal der Natur vom Menschen abhängig gemacht hat. Wenn das Christentum bei dieser Auffassung bleibe, leiste es nicht nur dem Atheismus Vorschub, sondern verstärke weiterhin jene Grundauffassung, die sich im abendländischen Menschenbild herausgebildet habe, daß nämlich der Mensch Mittelpunkt der Welt sei. Der Mensch müsse wieder als »Teil der Natur« angesehen werden. Insofern das Christentum an dieser abendländischen Grundorientierung mitschuldig sei, trage es auch Schuld an der durch sie heraufgeführten Zerstörung der Natur wie an der Entwurzelung der Menschen und der Rechtlosigkeit der Kreatur.[27]

Den hier referierten kritischen Stimmen gegenüber dem christlichen Verständnis der Sonderstellung des Menschen in der Natur ist sowohl im Hinblick auf die eigentlichen Intentionen von Gen 1,27 f als auch im Hinblick auf die Wirkungsgeschichte dieses Textes widersprochen worden.[28] Günter Altner spricht mit Recht von der »Wetterwendigkeit des Urteils über die negativen Implikationen des Christentums« und erinnert »an den Mechanismus der Schuldprojektion, wie er gegenüber mißliebigen Größen der Gesellschaft immer schon üblich war«.[29] In der Tat hat sich das Christentum bis in die Gegenwart herein immer wieder hartnäckige Rückständigkeit und sogar emphatische Sperrigkeit gegenüber dem technisch-wissenschaftlichen Fortschritt vorwerfen lassen müssen. Und nun soll es zum ökologischen Sündenbock gestempelt werden. Dieses Bemühen kann einer seriösen Bewertung nicht standhalten. Ein so bedeutender Kenner der anstehenden Probleme wie Adolf Portmann hat denn auch das Christentum gegenüber dem Vorwurf der Umweltzerstörung in Schutz genommen.[30] Die amerikanische Ethnologin Margaret Mead vertritt die Meinung, daß die Kritiker der christlichen Kirchen »die ausbeuterische Haltung der Europäer, ihr Streben nach Vorherrschaft, schon lange bevor sie christianisiert wurden«, nicht berücksichtigen. Und sie fährt fort: »Versuche, Christen zwingen zu wollen, aus einem Gefühl der Schuld

---

[27] A.a.O. 62–142. Rettung verspricht sich der Autor vor allem von der heilenden Wahrheit der Träume oder »von dem vorläufigen Dienst der Psychoanalyse und dem erzieherischen Wert der Kunst« (a.a.O. 142–160).

[28] Vorläufige Skizzen dieser Wirkungsgeschichte finden sich bei *G. Liedke,* Von der Ausbeutung zur Kooperation 40–56, *Ders.,* Im Bauch des Fisches 63–80, *G. Altner,* Schöpfung am Abgrund 69–81, und *G. Remmert,* Schöpfungsauftrag und Umweltkrise 122–127. Eine noch ausstehende explizite Darstellung der Wirkungsgeschichte von Gen 1,27 f wird den Kritikern unrecht geben, zugleich aber auch die Komplexität und teilweise Widersprüchlichkeit dieser Wirkungsgeschichte aufweisen.

[29] *G. Altner,* Schöpfung am Abgrund 56.

[30] *A. Portmann,* Naturschutz wird Menschenschutz 21.

für die Vergangenheit Verantwortung zu übernehmen, wie ein aggressives und unternehmungsmutiges Volk schließlich Europa besiedelte und sich nach Amerika ausbreitete, fördern ein gefährliches Mißverständnis über die Geschichte und die Rolle religiöser Ideologie, kultureller Tradition und tatsächlicher Zustände bei der Herausbildung der Verhaltensweisen gegenüber der Umwelt.«[31]

Für Carl Amery gehört das Christentum zu jenen Sinninstanzen, die ihren Jüngern »das Gefühl ihrer Mächtigkeit« vermitteln wollten, dabei aber insofern noch dem Mythischen und Magischen verhaftet geblieben sind, »als sie einen verborgenen, einen noch zu enthüllenden, einen futurischen oder eschatologischen Sinn proklamieren mußten«.[32] Demgegenüber müssen wir – der Autor lädt uns mit ungebrochenem säkularistischem Pathos dazu ein – »hinaustreten ins Licht des faktischen Tages. Wir müssen lernen, die Welt und unseren Platz in ihr zu sehen – von Angesicht zu Angesicht. Die Welt, die unsere Heimat nicht werden wird, wenn wir nicht begreifen, daß sie die einzige Heimat ist, die wir je hatten, haben oder haben werden.«[33]

Das klingt nun freilich recht merkwürdig. Denn was sich hier ausspricht, ist doch genau die Auffassung, die sich in Naturwissenschaft, Technik und Wirtschaft um so mehr ausgebreitet hat, je stärker die neuzeitliche Emanzipation des Menschen vom Christentum sich durchzusetzen vermochte. Günter Altner hat recht: »Wenn der Mensch in das ›Licht des faktischen Tages‹ tritt, das ihm seine Vernunft spendet, so übernimmt er damit die Sinn- und Tatverantwortung für das Ganze, das ihm seine Vernunft erhellt«.[34] Das Christentum kann und darf seine Mitschuld an der verhängnisvollen Entwicklung nicht bestreiten. Aber sie liegt primär jedenfalls nicht dort, wo Amery sie sucht. Sie liegt vielmehr darin, daß die christlichen Kirchen die neuzeitliche Freiheitsgeschichte viel zuwenig ernst genommen haben, als daß sie in der Auseinandersetzung mit ihr die eigenen Vorstellungen von Verantwortlichkeit hätten wirksam entfalten können. In den biblischen Schöpfungsgeschichten stoßen wir ohne Frage auf jene menschliche Kreativität, die den Kern der geistigen Geschichte der Neuzeit ausmacht. Theologien und Kirchen aber haben ihre eigene Tradition allzulange ohne angemesse-

---

[31] *M. Mead – W. Fairservis,* Kulturelle Verhaltensweise und die Umwelt des Menschen, in: Umweltstrategie. Materialien und Analysen zu einer Umweltethik der Industriegesellschaft, hrsg. von H. D. Engelhardt, Gütersloh 1975, 17 f.

[32] *C. Amery,* Das Ende der Vorsehung 235.

[33] A.a.O. 250.

[34] *G. Altner,* Schöpfung am Abgrund 80.

ne Berücksichtigung der neuzeitlichen Entwicklung zu vermitteln versucht.[35] Alexandre Ganoczy hat den Weg aufgewiesen, auf dem die Philosophie der letzten Jahrhunderte die Macht über das Schöpfungsdenken übernommen hat. Weil die christlichen Kirchen diese Entwicklung eher autoritär zu unterbinden als kritisch zu integrieren suchten, haben sie sich selbst aus dem neuzeitlichen Kommunikationsprozeß weithin ausgeschlossen. Sie erschienen eher als Gegner denn als kritische Verbündete der neuzeitlichen Entwicklung. »Es gab lange Zeit keine ausgesprochen neuzeitliche christliche Theorie der Freiheit. Kein theologischer Mentor trat auf den Plan, um die Freiheitsbotschaft des Evangeliums schöpfungsgemäß und folglich anthropologisch so auszuarbeiten, daß der seiner schöpferischen Kräfte bewußt gewordene Mensch in seiner Suche nach persönlicher und gesellschaftlicher Freiheit daran Halt hätte gewinnen können. Wie hätte es aber auch zu einer Allianz der theologischen Forschung mit den neuen Freiheitsbewegungen kommen können, zumal die offizielle Theologie der Kirchen von der Schöpfungsordnung eher ideologisch als dialogisch, eher im Sinne der Bewahrung des Bestehenden als in vertrauensvoller Auseinandersetzung mit dem Neuen sprach!«[36] Daraus ergibt sich für uns eine wichtige Einsicht. Soweit die gegenwärtige ökologische Krise in einem bestimmten Menschen- und Weltbild, also in bestimmten Wertvorstellungen begründet ist, kann ihre Lösung nicht darin bestehen, daß wir die neuzeitliche Freiheitsgeschichte desavouieren und hinter sie zurückstreben, sondern daß wir sie anthropologisch bewältigen, indem wir sie mit dem biblisch-christlichen Verständnis von Mensch und Welt kritisch konfrontieren.

2. Theologische Interpretation der Anthropozentrik

a) Die Problematik
   Es scheint, daß wir hier den Kernpunkt der ökologischen Problematik erreicht haben. Immer noch – sagen die Kritiker – seien wir auf der Spur des »radikalen Anthropozentrismus«, die Descartes eröffnet habe. Auch heute werde »Humanökologie« vielfach noch »rein anthropozentrisch als eine etwas raffiniertere, weil ökologisch drapierte Ausbeutung der Natur im Dienste menschlicher Sonderinteressen« verstanden. Auch die wissenschaftliche Ethik reflektiere zum Schaden der nichtmenschlichen Natur so gut wie aus-

---

[35] Vgl. *A. Ganoczy*, Der schöpferische Mensch und die Schöpfung Gottes 14 f.
[36] A.a.O. 108.

schließlich die zwischenmenschlichen Beziehungen.[37] Günter Altner spricht von einer »totalen Fixierung des Menschen auf sich selbst« und sieht »die anthropozentrische Perversion« darin wirksam, daß wir die Natur enthumanisieren und alles Interesse dem Menschen zuwenden, als käme es nur darauf an, daß er sich entfalte und wohl fühle.[38] Eine eindrucksvolle literarische Gestaltung hat der Vorwurf der Anthropozentrik bei Carl Amery gefunden, der Moby Dick, den letzten Bartenwal, auf der Friedenskonferenz von Christen und Marxisten in Marienbad auftreten läßt.[39] Der satirische Dialog zwischen Moby Dick und den von der Paulusgesellschaft geladenen Philosophen und Theologen bringt die Problematik genau auf den Punkt. Die Frage ist nur, ob die Wahrheit beim letzten Bartenwal oder bei seinen Gesprächspartnern liegt.

Die anthropozentrische Perversion wird den Philosophen angelastet. Man meint, die Geschichte der Philosophie wäre anders gelaufen, wenn Plato und Aristoteles die pythagoräische Liebe zur Mitkreatur übernommen hätten. Nun betrachte eben die philosophische Ethik die außermenschlichen Kreaturen nur noch als »Daseinshintergrund des Menschen«.[40] Die Kritik trifft, jedenfalls teilweise, auch die moderne philosophische Anthropologie, insofern diese die Sonderstellung des Menschen auf seine Weltoffenheit (M. Scheler), auf seine Exzentrität (H. Plessner) oder auf seine biologische Mangelhaftigkeit (A. Gehlen) zurückführt.[41] Peter Kampits vertritt allerdings die Meinung, daß eine solche philosophische Position mit den Anforderungen an eine ökologische Ethik durchaus zusammengehe. Selbstverwirklichung des Menschen schließe ja nicht ein, daß der Mensch sich allem Nichtmenschlichen gegenüber in überheblicher Willkür »aufspreize«, vielmehr liege die Sonderstellung des Menschen darin, daß er als einziges Lebewesen fähig sei, nach seinem Verhältnis zu den anderen und damit auch »nach sich selbst (zu) fragen . . . , um in diesem Fragen seinen Aufenthalt gegenüber dem Ganzen des Seins zu nehmen«. Von hier aus sieht Kampits allerdings im Unterschied zu anderen Vorkämpfern einer ökologischen Ethik durch die Sonderstellung des Men-

[37] O. Schatz (Hrsg.), Was bleibt den Enkeln? (Vorwort) 11.9.
[38] G. Altner, Anthropologische und theologische Überlegungen zum Mensch-Natur-Verhältnis 81 f; G. Liedke, Im Bauch des Fisches 35–61, geht im einzelnen der Frage nach, wie es geschichtlich gekommen ist, daß unser Verhältnis zur Natur so geworden ist, wie es heute ist.
[39] C. Amery, Das Ende der Vorsehung 217–220.
[40] G. M. Teutsch, Neue Ansätze in Richtung einer humanökologischen Ethik 33.49.
[41] Vgl. die Bemerkungen von G. Altner, Anthropologische und theologische Überlegungen zum Mensch-Natur-Verhältnis 88–90 (zu A. Gehlen).

schen einen wesenhaften, nicht nur einen graduellen Unterschied zum Tier konstituiert.[42] Gotthard M. Teutsch dagegen scheint der Auffassung zuzuneigen, die Sonderstellung des Menschen sei eher gradueller als prinzipieller Art, und kritisiert die unbewußte Überheblichkeit des Menschen auch gegenüber den höchst entwickelten Tieren.[43]

Anthropozentrische Perversion wird auch der Theologie vorgeworfen. Nach Klaus M. Meyer-Abich etwa macht die herrschende Theologie (wie die industrielle Wirtschaft) weithin den Fehler, »das Universum viel zu sehr als eine Veranstaltung um unseretwillen anzusehen«.[44] Eine Kritik an der theologischen Position impliziert auch die allerdings recht merkwürdige Interpretation von Ps 104 durch Odil H. Steck. Obwohl der Mensch zum Lob seines Schöpfers aufgerufen werde und im Unterschied zu den Tieren sein Leben durch Arbeit versorge, sei ihm »ein Vorrang oder eine Höherwertigkeit gegenüber anderem Lebendigen nicht zuerkannt«. Der *eine* Vorgang göttlichen Wirkens geschehe »keineswegs nur für den Menschen oder nur auf ihn hin, sondern zugunsten alles Lebendigen«. Sehe man von der Verwiesenheit des Menschen auf das Lob des Schöpfers und von seiner Selbstversorgung durch Arbeit ab (sic!), dann bestehe »seine Sonderstellung groteskerweise darin, daß er und nur er es ist, der störend als Gegenkraft im Rahmen dieses Schöpfungsgeschehens auftreten kann«.[45] Man mag es grotesk finden, aber gerade diese groteske Möglichkeit dokumentiert ja mit die wesenhafte Sonderstellung des Menschen. Er kann und muß die Natur durch die Arbeit seinem Wohl dienlich machen, er kann sie auch zerstören und damit seinem Wohl zuwider handeln. Er kann und muß die ihm zuteil gewordene Würde vor seinem Gott lobend und preisend zu Wort bringen. Wie kann man davon »absehen«? Und wie kann man darüber hinweggehen, daß nach Ps 104, 14 f Gott »auch Pflanzen (wachsen läßt) für den Menschen, die er anbaut, damit er Brot gewinnt von der Erde und Wein, der das Herz des Menschen erfreut, damit sein Gesicht von Öl erglänzt und Brot das Menschenherz stärkt«? Hier wird doch die Aussage der biblischen Schöpfungsgeschichten bestätigt, daß die ganze übrige Welt auf den Menschen als das höchste Schöpfungswerk hingeordnet ist.[46]

[42] *P. Kampits,* Natur als Mitwelt 69 mit Anm. 22.
[43] Soziologie und Ethik der Lebewesen 62–64.
[44] *K. M. Meyer-Abich,* Zum Begriff einer Praktischen Theologie der Natur 17.
[45] Welt und Umwelt 69.
[46] Die Unangemessenheit der Auslegung des Ps 104 durch O. H. Steck ergibt sich gerade aus der Tatsache, daß der Ps mit dem Aufruf an den Menschen zum Gotteslob beginnt

Von solchen Einsichten inspiriert vertritt die vom Christentum geprägte Philosophie die Anthropozentrik der Welt. Johann B. Metz hat gezeigt, daß sich in Thomas von Aquin der Durchbruch von der antik-griechischen Kosmozentrik zur biblisch-christlichen Anthropozentrik vollzieht. Nun steht der Kosmos im Horizont des Menschen, nicht mehr der Mensch im Horizont des Kosmos. Der Mensch ist nicht mehr als beliebiger Teil dem Welthorizont eingeordnet. Vielmehr wird das Ganze von seiner Subjektivität her gesehen und bestimmt. Im Menschen ist das Sein im ganzen in einer bestimmten Weise anwesend. So wird die Subjektivität zur »primären Stätte der Seinserschlossenheit; Denken erscheint als Seinsvergegenwärtigung«. Im Menschen ist also der Kosmos erst recht bei sich selbst.[47]

Ganz in diesem thomanischen Geist spricht Jakob Hommes von der »menschlichen Bewandtnis« oder von der »personalen Bedeutsamkeit« des Naturgeschehens. Es ist gänzlich in das Leben des Menschen hineingetaucht, ist der gegenständliche Teil seines Wesens. Das Naturgeschehen ist mit seiner personalen Bewandtnis dem Menschen vorgegeben, es erfordert aber zugleich seine »eigenständige geistig-personale Aktivität«, die der Mensch freilich nur zusammen mit den anderen das Naturgeschehen handhabenden Menschen fruchtbar entfalten kann.[48]

Wie steht es mit der Theologie selbst? Sie geht auf jeden Fall aus von den biblischen Schöpfungsgeschichten. Diese aber stellen bei aller Verschiedenheit unter sich doch gemeinsam fest, daß die ganze übrige Welt allein auf den Menschen als höchstes Schöpfungswerk Jahwes hingeordnet ist. In Gen 2 erscheint der Mensch als die Mitte, um die herum Gott seine Welt aufbaut, in Gen 1 als der Kulminationspunkt, auf den die Schöpfungsgeschichte Stufe um Stufe sich zielstrebig hinbewegt.[49] Im folgenden werden im wesentlichen die immer wieder zitierten »Kardinalstellen« aus den Schöpfungsgeschichten für das biblische Verständnis der Anthropozentrik der Natur herausgestellt. Darüber soll freilich nicht übersehen werden, daß die Sonderstellung des Menschen noch viel sicherer zu erheben ist »aus dem in sich geschlossenen Gesamtvotum des Alten Te-

---

und mit der Entschlossenheit des Dichters zum Gotteslob endet. Darin kulminiert doch wohl die Sonderstellung des Menschen inmitten der Schöpfung.

[47] Vgl. *J. B. Metz,* Christliche Anthropozentrik 41–95, besonders 41–52; hier 49.55. Heutige Physik (C. F. von Weizsäcker, W. Heisenberg) nähert sich dieser thomanischen Denkart, insofern für sie alles Seiende im denkenden Geist des Menschen umschlossen und erst in ihm sich selbst gegeben ist.

[48] *J. Hommes,* Naturrecht, Person, Materie – Das Anliegen der Dialektik 60–64.

[49] Vgl. *G. von Rad,* Theologie des Alten Testaments I, 155.

staments, nach dem Gottes Anspruch und Gebot nur dem Menschen gelten, nur ihn die Gottesoffenbarung trifft, nur er die Verantwortung seiner Entscheidung trägt und nur er Sünder oder ›Gerechter‹ sein kann«.[50]

b) Biblisch-christliche Interpretation

Die theologische Behauptung der Anthropozentrik der Natur kann hier nicht im einzelnen begründet werden. Es sollen aber doch die wesentlichen Hinweise aus dem biblisch-christlichen Schöpfungsverständnis kurz vorgestellt werden: die Selbstentschließung des Schöpfers, die Erschaffung des Menschen als Gottes Ebenbild, der göttliche Herrschaftsauftrag an den Menschen, die menschliche Namengebung für die Tiere und die Betonung der Gutheit der Schöpfung.

Selbstentschließung des Schöpfers: Nach Gen 1,16 beginnt die Erschaffung des Menschen mit einer ausdrücklichen göttlichen Selbstentschließung: »Laßt uns Menschen machen ...« Alle anderen Kreaturen sind durch das »Wort« erschaffen worden; sechsmal steht es da in Gen 1.3.6.9.14.20.24: »Gott sprach«. Dies kann doch nur bedeuten, daß er durch sein Wort sich selbst, sein Innerstes, also seine Liebe und seine Freiheit, der Welt als tragenden Grund, als bewegende Kraft und als letztes Sinnziel eingestiftet hat. Größeres, so scheint es, kann es nicht geben. Und doch weist es auf Größeres hin, wenn der Schöpfer zur Erschaffung des Menschen mit einem neuen Entschluß ansetzt und wenn bei der Durchführung dieses Entschlusses das Wort bara = schaffen gleich dreimal verwendet wird. Offensichtlich soll mit allem nur möglichen Nachdruck herausgestellt werden, daß die Erschaffung des Menschen in ganz besonderer Weise unmittelbar auf Gott selbst zurückgeht und daß dieses Werk das schöpferische Handeln zu seinem Höhepunkt und seinem eigentlichen Ziel bringt.[51] Ein besonderer Entschluß des Schöpfers bei der Erschaffung des Menschen begegnet auch in anderen Schöpfungsmythen, so im sumerischen Mythos von der Erschaffung des Menschen, in der Schöpfungserzählung der Shilluk oder in Enuma elis. Dieser Zug in den primitiven Schöpfungserzählungen bringt überall, wo er begegnet, eine Erkenntnis von der Besonderheit menschlicher Existenz gegenüber anderen geschaffenen Wesen zum Ausdruck: »Das Bewußtsein seiner selbst,

---

[50] Vgl. *Maas,* Art. ADAM, in: Theologisches Wörterbuch zum Alten Testament, hrsg. von G. J. Botterweck und H. Ringgren, Bd. I, Stuttgart 1970, 81–94, hier 92.

[51] Vgl. *G. von Rad,* Das erste Buch Mose 44; *Ders.,* Theologie des Alten Testaments I, 158; *C. Westermann,* Genesis 1–11, 119.216.

das den Menschen von den übrigen Lebewesen unterscheidet, spiegelt sich in dem Entschluß des Schöpfers, in dem die Erschaffung des Menschen von der aller übrigen Kreaturen abgehoben wird.«[52]

Gottebenbildlichkeit des Menschen: Die Erschaffung des Menschen als »unser Abbild, uns ähnlich« (frühere Übersetzung: »als unser Bild und Gleichnis«) (Gen 1,26 a.27) hat von jeher zu den Grundpositionen der theologischen Anthropologie gehört. Geschichtlich tritt eine Reihe von Interpretationen hervor, angefangen vom aufrechten Gang des Menschen, durch den ihm die Betrachtung des Himmels ermöglicht wird, über die Statthalterschaft Gottes in der Welt, die Herrschaft über die Tiere, die geistigen Vorzüge, die Schönheit der leiblichen Gestalt, die leib-seelische Ganzheit bis hin zum Sein des Menschen als Mann und als Frau. Heute sieht man den Kerninhalt des Begriffs Gottebenbildlichkeit in der freundschaftlichen Verbundenheit des Menschen mit Gott: Die Ausnahmestellung des Menschen innerhalb der gesamten Schöpfung äußert sich darin, daß Gott ihm eine besondere Nähe gewährt.[53] Dieser Kerngehalt des Begriffs der Gottebenbildlichkeit schließt die anderen Aspekte, die in der Geschichte zum Tragen gekommen sind, keineswegs aus. Man kann vielmehr sagen, daß die Gottebenbildlichkeit sich in der Relation des Menschen zu sich selbst, zur Mitwelt und zur kosmischen Umwelt darstellt und verwirklicht.

Claus Westermann warnt davor, in Gen 1,26 f einfachhin eine Aussage über das Wesen des Menschen zu sehen, die man ohne weiteres aus dem Zusammenhang lösen und in die Systematik einer theologischen Anthropologie einordnen könne. Im Vordergrund stehe nicht die Aussage über das Sein des Menschen, sondern über ein göttliches Handeln. Die Erschaffung des Menschen als Bild Gottes konstituiere zunächst nicht eine bestimmte Qualität des Menschen, sondern ermögliche ein Geschehen zwischen Gott und Mensch. Die Eigentlichkeit des Menschen sei also in seinem Gegenüber zu Gott zu sehen.[54]

---

[52] *C. Westermann,* Genesis 1–11, 50.
[53] Vgl. *O. Loretz,* Die Gottebenbildlichkeit des Menschen, München 1967; Zur Auslegungsgeschichte von Gen 1,26 f *C. Westermann,* Genesis 1–11, 203–214; *Ders.,* Schöpfung, Stuttgart – Berlin 1971, 83–88; vgl. auch *L. Scheffczyk* (Hrsg.), Der Mensch als Bild Gottes (Wege der Forschung 124) Darmstadt 1969; *Ders.,* Einführung in die Schöpfungslehre, Darmstadt 1975, bes. 79–84.
[54] Vgl. *C. Westermann,* Genesis 1–11, 214–218, hier 218. Vgl. auch a.a.O. 95. *G. von Rad,* Das Erste Buch Mose 44 f, und: Theologie des Alten Testaments I, 158, hebt vor allem darauf ab, daß der Begriff der Gottebenbildlichkeit den ganzheitlichen Menschen betreffe. Vgl. auch *H. W. Wolff,* Anthropologie des Alten Testaments 233–242; *H. Gross,* Theo-

Man kann nicht sagen, daß sich die Auffassung von Claus Westermann allgemein durchgesetzt hat. Auch Odil H. Steck, für dessen Konzeption sie besonders förderlich wäre, scheint ihr nicht zuzustimmen. Nach seiner Meinung qualifiziert der Begriff der Gottebenbildlichkeit »den Menschen als Repräsentanten Gottes für das Lebendige neben ihm im irdisch-horizontalen Schöpfungsbereich«. Diese Interpretation zielt also mehr auf die zentrale Stellung des Menschen im Gefüge der Schöpfungswelt und auf die Bedeutung dieser Stellung für den Dauerbestand alles Lebendigen ab.[55]

Man wird nicht fehlgehen mit der Annahme, daß im Begriff der Gottebenbildlichkeit sich die Verwiesenheit auf das Urbild (als Ursprung und Ziel) und die Verbindlichkeit seiner Abbildung in einem erfüllten Menschsein begegnen – modern gesprochen: Theonomie und Autonomie. Kein Wunder, daß der Begriff der Gottebenbildlichkeit in der Theologie zu höchster Bedeutung gelangt ist. Thomas führt ihn in seiner Theologischen Summe an einer bedeutsamen Stelle ein – dort nämlich, wo er methodisch und inhaltlich das Signal für seine moraltheologischen Überlegungen stellt, im Prolog zur Pars II. Er hebt mit diesem Begriff die Fähigkeit des Menschen hervor, über sich selbst und sein Handeln in Freiheit zu verfügen, d. h., er spricht aus seinem theozentrischen Gesamtverständnis heraus über die Autonomie des Menschen: Der Mensch ist so geschaffen, daß er Prinzip seiner selbst, Herr seiner Werke, Ursache seiner selbst sein kann; er ist »sich selbst Gesetz« (Röm 2,14).[56] Dies ist nicht nur für Thomas eine wichtige theologische Weichenstellung.

Göttlicher Herrschaftsauftrag an den Menschen: »Seid fruchtbar, und vermehrt euch, bevölkert die Erde, unterwerft sie euch, und herrscht über die Fische des Meeres, über die Vögel des Himmels und über alle Tiere, die sich auf dem Land regen.« (Gen 1,28) Die Rede von der Gottebenbildlichkeit des Menschen in Gen 1,27 leitet also unmittelbar über zum göttlichen Weltauftrag an den Menschen. Offenbar liegt der Priesterschrift weniger daran zu bestimmen, worin eigentlich die Gottebenbildlichkeit besteht, als festzustellen, wozu sie gegeben ist. Wie die irdischen Großkönige zum Ersatz für ihre persönliche Gegenwärtigkeit ihr Bild als Symbol ih-

logische Exegese von Genesis 1–3, 431, und *A. Ganoczy,* Der schöpferische Mensch und die Schöpfung Gottes 120.131 f.
[55] *O. H. Steck,* Welt und Umwelt 78.
[56] Vgl. *A. Auer,* Die Autonomie des Sittlichen nach Thomas von Aquin, in: Christlich glauben und handeln. (Festschrift für J. Fuchs), hrsg. von K. Demmer und B. Schüller, Düsseldorf 1977, 31–54, hier 44.

res königlichen Anspruchs aufgestellt haben, »so ist der Mensch in seiner Gottebenbildlichkeit auf die Erde gestellt, als das Hoheitszeichen Gottes. Er ist recht eigentlich der Mandatar Gottes, dazu aufgerufen, Gottes Herrschaftsrechte auf Erden zu wahren und durchzusetzen. Das Entscheidende an seiner Gottebenbildlichkeit ist also seine Funktion an der außermenschlichen Welt.«[57] Die Interpreten haben immer wieder vermerkt, daß die Befehlsworte in Gen 1,28 eine drastische Bildhaftigkeit aufweisen. »Untertan machen (kabas)« heißt ursprünglich den Fuß auf etwas setzen zum Zeichen der Herrschaft;[58] es bedeutet die Unterwerfung eines Landes durch Krieg, die Unterjochung von Völkern und insbesondere von Sklaven, aber auch die Vergewaltigung von Frauen. Das Verbum »herrschen (radah)« heißt ursprünglich treten, trampeln, in den Boden stampfen: es wird gerne, auch im Alten Testament, vom Herrschen eines Königs ausgesagt. Die am meisten eingängige Auslegung des priesterlichen Schöpfungsauftrags bietet Norbert Lohfink.[59] »Untertan machen« heißt danach im Hinblick auf Menschen, Völker oder Länder einfach soviel wie »zum Eigentum machen«. Im Hebräischen habe man sich bei dem Ausdruck »den Fuß auf etwas setzen« kaum etwas anderes gedacht, als wenn wir den Ausdruck gebrauchen »die Hand auf etwas legen«. So könne man Gen 1,28 ganz undramatisch übersetzen mit »Nehmt die Erde in Besitz« und das so verstehen, »daß die Menschheit, wenn sie einmal so gewachsen ist, daß sie aus vielen Völkern besteht, sich über die ganze Erde verteilen und jedes Volk sein Territorium in Besitz nehmen soll«. Ähnlich undramatisch ist nach Claus Westermann auch das Wort »herrschen« zu verstehen. Man kann jede Art von despotischer Ausbeutung der Natur ausschließen.[60] Im Unterschied zu Gen 1,29 wird allerdings in Gen 9,2 das Essen von Tieren gestattet. Wenn manche Ausleger aus der Urbedeutung von »niedertreten« die Bevollmächtigung des Menschen zu gewaltsamer und grausamer Herrschaft über die Tiere erschließen, dann übersehen sie offensichtlich, daß·auch in Joel 4,13 noch eine Grundbedeutung von »niedertreten (radah)« erhalten ist. Hier ist die Rede vom Stampfen der Trauben in der Kelter. Geht man von dieser Grund-

---

[57] G. von Rad, Das erste Buch Mose 46; Ders., Theologie des Alten Testaments I, 160 f.
[58] Vgl. O. Keel, Die Welt der altorientalischen Bildsymbolik und das Alte Testament. Am Beispiel der Psalmen, Zürich–Einsiedeln–Köln 1972, Abb. 341.342.342 a.
[59] »Macht euch die Erde untertan«? 139, Sp. 1.
[60] Genesis 1–11, 219. – J. Passmore, Den Unrat beseitigen 224–226, hat die christliche Auffassung nicht richtig wiedergegeben. Zu Recht bemerkt er freilich, daß Mystizismus nicht retten kann, wo Technologie versagt; darum mag er sich weiterhin darum bemühen, auch »mystischen Unrat« zu beseitigen (a.a.O. 207).

bedeutung aus, wird in Gen 1,28 »auf ein umgestaltendes Wirken hingewiesen, wie es sich in der Kelter beim Verarbeiten der Trauben zu Most ereignet. Der Mensch ist zu vergleichbaren nützlichen Veränderungen ermächtigt.«[61] Herrschaft über die Tiere kann also nur bedeuten, daß der Mensch die Tiere auf die Weide führt, sie als Zugtiere benützt, sie eben domestiziert. Daß als Objekt der Herrschaft die Tiere besonders herausgehoben werden, hat wohl seinen Grund darin, daß sie allein als Rivalen des Menschen in Frage kommen. In der Vorzeit war das Tier der Todfeind des Menschen; Herrschaft über Tiere sagt also etwas aus, was wesentlich zum Menschsein gehört.[62] Der Herrschaftsauftrag kann demnach nur bedeuten, daß die Menschheit sich über die ganze Erde ausbreitet und nach und nach die zuvor von Tieren besetzten Territorien in Besitz nimmt.

Nach dem Jahwisten schickt Gott den Menschen aus dem Garten Eden, »damit er den Ackerboden bestellte, von dem er genommen war« (Gen 3,23). Die Beziehung zwischen Mensch und Erde wird sprachlich durch den Zusammenklang von adam (Mensch) und adama (Erde) dokumentiert.[63] In seinen späteren Erzählungen berichtet der Jahwist mehrfach von menschlichen Fähigkeiten, die in der Welt angelegten Möglichkeiten zu nutzen. Es ist die Rede von der Herstellung von Musikinstrumenten, vom Erlernen des Zither- und Flötenspiels, von der Ausbeutung und Gestaltung von Erz und Eisen, von der Erlernung des Weinbaus und von der Technik des Bauens.[64] Dabei ist zu beachten, daß beim Jahwisten Hinfälligkeit und Sündhaftigkeit des Menschen keineswegs unterschlagen, sondern sogar besonders stark hervorgehoben werden. Trotzdem bleibt er Gottes Mandatar in der Welt.[65]

Nun sind allerdings zwei wichtige Einschränkungen zu machen. Zunächst wird in der priesterschriftlichen Darstellung der Sinaiereignisse deutlich, daß als Aufgipfelung der menschlichen Umgestaltung der Welt die kunstvolle Errichtung des Heiligtums betrachtet wird (Ex 25). Der Mensch soll also seine Fähigkeit, die Natur

---

[61] *H. W. Wolff,* Anthropologie des Alten Testaments 239; N. Lohfink, »Macht euch die Erde untertan«? 139, Sp. 1.

[62] *C. Westermann,* Genesis 1–11, 219 f, und H. W. Wolff, a.a.O. 239 f.

[63] Vgl. die einschlägigen Artikel von *C. Westermann* und *H. H. Schmid,* in: Jenni-Westermann, Theologisches Handwörterbuch zum Alten Testament I (1971) 41–57 (adam). 57–60 (adama).

[64] Vgl. *H. W. Wolff,* Anthropologie des Alten Testaments 325 f.

[65] Vgl. *L. Scheffczyk,* Einführung in die Schöpfungslehre, Darmstadt 1975, 73–102; *A. Ganoczy,* Der schöpferische Mensch und die Schöpfung Gottes 131; vgl. auch *A. Adam,* Dankbarkeit und Verantwortung, in: Lebendiges Zeugnis 35 (1980) 5–12, hier 10.

durch sein Handeln zu verändern, dazu verwenden, die Erde so zu gestalten, daß sie zur Wohnstatt Gottes werden kann.[66] Damit wird zum Ausdruck gebracht, daß menschliches Handeln in der Welt nicht letzter Sinn der Geschichte ist; es zielt vielmehr darauf, daß Gott unter den Menschen wohnen kann. »Untertan machen« und »herrschen« stehen also im Kontext der Kreatürlichkeit. Der Mensch erfüllt seinen Schöpfungsauftrag als Mandatar Gottes, er pflegt und entfaltet das ihm anvertraute Leben. Sinnvolles und fruchtbares Handeln in der Welt steht und fällt mit der Verwirklichung der Gottebenbildlichkeit im Handeln.[67]

Zum anderen ist zu bedenken, daß der Ausübung menschlicher Herrschaft der Charakter der Ambivalenz anhaftet. Sie steht immer in Gefahr, den Menschen in Schuld zu verstricken. In den Anfangskapiteln des Buches Exodus wird der negative Aspekt der technischen Zivilisation klar herausgestellt. Die Ausbeutung von Menschen durch Menschen stößt auf das göttliche Nein.[68] Doch tritt diese Ambivalenz auch schon in der Genesis hervor. Der Mensch läßt sich von der Schöpfung, die er beherrschen soll, selbst beherrschen – etwa wenn Noah sich nach unmäßigem Weingenuß der Schamlosigkeit seines Sohnes preisgibt (Gen 9, 20–22) oder wenn der Mensch die Bautechnik verwendet, um sich ein Denkmal des eigenen Ruhmes zu setzen.[69]

Benennung der Tiere: Nach Gen 2,19 f bildet Gott der Herr aus Erde die Tiere und führt sie dem Menschen zu, um zu sehen, wie er sie benennen würde; und der Mensch gab den Tieren Namen. Insofern nach altorientalischer Vorstellung das Benennen Ausdruck eines Hoheitsrechts, einer Herrscherstellung ist, rückt diese Stelle sehr nahe an Gen 1,28 heran. Benennung bedeutet nicht einfach, daß der Mensch sich Vokabeln ausdenkt und sie den einzelnen Tieren zuspricht. Benennen setzt voraus, daß der Mensch sich Wesen und Sinngestalt eines Tieres geistig vergegenwärtigt, seine Erschaf-

---

[66] Vgl. *N. Lohfink,* »Macht euch die Erde untertan«? 141, Sp. 1.
[67] *K. Lehmann,* Kreatürlichkeit des Menschen als Verantwortung für die Erde 50: »Nur wenn der Mensch nach der Weise Gottes seine ›Herrschaft‹ ausübt, bleibt diese im Lot.« Vgl. auch *G. M. Teutsch,* Soziologie und Ethik der Lebewesen 124 f.
[68] Vgl. *N. Lohfink,* »Macht euch die Erde untertan«? 140, Sp. 1.
[69] Gen 11,4: »Und sie sprachen: Wohlan, laßt uns eine Stadt bauen und einen Turm, dessen Spitze in den Himmel reicht; so wollen wir uns ein Denkmal schaffen, damit wir uns nicht über die ganze Erde zerstreuen.« *H. W. Wolff,* Anthropologie des Alten Testaments 326, bemerkt dazu, daß »die ungewohnte Technik des Bauens den Menschen einerseits in den Rausch des Selbstruhms (11,4 a) und andererseits in Angstprojekte (4 b) hineinriß ... Wo immer der Mensch von den Dingen, die er bewältigen soll, überwältigt wird, entsteht der Unmensch.« Vgl. auch *O. Loretz,* Die Gottebenbildlichkeit des Menschen, München 1967, 72 f.

fung in seiner Vorstellung nachvollzieht und es seinem eigenen Dasein in angemessener Weise zuordnet. Das Ergebnis solcher Bemühung bringt er mit der Benennung ins Wort. »Konkret gesprochen: Sagt der Mensch ›Rind‹, so hat er nicht nur das Wort ›Rind‹ erfunden, sondern diese Schöpfung als Rind verstanden, d. h. sie als lebensfördernden Beistand in seine Vorstellungswelt und in seinen Lebensbereich einbezogen.«[70] Claus Westermann sieht in der Benennung nicht einen magischen Vorgang in dem Sinn, daß der Mensch über die Tiere Macht erlangt, indem er sie benennt, sondern einen »im Kern rationalen Vorgang«. Die Tiere sind zwar vom Schöpfer gebildet, aber von ihm auch dem Menschen zugeführt. Er soll ihnen Namen geben, er soll sie seiner Welt zuordnen. »Damit wird eine allererste Autonomie des Menschen in einem begrenzten Bereich zum Ausdruck gebracht.«[71]

Gutheit der Welt: Sechsmal heißt es in Gen 1: Gott sah, daß es gut war. (VV 4.10.12.18.21.25) Die Vokabel »gut« hat einen weiten Bedeutungshorizont: angenehm, brauchbar, zweckmäßig, schön, freundlich, recht, sittlich gut.[72] In Gen 1 zielt sie nicht auf die sittliche Vollkommenheit des Menschen, auch nicht auf das ursprüngliche Heilsverhältnis. Ebensowenig soll zum Ausdruck gebracht werden, Gott habe in der Welt alle seine Möglichkeiten restlos verwirklicht, so daß jede Veränderung sie verschlechtern würde. Die Gutheit beinhaltet zunächst die Geordnetheit und Zweckmäßigkeit der Welt, ihre Nutzbarkeit und Brauchbarkeit für den Menschen;[73] wenn sie auf den Menschen hin erschaffen ist, muß sie auch für ihn verwendbar sein. Aber die Schöpfung dient nicht nur dem Nutzen des Menschen. Gott will in ihr offenbaren, wer er ist. Darum kann man Gutheit nicht auf eine pragmatistisch verstandene Nutzbarkeit einschränken, sie muß auch die Fähigkeit der Kreaturen einschließen, Gottes Herrlichkeit und Vollkommenheit widerzuspiegeln. Im Ganzen der Schöpfung und in ihren einzelnen Bereichen erscheint abbildhaft die Vollkommenheit Gottes, in der Herrlichkeit der Welt

---

[70] *G. von Rad,* Das erste Buch Mose 66 f. Vgl. *C. Westermann,* Genesis 1–11, 311: »In der Benennung entdeckt, bestimmt und ordnet der Mensch seine Welt; die Namen der Tiere gliedern diese seiner Welt ein. Die Sprache erst macht diese Welt menschlich, in der Sprache entsteht die Menschenwelt.«

[71] *C. Westermann,* a.a.O. 311; *Ders.,* Schöpfung, Stuttgart – Berlin 1971, 121; vgl. *A. Ganoczy,* Der schöpferische Mensch und die Schöpfung Gottes 120. Nach *E. Drewermann,* Der tödliche Fortschritt 99–110, hat das Christentum mit seiner radikalen Scheidung zwischen Mensch und Tier »die Einheitlichkeit« aller Wesen verkannt (a.a.O. 90).

[72] Vgl. *C. Westermann,* a.a.O. 228 f.

[73] Vgl. *G. von Rad,* Das erste Buch Mose 48, und *W. Eichrodt,* Theologie des Alten Testaments. 2. Teil, Berlin ²1948, 52 f.

wird die Herrlichkeit des Schöpfers anschaubar. Und die Herrlichkeit Gottes wächst gewiß in dem Maße, als seine Herrlichkeit in der Welt zur Entfaltung kommt. Klaus M. Meyer-Abich weist darum mit Recht darauf hin, daß das Verhältnis des Menschen zur Schöpfung als »ein ausgesprochen sinnliches Verhältnis, . . . (als) eine erotische oder Liebesbeziehung« zu verstehen und das Handeln an der Welt dem Kriterium der Schönheit verpflichtet ist.[74] – Dieses Gesamtverständnis des Begriffs der »Gutheit« der Schöpfung bestätigt also, was schon die philosophische Interpretation der Welt zum Ausdruck bringt, daß der Welt nämlich zugleich Funktionalität und Transparenz zukommt und daß menschliches Dasein nur in der verantwortlichen Wahrnehmung beider glücken kann.

Die Bestimmung der Gutheit gilt nicht nur für die geistigen, sondern auch für die materiellen Kreaturen. Dies ist in der Geschichte der christlichen Frömmigkeit nicht immer deutlich im Bewußtsein geblieben. Neuplatonisches Denken hat das Sinnliche mit dem »Schatten wesenhafter Nichtintelligibilität« belegt. Diese philosophische Grundstimmung mit ihrem latenten Manichäismus wirkt bis in die Gegenwart herein fort und verdrängt immer noch in verhängnisvoller Weise die biblische Bejahung der Materie und der Sinnlichkeit.[75]

Die Bestimmung der Gutheit gilt schließlich dem Schöpfungsakt als solchem. Auch dies ist von höchster Bedeutung. Es ist entscheidend für Religion und Sittlichkeit, ob Welt und Geschichte von ihrem ersten Anfang an mit einem Minus- oder mit einem Pluszeichen versehen sind. Claude Tresmontant hat die Verschiedenheit im Ansatz der metaphysischen Denkbewegung in der biblischen und der hellenischen Überlieferung herausgestellt. Griechisch-neuplatonisches Denken versteht das Werden der Welt als Zerfall ursprünglicher Einheit, als Minderung des Seins, als Verrinnen, Vergehen und Entwerden. Die hebräische Vorstellung vom Werden der Welt ist geprägt von Kreativität, von Wachstum und Fruchtbarkeit. »Das Sinnbild des griechischen Werdens ist der Fluß, der dahingeht und für immer schwindet . . . Das Bild des biblischen Wer-

---

[74] Zum Begriff einer Praktischen Theologie der Natur, bes. 11–14; vgl. auch *G. Altner,* Die Trennung der Liebenden, und *C. Westermann,* Genesis 1–11, 229.

[75] *C. Tresmontant,* Biblisches Denken und hellenische Überlieferung, Düsseldorf 1956, 119: »Es ist gerade das Gespür für das Geistige, das Gespür für die Gegenwart des Geistigen im Fleischlichen, was den Hebräer das Fleischliche verstehen und lieben läßt. Das Fleischliche ist begehrenswert, weil es bis zum Bersten voll des intelligiblen Geheimnisses ist. Seine Bedeutung läßt sich gleichsam mit Händen ertasten.«

dens ist der Baum, der wächst, und das Samenkorn, das zu vielen Früchten wird.«[76]

Nachdem Gott den Menschen erschaffen und ihm die Verantwortung für die Erde übertragen hatte, heißt es in Gen 1,31: »Gott sah alles an, was er gemacht hatte: Es war sehr gut.« Offenbar ist nicht alles, was Gott geschaffen hat, gleich gut; manches ist gut, manches sehr gut. Was »nur« gut ist, wird sehr gut, indem es durch die Hinordnung auf den Menschen zu seiner letztmöglichen Erfüllung kommt. »Sehr gut« ist die Schöpfung erst, nachdem Gott ihr im Menschen einen zentralen Beziehungspunkt eingestiftet hat, durch den sie ein einheitliches und ganzheitliches Sinn- und Ordnungsgefüge wird.[77] Die stetige göttliche Gewährung von Leben ist gewiß in sich selbst sinnvoll. Aber es ist nicht zu übersehen, daß dem Menschen in diesem Vermittlungsgeschehen eine besondere Bedeutung zukommt: Er ist die Spitze, auf die alles hinstrebt, er ist die Mitte, um die herum alles gebaut ist.[78] Die Billigungsformel »gut« gilt zwar auch der den Menschen umgebenden Natur und wird zunächst ohne Hinweis auf den Menschen ausgesprochen. Aber »sehr gut« wird eben die Welt erst durch die Erschaffung des Menschen. Man mag durchaus sagen, der Wert der Natur liege nicht nur in ihrer Brauchbarkeit für den Menschen, sie stelle vielmehr einen Wert an und für sich dar, sie sei eine eigene Realität.[79] Nur muß man dabei im Auge behalten, daß die subhumane Welt ihre volle Bedeutung aus ihrer Bezogenheit auf den Menschen erhält – ähnlich wie Eigensein und Eigenwertigkeit des Menschseins erst aus ihrer transzendenten Relationalität Bestand haben und Erfüllung finden. Von Gleichheit, Gleichwertigkeit und geistiger Autonomie aller Kreaturen zu sprechen,[80] läßt sich jedenfalls mit dem biblischen Schöpfungsglauben nicht vereinbaren. Auch eine Berufung auf Franz von Assisi und seine Promotion zum »Schutzheili-

---

[76] *C. Tresmontant,* a.a.O. 37 f.

[77] *O. H. Steck,* Welt und Umwelt 104, sieht das anders: »In den Schöpfungsaussagen Israels stehen . . . nicht natürliche Welt und Umwelt als neutrale Bereiche dem Menschen gegenüber . . . In den Schöpfungsaussagen Israels ist vielmehr der Mensch mit allem Lebendigen voll einbezogen in ein stetiges Geschehen göttlicher Lebensvergabe und Lebensausstattung, das als solches (!) in sich selbst Sinn und Wert gewährter Lebensermöglichung trägt und insofern ›sehr gut‹ ist . . .«

[78] *A. Ganoczy,* Der schöpferische Mensch und die Schöpfung Gottes 133 f: »Das große Finale des Sechstagewerkes: ›Es war sehr gut‹ . . ., das auf eine Reihe von Segensworten folgt, zeigt mit besonderem Nachdruck, wie die Priesterschrift auf einen wesentlichen Aspekt der Sinngebung bedacht ist: Sinn kann in seiner Totalität nur dem vollendeten Werk zugesprochen werden.«

[79] Vgl. *J. B. Cobb,* Der Preis des Fortschritts 72.42; *G. Noller,* Die ökologische Herausforderung an die Theologie 593; *D. Birnbacher,* Sind wir für die Natur verantwortlich? 110.

[80] Vgl. *L. White,* Die historischen Wurzeln unserer ökologischen Krise.

gen der Ökologie« können eine solche Auffassung nicht legitimieren. Man wird mit der Pastoralkonstitution des II. Vatikanums daran festhalten müssen, daß der Mensch »auf Erden die einzige von Gott um ihrer selbst willen gewollte Kreatur ist«.[81]

3. Anthropozentrik und Theozentrik

Die starke Betonung der Anthropozentrik steht voll im Horizont der Kreatürlichkeit. Darum impliziert sie auch keinen Widerspruch zur Theozentrik der Natur. Im Gegenteil: Je entschiedener die Theozentrik der Schöpfung herausgestellt wird, desto klarer treten auch ihre Zuordnung auf den Menschen und damit ihre Weltlichkeit hervor.[82] Gewiß hat in der neuzeitlichen Entwicklung der Mensch seine theozentrische Verwiesenheit zusehends in Frage gestellt und teilweise leidenschaftlich bestritten. Wenn er aber das Menschsein als letzten Wert proklamiert hat, dann war nie das faktische Menschsein gemeint, sondern stets ein noch ausstehendes besseres Menschsein. Freilich ist es keine auf Dauer tragfähige Sinngebung, wenn der Mensch immer nur die Vorstellung seiner optimalen Selbstverwirklichung vor sich herträgt. Das biblische Denken bringt entschieden zum Ausdruck, daß der Mensch Ziel und Sinn seines Lebens nur in der Hinwendung zu Gott finden kann. Hier waltet unbestreitbar die grundlegende Gewißheit, daß Welt und Mensch ihr Sein dem schöpferischen Ja Gottes verdanken. Als Bild Gottes ist der Mensch selbst unmittelbar zu Gott und vermittelt die ihm aufgegebene Welt auf Gott hin. Das Verhältnis des Menschen zu Gott ist für den Jahwisten und die Priesterschrift die alles tragende Glaubenseinsicht.[83] Wenn im Alten Testament von »adam« gesprochen wird, steht sehr häufig (etwa an 60 Stel-

---

[81] *Gaudium et spes,* Nr. 24. *H. Sachsse,* Der Mensch als Partner der Natur 28, ist allerdings der Meinung, daß die Pastoralkonstitution den Begriff der Natur »sehr wenig gewürdigt« hat, und will die Frage offenlassen, ob die christliche Offenbarung nur die hier vertretene Auffassung zuläßt. – Zum Ganzen vgl. *G. Liedke,* Im Bauch des Fisches 109–153, wo eine »ökologische Auslegung der Schöpfungstexte des AT« vorgelegt ist. *G. Liedke,* a.a.O. 109, bewertet die neuzeitlichen Bibelauslegungen als »anthropozentrisch«. ». . . eine Auslegung, die die Natur als oikos (Haus) des Menschen und den Menschen als zum oikos anderer Lebewesen gehörend ansieht, nenne ich eine *»ökologische Auslegung«.* Man kann dem Verfasser auch hier zustimmen. Grundsätzlich aber ist zwischen einer anthropozentrischen und einer ökologischen Auslegung kein Widerspruch. Eine recht verstandene anthropozentrische Auslegung ist sehr wohl eine ökologische Auslegung und vermag überdies vor dem Mißverständnis zu schützen, man wolle den Menschen in die Natur »reintegrieren«. – So gibt es für *E. Drewermann,* Der tödliche Fortschritt 62–142, nur die Alternative zwischen gehorsamer Einordnung des Menschen in die Natur und »der habgierigen Perspektive seiner eigenen anthropozentrischen Interessen« (104).

[82] Vgl. *G. von Rad,* Christliche Weisheit?, in: Evangelische Theologie 31 (1971) 150–154, hier 151.

[83] Vgl. *H. W. Wolff,* Anthropologie des Alten Testaments 144 f.

len) die Kreatürlichkeit des Menschen im Vordergrund. Kreatürlichkeit aber schließt die Vorstellung aus, daß da zunächst der Mensch in freiem Eigensein existiert und dann von sich aus eine Beziehung zu Gott eröffnet. Kreatürlichkeit impliziert ein zu Gott konstitutiv in Beziehung stehendes Menschsein. Biblisch verstanden kann der Mensch ohne Gott überhaupt nicht gedacht werden; sein eigentliches Wesen als Mensch ist nur theologisch, genauerhin theozentrisch zu bestimmen.[84]

Dies aber schließt nun wiederum nicht ein, daß der Mensch sich nur ausdrücklich und unmittelbar Gott zuwenden kann. Menschliche Zuwendung zu Gott kann sich auch mittelbar durch verantwortliche Weltgestaltung vollziehen. Von Kain und Abel wird nicht nur sakrales Opfer, sondern zunächst Sorge um Acker und Vieh verlangt, und der Mensch muß sich den anspruchsvollen Aufgaben im Bereich des Ackerbaus und auch der Technik stellen, ehe er zum Altar schreitet.[85]

Immer aber bleibt sich die Bibel bewußt, daß Gott es ist, der die Freiheit der Menschen und ihren Dienst an seiner Welt will. Es ist die grundlegende Erfahrung Israels, daß Gott der Befreier aus Ägypten und aus Babylon ist. Von dieser geschichtlichen Freiheitserfahrung her schließt Israel rückwärts und lernt seinen Gott verstehen als den, der schon am Anfang der Geschichte die Freiheit der Menschen will. Das Wort »schaffen« (bara) wird nur gebraucht von Taten, die Gott allein vollbringen kann. Wenn in Gen 1,27, wo von der Erschaffung des Menschen die Rede ist, das Wort bara gleich dreimal vorkommt, dann wird darin unverkennbar deutlich, daß die Freiheit des Menschen sich ausschließlich der Freiheit Gottes verdankt.[86]

III. DIE ÖKOLOGISCHE BEDEUTUNG DES SCHÖPFUNGSGLAUBENS

1. Verwurzelung des Menschen in der Natur

Nach dem biblisch-christlichen Schöpfungsverständnis steht der Mensch als Subjekt nicht einfach der Natur als Objekt gegenüber,

---

[84] Vgl. *C. Westermann,* Art. adam Mensch, in: Jenni-Westermann, Theologisches Handwörterbuch zum Alten Testament I, 41–57, hier 50 f.

[85] *A. Ganoczy,* Der schöpferische Mensch und die Schöpfung Gottes 135: »Nach jüdisch-christlichem Verständnis (wird) oft das Erreichen diesseitiger Nahziele zur Schrittfolge auf das jenseitige Ziel hin ... Es ist, als ob die Umkehrung ›labora et ora‹ der Genesis näher stünde als das spätere benediktinische ›ora et labora‹.«

[86] Vgl. dazu *A. Ganoczy,* a.a.O. 108–124 (»Schöpfung und Freiheit«).

er ist vielmehr in die natürliche Umwelt in buchstäblich radikaler Weise hineingebunden. Er findet sich in der alles umgreifenden Einheit der Schöpfung vor. Sein Auftrag, die natürliche Welt in ihrer Ganzheit zu hüten und zu entfalten, löst ihn nicht aus dieser Verwurzelung heraus. Er kann auch sich selbst niemals ohne oder gegen die Natur verwirklichen, sondern immer nur in der bleibenden konstitutiven Verbundenheit mit ihr. Aufgrund seiner leibhaften Existenz kann er während seines ganzen Daseins nicht einen einzigen Augenblick außerhalb des vitalen Commerciums mit der subhumanen Natur existieren.

Nun ist freilich die Einheit der Schöpfung sehr differenziert angelegt. Es waltet zwischen Mensch und Natur eine gegenseitige Partizipation. Die Natur ist die bleibende Basis, auf der überhaupt menschliche Geschichte erst möglich wird. Nur im Rahmen der naturalen Dimension können sich Menschlichkeit und Geschichtlichkeit entfalten: Indem dies geschieht, partizipiert aber nicht nur der Mensch an der Natur, sondern auch die Natur am Menschen. Die naturale Basis verschwindet nicht in der »eigentlich menschlichen« Aktualisierung, sie hat an ihr Anteil und geht fortwährend in sie ein. Für Paul Tillich ist die Dimension des Anorganischen erste und bleibende Bedingung für die Aktualisierung jeder menschlichen Dimension bis hin zur menschlichen Selbsttranszendierung im religiösen Akt. Das hat seine Auswirkungen für das Verständnis des wissenschaftlich-technischen Verhaltens des Menschen gegenüber der Natur. Das technische Produkt kann nie als leeres Ding oder pures Objekt bewertet werden, dem in keiner Weise ein »Element der Subjektivität« zugesprochen werden könnte, dürfte oder gar müßte. Wenn menschliche Vernunft, Freiheit und Solidarität in das technische Produkt eingehen, gewinnt dieses selbst »ein subjektives Element«. Darum kann und soll der Mensch zu seinem Produkt in eine »erotische« Beziehung treten; darum kann und soll er auch die theonome Verwiesenheit der Technik realisieren. Daraus ergibt sich ein Weiteres: Während die aller subjektiv-emotionalen Elemente entleerte rein instrumentelle Vernunft auf unbegrenzte Progression des technischen Fortschritts tendiert, würde eine bleibende Vergegenwärtigung der subjektiven Elemente das Bewußtsein der Begrenztheit menschlichen Handelns und die Bereitschaft zu deren Anerkennung wecken. Solche Vermenschlichung der Einstellung würde auf die Dauer auch zur Vermenschlichung der technischen Produktion führen.[87] Jedenfalls kann der Mensch,

---

[87] Die Auffassung P. Tillichs ist dargestellt bei K. *Stock*, Tillichs Frage nach der Partizipation von Mensch und Natur, besonders 20–29.

der sich seiner Verwurzelung in der Einheit der Schöpfung und der umgreifenden gegenseitigen Partizipation alles Geschaffenen bewußt bleibt, seine Einstellung gegenüber der Natur nicht verabsolutieren. Er wird vor »anthropozentrischem Hochmut« und einem »imperialistischen« Verständnis seines Verhältnisses zur Natur bewahrt.[88] Er wird seine Verwurzelung in der Natur von der allem Geschaffenen gemeinsamen Bezogenheit auf den Schöpfer her verstehen. Dann wird der konkrete Umgang mit der Natur vom Prinzip der Kreatürlichkeit, die alles Seiende verbindet, geprägt.

In die gegenwärtige Diskussion wurde zu Recht der Begriff der »Mitgeschöpflichkeit« eingeführt.[89] Kreatürlichkeit ist in der Tat die Mensch und Natur in gleicher Weise konstituierende Bestimmung. Skeptischer wird man der allzu unbefangenen Verwendung von Begriffen wie »Partnerschaft«, »Kooperation« und »Interaktion« gegenüberstehen.[90] Ähnliches gilt auch vom Begriff der »Solidarität« oder der »Liebe« zwischen Mensch und Natur.[91] Natürlich kann man einer solchen Verwendung der Begriffe zustimmen, wenn man etwa unter Partnerschaft einfach das Gegenteil von Ausbeutung oder unter Kooperation das Gegenteil von bloßer Nutzung versteht. Peter Kampits weist jedoch mit Recht darauf hin, daß die Verwendung dieser Begriffe in diesem Zusammenhang nicht an traditionelle ethische Entwürfe anknüpft. Man folgt ihm gerne, wenn er selbst für eine »Rückbesinnung auf den ursprünglichen Sinn von Ethos als Aufenthalt« plädiert.[92] Von einem solchen Verständnis her wird deutlich, daß ethisches Handeln nicht nur die zwischenmenschliche Dimension betrifft, sondern alle Formen und Bereiche menschlichen Handelns. Nur im ordnungsgemäßen und sinnvollen Vollzug aller Erstreckungen seines Daseins kann der Mensch sich selbst verwirklichen.

Man mag also von »Partnerschaft«, »Kooperation« und »Interaktion« sprechen, wenn man damit Verzicht auf Ausbeutung,

[88] G.-K. Kaltenbrunner (Hrsg.), Überleben und Ethik 12.
[89] Vgl. G. M. Teutsch, Neue Ansätze in Richtung einer humanökologischen Ethik 44 f, und K. Lehmann, Kreatürlichkeit des Menschen als Verantwortung für die Erde 50, u. a.
[90] Vgl. etwa C. Amery, Das Ende der Vorsehung, pass., und J. Hübner, Schöpfungsglaube und Theologie der Natur 61 f (Partnerschaft); G. Liedke, Von der Ausbeutung zur Kooperation, bes. 56–65 (Kooperation); H. Dembowski, Ansatz und Umrisse einer Theologie der Natur 47 (Interaktion).
[91] J. Hübner, a.a.O. 62: Die partnerschaftliche Achtung der Schöpfung »ermöglicht Gemeinschaft mit den Mitgeschöpfen, nicht nur im Nebeneinander, auch nicht nur in Solidarität, sondern in Liebe als verbindendem und verbindlichem Band des Miteinanders, die auch bis zur Feindesliebe gehen kann«.
[92] P. Kampits, Natur als Mitwelt 62; vgl. auch M. Rock, Umweltschutz 12. Vgl. in vorliegender Untersuchung 1. Teil, 1. Kapitel, II, 1 (oben S. 48 ff).

Ernstnahme der Natur in ihrer Vorgegebenheit und Eigenständigkeit oder insgesamt die Revision der bisherigen menschlichen Einstellung zu ihr zum Ausdruck bringen will. Aber diese Begriffe meinen eben letztlich doch Einstellungen und Vollzüge, die in ihrer Vollform nur im zwischenmenschlichen Bereich anzutreffen sind. Ihre Übertragung auf menschliches Handeln an der Natur ist nur in einem analogen Sinne möglich. Man braucht aber nicht unbedingt auf sie zurückzugreifen, wenn man zum Ausdruck bringen will, daß der Mensch seine Beziehung zur Natur nicht einfach von sich aus konstituiert, sondern sie in sich vorfindet und darum auch von ihr angesprochen wird und auf sie antwortet. Die Neuentdeckung menschlicher Verantwortlichkeit gegenüber der Natur und die Erfahrung des schlechten Gewissens wegen der menschlichen Versäumnisse in Vergangenheit und Gegenwart sollte nicht zu sprachlicher Überschwenglichkeit führen. Es bleibt dabei: Der Mensch besitzt als einzige Kreatur die Möglichkeit, seine Umwelt zu entfalten oder aber sie zu zerstören. Weder das eine noch das andere ist reines Naturereignis. Auch noch die ökologische Krise, in die wir »geraten« sind, ist »die Folge bewußten und gewollten menschlichen Handelns und damit ein ebenso realer wie makabrer Beweis für die tatsächliche Übertragung des dominium terrae an den Menschen«.[93] Die menschliche Verantwortung wird nicht dadurch eingelöst, daß man die Natur zum »Partner« des Menschen promoviert und das menschliche Handeln an ihr als »Kooperation« oder »Interaktion« deklariert, sondern daß man für die verhängnisvollen Folgen menschlichen Handelns einsteht und für die Zukunft Vernunft walten läßt.[94]

2. Freisetzung des Menschen in die Autonomie

»Autonomie« ist in der Theologie weithin immer noch ein Reizwort. Immerhin zeichnet sich eine gewisse klimatische Veränderung ab. Nach Claus Westermann wird, wie bereits erwähnt, in der

[93] *K. Scholder* im Vorwort zu *J. B. Cobb,* Der Preis des Fortschritts 12.
[94] *P. Kampits'* Formel von der Umwelt als »Aufenthaltsort« des Menschen hat viel für sich. Menschliche Umwelt und menschliches Handeln an der Umwelt könnten wohl auch angemessen interpretiert werden, wenn man Umwelt als »erweiterte Leiblichkeit« des Menschen versteht. Vgl. *M. J. Scheeben,* Die Mysterien des Christentums (Ges. Schriften II) Freiburg ²1951, 197. In diese Richtung weist auch *J. B. Cobb,* Der Preis des Fortschritts 119: »Nur wenn wir die Vielzahl der möglichen Relationen innerhalb des Körpers erkennen, sind wir in der Lage, die Kontinuität zwischen den Beziehungen einer Person zu ihrem Körper und zu ihrer Umwelt angemessen zu erkennen. Eigentlich können wir gar keine scharfe Grenzlinie zwischen dem Körper und seiner Umwelt ziehen. Wann wird aus einem Stück Fleisch, das zunächst ein Teil des Naturzusammenhangs ist, ein Teil des Körpers? Wenn es verschluckt wird? Wenn es verdaut worden ist? Oder noch später?«

Absicht des Schöpfers, die Benennung der Tiere dem Menschen zu überlassen, »eine allererste Autonomie des Menschen in einem begrenzten Bereich zum Ausdruck gebracht«.[95] Der Mensch nimmt zwar die Tiere an, wie Gott sie geschaffen hat, aber er ordnet sie, indem er ihnen Namen gibt, seiner Welt zu. In diesem »rationalen Vorgang« findet eine Entmythisierung statt: Die Tiere – aber nicht nur sie, sondern auch die anderen Dinge und die Erde insgesamt – gehen ihrer göttlichen Qualität verlustig, sie werden entdivinisiert und dem Menschen als frei zu gestaltender und zu verantwortender Lebensraum zugewiesen.[96] Es bedeutet für unsere Vorstellung von Gott keine Einbuße, sondern einen Gewinn an Göttlichkeit, wenn Welt und Mensch von ihm so geschaffen werden, daß sie aus sich selbst sind und aus sich selbst wirken können. Denn was den Dingen an Wirklichkeit und Wirksamkeit eignet, stammt von Gott und bezeugt seine Größe.[97] Die reale, totale und stets aktuelle Abhängigkeit der Kreaturen von Gott schließt nicht ein, daß Gott alles, was er in seinen Kreaturen angelegt hat, auch selbst und allein verwirklichen will; dann hätte er es gar nicht in ihnen anzulegen brauchen. Er will offensichtlich soviel als möglich durch die Kreaturen selbst vollziehen. Darum hat er den Dingen eine Ordnung mitgegeben, in der die einen Geschöpfe von den anderen abhängen und durch sie im Sein erhalten werden. »Es ist eine größere Vollkommenheit, wenn etwas in sich gut und zugleich für andere Ursache der Gutheit ist, als wenn es nur für sich allein gut wäre. Und darum lenkt Gott die Dinge so, daß er gewisse Ursachen für die Lenkung anderer Ursachen einsetzt.«[98] Die theologische Rede von der Autonomie meint eben dies, daß Gott die Kreaturen in ihr Eigensein hinein freigesetzt hat, damit sie selber wirksam werden können. Das vernünftige Geschöpf Mensch ist in besonderer Weise befähigt, an der göttlichen Lenkung der Welt teilzunehmen und den göttlichen Weltplan in der Geschichte auszuführen.

Nun stößt in der gegenwärtigen ökologischen Diskussion die Rede von der Autonomie wieder auf verschärftes Mißtrauen. Man sagt, der moderne Mensch lebe in einer »entschaffenen Welt«; für ihn sei alles autonom. Für den Christen aber sei nichts autonom,

[95] Genesis 1–11, 311.
[96] *G. von Rad,* Christliche Weisheit?, in: Evangelische Theologie 31 (1971) 150–154, hier 151: »Je konsequenter die Welt als Schöpfung gesehen wird, um so konsequenter kann von ihrer Welthaftigkeit geredet werden.«
[97] *W. Kern,* Zur theologischen Auslegung des Schöpfungsglaubens, in: Mysterium Salutis II, 537.
[98] *Thomas von Aquin,* Summa theol. I, 103,6; Summa c. gent. III, 77. Vgl. *A. Auer,* Weltoffener Christ, Düsseldorf ⁴1966, 83.

weil alles von Gott erschaffen sei.[99] Vor allem in den Arbeiten von Odil H. Steck trifft man auf eine entschiedene Ablehnung der Autonomievorstellung. Er sieht »eine autonome, an eigenen Zielsetzungen ausgerichtete Verwertung« der Welt im unversöhnlichen Widerspruch zu »einem erfahrungsgegründeten, dem Menschen wie allem Lebendigen von Jahwe vorgegebenen Sinn- und Weltrahmen«.[100] Steck betont zwar nachdrücklich, daß es in der Welt Ordnungen, Zusammenhänge, Einrichtungen und Regelabläufe gibt. Aber es handle sich hier nicht um sinn- und wertneutrale Gesetzlichkeiten, deren sich der Mensch in autonomer Selbstmächtigkeit bedienen könnte. Vielmehr finde der Mensch die Einsicht in diese vorgegebenen Ordnungen nur in der Bindung an Jahwe. Die biblische Welterkenntnis stoße hier »von vorneherein auf wert- und sinnhafte Ordnungsgesetze Gottes, die unverfügbar vorgegeben Leben gewährleisten. Sie orientieren den Menschen in Einsicht, Entscheidung und Handeln werthaft...«[101] Den Zutritt zu diesen Sinngestalten und Ordnungsstrukturen könne der Mensch nicht in autokratischer Unmittelbarkeit gewinnen, vielmehr bedürfe es dafür »der Ermöglichung und der Ermächtigung von seiten Jahwes, und zwar sowohl im geistigen ... wie im handelnden, gebrauchend-lebensfristenden Umgang mit dieser Lebenswelt«.[102]

Dem kann nicht widersprochen werden. Was den entschiedenen Widerspruch herausfordert, ist die hinter diesen Aussagen stehende Vorstellung von Autonomie als dem menschlichen Anspruch auf willkürlich-beliebigen Umgang mit der Welt, mit ihren vorgegebenen Ordnungen und Strukturen, mit ihrem vorgegebenen Sinn- und Wertrahmen. In der neuzeitlichen Geistesgeschichte ist zwar da und dort – keineswegs durchgehend – ein Verständnis von Autonomie entwickelt worden, das Theonomie nur als Heteronomie bewerten und darum zurückweisen muß. Es wurde aber bereits dar-

[99] Vgl. *F. A. Schaeffer*, Das programmierte Ende 39; ähnlich *R. Zihlmann*, Auf der Suche nach einer kosmosfreundlichen Ethik 24.
[100] Welt und Umwelt 123.
[101] A.a.O. 121.
[102] A.a.O. 128. Vgl. a.a.O. 131.147. *Ders.*, Zwanzig Thesen als alttestamentlicher Beitrag zum Thema: »Die jüdisch-christliche Lehre von der Schöpfung in Beziehung zu Wissenschaft und Technik« 281: »Eine von vornherein existentielle Perspektive liegt ... vor, die davon ausgeht, was Leben und Zusammenleben in umfassender Dimension brauchen; sie erfaßt, daß die unerläßliche Wahlordnung der Welt im natürlichen wie im politischen und rechtlich-sozialen Bereich nicht einfach in der Verfügung des Menschen ist, sondern auf immer schon vorgegebenen Einrichtungen und Ordnungen beruht, die Gott der Welt unablässig zuwendet; Welt wird deshalb in allen wesentlichen Wirklichkeitsfeldern als stetiges Geschehen machtvoll-gültiger Zukehr des höchsten Gottes wahrgenommen und in hymnischen oder erzählenden Aussagen von Gottes Wirken sachgemäß zur Darstellung gebracht.«

auf hingewiesen, daß Autonomie keineswegs absolutistisch verstanden werden muß, daß es vielmehr zu den Aufgaben der Theologie gehört, jeden radikal autonomistischen Anspruch zurückzuweisen und die Relationalität der Autonomie im Bereich des Menschen und des Natürlichen herauszustellen.[103] Die Theologie kann dieser Aufgabe nur nachkommen, wenn sie endlich begreift, daß es dem neuzeitlichen Autonomiestreben nicht um Emanzipation vom Ethischen, sondern um Emanzipation des Ethischen ging, daß seine tragende Tendenz auf die mündige Selbstbestimmung des Menschen, auf selbstverantwortliche Gestaltung seines ganzen Daseins, seiner selbst also und der ihn umgebenden Natur zielte.

Die Autonomie des Menschen gründet in der Rationalität der Wirklichkeit insgesamt. Diese Formel von der »Rationalität der Wirklichkeit« bringt die Überzeugung zum Ausdruck, daß die vorgegebenen Strukturen der Welt dem Menschen eine sinnvolle und fruchtbare Daseinsentfaltung ermöglichen. Für den biblisch-christlichen Schöpfungsglauben ist diese »Rationalität der Wirklichkeit« darin begründet, daß die Welt durch das »Wort« erschaffen ist, daß Gott durch sein schöpferisches »Wort« sich selbst, sein eigenes geistig-göttliches Wesen in der Schöpfung dargestellt und nach außen verwirklicht hat. Hier findet die griechische Rede vom »logos noetos« und vom »logos prophorikos« ihre wahre Erfüllung. Im »Wort« sind alle göttlichen Gedanken in eins gefaßt, in ihm werden sie auch verwirklicht. Das »Wort« ist der Schoß, aus dem alle Kreaturen ihren gemeinsamen Ursprung und die Fülle ihrer Möglichkeiten empfangen haben und dem sie stets verbunden bleiben, ohne jemals aus ihm heraustreten zu können. Das bedeutet, daß Erkenntnis und Handeln nur im »Wort« zur vollen Wahrheit kommen können. Es bedeutet zugleich: Wo immer in der Welt Wahrheit erkannt und getan wird, sei es auch noch so dürftig und mit allerhand Unwahrheit vermischt, ist letztlich immer das »Wort« gemeint. Diesen Logos meint die katholische Theologie, wenn sie von

---

[103] Vgl. *A. Auer,* Autonome Moral und christlicher Glaube, Düsseldorf 1971; ²1984, 205 ff: Nachtrag: Die umstrittene Rezeption der Autonomievorstellung in der katholisch-theologischen Ethik. Wie unzutreffend das in der Theologie immer noch weiter tradierte Verständnis von Autonomie und wie bedauerlich die damit gegebene Verkrampfung des Verhältnisses der christlichen Kirchen zur modernen Welt ist, zeigt *J. Schwartländer,* Nicht nur Autonomie der Moral, sondern Moral der Autonomie, in: Anspruch der Wirklichkeit und christlicher Glaube. Probleme und Wege theologischer Ethik heute, hrsg. von H. Weber und D. Mieth, Düsseldorf 1980, 75–94. Vgl. die Kritik von *D. Birnbacher,* Sind wir für die Natur verantwortlich?, besonders 109–114, an den Versuchen einer theologischen Begründung umweltethischer Normen. Heutige theologische Ethik bemüht sich entschieden um rationale Begründung der Normen und kommt damit den Forderungen D. Birnbachers weitgehend entgegen.

Schöpfungsordnung und von Naturrecht, ihn meint die evangelische Theologie, soweit sie von »Erhaltungsordnungen«, von »schöpfungsmäßigen Zusammenbindungen«, von »Konstanten« der Weltordnung spricht.[104] Nichts anderes artikulieren auch die von Odil H. Steck verwendeten Formeln von einem »dem Menschen wie allem Lebendigen von Jahwe vorgegebenen Sinn- und Wertrahmen«, von unverfügbaren »wert- und sinnhaften Ordnungsgesetzen Gottes«, von »vorgegebenen Einrichtungen und Ordnungen« oder von »Fixierungen von Qualität und Sinngehalt der natürlichen Welt«, die den Interessen des Menschen vorausliegen, die sich aber »jedem vernünftig das Ganze der Lebenswelt Bedenkenden von selbst aufdrängen, wenn er aus solcher von Israel gewiesenen Sicht, Erkenntnis und Erfahrung von Welt zurückschließt«.[105] Diese durch die Schöpfung vorgegebenen Sinn- und Ordnungsstrukturen vermag der Mensch aber auch dann zu erkennen, wenn ihr letzter Ursprung aus dem »Wort der Schöpfung« von ihm nicht wahrgenommen wird. Dann hat er freilich die volle Wahrheit der Welt noch nicht erkannt, und diese Defizienz seiner Erkenntnis wirkt sich – davon wird ausführlich zu reden sein – auch in seiner Erkenntnis der Welt und seinem daraus hervorgehenden Handeln aus. Jeder Mensch ist Gottes Ebenbild, auch wenn er es nicht weiß oder nicht wissen will, und als Gottes Ebenbild besitzt er den Zugang zur Rationalität der Wirklichkeit und damit die Fähigkeit zur Erkenntnis und zum Handeln.

Dies ist die eindeutige Auskunft des Schöpfungsglaubens, wie er in den Schöpfungserzählungen des Jahwisten und der Priesterschrift hervortritt. Nicht weniger deutlich stoßen wir auf diese Auskunft in der Erfahrungsweisheit Israels. Die Weisheitsliteratur zeigt den Menschen unterwegs zu verborgenen Ordnungen, die er vielleicht doch den Dunkelheiten der Welt und der Geschichte abgewinnen kann. Der Weg zur Auffindung der Lebensregeln ist in der Weisheitsliteratur weniger ein systematischer (philosophischer oder theologischer), sondern mehr ein empirisch-gnomischer. »Die empirisch-gnomische Weisheit geht von der hartnäckigen Voraussetzung aus: Es ist eine geheime Ordnung in den Dingen, in den Abläufen; sie muß ihnen freilich erst mit großer Geduld und durch al-

---

[104] Vgl. *A. Auer*, Weltoffener Christ, Düsseldorf ⁴1966, 95.
[105] *O. H. Steck*, Welt und Umwelt 131.141.147.152 f. Vgl. *H. Groß*, Theologische Exegese von Genesis 1–3, 428, wo gesagt wird, »daß mit den Einzelkreaturen zugleich ein von der Schöpfung her bestimmtes Ordnungssystem ins Dasein tritt, daß also in und mit den Geschöpfen selbst die Ordnung der Natur gegeben ist, daß die einzelnen Kreaturen in sich die Kräfte besitzen, ihrer Natur und Art gemäß in dauerndem ferneren oder näheren Bezogensein auf Gott ihr Dasein auf dieser Erde zu erfüllen.«

lerlei schmerzliche Erfahrungen abgelauscht werden.« Die Weisheit vermag dies nur dadurch, daß sie die konkrete Erscheinungswelt auf Ordnungen hin abtastet und sich dabei bewußt bleibt, daß die aus der Erfahrung gewonnenen Einsichten immer korrigibel bleiben. Die Erfahrungsweisheit Israels ist der »angestrengte Versuch zur rationalen Auflichtung und Ordnung der Welt, in der sich der Mensch vorfindet, der Wille zur Erkenntnis und Fixierung der Ordnungen in den Abläufen des menschlichen Lebens ebenso wie bei den natürlichen Phänomenen«.[106]

Angesichts eines solchen theologischen Befundes steht es heutiger Theologie schlecht an, wenn sie der Rationalität der Wirklichkeit mit inneren Sperren entgegentritt. Diese Sperren sind angesichts gewisser im Rahmen der neuzeitlichen Freiheitsgeschichte hervortretender Tendenzen mitsamt ihren ökologischen Auswirkungen zwar begreiflich, aber es stünde der Theologie besser an, wenn sie dem inzwischen schwer angefochtenen Vertrauen auf die menschliche Vernunft dadurch weiterhelfen würde, daß sie auf den tragenden transzendenten Grund dieser Vernunft hinweist und sie dadurch zugleich ermutigt und zügelt. Denn wir können dieser Vernunft keineswegs entraten. Das biblische Schöpfungsverständnis vermittelt uns lediglich einen umgreifenden Sinnhorizont für Welt und Geschichte, es entlastet uns nicht von der schweren und nie ganz eingelösten Verpflichtung, aus diesem Sinnhorizont heraus in immer angestrengten Versuchen nach konkreten Modellen sinnvollen Handelns in der Welt zu suchen. Detaillierte Modelle dieses Handelns können eben nicht – wie immer wieder behauptet oder stillschweigend vorausgesetzt wird – auf dem Weg der Deduktion aus bestimmten Sinnvorstellungen gewonnen werden. Es bedarf dafür der beständigen Reflexion über die guten und schlechten Erfahrungen, die die Menschheit auf ihrem Weg durch die Geschichte ansammelt. Auf diesem Weg allein können auch wir zu jener »empirisch-gnomischen Weisheit« gelangen, mit der Israel sich in seiner Geschichte zu orientieren gesucht hat. Die Findung detaillierter Modelle menschlichen Weltverhaltens ist und bleibt primär eine Sache der gesellschaftlich-geschichtlichen Vernunft des Menschen, aber sie kann auf die Dauer – dies zeigt uns eigene schmerzliche Erfahrung – nur gelingen, wenn die Anstrengungen der Vernunft sich im Sinnhorizont des Glaubens vollziehen und sich für dessen kritischen und stimulierenden Effekt offenhalten.

[106] *G. von Rad,* Theologie des Alten Testaments I, 430–454 (Die Erfahrungsweisheit Israels), hier 433 f. 438.

Die Rede von Autonomie und Rationalität muß allerdings die geschichtlich unaufhebbare Ambivalenz menschlicher Einsichten und Erfahrungen mit beinhalten. Je entschiedener der Mensch sich weigert, sich als Ebenbild Gottes zu verstehen, desto eher gerät er in Gefahr, Vorstellung und Wirklichkeit seiner Herkunft über die Welt zu verkehren. Solch fundamentale Gefährdung tritt in der ökologischen Krise der Gegenwart und überhaupt in der fortschreitenden Selbstentfremdung des Menschen durch die technologische Zivilisation offen zutage. Odil H. Steck hat die Ambivalenz der menschlichen Lebenswelt aus den biblischen Texten in eindrucksvoller Weise herausgearbeitet – und zwar durch sorgfältige Exegese der wichtigsten Texte und durch thematische Entfaltung.[107] Das Volk Israel lebte ja nicht im Paradies, sondern in der wirklichen geschichtlichen Welt, und es konnte nicht ausbleiben, daß es die Spannung oder gar den Widerspruch zwischen dem Schöpfungsgeschehen und seiner Gebrochenheit in der wirklichen Welt erfahren hat. Wiederum tritt vor allem in der Weisheitsliteratur hervor, wie schwer es für Israel wurde, Jahwes Walten in der Geschichte zu erfahren. Die »Skepsis« beginnt sich durchzusetzen.[108] Vor allem Kohelet muß Gott in einer »von allem Geschichtswalten Jahwes entleerten Welt« suchen.[109] Er bleibt zwar im Glauben an die Erschaffung und die unablässige Durchwaltung der Welt durch Gott. Aber die Durchwaltung ist so tief verborgen, daß er sie nicht gewahr werden kann. Die Welt wird stumm, und aus dieser Stummheit resultieren Verwundbarkeit und Lebensunsicherheit des Menschen.[110] Freilich darf auch diese Einsicht in die Ambivalenz der menschlichen Lebenswelt nicht verabsolutiert werden. Welt und Umwelt des Menschen werden im Sinne der Bibel nur dann richtig verstanden, wenn der Mensch Autonomie, Rationalität und Ambivalenz zugleich und beständig im Bewußtsein trägt.

[107] Welt und Umwelt 57–61 (Die ambivalente Vorprägung der Lebenswelt in der Jahwistischen Urgeschichte); 82–85 (Qualität und Ambivalenz der Lebenswelt nach der priesterschriftlichen Urgeschichte); 154–171 (Thematischer Aspekt: Das Problem der natürlichen Welt und Umwelt als Schöpfung angesichts von Gegenerfahrungen).

[108] Vgl. *G. von Rad*, Theologie des Alten Testaments I, 467–473, und *O. H. Steck*, Welt und Umwelt 164–168.

[109] *G. von Rad*, a.a.O. 469.

[110] *G. von Rad*, a.a.O. 470: Die göttlichen Setzungen in der Welt bedeuten für den Menschen »Mühsal«, er »tappt immer daneben . . ., weil das Wirken dieses Gottes in eine unerreichbare Verborgenheit hinabgesunken ist! Diese Feststellung ist deshalb so vernichtend für Kohelet, weil er ja außer diesem empirischen Weg überhaupt keine andere Möglichkeit kennt, mit Gott in Verbindung zu kommen.«

3. Einweisung des Menschen in die Geschichte

Was mit der Verwurzelung des Menschen in die Natur und mit seiner Freisetzung in die Autonomie bereits gegeben ist – seine Einweisung in die Geschichte –, das soll nun noch ausdrücklich hervorgehoben werden. Die Schöpfung durch das »Wort« setzt die Welt ins Werk. Sie stiftet zugleich die Rationalität der Welt, d. h. ihre Sinnhaftigkeit und die Möglichkeit von Ordnungsstrukturen. Das »Wort« stiftet aber auch die geschichtliche Dynamik der Welt. Jes 55,11 heißt es: »So ist es auch mit dem Wort, das meinen Mund verläßt: Es kehrt nicht leer zu mir zurück, sondern bewirkt, was ich will, und erreicht all das, wozu ich es ausgesandt habe.« Das hebräische »dabar« (sprechen) deutet etymologisch an, daß im Wort eine Wirkkraft verborgen ist, die sich kundtun will; es hat aktiven, dynamischen Charakter. Alles in der durch das »Wort« geschaffenen Welt drängt heraus aus seinen Möglichkeiten, die es ihm mitgegeben, mit den Mitteln, die es ihm eingegründet, auf das Ziel hin, das es ihm gesetzt hat und das es selber ist. Die Anfangsform der Kreatur ist nicht ihre Vollendungsform, aber diese ist in jener angelegt, und die menschliche Tätigkeit hat bei ihrer Herausbildung eine grundlegende Bedeutung. Hier ist der theologische Ort aller wissenschaftlichen und technischen wie aller künstlerischen Bemühung der Menschheit. Der Mensch ist der geschichtliche Verlautbarer und Vollzieher des Schöpfungswortes.[111] Der erschaffene Keim drängt zur Entfaltung. Causa efficiens, causa finalis und causa exemplaris (Wirkursache, Ziel und Vor- oder Urbild) sind im Logos vereint.

Der Chemiker und Philosoph Hans Sachsse legt eine neue physikalische Deutung des aristotelischen Entelechie-Begriffs vor. Nach Aristoteles ist die Seele die Form eines natürlichen Körpers und die Ursache seiner Bewegung (Veränderung, Entwicklung); sie bewegt den Körper zugleich auf ein bestimmtes Ziel hin. Mit einem von ihm selbst gebildeten Kunstwort bezeichnet Aristoteles die Seele als die Entelechie der natürlichen Dinge, als ihre Verwirklichung auf Vollendung hin. Nach Sachsse trifft die aristotelische Charakterisierung der Seele in überraschender Weise auf unseren heutigen Begriff des »Programms« zu. Die Molekularbiologie vermochte die

---

[111] Nach *A. Ganoczy,* Der schöpferische Mensch und die Schöpfung Gottes 133, ist Gott durch den Logos nicht nur causa prima, sondern zugleich causa finalis, damit Ziel und Sinn der Welt begreiflich werden, und causa exemplaris, damit dieses Ziel seine angemessene Gestalt findet. »Doch kann auch eine synthetische Vorstellung von den verschiedenen Ursächlichkeiten den ganzen Gedankenreichtum nur annähernd versprachlichen, den die biblische Symbolik spielend leistet.«

sog. genetische Information zu entziffern, d. h. der Tatsache auf die Spur zu kommen, »daß in der chemischen Struktur der DNS-Moleküle der Chromosomen der Keimzelle die Veranlagung festgelegt ist, die jedem Organismus mitgegeben ist. Die chemische Struktur dieser DNS-Moleküle bestimmt, welche Art Lebewesen aus dieser Keimzelle hervorgehen wird, und steuert Wachstum und Entwicklung.« Das genetische Programm ist »die konzentrierteste Form, in der uns die Natur begegnet«. Selbst unbewegt, ist sie doch »die Ursache der Bewegung, indem sie durch die Vorgabe der Sollwerte, der Gleichgewichtswerte, die Ist-Soll-Differenz schafft und durch ihre Struktur im einzelnen die Weisen der Veränderung, der Entwicklung und des Verhaltens bestimmt«. Sachsse sieht den Begriff der genetischen Information auch in dem stoischen Begriff der »logoi spermatikoi« (»Samen-Worte«) vorweggenommen. Alle diese Begriffe – Seele, Entelechie, logoi spermatikoi und genetisches Programm – bringen zum Ausdruck, daß die Endgestalt und der Weg zu ihr in der Anfangsgestalt enthalten sind.[112]

In dieser oder ähnlicher Weise ereignet sich, was die Theologie unter Schöpfung als »Widerfahrnis« versteht, nämlich der ständige Zustrom von Leben, Geist und Freiheit an den Menschen. Wer wie Israel in der Kategorie »Schöpfung« denkt, für den ist die Welt weniger ein Sein als ein Geschehen, weniger eine empirisch faßbare Gegebenheit, als vielmehr ständig konkret aktuelle göttliche Zuwendung von Dasein und Leben an die Kreaturen.[113] Schöpfung als »Widerfahrnis« bedeutet für den Menschen, daß er in die Geschichte eingewiesen ist und sie in seine Verantwortung übernehmen muß. Weil der Mensch dabei in die Natur hineingebunden und zugleich über sie hinausverwiesen ist, ist er notwendig »das handelnde Wesen« (A. Gehlen). Durch die Tatsache, daß Gott den Menschen so gewollt und erschaffen hat, sieht sich der Glaubende ermächtigt und ermuntert, das ihm ständig zuströmende Dasein mit all seinen Möglichkeiten optimal zu nutzen und dadurch sein Leben zu erfüllen.[114] Dabei muß der Mensch immer zwischen dem ihm vorgegebenen umfassenden Sinnverständnis der Welt und dem

[112] Vgl. *H. Sachsse*, Der Mensch als Partner der Natur 33–39.
[113] Vgl. *O. H. Steck*, Welt und Umwelt 67; a.a.O. 68: »Welt und Mensch (als) ›umgreifendes Geschehen stetiger Zuwendung Jahwes des Schöpfers, das allem Dasein immer schon vorgegeben ist und Leben, Lebensraum, Lebensversorgung und Lebensfrist für alles Lebendige darreicht.‹« Vgl. auch *Ders.*, Zwanzig Thesen als alttestamentlicher Beitrag zum Thema: »Die jüdisch-christliche Lehre von der Schöpfung in Beziehung zu Wissenschaft und Technik« 283, und *G. von Rad*, Theologie des Alten Testaments I, 165.439.
[114] Vgl. *O. H. Steck*, a.a.O. 128.

in der Welt selbst angelegten, von der Vernunft aufzufindenden Ordnungsstrukturen »hin- und hergehen«, wie die Weisheitslehrer Israels ständig zwischen zwei Aussagemöglichkeiten hin- und hergegangen sind, »zwischen einer, die ganz neutral ein Kausalgeschehen festhielt, und einer anderen, die bekenntnismäßig war und von einem unmittelbaren Handeln Jahwes am Menschen sprach«.[115]

Die sachliche und zeitliche Priorität des göttlichen Handelns im »Widerfahrnis« der Schöpfung ist für das biblische Denken unbestreitbar. Aber das göttliche Handeln in diesem Widerfahrnis, das die herkömmliche Theologie als »creatio continua«, als immerwährende Schöpfung bezeichnet, bleibt durch »Liberalität« und »Transzendentalität« gekennzeichnet. Der Schöpfer setzt die Welt frei in die Eigentlichkeit ihrer selbst; darin wirkt sich die »Liberalität« des göttlichen Schaffens aus, daß er Mensch und Welt so wirkt, daß sie beide selbständiges Sein und selbständiges Wirken haben. Die Rede von der »Transzendentalität« des göttlichen Schaffens bringt zum Ausdruck, daß Kreatürlichkeit eine vertikale Beziehung ist, die Selbstsein und Selbstwirken der einzelnen weltlichen Bereiche nicht nur unberührt läßt, sondern sie sogar bewirkt und ständig konstituiert. Gott will und schafft die Welt als eine sich entwickelnde Welt.[116] Heutige Dogmatik sieht in der Lehre von der creatio continua ein theologisches Interpretament für den Prozeß der Evolution. Gott erscheint hier nicht als eine Ursache, die zu einer bestimmten Kategorie gehört und dadurch ein bestimmtes Etwas wirkt neben anderen Ursachen, die anderes zustande bringen. Wenn man in der Evolution das fortgesetzte Schöpferhandeln Gottes sieht, dann braucht man nicht immer wieder – nicht einmal an den bedeutendsten Selbstüberschreitungen der Kreaturen – ein Heraustreten Gottes aus dem transzendentalen in kategoriales Ursachesein anzunehmen.[117]

Die Einweisung des Menschen in die Geschichte zielt nicht auf

---

[115] G. von Rad, Weisheit in Israel 141. G. Altner, Schöpfung am Abgrund 137, bemerkt dazu: »Der Versuchung einer kausalistischen Verfremdung von Natur und Geschichte entgeht der alttestamentliche Weisheitslehrer dadurch, daß er dialektisch zwischen der von ihm erkannten ›immanent wirkenden Gesetzlichkeit‹ und der von ihm anerkannten ›Freiheit des Willens Jahwes‹ denkerisch hin- und hergeht, ohne sich auf eine endgültige Verhältnisbestimmung einzulassen.« Vgl. auch H. W. Wolff, Anthropologie des Alten Testaments 221–230, über die Verwiesenheit des Menschen in eine geschichtliche Zukunft hinein.

[116] P. Schoonenberg, Gottes werdende Welt, Limburg 1963, 41.

[117] Vgl. z. B. P. Smulders, Theologie und Evolution. Versuch über Teilhard de Chardin, Essen 1963, 71. In ähnlicher Weise sagt O. Semmelroth, Orthodoxie und Orthopraxie, in: Geist und Leben 42 (1969) 359–373, hier 365: Gottes Wirken ist nicht »eine Art metaphysischen Subsidiaritätsprinzips neben den innerweltlichen Kräften und Gesetzmäßigkeiten«.

eine unbegrenzte Expansion. In einer Zeit, in der sowohl das Bevölkerungswachstum als auch die technisch-ökonomische Produktion weithin außer Kontrolle geraten sind, beginnt man über die Grenzen sowohl des Fruchtbarkeitssegens wie auch des Weltauftrags kritischer nachzudenken. Es wurde schon darauf hingewiesen, daß nach der Priesterschrift das Wachstum nur auf eine sinnvolle Größe zielt, die es der Menschheit ermöglicht, von der Erde Besitz zu ergreifen.[118] Unbegrenzte Expansion stellt mit Sicherheit eine Perversion des menschlichen Schöpfungsauftrags dar, weil sie das reine »Mehr-Haben« und nicht das »Mehr-Sein« erstrebt. Äußere Weltverwirklichung ohne innere menschliche Selbstverwirklichung geht am Schöpfungsauftrag vorbei. Aber die äußere Weltverwirklichung hat schon in sich deutliche Grenzen. Odil H. Steck sieht sie dort überschritten, wo anderen Menschen und der künftigen Generation die Lebenswelt zerstört wird, wo das eigenständige Daseinsrecht nichtmenschlichen Lebens unterbunden und wo die Tötung nichtmenschlichen Lebens über den elementaren Lebensbedarf und die elementare Lebenssicherung des Menschen hinaus vollzogen wird.[119]

Es steht also dem Menschen sehr wohl an, sich der grundsätzlichen Begrenztheit der menschlichen Möglichkeiten bewußt zu sein. Gerhard von Rad weist darauf hin, daß die alttestamentliche Erfahrungsweisheit trotz ihrer »optimistisch-rationalen Gläubigkeit« den der menschlichen Ratio zugänglichen und mit seinem Wesen ausfüllbaren Bereich doch eigentlich für recht klein gehalten hat. Die Erfahrungsweisheit in Israel ist zwar voller Zuversicht der Lebensbewältigung, aber sie bekennt sich auch zu den von Gott gesetzten Grenzen und rechnet mit dem Scheitern aller Erkenntnisse. Selbst wenn man von den verhängnisvollen Auswirkungen der Hyperaktivität der gegenwärtigen technisch-ökonomischen Zivilisation absieht und für eine Bewertung ausgeglichenere Zeitläufe ins Auge faßt, ist das Gewicht der »Daseinsnegativitäten« (A. Ganoczy) und der »Gegenerfahrungen zur natürlichen Welt und Umwelt« (O. H. Steck) so massiv, daß nur die bare Naivität über die drastische Ambivalenz des menschlichen Daseins in der Geschichte hinwegsehen kann. Niemand bestreitet die positiven Wirkungen von Wissenschaft, Technik und Wirtschaft; ihr Beitrag für die Qualität des Lebens ist ebenso offensichtlich wie unverzichtbar. Aber die gesamte Entwicklung macht doch offenkundig, daß der Mensch das Maß

---

[118] Vgl. *N. Lohfink,* Die Priesterschrift und die Grenzen des Wachstums; *Ders.,* »Macht euch die Erde untertan«?, und: Schöpfung und Heil, in: zur debatte 7 (1977) 9–11.
[119] Vgl. Welt und Umwelt 148.

verloren hat und die negativen Tendenzen sich deshalb überdimensional auswirken konnten.[120]

Das Ergebnis ist eindeutig: Dem Menschen, der als Gottes Bild dessen Herrschaft irdisch darstellen und durchsetzen soll, ist die Natur keineswegs als Objekt willkürlicher Ausbeutung überlassen. Sie erscheint allerdings auch nicht als Subjekt, das dem Menschen als gleichwertiger oder gar übergeordneter Partner gegenübertritt. Sie ist ihm vielmehr verantwortlich übergeben als das Haus, in dem er wohnen, als der Aufenthaltsort, an dem er seine Bestimmung als Mensch durch die Geschichte hindurch einlösen soll. Das griechische Wort für Haus heißt »oikos«. Im Rahmen unseres Begriffs Ökologie bringt es das vielfältige Geflecht von Lebensbeziehungen zum Ausdruck, in das der Mensch hineingebettet ist und für dessen Ausgeglichenheit er Verantwortung trägt. Ein sachlich vertretbares Modell einer ethischen Neuorientierung kann sich demnach nur auf der Basis der dem Menschen eigenen Sonderstellung innerhalb seiner Umwelt erheben. Menschliche Geschichte wird nicht nur in Bewegung gebracht durch die Periodik natürlicher Zyklen. Darum kann sich der Mensch auch nicht in der Weise in die »Naturgeschichte« einordnen, daß er sich einfach dem Gesetz der hier herrschenden ewigen Wiederkehr des Gleichen unterwirft und sich auf den Wellen einer pantheistischen Einheitsmystik in die Kreisläufe der Natur einschwingt. Der Mensch ist das einzige Wesen, das verantwortlich handeln kann. Darum ist er das einzige Wesen, das wirklich Geschichte hat. Geschichte ist ein Weg, der im letzten auf der Einmaligkeit menschlichen Lebens und Handelns beruht und auf eine geglücktere Selbstdarstellung des Menschen zielt. Mit einer solchen Auffassung hat sich allerdings nach Eugen Drewermann die Religion der Bibel getrennt von allen anderen Religionen, denen es um die Bewahrung der natürlichen Kreisläufe ging. Anderen Religionen und allen großen Mythologien sei gemeinsam »die Bewahrung der großen Kreisläufe allen Daseins, in denen die Natur ihr Gleichgewicht wie im Wechsel der Gezeiten, wie im Kommen und Gehen von Sommer und Winter wiederherstellt«. Das Christentum müsse von Grund aus umlernen: Die Orientierung auf Veränderung und Umgestaltung führe in den »tödlichen Fortschritt«, Rettung gebe es nur in der »immer neuen Wiederholung des gleichen, (in der) ›Bewahrung‹ und ›Bedienung‹ der

[120] Vgl. G. von Rad, Theologie des Alten Testaments I, 453.448, und O. H. Steck, Zwanzig Thesen als alttestamentlicher Beitrag zum Thema: »Die jüdisch-christliche Lehre von der Schöpfung in Beziehung zu Wissenschaft und Technik« 298.

Schönheit der Dinge«.[121] Daß sich hier die Wege scheiden, haben die bisherigen Überlegungen gezeigt; die folgenden werden es bestätigen.

IV. SCHÖPFUNGS- UND CHRISTUSMYSTERIUM

Für Israel war Gott zunächst der Bundesgott. Sein Handeln in der Geschichte war die religiöse Grunderfahrung des Volkes. Darum wird das volle theologische Verständnis der Schöpfungsgeschichten nur dort erreicht, wo die Schöpfung von der Heilsgeschichte her als deren notwendige Voraussetzung verstanden wird, wo der Bund als der »innere Ereignisgrund der Schöpfung« erscheint.[122] Das Volk Israel hat sich vor allem in seine eigenen geschichtlichen Überlieferungen versenkt, und dabei ist ihm die Grunderfahrung der Befreiung zuteil geworden. Der Glaube an die Schöpfung war nicht der Anfangspunkt, sondern eher der »Endpunkt« in Israels Glauben an seinen Bundesgott. »Der Schöpfungsglaube ist ein inneres Moment der Selbstrechtfertigung, der konsequenten reflexen Selbstinterpretation des Bundesglaubens.«[123] Walter Kern und Gerhard von Rad haben dies an der Textform, an der Struktur und an Einzelzügen der alttestamentlichen Schöpfungszeugnisse aufgewiesen, näherhin der jahwistischen Schöpfungserzählung und der Schöpfungstexte der Priesterschrift, des Deutero-Jesaja und anderer prophetischer Schriften, schließlich der Psalmen und der Weisheitsliteratur. So spricht etwa Deutero-Jesaja, der neben der Priesterschrift als bedeutendster Kronzeuge des Schöpfungsglaubens gilt, in Kap. 42,5 oder in 43,1 von Jahwe, »der den Himmel erschaffen«, »der dich geschaffen hat, Jakob, und der dich geformt hat, Israel«, um dann im Hauptsatz zu soteriologischen Aussagen überzugehen: »Fürchte dich nicht, denn ich habe dich ausgelöst.« Das Wort vom Erlöser steht also im Hauptsatz, das vom Schöpfer im Nebensatz. In Jes 44,24 stellt sich Jahwe vor als Erlöser und Schöpfer: »So spricht der Herr, dein Erlöser, der dich im Mutterleib geformt hat.« Gerhard

---

[121] *E. Drewermann*, Der tödliche Fortschritt 119.129; die Berufung auf die jahwistische Paradieserzählung (Gen 3,8) ist so punktualistisch, daß sie nicht als gerechtfertigt erscheint.

[122] Vgl. *W. Kern*, Die Schöpfung als Voraus-Setzung des Bundes im AT, in: Mysterium Salutis II, 440–454, hier 441; zur biblischen Grundlegung vgl. *F. Mußner*, Die Schöpfung in Christus, in: a.a.O. II, 455–461, und *G. von Rad*, Theologie des Alten Testaments I, 149–153 (»Der theologische Ort des Zeugnisses von der Schöpfung«).

[123] *W. Kern*, Die Schöpfung als Voraus-Setzung des Bundes im AT 443.

von Rad bemerkt dazu, daß hier »Glaubensinhalte neben-, ja ineinandergestellt sind, die für unser Denken viel weiter auseinanderliegen«, daß es in Jes 51,9 f »fast zu einer Koinzidenz beider Schöpfungswerke« kommt, daß »Schöpfung und Erlösung ... beinahe als *ein* Akt dramatischen göttlichen Heilshandelns« anschaubar werden.[124] Die Idee der Heilsökonomie als des inneren Ereignisgrundes der Schöpfung ist kaum irgendwo eindrucksvoller herausgearbeitet worden als in der Theologie Karl Barths. Barth hat in der Schule des deutschen Idealismus das theologische Denken und Sprechen gelernt: die Schau von der höchsten Warte, die Intuition aus dem Zielganzen. Seine Denkrichtung geht von oben nach unten, vom Akt zurück in die Potenz, von der Ziel-Setzung zur Voraus-Setzung. Ausgangspunkt ist für ihn der höchste Punkt der Verwirklichung. Dieses Worum-Willen, dieses Wofür und Wozu prägt und bestimmt den Charakter und die Disposition des Seienden bis ins Detail. Darum faßt Barth die intentionale Ordnung vor aller Stufenfolge der Verwirklichung ins Auge. Er schreibt den Schöpfungsartikel mit radikaler Konsequenz vom Christusartikel her. Er liest die Schrift von hinten nach vorne. Er liest die Genesis mit den Augen des Paulus und des Johannes. Er setzt beim höchsten Punkt der Inkarnation an und zieht die Christusbeziehung durch bis zum Anfangspunkt der Erschaffung von Himmel und Erde. Vom höchsten heilsgeschichtlichen Ereignis her faßt er ins Auge, was dieser Akt voraussetzt: das Werk der Schöpfung. So ist Jesus Christus unter allen Gesichtspunkten betrachtet *der* Schlüssel zum Geheimnis der Schöpfung.[125]

Auch das Neue Testament bringt in den verschiedenen Christologien Christus nicht nur mit der zweiten, der neuen, sondern auch mit der ersten Schöpfung in Zusammenhang.[126] Für Paulus ist der eine Gott der Vater, »von dem alles stammt«, und Jesus Christus der eine Herr, »durch den alles ist« (1 Kor 8,6). Johannes sieht im Logos den universalen und ausschließlichen Mittler der Schöpfung: »Im Anfang war das Wort ... Alles ist durch das Wort geworden, und ohne das Wort wurde nichts, was geworden ist.« (Joh 1,1.3) Nach Hebr 1,2 f hat Gott am Ende der Tage zu uns gesprochen durch seinen Sohn, den er zum Erben des Weltalls eingesetzt

[124] *G. von Rad*, Theologie des Alten Testaments I, 150 f. Vgl. dazu auch *A. Ganoczy*, Der schöpferische Mensch und die Schöpfung Gottes 114.
[125] *K. Barth*, Die kirchliche Dogmatik III/1,30.
[126] Vgl. dazu *F. Mußner*, Schöpfung in Christus, in: Mysterium Salutis II, 455–461; und *K. H. Schelkle*, Theologie des Neuen Testaments, Bd. 1 (Schöpfung), Düsseldorf 1968, bes. 33–53.

hat und durch den er die Welten geschaffen hat. Der Christushymnus in Kol 1,15–18 a, die vielleicht wichtigste Aussage zu dem Thema »Schöpfung in Christus«, preist Christus als den Erstgeborenen der ganzen Schöpfung, weil in ihm alles erschaffen wurde, weil alles in ihm seinen Bestand hat und weil alles durch ihn und auf ihn hin erschaffen worden ist. Hier wird in aller Deutlichkeit zum Ausdruck gebracht, daß Christus das verborgene Ziel der Schöpfung ist.

Bekanntlich hat die skotistische Christologie schon immer das vornehmlichste Motiv der Menschwerdung des Logos nicht in der Tilgung der Schuld gesehen, sondern die Ansicht vertreten, daß die Inkarnation als ursprünglichster Akt Gottes den Höhepunkt seiner Selbstentäußerung darstellt und daß darin der Wille zur Schöpfung gewissermaßen schon mit einbegriffen ist. Die Menschwerdung des Logos wäre demnach das eigentliche Sinnziel der gesamten Schöpfungsbewegung, und alles andere wäre nur seine Vorbereitung und Ermöglichung. So sicher aber die Heilsgeschichte ihre Aufgipfelung in Christus findet, so darf doch die Christologie die Schöpfungswirklichkeit nicht veruneigentlichen. Dies würde schließlich auch die Christologie gefährden. Denn wir erfahren Christus nur in der Wirklichkeit, in die wir durch die Schöpfung hineingestellt sind, und wenn wir hier uns nicht zunächst als Menschen erfahren würden, könnten wir auch nicht begreifen, was mit der Menschwerdung des Logos gemeint ist. Die letzte Erfahrung hebt die frühere nicht auf.[127]

---

[127] Vgl. *K. Rahner*, Art. Anthropologie (theologisch), in: LThK I (1957), 618–627, hier 626 f.

2. Kapitel
DIE CHRISTOZENTRISCHE SINNBESTIMMUNG DER SCHÖPFUNG

Die Theologen, die sich an der gegenwärtigen Diskussion über ökologische Probleme beteiligen, stellen in ihren Überlegungen die Perspektiven des Schöpfungsglaubens eindeutig in den Vordergrund. Soweit sie das neutestamentliche Kerygma über das in Jesus erschienene Heil miteinbeziehen, suchen sie vor allem die Bedeutung des Kreuzes und der eschatologischen Vollendung der Welt herauszuarbeiten. Dies ist begreiflich. Die Verfasser neutestamentlicher Schriften haben kaum ein ausdrückliches kosmologisches Interesse. Es geht ihnen um das Kommen der Gottesherrschaft. Je mehr sie freilich über dieses zentrale Mysterium nachdenken, desto mehr erkennen sie auch seine Bedeutung für das Verständnis des überkommenen Schöpfungsglaubens. Im folgenden soll versucht werden, die christozentrische Sinnbestimmung der Schöpfung zwar in der gebotenen Kürze darzustellen, dabei aber doch so breit anzusetzen, wie das Neue Testament selbst es erfordert.

I. DIE BOTSCHAFT JESU ÜBER DAS VERHALTEN GEGENÜBER DER WELT

Nach den drei ersten Evangelien wird die natürliche Welt, auch wenn der Mensch zum Glauben gekommen ist, mit ihren Möglichkeiten und Angeboten, aber auch mit ihren Mängeln und Widrigkeiten realistisch angenommen.[1] Der Mensch braucht, um zu leben, Sonne und Regen, Essen und Trinken, Kleidung und Wohnung. Und Gott weiß auch, daß er das alles braucht. Und wenn Gott schon für die Raben sorgt, die nicht säen und nicht ernten, wenn er für die Lilien des Feldes sorgt, die nicht spinnen und nicht weben (Lk 12,24–27), wieviel mehr darf dann erst der Mensch darauf ver-

---

[1] Eine Fülle von Einzelbelegen bei *O. H. Steck,* Welt und Umwelt 176–180, *K. H. Schelkle,* Theologie des Neuen Testaments, Bd. 1 (Schöpfung), Düsseldorf 1968, 27–33, und vor allem bei *R. Völkl,* Christ und Welt nach dem Neuen Testament, Würzburg 1961, 15–154.

trauen, daß Gott ihm gibt, wessen er bedarf. Er braucht sich nicht krampfhaft für die Zukunft zu sichern, so als könnte er über sie wirksam verfügen. Die Sprüche vom Sorgen (Mt 6,25–34; Lk 12,22–34) ermahnen den Menschen, krampfhafte und illusorische Besorgtheit fahren zu lassen und sich statt dessen mit seiner ganzen Lebenszukunft dem anzuvertrauen, der schon in der Schöpfung mit seiner Güte präsent ist und der nunmehr in Jesus Christus dem Menschen heilvoll nahegekommen ist.[2] Alle Dinge der Natur, deren Menschen und Tiere bedürfen, werden ganz selbstverständlich dem Schöpferwirken Gottes zugeschrieben: »Macht euch also keine Sorgen und fragt nicht: Was sollen wir essen? Was sollen wir trinken? Was sollen wir anziehen? Denn um all das geht es den Heiden. Euer himmlischer Vater weiß, daß ihr das alles braucht. Euch aber muß es zuerst um sein Reich und um seine Gerechtigkeit gehen, dann wird euch alles andere dazugegeben.« An dieser Stelle meldet sich eine neue Sinnspitze des Schöpfungsglaubens. Er wird der zentralen Forderung Jesu zugeordnet, die sich aus seiner Botschaft von der nahegekommenen Gottesherrschaft ergibt, der Forderung der »Umkehr« (Mk 1,15; Mt 4,17). Die Welt ist und bleibt Gottes gute Schöpfung, aber sie ist zugleich das Reich der Sünde. Sie hat sich der Herrschaft Gottes entzogen und ist der Herrschaft widergöttlicher Mächte unterworfen. Die Sünde liegt nicht darin, daß die Menschen in der Welt leben, sondern daß sie ihr in ihrer Gesinnung verfallen sind. R. Völkl unterscheidet mit Recht zwischen »äußerer Weltlichkeit« und »innerer Weltlichkeit« und sieht in letzterer »Weltsinn« und »Weltgeist«, also die Selbstsucht des Menschen, das Mißverständnis seiner Selbständigkeit und seiner Autonomie.[3] Von da aus wird begreiflich, daß der Nachdruck der sittlichen Forderung auf Weltverneinung liegt. Es geht aber nicht um die Verneinung der Welt als solcher, sondern um die Überwindung der »inneren Weltlichkeit«. Diese Forderung betrifft nicht nur einen sündhaften Mißbrauch weltlicher Güter, sondern schon die Grundorientierung des Menschen auf das »Gewinnen von Welt« hin; dabei ist zu beachten, daß der Begriff »Welt« nicht etwa nur die materiellen Güter umfaßt, sondern auch »weltliche« Geistesart, »weltliche Klugheit« und veräußerlichte, verweltlichte Frömmigkeit.[4]

Von hier aus wird verständlich, daß das Ja zur Weltliebe in der

---

[2] Vgl. *O. H. Steck*, Welt und Umwelt 179.
[3] Christ und Welt nach dem Neuen Testament 18.
[4] Vgl. *R. Völkl*, a.a.O. 15–69; hier sind die einschlägigen Aussagen zusammengestellt und sehr sorgfältig bewertet.

sittlichen Botschaft Jesu ein sehr begrenztes ist. Das Ja zu den Gütern und Einrichtungen der Weltzeit und die Liebe zum Menschen werden zwar als solche nicht in Frage gestellt. Aber sie können sich nicht in einem rein humanistischen Sinn nur innerweltlich verstehen, sie sind nur zu verstehen aus dem Horizont des Glaubens an die Gottesherrschaft. Sie finden ihre tiefste Begründung und Rechtfertigung in der Liebe Gottes zu den Menschen und zur Welt (Lk 6,36; Mt 5,48); sie sind zugleich das Medium, in dem der christlich Glaubende seine Liebe zu Gott in der Welt bewähren kann und muß.[5] R. Völkl weist dies für die Bereiche Arbeit und Beruf, Ehe, Familie und politisches Gemeinwesen im einzelnen ausführlich auf. Es geht dabei keineswegs um wirtschaftlichen oder gesellschaftlichen Fortschritt, auch nicht um irgendwelche innerweltliche Reformen. Nach der Botschaft Jesu ist die christliche Einstellung zur Welt weder anthropozentrisch noch kosmozentrisch, sie ist radikal theozentrisch, und ihr ausschlaggebendes Motiv ist der eschatologische Wille Gottes.[6]

II. DIE BIBLISCH-THEOLOGISCHE INTERPRETATION DER CHRISTOZENTRIK DER SCHÖPFUNG

Wenn bisher (unter I) die sittlichen Weisungen Jesu skizzenhaft herausgestellt worden sind, so ist nun die Frage nach der Legitimation, nach dem »Begründungszusammenhang«, zu stellen: Aus welchem Sinnhorizont heraus verstehen sich diese sittlichen Weisungen? Was stellt sich in der Reflexion der biblischen Theologen als ihre Letztbegründung dar? Welche Interpretamente haben sie eingeführt, um diese Letztbegründung einsichtig zu machen? Diese Fragen machen deutlich, daß es im folgenden nicht nur um die Wirkungsgeschichte der Worte Jesu geht. Im Neuen Testament erscheinen als konstitutive Elemente des Begründungszusammenhangs vor allem die Christozentrik der Schöpfung, der mittlerische Dienst der Kirche und die eschatologischen Perspektiven der Botschaft Jesu.

---

[5] Vgl. a.a.O. 81.
[6] Vgl. a.a.O. 153, und *V. Warnach*, Kirche und Kosmos 197 f. Angesichts dieses Befundes formuliert *L. Scheffczyk*, Schöpfung und Vorsehung 14, allzu vorsichtig, wenn er schreibt: »Im Grunde übernehmen (die Synoptiker) den Inhalt des alttestamentlichen Schöpfungsglaubens und verkünden die Ursprungsbeziehung der Welt und in Sonderheit des Menschen zu Gott wie das Telos der Schöpfung als ein ›Zu-Gott-hin‹.«

1. Die Christozentrik der Schöpfung

a) Der Christus-Hymnus in Kol 1,15–20

Neben Röm 8,19–23 gibt es keine Stelle in den Briefen des Apostels Paulus, die sich so ausführlich mit der Schöpfung befaßt wie Kol 1,15–20. Die Exegeten haben im einzelnen aufgewiesen, daß der Christus-Hymnus auf dem Hintergrund der alttestamentlichen Weisheitsspekulation und der hellenistischen Logosspekulation zu sehen ist. Der Verfasser des Briefes hat sich der hier vorgegebenen Interpretamente bedient, um sein christozentrisches Verständnis der Schöpfung zu vermitteln und gegenüber den gnostischen Tendenzen in Kolossae durchzusetzen. Man nimmt an, daß die in Kolossae umgehende Lehre von den Elementen jener Auffassung ähnlich war, die Marc Aurel in seiner Schrift »Wege zu sich selbst« auf die Formel gebracht hat: »Alles ist mir Frucht, was deine Zeiten bringen, o Natur. Von dir ist alles, in dir alles, zu dir alles.«[7]

Die für unsere Überlegungen entscheidenden Verse sind Kol 1,15–17: Jesus Christus »ist das Ebenbild des unsichtbaren Gottes, der Erstgeborene der ganzen Schöpfung; denn in ihm wurde alles erschaffen im Himmel und auf Erden...; alles ist durch ihn und auf ihn hin geschaffen. Er ist vor aller Schöpfung, in ihm hat alles Bestand.« Was heißt das?

»In ihm erschaffen«: Der Verfasser, wohlvertraut mit der Weisheitsliteratur und der hellenistischen Logos-Spekulation, übernimmt von hier die Vorstellung der Erschaffung der Welt nach einer bestimmten Idee, nach einem bestimmten Bild und durch die

---

[7] Kaiser Marc Aurel, Wege zu sich selbst, hrsg. und übertragen von W. Theiler (Die Bibliothek der alten Welt, hrsg. von K. Hoenn, Römische Reihe) Zürich 1951, 83 (Buch IV, 24). *M. Dibelius,* An die Kolosser, Epheser, an Philemon (Handbuch zum Neuen Testament, hrsg. von H. Lietzmann, Bd. 12) Tübingen 1927, 8 f, weist darauf hin, daß »die Bestimmung der kosmischen Stellung (eines Weltvermittlers) durch Präpositionen ... wohl mit einer auf Platon zurückgeführten Unterscheidung der Ursachen in der Philosophie« zusammenhängt; Seneca, Ep. Mor. VII, 3 (65), 8: quinque ergo causae sunt, ut Plato dicit: id ex quo, id a quo, id in quo, id ad quod, id propter quod, novissime id quod ex his est ...« Wichtig ist folgender Hinweis von *H. Rendtorff,* Der Brief an die Kolosser, in: Die kleineren Briefe des Apostels Paulus, übersetzt und erklärt von H. W. Beyer, H. Rendtorff, D. Heinzelmann und A. Oepke (Das Neue Testament Deutsch, Neues Göttinger Bibelwerk, 8. Teilbändchen), Göttingen 1949, 110: »Die Worte und Redewendungen solchen Denkens greift Paulus auf, um das Eine auszudrücken, sicherzustellen, zu verteidigen: In Ihm. Der Wagemut, mit dem er sich in die Gedankenwelt des Gegners vorwagt, die Unbefangenheit, mit der er fremde Gedanken nachdenkt, um in ihnen Eigenes auszudrücken, ist, so fremdartig und unvollkommen uns der überkühne Versuch anmuten mag, ein Beleg dafür, wie wenig die Glaubensaussagen des Paulus über Christus Ergebnisse denkerischer Bemühung sind, die nun mit den Ergebnissen fremder Denkarbeit auf gleicher Ebene stehend die Auseinandersetzung versuchen, wie sie vielmehr dem Ergriffensein von der übergedanklichen Wirklichkeit entstammen und deshalb unbedenklich der gewohnten Sprache sich begeben und fremde Gedankenrüstung anlegen können.«

Vermittlung einer produktiven Kraft. Aber er geht klar darüber hinaus: Plan, Bild und Kraft werden im Sohn Gottes synthetisiert und zugleich personalisiert. Dadurch erhält die Welt eine Person als alles tragenden und alles in sich umgreifenden Bezugspunkt.[8] Das »in« (hebräisch »be«, griechisch »en«) kann in diesem Zusammenhang also nicht nur instrumentelle Bedeutung haben. Dazu kommt, daß mit der Formel »in Christus« zugleich eine soteriologische Aussage gemacht wird: Sie meint das Aufgenommensein in die gnadenhafte Verbundenheit mit dem Herrn. Daß Christus für die gesamte Schöpfung der durchhaltende Grund ist, der sie trägt und im Sein erhält, wird noch verschärft durch V. 17b: »In ihm hat alles seinen Bestand.« Die der antiken Philosophie bzw. der alttestamentlichen Weisheitslehre entnommenen »spröden philosophischen Begriffe« gewinnen im Christus-Hymnus des Kolosserbriefs Leben: Die Zuwendung des Heils in Christus kommt aus derselben Quelle, aus der die Schöpfung stammt. In beiden Hervorbringungen spricht sich die gleiche Gotteswirklichkeit aus, beide ereignen sich »in ihm«. Wäre die Welt nicht »in ihm« erschaffen, gäbe es sie nicht. »Er ist der letzte Ort, auf dem Alles sich gründet, ist die Mitte, wo Gott und Welt, Welt und Mensch einander zugänglich werden...«[9]

Die Vorstellung einer spontanen göttlichen Schöpfung aus dem Nichts betont die absolute Transzendenz des Schöpfers gegenüber dem Geschöpf. Man wird nun durchaus sagen können, die Formel »in Christus« mildere die unendliche Distanz zwischen dem Schöpfergott und dem aus dem Nichts erschaffenen Geschöpf. Der Logos, in dem alles erschaffen ist, stellt die bleibende Vermittlung und die bleibende Nähe zwischen Schöpfer und Schöpfung dar. Dies zu erkennen, war für das Selbst- und Weltverständnis des antiken Menschen von höchstem Belang. Unter dem Einfluß neuplatonischer und gnostischer Vorstellungen hatte sich gegen Ende der Antike das Gefühl einer unaufhebbaren Trennung zwischen dem Menschen und seinem Gott, das Gefühl der Gottesferne und damit der irdischen Heimatlosigkeit entwickelt. Die Formel »in Christus« überbrückt diese unendliche Distanz zwischen Welt und Gott, sie bekundet die Geborgenheit der Welt in ihrem Schöpfer, seine Immanenz und Präsenz trotz seiner Transzendenz und der Erfahrung seiner Ferne.[10]

[8] Vgl. *W. Beinert*, Christus und der Kosmos 28.
[9] *H. Rendtorff*, Der Brief an die Kolosser, in: Das Neue Testament Deutsch, 2. Band: Apostelgeschichte und Briefe des Apostels Paulus, Göttingen ²1932, 101 f.
[10] Vgl. *L. Scheffczyk*, Einführung in die Schöpfungslehre 40–44.

Nun findet sich die Formel »in Christus« nicht nur im Kolosserbrief. In der Eulogie von Eph 1, 3–14 taucht sie allein zehnmal auf. Alles wird hier mit Christus in wesenthafte Verbindung gebracht: »In ihm« sind wir gesegnet, erwählt, begnadigt, »in ihm« haben wir die Vergebung und wird uns Auferweckung und Verherrlichung zuteil, »in ihm« ist das ganze All zusammengefaßt.[11] Er ist der Mittler von Schöpfung und Heil und hält beides zusammen. In aller nur wünschenswerten Deutlichkeit wird hier ausgesprochen, daß alle Aktivitäten Gottes sich in Jesus Christus vollziehen; alles, was er selbst wünscht, daß es geschehe, verwirklicht sich »in Jesus Christus«.[12]

»Durch ihn erschaffen«: Mit der Verwendung der Präposition »durch« (dia) eröffnet der Christus-Hymnus des Kolosserbriefs einen neuen Aspekt: »alles ist durch ihn... geschaffen« (1, 16), und »durch ihn« will Gott auch alles mit sich versöhnen (1, 20). Auch hier erscheint Christus als der vom Vater abgehobene, aber personale und selbstwirksame Mittler der Schöpfung wie des Heils. Er ist nicht nur Idee und Urbild, er ist vielmehr in aktiver Weise an der Schöpfungs- und Heilstat beteiligt. Nur als Mittler der Schöpfung kann er auch Mittler des Heils werden, weil »in ihm das ganze Universum gleichsam ›zu Hause‹ ist, d. h. seinen wesensgemäßen ›Ort‹ hat«.[13]

Leo Scheffczyk versucht die Vorstellung von der Erschaffung und Versöhnung der Welt »durch Christus« unter verschiedenen Aspekten eindrucksvoll zu aktualisieren. a) Hinter dem Kosmos steht nicht eine anonyme Weltvernunft oder Weltidee, vielmehr gründet alle Erkennbarkeit, Ordnung, Schönheit und Sinnhaftigkeit, die uns in der Welt begegnen, in Christus. b) Die Geschöpfe nehmen an der Ausdrucksfunktion des Logos teil, sie offenbaren

---

[11] W. Beinert, Christus und der Kosmos 38: »Dieses ›in‹ ist die Klammer, die alle Aussagen zusammenhält.«

[12] J. Gnilka, Der Epheserbrief (Herders Theologischer Kommentar zum Neuen Testament X/2), Freiburg–Basel–Wien 1971, 66–68; a.a.O. 67, ist darauf hingewiesen, daß auch der paränetische Teil des Briefes von der Formel »im Herrn« beherrscht wird. »Ich ermahne euch, der Gefangene im Herrn« (4, 1), »Ich beschwöre euch im Herrn« (4, 17), »seid gehorsam im Herrn« (6, 1), »erstarket im Herrn« (6, 10), »der zuverlässige Knecht im Herrn« (6, 21). Diese kosmische Christologie wird auch vom Hebräerbrief übernommen; vgl. dazu W. Beinert, Christus und der Kosmos 42–44, und L. Scheffczyk, Schöpfung und Vorsehung 17.

[13] V. Warnach, Kirche und Kosmos 194 f. A.a.O. 195: Die Betonung der kosmischen Allversöhnung »war besonders gegenüber dem häretischen Synkretismus von Kolossae notwendig, weil sich unter seinem Einfluß auch die Gemeindemitglieder so arg durch die unheimliche Gewalt der kosmischen Engelmächte bedroht und bedrückt, ja versklavt fühlten, daß ihnen eine anthropologisch eingeschränkte Erlösungslehre kaum Befreiung und Bestärkung bedeutet hätte«.

etwas von Gottes Herrlichkeit und Vollkommenheit. Sie entfalten als einzelne und in ihrer gegenseitigen Bezogenheit Macht, Schönheit, Liebe und Ordnung des im Logos zu Wort kommenden göttlichen Lebens. c) Gegenüber dem Darwinismus bezeugt das christozentrische Schöpfungsverständnis: Die Vielgestaltigkeit des Lebendigen läßt sich nicht nur damit erklären, daß die Erhaltung der Arten eben vielerlei Notwendigkeiten und Bedürftigkeiten begründet. Es gibt Gestaltungsgesetze, die die bare Notdurft weit überschreiten. Den Dingen der Welt eignet nicht nur Funktionalität, sondern auch Transparenz. d) Auch die Materie ist von der Ausrichtung auf den Geist hin nicht ausgenommen, sie tendiert auf das Aufscheinen von Formen. Dies äußert sich darin, daß die Materie »nicht nur reine Potentialität ist und als das gegenüber dem Geist Widerständige zu gelten hat, sondern daß sie Aktualität für den Geist besitzt und so als Teilakt das Seiende mitkonstituiert«.[14]

Ähnliche Vorstellungen wie im Kolosserbrief finden sich im Johannesprolog. Mit aller Klarheit wird hier gesagt, daß alle Dinge »durch das Wort« geworden sind und daß »ohne das Wort nichts wurde, was geworden ist« (Joh 1,1.3). Der Anfang des Johannesevangeliums zielt unverkennbar auf V. 1,14: »Und das Wort ist Fleisch geworden und hat unter uns gewohnt, und wir haben seine Herrlichkeit gesehen, die Herrlichkeit des einzigen Sohnes vom Vater, voll Gnade und Wahrheit.« Christus kann der universale Heilsmittler werden, weil durch ihn die universale Schöpfung entstanden ist. Wäre er nicht der universale Schöpfungsmittler, dann erschiene das entscheidende Ereignis der Heilsgeschichte gewissermaßen im nachhinein dem Ganzen eingefügt. Übrigens findet sich das christozentrische Verständnis der Schöpfung schon in 1 Kor 8,6: »So haben doch wir nur einen Gott, den Vater. Von ihm stammt alles, und wir leben auf ihn hin. Und einer ist der Herr: Jesus Christus. Durch ihn ist alles, und wir sind durch ihn.« Die Verwendung der verschiedenen Präpositionen zeigt, daß das Verhältnis des Vaters zur Schöpfung und zur Gemeinde nicht mit dem Christi identisch ist. Doch ist zu beachten, daß hier die Schöpfungswirklichkeit noch auf den Vater und den Sohn gemeinsam zurückgeführt wird. Es wird noch nicht dem Vater die Schöpfung und dem Sohn die Erlösung zugeschrieben.[15]

[14] L. Scheffczyk, Einführung in die Schöpfungslehre 44–46, hier 46. A.a.O. 47 wird an die Neuinterpretation der Idee der Erschaffung der Welt »durch Christus« im Werk Teilhards de Chardin erinnert.
[15] Vgl. dazu L. Scheffczyk, Schöpfung und Vorsehung 17, und K. H. Schelkle, Theologie des Neuen Testaments, Bd. 1 (Schöpfung), Düsseldorf 1967, 37.

»*Auf ihn hin erschaffen*«: Als dritten Aspekt der Christozentrik
hebt der Christus-Hymnus des Kolosserbriefs hervor, daß alles
»auf ihn hin« erschaffen ist (1, 16). Dies wird in der zweiten Strophe des Hymnus, der die Erlösung zum Thema hat, interpretiert:
»Denn Gott wollte mit seiner ganzen Fülle in ihm wohnen, um
durch ihn alles zu versöhnen. Alles im Himmel und auf Erden wollte er zu Christus führen, der Frieden gestiftet hat am Kreuz durch
sein Blut« (1, 19 f). Daß Schöpfung und Versöhnung zusammenge-
hören und daß beide durch Christus vermittelt sind, ergibt sich daraus, daß in beiden Strophen des Hymnus Christus als der Erstgeborene erscheint, als »der Erstgeborene der ganzen Schöpfung«
(1, 15) und als »der Erstgeborene der Toten« (1, 18). Während in
Röm 11, 36 der Vater als das Ziel der Schöpfung vorgestellt wird,
bezeichnet der Kolosserbrief eindeutig Christus als das Ziel der
Schöpfung.[16] Die Erreichung dieses Zieles wird ermöglicht und eingeleitet durch den Tod und die Auferstehung Jesu Christi. Das Ziel
der Schöpfung wird also nicht durch eine Idee oder eine Theorie
bestimmt oder umschrieben. Es geht nicht in einem allgemeinen
Sinn darum, daß Gott verherrlicht wird und die Menschen zu einem erfüllten Dasein gelangen. Es geht vielmehr um die Heraufführung jener Verherrlichung Gottes, die durch das Leben, den
Tod und die Auferstehung Jesu Christi vorgebildet ist. In anthropologischer Sicht bedeutet dies, »daß auch der Mensch sein subjektives Sinnziel und sein Heil nicht in einer allgemeinen Gottesvereh-
rung finden kann, sondern als Christ in spezifischer Weise durch
den Anschluß an Christus«.[17]

Die Allversöhnung in Christus von Kol 1, 19 f wird aufgegriffen
in Eph 1, 9 f: Gott hat »uns das Geheimnis seines Willens kundge-
tan, wie er es gnädig im voraus bestimmt hat: Er hat beschlossen,
die Fülle der Zeiten heraufzuführen, in Christus alles zu vereinen,
alles, was im Himmel und auf Erden ist.« Offensichtlich geht es
hier um die universale Bedeutung Christi für das Heil des Men-

---

[16] Man hat nicht zu Unrecht gesagt, Christus werde in diesem Hymnus zugleich als causa
efficiens, exemplaris und finalis (Wirkursache, Urbild und Ziel) der Schöpfung gefeiert.
Damit ist in der Tat das ganze Geschick des Kosmos in Christus beschlossen. Vgl. *W.
Beinert,* Christus und der Kosmos 30: »Der ktisiologische, der soteriologische und der
eschatologische Aspekt werden zusammengesehen.« – Die in der Literatur diskutierte
Frage, wieso denn eine so grundlegend auf Christus bezogene Welt noch der Versöhnung
bedürfe und wie diese Versöhnung eigentlich gedacht werden könne, da doch alles in
Christus seinen Bestand hat, kann hier außer Betracht bleiben. Vgl. *W. Beinert,* a.a.O.
31–35.
[17] *L. Scheffczyk,* Einführung in die Schöpfungslehre 47. Zu der Formel » auf Christus hin«
vgl. auch *M. Dibelius,* An die Kolosser, Epheser, an Philemon (Handbuch zum Neuen
Testament, hrsg. von H. Lietzmann, Bd. 12), Tübingen 1927, 8 f.

schen und der Welt. Auch wenn man das Wort »anakephalaiosas-thai« (= zusammenfassen) nicht von »kephale« (= Haupt), sondern von »kephalaion« (= Summe, Inbegriff) herleitet, kann man darin den Grundgedanken ausgesprochen sehen, daß Christus als Haupt des Alls eingesetzt werden soll. »Hauptschaft« bedeutet »Vereinigung und Zusammenfassung der Welt«.[18] Man muß den Exegeten die Diskussion darüber anheimgeben, ob »anakephalaiosis« Christusherrschaft über das All (Unterwerfung des Alls durch Christus) oder »Wiederzusammenfassung« und Vereinigung aller Dinge in Christus bedeutet. Franz Mußner geht aus von der Erhöhung des auferstandenen Christus auf den Thron Gottes (1, 20) und sieht die kosmische Bedeutung der Erhöhung in der »Unterwerfung« und »Erfüllung« des Alls durch Christus.[19] Joachim Gnilka stimmt dieser Auffassung durchaus zu, kann aber nicht verstehen, daß Mußner, obwohl er vom »Herrschaftsbereich« Christi spricht, eine Anlehnung an die Rede von Christus als dem Haupt abstreitet. Für Gnilka ist klar: Wenn nach Eph 1, 20 ff Christus die Stellung des Hauptes über dem All innehat, dann »wird das All in ihm als seinem Haupt zusammengefaßt«. Über den Bruch in der Schöpfung werde zwar in Eph 1 sowenig reflektiert wie im Christus-Hymnus des Kolosserbriefs, aber er sei eindeutig vorausgesetzt. Zusammenfassung des Alls in Christus bedeute eben Wiederherstellung der alten Ordnung auf neue Weise. »Christus (sei) dabei vorgestellt als Mittler der Neuordnung und Pazifizierung des Alls.«[20]

Das neutestamentliche Verständnis der Schöpfung ist mit dem jahwistischen und dem priesterlichen darin einig, daß die Schöpfung sich letztlich auf den Menschen bezieht. Aber die Konvergenz auf den Menschen hin ergibt sich für das Neue Testament nicht aus dem Gedanken, daß der Mensch die Mitte der Welt, sondern daß er das eigentliche und unmittelbare Ziel des Heilshandelns Gottes durch Jesus Christus ist. Dies wird, wie im Epheser- und Kolosserbrief, auch im Prolog des Johannesevangeliums deutlich: Das eigentliche Ziel der Schöpfung besteht darin, daß der Logos Mensch wird und in die Solidarität menschlicher Geschichte eintritt. Der Mittler der Schöpfung ist zugleich Mittler der Versöhnung. In Chri-

---

[18] Vgl. *W. Beinert,* Christus und der Kosmos 41.
[19] Vgl. *F. Mußner,* Christus, das All und die Kirche 40–75: er entwickelt seine Auffassung hauptsächlich in Auseinandersetzung mit *H. Schlier,* Christus und die Kirche im Epheserbrief (Beiträge zur historischen Theologie 6), Tübingen 1930.
[20] *J. Gnilka,* Der Epheserbrief 80. Vgl. auch Eph. 4, 10–13. Nach *V. Warnach,* Kirche und Kosmos 197, tritt die kosmische Sicht des Christusgeschehens in den paulinischen Hauptbriefen zwar nur gelegentlich zutage, ist ihnen aber keineswegs fremd.

sti Tod und Auferstehung erfüllt sich der ursprüngliche Plan Gottes.[21]

Weil weder im Epheser- noch im Kolosserbrief die Sünde des Menschen und ihre Auswirkungen ausdrücklich reflektiert werden, hat man die Verfasser eines naiven Triumphalismus bezichtigt. Man braucht freilich nur die paränetischen Teile der beiden Briefe zu lesen, dann wird hinlänglich klar, daß man sich der ständigen Gefährdung des Glaubens und der Liebe durchaus bewußt war. Ein Hymnus (Kol) und eine Eulogie (Eph) rücken im übrigen in durchaus legitimer Weise die Geborgenheit von Mensch und Welt, ihre endgültige Rettung durch den Tod und die Auferstehung Jesu Christi einseitig in den Vordergrund. Die neutestamentliche Briefliteratur will nicht darüber hinwegtäuschen, daß die Gemeinden hinter dem Anspruch Jesu zurückbleiben; Verfasser und Adressaten haben davon gewußt und darunter gelitten. Aber der Kern der christlichen Botschaft ist nun einmal das Mysterium der Auferstehung.[22]

Auf einen weiteren Streitpunkt unter den Exegeten muß hingewiesen werden. Anton Vögtle vertritt die These, das Neue Testament mache keine lehrhafte Aussage über die Zukunft des Kosmos. Der Glaube, daß das Christusgeschehen den künftigen Zustand des Universums verändere, lasse sich weder für Jesus selbst noch für die urchristliche Verkündigung begründen. Darum favorisiert er auch eine behutsame Auslegung des Begriffs »Allversöhnung« aus dem Christus-Hymnus in Kol 1,15–20.[23] Er stellt zwei extreme Lösungen vor, die von A. Feuillet und die von Nikolaus Kehl.[24] Der erstere sieht zwar in der Erneuerung des Universums nur den Rahmen, in dem sich das Heil des Menschen vollendet. Er setzt sich kritisch mit Teilhard de Chardin auseinander, der nach seiner Meinung die kosmische Auswirkung der Heilstat Christi überzieht. Aber er vertritt selbst doch die Überzeugung, daß die Erlösung des menschlichen Leibes, der in das materielle Universum eingebunden ist, auch das Heil des Universums umschließe. Die Erlösung durch

---

[21] W. Beinert, Christus und der Kosmos 50 f: »In Christus sind Protologie und Eschatologie zusammengefaßt. Seine Inkarnation ist der große Mehrwert der Heilsgeschichte, durch die sie wirklich Geschichte und nicht nur der Ablauf einer großen Kreisbewegung ist, bei der Anfang und Ende zusammenfallen. Die Menschwerdung Christi ist das absolut ›Neue‹, das dies verhindert.«

[22] Vgl. R. Schnackenburg, Christologie des Neuen Testaments, in: Mysterium Salutis III/1, 227–388, hier 246.

[23] Vgl. A. Vögtle, Das Neue Testament und die Zukunft des Kosmos 208–232.

[24] A. Feuillet, Le Christ, Sagesse de Dieu d'après les Épîtres Pauliniennes, Paris 1966, 163–273, und N. Kehl, Der Christushymnus im Kolosserbrief (Stuttgarter Biblische Monographien 1), Stuttgart 1967.

Christus zieht also eine dem neuen Status des Menschen entsprechende Verwandlung des materiellen Universums mit sich. Nach Kehl dagegen ist der zerstörerische Bruch nicht in der Schöpfung, sondern im Menschen entstanden. Darum braucht die Umwelt des Menschen auch nicht durch ein Eingreifen der Gottheit in objektiver Weise verwandelt zu werden. Was sich wandelt, ist der mit Christus auferstandene Mensch, und für diesen gewandelten Menschen wird auch die Welt eine andere, sie wird transparent für Christus – insoweit jedenfalls, als der Glaubende sein Christsein der Umwelt gegenüber immer neu verwirklicht. Versöhnung des Kosmos ist demnach nichts anderes als eine selbstverständliche Auswirkung der Versöhnung des Menschen: Der in Christus versöhnte Mensch verändert sein Verhältnis zur Gesamtheit der Kreaturen und richtet alle »auf Christus hin« aus. Dieser Lösungsversuch von Nikolaus Kehl kommt nach Anton Vögtle der eigentlichen Intention des Christus-Hymnus in Kol 1 näher als der A. Feuillets und anderer Autoren, die eine kosmische Eschatologie herauslesen und »den Hymnus eine ›Allversöhnung‹ im Sinne eines sich objektiv am Universum auswirkenden Geschehens behaupten... lassen«.[25] – Dies war hier nur kurz zu erwähnen; in dem Abschnitt, in dem die kosmische Dimension des Heils unter dem eschatologischen Aspekt zu entwickeln ist (2. Teil, 2. Kapitel II,3), wird eine ausführlichere Darstellung und Bewertung vorgelegt.

b) Weitere biblische Interpretamente

In den bisher vorgestellten Aussagen vor allem aus dem Umkreis der paulinischen Theologie erscheint *Christus als der Mittler der Schöpfung und des Heils.* Durch ihn wird die Schöpfung begründet und in die Geschichte hinein freigesetzt, durch ihn wird sie in die Dimension des Heils eingebracht. Damit steht für diese Theologie der Ausschließlichkeitsanspruch des Christusglaubens fest, zugleich aber wird die kosmische Bedeutung Christi zum Ausdruck gebracht.[26]

Das zweite Interpretament, das uns bereits begegnete, ist die Vorstellung von *Christus als dem »Haupt des Kosmos«.* Auch hier ist

[25] *A. Vögtle,* Das Neue Testament und die Zukunft des Kosmos 220.
[26] *M. Dibelius,* An die Kolosser, Epheser, an Philemon 12, weist darauf hin, daß für die Synkretisten in Kolossae »die Elemente« die Mittlerrolle zwischen Gott und Mensch eingenommen haben. Diese Auffassung ließ für ein kosmisches Verständnis des Christuswerkes keinen Raum. »Man begreift angesichts dieser Vorstellung, wie wichtig es war, daß Paulus auch die kosmische Bestimmtheit des Menschen von Christus aus gegeben wußte: eine von kosmischen Kräften bedrängte und gedrückte Menschheit konnte nur durch einen Christus, der Weltschöpfer und Weltseele war, erlöst werden.«

die Auslegung strittig. Franz Mußner gibt zwar zu, daß Eph 1,10 Christus als den Herrn über das All vorstellt, zugleich aber betont er gegenüber Heinrich Schlier, daß dies nichts mit der Haupt-Leib-Anschauung des Epheserbriefes zu tun habe.[27] Jedenfalls will das Verb »anakephalaiosasthai« in Eph 1,10 sagen, daß Christus »die Mächte« unterworfen, die ursprüngliche All-Einheit wieder hergestellt und durch die Zusammenfassung zu einem Herrschaftsbereich wieder zu Gott heimgeholt hat. Darf man dies so auslegen, daß man, wenn nach Eph 1,22 Christus das über alles gesetzte Haupt ist, auch vom All als »Leib des Herrn« sprechen kann, obwohl in Eph mit »Leib des Herrn« nur die Kirche bezeichnet wird? Oder muß man genauer sagen, Christus sei zwar mit dem Kosmos verbunden, aber man müsse doch den »Leib Christi« unterscheiden von dem, was ihm nur zugeordnet sei?[28] Schlier hat kein Bedenken, das Wort »anakephalaiosasthai« mit »ein Haupt geben« zu übersetzen: Er ist das »Haupt der Kirche«. Indem er aber »Haupt der Kirche« wird, holt er durch ihr »pleroma« das All in seine eigene Fülle ein.[29] Nach sorgfältiger Abwägung der verschiedenen Argumentationen betont Joachim Gnilka »die kosmokratorische Stellung Christi, dessen zusammenfassender Herrschaft nichts entnommen ist«. Im Unterschied vom Kol 1 sei nicht mehr von »Allversöhnung«, sondern von »Allzusammenfassung unter einem Haupt« die Rede. Somit nimmt nach Eph Christus die Stellung des Hauptes gegenüber dem All ein, und damit wird »das All in ihm als

[27] Christus, das All und die Kirche 64–68. A.a.O. 67: Das »in Christus« von Eph 1,10 kann nur »den neuen einheitlichen *Bezugspunkt* dieses ›Ganzen‹, das neue einheitliche und einzige *Herrschaftsprinzip* für das ganze ›All‹ bedeuten«. Ist damit nicht in der Sache das beschrieben, was die Funktion des Hauptes eigentlich ausmacht?

[28] Vgl. den behutsamen Exkurs »Die Ekklesiologie« in: *J. Gnilka,* Der Epheserbrief 99–111, wo zwischen der zweifachen »Hauptschaft« Christi klar geschieden ist: »Obwohl Christus das All erfüllt (4,10), sein Pleroma ist aber die Kirche. Darum vermag Pleroma die doppelte Hauptschaft zu bestätigen . . . Christus ist der, der das All in allem erfüllt, aber als Medium bedient er sich der Kirche als seines Pleromas« (109). »Christus ist Haupt sowohl über das All als auch über die Kirche, aber nur diese ist sein Leib« (110 f). Freilich fällt es dem Nicht-Exegeten schwer einzusehen, daß man, wenn man schon von doppelter Hauptschaft spricht, nicht auch von doppelter »Leibschaft« sprechen soll. Es gibt allerdings viele Theologen, die der Meinung sind, daß der Kosmos und das animalische Leben »offenbar« kein Teil des mystischen Leibes oder des ganzen Christus sind. Vgl. etwa *O. Karrer* in einer Besprechung von P. Teilhard de Chardin, in: Christlicher Sonntag 13 (1961) Nr. 19. Teilhard bezeichnet in seinem Buch »Der Mensch im Kosmos« den Kosmos als »den Leib dessen, der ist und im Kommen ist«; in seiner »Hymne an die Materie« nennt er diese das »Fleisch Christi«. Vgl. dazu *L. Scheffczyk,* Der »Sonnengesang« des hl. Franziskus von Assisi und die »Hymne an die Materie« des Teilhard de Chardin. Ein Vergleich zur Deutung der Struktur christlicher Schöpfungsfrömmigkeit, in: Geist und Leben 35 (1962) 219–233.

[29] *H. Schlier,* Der Brief an die Epheser, Düsseldorf ⁴1963, 64 f; vgl. auch *Ders.,* Christus und die Kirche im Epheserbrief; *Ders.* und *V. Warnach,* Die Kirche im Epheserbrief.

seinem Haupt zusammengefaßt«.[30] Man wird also auch die Vorstellung von Christus als dem »Haupt des Alls« zu den Interpretamenten rechnen dürfen, mit denen die christozentrische Sinnbestimmung der Schöpfung ausgelegt werden soll.

Es gibt noch eine Reihe anderer Interpretamente, die hier kurz vorgestellt werden sollen. Da begegnet zunächst die Rede von der »neuen Schöpfung«. Christus ist der Erstgeborene der neuen Schöpfung, wie Adam der Erstgeborene der ersten Schöpfung war. Das Neue, das Christus gegenüber Adam gebracht hat, wird gern in schöpfungstheologischen Kategorien wiedergegeben: Leben, Pneuma, Friede, Einheit, Neugeburt.[31] »Neue Schöpfung« (= kaine ktisis) bedeutet, daß das in Jesus Christus gekommene Heil in der gesamten Weltwirklichkeit gegenwärtig wird.[32] In dieser Vorstellung der »neuen Schöpfung« wird wiederum auf eindrucksvolle Weise die innere Verbundenheit von Schöpfung und Erlösung in Christus sichtbar. Die Schöpfung kommt zu ihrer Vollendung erst in der Erlösung; diese ist auch von vorneherein ihr Ziel.[33]

Ein weiteres Interpretament ist die Vorstellung vom »neuen Bund«. Wie das Alte bezeichnet auch das Neue Testament das Verhältnis Gottes zu seinem Volk mit »Bund« und will damit vor allem die feste und unwiderrufliche Zusicherung der Treue zum Ausdruck bringen. Wenn der neutestamentliche Christusglaube an Jes 42,6 (»Ich habe dich dafür bestimmt, der Bund für mein Volk und das Licht für die Völker zu sein«) anknüpft und dieses Wort auf Christus deutet, dann soll damit gesagt sein, daß in Christus sich die bleibende Nähe des Schöpfers erfüllt, die im Alten Testament im Bund mit Adam, Noah, Abraham, Mose und David bereits Wirklichkeit geworden ist. Altes und Neues Testament sind hier wieder aufs engste miteinander verknüpft. Im Christusbund gipfelt und erfüllt sich definitiv die Schöpfungs- und Heilsgeschichte. Darüber hinaus wird es keinen weiteren Bund mehr geben.[34]

[30] J. Gnilka, Der Epheserbrief 81.80.
[31] Vgl. die Belege bei W. Beinert, Christus und der Kosmos 49.
[32] Vgl. F. Hahn, »Siehe, jetzt ist der Tag des Heils«. Neuschöpfung und Versöhnung nach 2 Kor 5,14–6,2, in: Evangelische Theologie 33 (1973) 244–253, hier 250. Vgl. auch P. Stuhlmacher, Erwägungen zum ontologischen Charakter der kaine ktisis bei Paulus, in: Evangelische Theologie 27 (1967) 1–35, und J. Hübner, Schöpfungsglaube und Theologie der Natur 55 f.
[33] Vgl. L. Scheffczyk, Schöpfung und Vorsehung 28: »Als kaine ktisis verstanden, ist die Erlösung keine Desavouierung des Schöpfers und seines Werkes, sondern eine höhere Wiederherstellung der Schöpfung. Aus diesem Gedanken resultiert auch die befreite und befreiende Haltung des neutestamentlichen Glaubens der Welt gegenüber, die der Christ trotz Distanz und Fremdheit ... als gut empfinden und mit Dank entgegennehmen kann ...«
[34] Vgl. A. Ganoczy, Der schöpferische Mensch und die Schöpfung Gottes 139.

In Kol 1, 15 f, wo Christus der »Erstgeborene vor aller Kreatur« genannt wird, in dem alles geschaffen ist, wird er zugleich auch als *»Ebenbild des unsichtbaren Gottes«* bezeichnet. »Bild« (eikon) verdeutlicht den Gedanken der Offenbarung.[35] In Kol 1, 15 wird – wie von Paulus selbst in 2 Kor 4, 4 – mit Christus als »Gottes Ebenbild« zum Ausdruck gebracht, daß er mit dem, den er abbildet, ebenbürtig ist. Man darf diese Aussage nicht ohne Zusammenhang mit der alttestamentlichen vom Menschen als dem »Ebenbild Gottes« (Gen 1, 27) denken. Was hier vom Menschen gesagt ist, wird auf Christus übertragen. Das ist nur möglich, wenn Christus mit dem in Gen 1, 27 gemeinten Adam gleichgesetzt wird. Dies wird dadurch bestätigt, daß Paulus in 1 Kor 15, 45.47 von Christus als dem »letzten« bzw. dem »zweiten Menschen« spricht.[36]

Daß der erlöste Mensch in Christus als dem »Bild Gottes« vorgestellt ist, wird zwar erst in den Deuteropaulinen augesprochen, ist aber schon in der *Adam-Christus-Typologie* bei Paulus selbst impliziert. Paulus zieht sie in 1 Kor 15, 21–23 und in Röm 5, 12–21 heran, um unsere leibliche Auferweckung zu begründen bzw. die Gewißheit unserer Errettung zu betonen. Wie in Adam alle versammelt sind, so ist auch Christus, »der Erstgeborene der ganzen Schöpfung« und »der Erstgeborene von den Toten«, »Repräsentant und Stellvertreter der ganzen Menschheit. Aber der neue Stammvater der Menschheit ist nicht nur ihr Prototyp, sondern auch »ihr Promotor, gleichsam ihr Erzeuger«.[37]

Schließlich wird die Christozentrik der Schöpfung durch die Vorstellung der *Basileia* herausgestellt. Denn Gottes Herrschaft und Reich sind unabdingbar an die Person Jesu gebunden. Durch ihn hat Gott für Menschheit und Welt eine neue Situation geschaffen und ihnen eine neue Möglichkeit eröffnet. Mit seiner Person, mit seinem Leben, Sterben und Auferstehen bringt er Vergebung,

---

[35] Vgl. *M. Dibelius,* An die Kolosser, Epheser, an Philemon 7.11 f.

[36] Vgl. *G. Kittel,* Art. eikon, in: Theologisches Wörterbuch zum NT, Bd. II, 378–396, hier 394. Vgl. auch *A. Ganoczy,* Der schöpferische Mensch und die Schöpfung Gottes 142: In den neutestamentlichen Bekenntnistexten erscheint Jesus »als der ›zweite Adam‹, d. h. als der Typos und Anführer der neuen erlösten Menschheit, mit einem in voller Schaffenskraft wahrgenommenen Schöpfungsauftrag, oder als das vollkommene ›Ebenbild‹ des Schöpfergottes ... Hier wie in anderen Texten, wo Christus in einem Atemzug ›Bild Gottes‹ und ›Erstgeborener aller Schöpfung‹ (Kol 1, 15) genannt wird, steht eindeutig der Mensch Jesus als Offenbarer Gottes auf dem Plan.« Diese Auffassung wird bestätigt durch *N. Kehl,* Der Christushymnus im Kolosserbrief 57–61, bestritten durch *G. Lindeskog,* Studium zum neutestamentlichen Schöpfungsgedanken, Band I, Wiesbaden 1952, 142.

[37] *R. Schnackenburg,* Christologie des Neuen Testaments, in: Mysterium Salutis III/1, 336; zum Ganzen 333–337. Vgl. auch *L. Scheffczyk,* Schöpfung und Vorsehung 19.

Leben und Heil.[38] Die wirksame Gegenwärtigkeit des Heils ist an seine Person gebunden; er allein wird es auch vollenden. Origenes hat diese Auffassung in seinem Matthäus-Kommentar eindrucksvoll herausgestellt, indem er das Wesen der Person Jesu und die Paradoxie seiner Forderungen mit dem Begriff der »Auto-Basileia« gekennzeichnet hat: Er selbst ist das Reich, er selbst Träger gegenwärtiger und künftiger Gottesherrschaft.[39]

Alle diese Interpretamente bringen die christozentrische Sinnbestimmung der Schöpfung zum Ausdruck: Christus, in dem und durch den und auf den hin alles erschaffen ist, ist zugleich Anfang und Haupt einer neuen Menschheit und einer neuen Welt, die durch ihn der eschatologischen Vollendung entgegengeführt werden.

Bei unseren Überlegungen stand das Christusgeschehen in seiner Gesamtheit im Blick. Es wäre dem tieferen Verständnis gewiß förderlich, wenn die Frage nach der christozentrischen Sinnbestimmung der Schöpfung nicht nur vom Gesamtmysterium Jesu Christi, sondern von den einzelnen Mysterien seines Lebens her gestellt und beantwortet würde – von der Ankunft des Logos in unserer Geschichte über die heilsgeschichtlich bedeutsamen Mysterien des irdischen Lebens Jesu bis hin zum Tod, zur Auferstehung und zum endgültigen Hinübergang zum Vater. Unsere Darstellung muß sich mit der Zusammenschau des Christusereignisses begnügen und die Darstellung des Heilsgehalts der einzelnen Lebensgeheimnisse zurückstellen. Dieser Verzicht kann hingenommen werden, weil schon die ganzheitliche Betrachtung die grundlegenden Einsichten in die Christozentrik der Schöpfung ans Licht bringt.[40]

---

[38] Vgl. *H. Preisker*, Das Ethos des Urchristentums, Gütersloh 1949, 153.
[39] Vgl. PG Ser. I, tom. XIII (Origenes tom. III) 1197; vgl. dazu *G. Kittel*, Die Probleme des palästinensischen Spätjudentums und das Urchristentum (Beiträge zur Wissenschaft vom Alten und Neuen Testament, hrsg. von G. Kittel, 3. Folge, H. 1), Stuttgart 1926, 130, und *P. Feine*, Theologie des Neuen Testaments, Leipzig 1936, 80.
[40] Eine ausführliche Darstellung des Heilsgehalts der einzelnen Mysterien des Lebens Jesu findet sich in Mysterium Salutis III/2, 3–326 (*A. Grillmeier, R. Schulte, Chr. Schütz, H. Urs von Balthasar*). Wesentlich kürzere, aber die Thematik dieser Untersuchung unmittelbar betreffende Hinweise finden sich bei *A. Auer*, Weltoffener Christ. Grundsätzliches und Geschichtliches zur Laienfrömmigkeit, Düsseldorf ⁴1966, 123–140. – In der gegenwärtigen theologischen Diskussion über Probleme der Ökologie steht, wie schon vermerkt, der Schöpfungsglaube eindeutig im Vordergrund. Die Verweise auf das Christusmysterium sind selten und merkwürdig karg. *K. Scholder* meint zwar in seinem Vorwort zu J. B. Cobb, Der Preis des Fortschritts 14, es sei »weniger der Geist Gottes des Schöpfers, als vielmehr der Geist Gottes des Versöhners und des Erlösers, der uns instandsetzt, das dominium terrae im Sinne Gottes auszuüben«. Ein solcher Hinweis ist freilich wenig hilfreich. Schon *G. Howe*, Gott und die Technik, Hamburg 1971, 21, bemerkt mit Recht: »In theologischen Schriften kann man den Satz lesen, daß die Probleme der technischen Welt durch Kreuz und Auferstehung gelöst seien. Wenn man aber danach fragt, wie sich

2. Der mittlerische Dienst der Kirche gegenüber der Schöpfung

Das Christusereignis hat vom Anfang bis zu seiner Vollendung nur den einen Sinn, Menschheit und Kosmos in die innigste Verbindung mit Gott zu bringen, ihre Verfallenheit an das Böse zu überwinden und sie der Fülle des Heils entgegenzuführen. Der Sinn der Kirche kann kein anderer sein: Sie ist Organ des in Christus gekommenen Heils. Durch sie treibt der Kyrios das Werk der »anakephalaiosis«, der Inbesitznahme der gesamten Schöpfung (als seiner Leiblichkeit), durch die Geschichte hindurch voran.[41]

a) Neutestamentliche Aussagen

Das Verhältnis von Kirche und Kosmos kommt hauptsächlich im Epheser- und im Kolosserbrief zur Sprache.[42] Gott hat nach Eph 1,22 f Christus Jesus »alles zu Füßen gelegt und ihn, der als Haupt alles überragt, über die Kirche gesetzt. Sie ist sein Leib und wird von ihm erfüllt, der das All ganz und gar beherrscht.« Hier ist gesagt, daß Christus, der alles beherrscht und darum »das Haupt über alles« ist, von Gott der Kirche zum Haupt gegeben worden ist. Es ist also von einer »doppelten Hauptschaft Christi« die Rede: gegenüber dem All ist er »Haupt im Sinne des Herrschers (Eph 4,10)«; in ähnlicher Weise preist Phil 2,9–11 Christus als den Kyrios des Kosmos. Gegenüber der Kirche aber ist er Haupt »als Ernährer, Beweger, Lebensprinzip, also in einem gnadenhaften Sinne«.[43]

Nach dem Epheserbrief ist also Christus das Haupt des Kosmos. Aber der Kosmos ist nicht als »der Leib Christi« bezeichnet. Das

---

solche Behauptungen etwa in den Aporien bewähren, in die wir vor allem durch die Beherrschung der Atomenergie geraten sind, erhalten wir keine Antwort.« Wenn man schon die Einzelmysterien des Lebens Jesu anspricht, muß die Inkarnation eine angemessene Würdigung erfahren. Denn durch sie ist ja die Menschheit und der Kosmos bereits anfanghaft in die Verbindung mit Christus gebracht, ihm als dem Haupt zugeordnet worden. Der Gottmensch trägt alles Geschaffene, d. h. die ganze Welt, in sich, befreit es aus der Gewalt der Mächte und führt es zur Teilnahme an der Herrlichkeit der göttlichen Liebe. Genau dies bringt der Begriff der anakephalaiosis (Eph 1,10), zum Ausdruck.

[41] Vgl. *A. Auer*, Kirche und Welt; die folgende Darstellung kommt aufgrund der neueren exegetischen Untersuchungen zu differenzierteren Ergebnissen.

[42] Auf die Diskussion der letzten 20 Jahre kann hier im einzelnen nicht eingegangen werden. Vgl. *H. Schlier*, Christus und die Kirche im Epheserbrief; *H. Schlier* und *V. Warnach*, Die Kirche im Epheserbrief; *F. Mußner*, Christus, das All und die Kirche; *V. Warnach*, Kirche und Kosmos; *H. Schlier*, Der Brief an die Epheser; *R. Schnackenburg*, Gottesherrschaft und Reich, Freiburg 1959, 212–223; *J. Gnilka*, Der Epheserbrief; F. Mußner ist der einzige, der zwar die totale, freilich erst eschatologisch voll verwirklichte Herrschaft des erhöhten Christus über das All herausstellt, aber in Eph der Kirche keine kosmische Funktion zugesprochen sieht. Die anderen Autoren vertreten mit Einschränkungen ungefähr die im folgenden dargestellte Auffassung.

[43] *J. Gnilka*, Der Epheserbrief 104 f.

ist verwunderlich, weil die Vorstellung, daß der ganze Kosmos ein Leib ist, sich bei Plato, in der Stoa und bei Philo findet. Von der Kirche aber ist gesagt, daß Christus ihr Haupt und sie sein Leib und sein Pleroma ist. Die Vorstellung von der Kirche als »Leib Christi« bringt die Verbundenheit der Christen untereinander und ihre gemeinsame Verbundenheit mit Christus zum Ausdruck. Wenn in Eph 1,23 nicht nur gesagt wird, die Kirche sei sein Leib, sondern sie werde von ihm erfüllt, so weitet sich hier, wie in 1,22, der Blick noch einmal ins Kosmische. Der erhöhte Herr durchwirkt und durchherrscht mit seinen Kräften das All. Er tut es durch die Kirche, d. h. durch die Vermittlung der erlösten Menschheit, und dadurch gelangt der Kosmos zur Erfüllung in Christus. Viktor Warnach formuliert prägnant: »Als ›Leib‹ begreift die Kirche die erlösten Menschen in sich, als ›Pleroma‹ das erneuerte Universum.«[44] Man kann auch mit Joachim Gnilka sagen, »daß Christus zwar das All erfüllt, daß aber die Kirche im besonderen sein Pleroma ist. Die Begriffe Pleroma und Soma bleiben ihr ja vorbehalten. Die Kirche nimmt also eine Mittlerstellung ein zwischen Christus und ta panta. Durch sie, sein Pleroma, geschieht Erfüllung der Welt vom Haupte Christus her.«[45]

Kirche und Kosmos sind sich also gegenseitig zugeordnet. Die Kirche hat Menschheit und Welt dem Heil entgegenzuführen. Sie ist nicht Selbstzweck. Was sie vermittelt, ist nichts Eigenes, sondern das ihr anvertraute Heil. Die Kirche ist »der Erstling, in dem das Christus unterworfene All an einer Stelle heimgeholt ist und durch den es ständig weiter heimgeholt wird (Eph 1,22 f). Sie ist die von Christus ausgespannte und erfüllte Dimension, die die Tendenz hat, sich über das All zu erstrecken und es in ihre Einheit und Fülle einzuholen. Die erfüllte Erfüllung der Welt zu sein, ist letztlich ihr Ziel.«[46] Und noch einmal wird in Eph 4,11–16 dargestellt, daß der Leib Christi (d. h. die Kirche) unter Mitwirkung aller seiner Glieder sich von seinem himmlischen Haupt her aufbaut und damit eine Aufgabe am Kosmos erfüllt. Es ist gewiß, daß zunächst die Menschen diesem Christusleib eingegliedert und ihrer eschatologischen Bestimmung zugeführt werden; aber eben damit wird auch

[44] Kirche und Kosmos 188.
[45] Der Epheserbrief 99. A.a.O. 109: »Christus ist der, der das All in allem erfüllt, aber als Medium hierfür bedient er sich der Kirche als seines Pleroma.«
[46] H. Schlier, Die Zeit der Kirche 292. Auch R. Schnackenburg, Gottes Herrschaft und Reich, Freiburg 1959, 220, weist auf das »Ineinander der kosmischen und ekklesiologischen Aussage« in Eph 1,22 f hin: »Mit der Kirche ergreift Christus immer mehr die Herrschaft über das All und zieht es immer stärker und vollkommener unter sich als das Haupt.«

das der Erlösung nicht weniger bedürftige All in Christus zusammengefaßt und unter die Herrschaft Gottes zurückgeholt.[47] Man muß Rudolf Schnackenburg zustimmen, wenn er sich Heinrich Schliers Überinterpretation von Eph 1,16 widersetzt: Die abschließende Zielangabe in Eph 1,16 heiße »Auferbauung in Liebe«. Da diese Zielangabe sich nicht auf den »Weltleib« (H. Schlier), sondern klar auf den »Leib der Kirche« beziehe, wäre die »kosmische« Spitze abgebrochen, auf die nach Schliers Auffassung die ganze Gedankenführung hinsteuern sollte. Man könnte freilich nachfragen, ob der Begriff »agape« wirklich auf den Leib der Kirche beschränkt werden muß oder nicht doch in einem umfassenderen Sinn als die in Christus gekommene Liebes- und Friedensordnung verstanden werden kann, in die auch der Kosmos eingehen soll. Wenn man die so verstandene »agape« als Ziel und Vollendung der »anakephalaiosis« betrachten könnte, dann wäre am Schluß von Eph 1,16 die »kosmische Spitze« tatsächlich erreicht. Doch gilt die früher ausgesprochene Warnung vor Überschwenglichkeit im theologischen Denken und Sprechen wohl auch hier, wenngleich grundsätzlich zu sagen ist, daß sich die Theologie nicht unter allen Umständen auf eine minimalistische Interpretation biblischer Texte festlegen kann; für die Exegese im eigentlichen Sinn gelten freilich strengere Gesetze.

Die Auffassung des Epheserbriefes wird bestätigt durch den Christus-Hymnus in Kol 1,15–20. Es wurde bereits dargelegt, daß in der ersten Strophe Christus als der Mittler der Schöpfung gefeiert wird. Dann aber wird festgestellt: Dieser Christus ist »das Haupt des Leibes«, nämlich der Kirche. »Er ist der Ursprung, der Erstgeborene der Toten; so hat er in allem den Vorrang.« Dann fährt der Verfasser fort: »... Gott wollte mit seiner ganzen Fülle in ihm wohnen, um durch ihn alles zu versöhnen. Alles im Himmel und auf Erden wollte er zu Christus führen, der Frieden gestiftet hat am Kreuz durch sein Blut« (1,19 f). Durch Christus kann das All versöhnt werden, weil er das Peroma in sich trägt und darin bereits die potentielle Versöhnung des Alls gegeben ist. Diese potentielle Versöhnung gilt es zu aktuieren. Die Aktuierung vollzieht sich in zwei Schritten: grundsätzlich und zunächst im Kreuzesopfer Christi, dann in der konkreten Auswirkung durch die Kirche.[48]

[47] Vgl. *R. Schnackenburg*, a.a.O. 215 f, und die hier zu Recht ausgesprochene Kritik an *H. Schlier*, Der Brief an die Epheser 209, der in Eph 4,16 das erste Soma als »Leib der Kirche« und das zweite Soma als »Weltbild« versteht.
[48] Vgl. *V. Warnach*, Christus und der Kosmos 195. Nach *W. Beinert*, Christus und der Kosmos 35, wird die kosmische Funktion der Kirche auch durch den Ort des Christus-Hym-

Das Ergebnis läßt sich kurz zusammenfassen: Gottes Heilswerk ist verwirklicht in Christus. Die Kirche aber ist in dieses Heilswerk in besonderer Weise einbezogen. Durch sie verbindet sich der erhöhte Herr zusammen mit der erlösten Menschheit auch den Kosmos immer tiefer und wirksamer. Die Kirche ist das Organ, das Medium, durch das die im ewigen Weltplan vorgesehene All-Einheit in Christus durch die Geschichte hindurch dargestellt und fortschreitend verwirklicht wird. Durch sie vollzieht sich, was in Christus als dem »Anfang« (arche) prototypisch vorgegeben ist. In ihr wächst das All auf Christus hin; sie ist die Weise, in der Christus das All zu sich hinzieht. Heinrich Schlier sagt es kurz und bündig: (a) Gegenüber der Kirche gibt es keine Exterritorialität, sie hat ihre Grenzen im All. (b) Verwirklichung der Herrschaft Christi, Anteilschaft also am Heil, gibt es nicht »ohne die Kirche und außerhalb ihrer«. (c) Es gibt Bereiche, die so von sich selbst erfüllt sind, daß sie sich der durch die Kirche angebotenen Erfüllung auf Christus hin widersetzen.[49]

b) Theologische Auslegung[50]

Für die theologiegeschichtliche Entfaltung der Lehre von der soteriologisch-kosmischen Bedeutung der Kirche legt Viktor Warnach eine überraschende Fülle von Zeugnissen vor, auf die hier nur hingewiesen werden kann. In der Alten, besonders in der griechischen Kirche ist das Thema rege diskutiert worden. Vor allem die griechischen Väter sahen in Christus als dem fleischgewordenen Logos die Einheit und die Harmonie des Universums begründet und erfüllt. Von hier aus bestimmten sie die Kirche als das Medium, durch das Christus das alles umfassende Werk der Rekapitulation geschichtlich voranbringt. Auch die älteren liturgischen Ordnungen sehen die ganze Schöpfung in die Eucharistie der Kirche einbezogen.[51]

nus im Kolosserbrief deutlich: »Der Apostel klammert den altchristlichen Hymnus zwischen Aussagen, die sich auf die bereits erfolgte Missionierung der Gemeinde von Kolossai (V. 13) und auf die immer noch erfolgende Evangelisierung (V. 23) beziehen. Das All, die ganze Schöpfung (V. 23b) ist also versöhnt durch die in Christus erfolgende Verkündigung des Evangeliums.«

[49] Vgl. *H. Schlier*, Die Zeit der Kirche 169. Die zweite These ist freilich nicht so formuliert, daß sie die Möglichkeit eines hierokratischen Mißverständnisses gänzlich ausschließt.

[50] Vgl. zum Folgenden *V. Warnach*, Kirche und Kosmos; *A. Auer*, Weltoffener Christ 140–159; *Ders.*, Eucharistie als Weg der Welt in die Erfüllung. Von der Bedeutung des eucharistischen Mysteriums für die christliche Laienfrömmigkeit, in: Geist und Leben 33 (1960) 192–206; *Ders.*, Kirche und Welt.

[51] Origenes neigt zu der Auffassung, daß nicht nur »das Menschengeschlecht, sondern vielleicht auch das All der Geschöpfe« den Leib Christi bilde (in Ps 36, hom. 2). *V. Warnach*,

Nach dem Bericht von Warnach haben auch die mittelalterlichen Theologen an der kosmologischen Sicht der Kirche festgehalten, wenngleich bei den Scholastikern die Frage nach der Beziehung zwischen Kirche und materieller Welt weniger Beachtung gefunden hat. (Besonders erwähnt werden Cajetan und Thomas von Aquin.) Erst in der Theologie der Romantik hat die universale Schau der Kirche wieder neue Beachtung gefunden. Das gilt für die evangelische wie für die katholische Theologie.[52]

Im Sinn der Vätertheologie stellt Friedrich Pilgram, der bedeutende Laientheologe aus dem 19. Jahrhundert, fest, daß die Kirche das Mysterium der Inkarnation durch die Geschichte hindurch aktuell gegenwärtig hält. Vereinigung mit der Kirche bedeutet also »wirkliche Wiedervereinigung mit Gott«, zugleich aber auch »die Erneuerung der Einheit aller ursprünglichen Kreatur unter sich« und schließlich auch »die Wiedervereinigung der Kreaturen in sich selbst«.[53] So deutet Pilgram Einheit und Allgemeinheit der Kirche in dem Sinn, daß in ihr die ganze Menschheit und die ganze Natur umschlossen wird. Diese Bestimmung der Menschheit und der Natur zum Eintritt in die Kirche ergibt sich mit innerer Notwendigkeit aus dem ursprünglichen Verhältnis der Kirche zur Schöpfung.[54] Damit ist zum Ausdruck gebracht, daß alle Kreaturen in der Kirche als dem geschichtlich gegenwärtigen Christus ihren eigentlichen Ort haben. Es kann nichts Wirkliches gedacht werden, was außerhalb der Kirche als Fremdes neben ihr zu existieren bestimmt wäre. Es kann »keine Existenz, kein Lebensgebiet geben, welches nicht

---

a.a.O. 174: »Diese Vermutung wurde von verschiedenen Vätern aufgegriffen und mit großer Bestimmtheit in dem Sinne festgehalten, daß die ganze Schöpfung letztlich (eschatologisch) einen großen vom Logos bewohnten Leib darstelle.« Besonders prägnant äußert sich Origenes, Das Evangelium nach Johannes, übersetzt und eingeführt von R. Gögler (Menschen der Kirche in Zeugnis und Urkunde, Neue Folge, hrsg. von H. Urs von Balthasar, Bd. 4), Einsiedeln–Zürich–Köln 1959, 203: Er bezeichnet die Kirche als »die zur Ordnung gekommene Welt (ho kosmos tou kosmou he ekklesia), und zwar deshalb, weil Christus, das erste ›Licht der Welt‹, zur Ordnung der Kirche geworden ist«. In Anm. 29 betont der Übersetzer, der Nachdruck liege hier auf der Wiederholung desselben Wortes »Kosmos«, d. h., die Kirche ist »die zu ihrer Eigentlichkeit, zu ihrem eigentlichen Sinn gelangte Welt«. Auch für Irenäus, der ja der Menschwerdung des ewigen Wortes in seinem theologischen System einen zentralen Ort einräumte, hat sich aus der Idee der Zusammenfassung des Universums in Christus von selbst die Vorstellung von der Kirche als dem Anfang dieses neuen Universums ergeben. Vgl. Ch. Journet, L'Église du Verbe incarné, T. II. Sa structure interne et son unité catholique, Bruges (Belg.) 1951, 97–186.

[52] Vgl. besonders die Arbeiten von W. Stählin und die ihm gewidmete Festschrift »Kosmos und Ekklesia«, hrsg. von H. D. Wendland, Kassel 1953. Im Folgenden ein kurzer Hinweis auf F. Pilgram, zumal V. Warnach ihn nicht erwähnt.

[53] F. Pilgram, Physiologie der Kirche (Deutsche Klassiker der katholischen Theologie aus neuerer Zeit, hrsg. von H. Getzeny, Bd. III), Mainz 1931, 320.

[54] A.a.O. 146.

an sich die Bestimmung hätte, in die Einheit und Allgemeinheit des einen und allgemeinen Lebens der Kirche aufzugehen«.[55]

Die Kirche dient also in ihrem Wachstum »zugleich dem gesamten Kosmos, der durch Christus zu seiner Eigentlichkeit gekommen ist und nun durch die Kirche darin vertieft und vollendet werden soll, bis Menschheit und Welt in die agape, in die vollendete Liebes- und Friedensordnung Gottes, eingehen dürfen (Eph 4, 11–16)«.[56] Das Sinnziel der Schöpfung ist aller Kreatur schon durch das »Wort« der Schöpfung als Entelechie eingegründet. Augustin spricht von einem »amor corporis« (genitivus subiectivus!) und meint damit jene vitale wesenskonstitutive Intentionalität, durch die die stoffliche Welt auf Christus als das letzte Sinnziel hin in Unruhe gehalten wird. Etwas Ähnliches meint wohl auch Thomas von Aquin mit dem »desiderium naturale«, jener natürlichen Sehnsucht der Kreaturen auf ihre vollkommene Ordnung in Gott hin, die auch ihre vollkommene Ordnung untereinander beinhaltet. Als Organ der geschichtlichen Verwirklichung des Reiches Gottes trägt die Kirche wie die im Christusereignis entstandene Gemeinschaft, so auch den darin in eins gefaßten Kosmos durch die Geschichte hindurch und macht beide vor allem durch ihr sakramentales Tun und durch ihre Verkündigung sowie durch den christlichen Weltdienst ihrer Glieder immer reifer und bereiter für den Tag des Herrn. Im Zentrum dieses Vermittlungsdienstes der Kirche steht zweifellos die Feier der Eucharistie. Für die griechischen Väter (teilweise auch für die spätere Theologie) führte eine gerade Linie und ein einziger »kausaler Zusammenhang von der historischen Inkarnation des Logos über seine eucharistische in Brot und Wein zu der Universalinkarnation in den kommunizierenden Christen«.[57] Der erhöhte Herr verbindet sich Brot und Wein in analoger Weise, wie der Logos bei der Menschwerdung sich einen menschlichen Leib verbunden hat. Nun hat der geschichtliche Leib des Gottmenschen repräsentativen Charakter: Durch ihn sind alle menschlichen Naturen und alle Stoffe des Kosmos potentiell in die heilvolle Verbundenheit mit Gott aufgenommen.

Man wird nun sagen können, daß die eucharistischen Elemente an diesem repräsentativen Charakter der menschlichen Natur Jesu

[55] A.a.O. 321 f. Vgl. auch *E. Walter*, Christus und der Kosmos. Eine Auslegung von Eph 1, 10, Stuttgart 1948, 51: Hier taucht im Hinblick auf die eschatologisch-kosmische Aufgabe der Kirche als der Mittlerin der Vollendung der Welt das Bild von der Kirche als »der Arche der neuen Schöpfung« auf. Die neue Schöpfung ist in ihr aufgehoben und wird in ihr durch die Zeit hindurch dem Anbruch der Allvollendung entgegengetragen.

[56] *A. Auer*, Kirche und Welt 493. Zum Folgenden a.a.O. 532.

[57] *J. Betz*, Die Eucharistie in der Zeit der griechischen Väter, Bd. I/1, Freiburg 1955, 279.

Anteil haben und in ähnlicher Weise »Exponenten des Kosmos« sind wie der Leib Jesu.[58] Wenn der Kosmos die erweiterte Leiblichkeit des Menschen, Ort und Mittel seiner irdischen Existenz und damit »jener Wesensbereich (ist), in dem er als Mensch seinen Aufenthalt hat, kraft dessen er Mensch ist«,[59] und wenn der Mensch im Vorgang der Ernährung immer wieder Elemente des Kosmos sich anverwandelt, dann wird man wohl sagen können, daß Brot und Wein als die Grundelemente der Ernährung eine Eignung besitzen, Exponenten des Kosmos zu sein. Dann wird auch alles und jedes, was Brot und Wein zuteil wird, ihnen repräsentativ zuteil, und durch sie und wie sie werden alle anderen Kreaturen – in einem gewissen, wenn auch wesentlich reduzierten Sinn – Träger und Zeichen der Anwesenheit Gottes. Und so kann in dem, was an Brot und Wein geschieht, sich die letzte Möglichkeit und die letzte Bestimmung jeglicher Kreatur ankündigen, nämlich Träger und Zeichen der Herrlichkeit Gottes zu sein. Dies wird sich in der Parusie erfüllen, aber »die Zukunft hat schon begonnen«.[60]

Die Kirche bleibt in der Ausgestaltung ihres Kultes nicht bei der Beteiligung von Brot und Wein stehen, sondern bezieht in den übrigen Sakramenten und in ihren Sakramentalien viele andere Elemente des Kosmos in ihren Gottesdienst ein. Umgekehrt trägt sie durch die Sakramentalien gewissermaßen die Eucharistie in die ganze Schöpfung hinaus und entsündigt und heiligt damit jede Kreatur. Was sich in der Eucharistie ereignet, setzt sich in den Sakramentalien fort: Der Kosmos wird auf dem Weg in die Vollendung vorangedrängt.

In der hier vorgelegten Auffassung wirken Grundvorstellungen der sog. Mysterientheologie nach. Mancher mag die Gefahr befürchten, daß die Kirche in diesem Verständnis Menschheit und Kosmos um ihre weltliche Eigenständigkeit bringt. Aber es handelt sich hier nicht um einen sublimen Versuch, den alten geschichtlich überholten hierokratischen Anspruch der Kirche in die innere Dimension zu verlagern. Gewiß vermittelt die Kirche der Menschheit

[58] Vgl. *J. Pinsk,* Hoffnung auf Herrlichkeit, Colmar o. J., vor allem 57–67.
[59] *P. Kampits,* Natur als Mitwelt 62.
[60] *A. Auer,* Weltoffener Christ 155: »Was die alten Liturgien als selbstverständlich betrachten, das sprechen heute die Theologen wieder deutlicher aus, daß nämlich die immerwährende Feier der Eucharistie die durch Inkarnation und Auferstehung dem Kosmos eingesenkten Herrlichkeitskräfte weiter wachsen und sich entfalten läßt, daß sich in der Eucharistie die kommende Verklärung des Alls vorbereitet und bereits real ereignet... In der ... Menschwerdung (des ewigen Wortes) begann die Heiligung der ganzen Schöpfung. Die Kirche trägt diese begonnene Heiligung durch die Zeit hindurch immer weiter voran durch die Feier der Eucharistie.« Vgl. auch *V. Warnach,* Kirche und Kosmos 201 f.

und dem Kosmos den Zugang zum Heil, aber sie tut es nicht, indem sie beide um ihre Eigenwertigkeit und Eigenständigkeit bringt. Diese bleiben bestehen, aber ihre »Relationalität« wird auf eine neue Weise deutlich. Die Schöpfung ist bezogen auf den Schöpfer, sie ist auch bezogen, und zwar von Anfang an, auf die Menschwerdung des »Wortes«, und sie ist eben damit bezogen auf die fortdauernde geschichtliche Vergegenwärtigung des menschgewordenen »Wortes« in der Kirche. Von da aus kann man verstehen, warum »die Kirche« – der Begriff ist hier nicht eingeengt auf die katholische Kirche – aufgrund ihres Wesens den Anspruch erhebt, »allein seligmachend« zu sein. Man kann verstehen, was Pius XII. gemeint hat, wenn er die Kirche gelegentlich als »Lebensprinzip der Gesellschaft« bezeichnet hat. Das ist für den Nichtchristen und Nichtkatholiken, sicher auch für manchen Katholiken, ein ungeheuerlicher Anspruch, aber es scheint, daß gerade in solchem Anspruch ein neues Verständnis des Verhältnisses der Kirche zur Welt sichtbar wird – des wahren Verhältnisses, das weit abliegt von einem hierokratischen Monismus, das diesen aber durch seine universalen mystischen Dimensionen weit hinter sich läßt. Otto Semmelroth betont denn auch mit Recht, daß die Heiligkeit der Kirche eine nur ihr zukommende Besonderheit, nicht eine Norm für alle Bezirke der Welt ist. »Die Welt steht dem Heiligen nicht als potentielle Kirche gegenüber und die Kirche dem Profanen nicht als Zielbild weltlichen Daseins. Die Kirche ist nicht jener Ausschnitt der Welt, in dem Gott wie in einem Brückenkopf Fuß gefaßt hätte, um durch sein Heilswirken diesen Brückenkopf zu erweitern, bis die ganze Welt Kirche geworden wäre.« Nicht einmal der Eintritt aller Menschen in die Kirche und die kirchliche Segnung aller Kreaturen könnte den Unterschied zwischen Kirche und Welt aufheben. In der Kirche wird nur der »übernatürliche Geschenkcharakter jenes Lebens (dargestellt), das des Menschen Leben in der Welt nicht ersetzen oder verdrängen, sondern sich in ihm wirksam machen will«.[61]

3. Eschatologische Perspektiven

Der wissenschaftlich-technisch-ökonomische Fortschrittsglaube hat durch die ökologische Krise einen schweren, vielleicht entschei-

---

[61] *O. Semmelroth,* Ich glaube an die Kirche, Düsseldorf 1959, 115–117. Vgl. auch die präzise Formel bei *E. Lohmeyer,* Zum Begriff der religiösen Gemeinschaft (Wissenschaftliche Grundfragen, hrsg. von R. Hönigswald, Bd. 3), Leipzig 1925, 13 f: Die Kirche ist »die teleologische Bestimmtheit des Weltganzen«, seine »Sinnerfüllung und Sinnwirklichkeit«.

denden Stoß erlitten. Das bisherige, großenteils naiv-optimistische Lebensgefühl schlägt in Pessimismus und Fatalismus um. Die Theologie, vor allem jene Theologie, die sich durch die Hoffnung auf eine fortschreitende Humanisierung der Welt wesentlich mitbestimmen ließ, muß sich neu verantworten. Je mehr die Entschlossenheit auf Zukunft hin den düsteren Prophezeiungen eines drohenden Zusammenbruchs unserer fundamentalen Lebensbedingungen erliegt, desto schärfer drängen sich neue Fragen in den Vordergrund: Steht die Menschheit möglicherweise vor ihrem definitiven Ende? Muß es eigentlich eine immer fortlaufende Geschichte geben, und woher können wir dafür eine Garantie entnehmen? Oder muß es nicht ohnehin irgendwann einmal ein Ende der Geschichte geben, und was wird dann sein? Die tödliche Bedrohung der Menschheit bringt den alten Traktat von den »letzten Dingen« oder von der »Vollendung der Welt« neu auf den Tisch.[62]

Die Theologie wird unmittelbar und unausweichlich herausgefordert. Carl Amery, der die Entwicklung in die ökologische Katastrophe durch die »gnadenlosen Folgen des Christentums« wesentlich mitbedingt sieht, vertritt die Auffassung, daß ein Weiterwirken dieser Folgen nur durch einen radikalen Verzicht auf alle eschatologischen Prämissen verhindert werden kann. Der Mensch darf nicht an seiner Zukunft verzweifeln, im Gegenteil, man muß »große Massen mit ihrer planetarischen Geschichtsmächtigkeit vertraut... machen«; man muß ihnen klarmachen, daß es nicht um irgendwelche verborgenen Heilshoffnungen geht, sondern »um das Leben oder Sterben der einzigen Heimstatt..., die wir und unsere Nachkommen mit allen unseren Sinnen erleben. Alle bisherigen Sinngebungen – ganz gleich, ob sie religiös firmierten oder nicht – waren und sind insofern noch mythisch bzw. magisch, als sie einen verborgenen, einen noch zu enthüllenden, einen futurischen oder eschatologischen Sinn proklamieren mußten, um ihren Jüngern das Gefühl ihrer Mächtigkeit zu vermitteln.«[63] Solche Sinngebungen würden nur das Potential der Ausbeutung, das uns in die biosphärische Katastrophe geführt hat, neu aufheizen. Wir müssen einen anderen Weg gehen. »Bislang sind wir in Platos Höhle gesessen und freuten uns an der Wärme des selbstentzündeten Feuers. Nun müssen wir hinaustreten ins Licht des faktischen Tages. Wir müssen lernen, die Welt und unseren Platz in ihr zu sehen – von Angesicht zu Angesicht. Die Welt, die unsere Heimat nicht werden wird, wenn

[62] Vgl. *M. Schloemann*, Wachstumstod und Eschatologie 41.
[63] *C. Amery*, Das Ende der Vorsehung 235.

wir nicht begreifen, daß sie die einzige Heimat ist, die wir je hatten, haben oder haben werden.«[64]

Wie kann die Theologie dieser Herausforderung begegnen? Es scheint, daß sie hinsichtlich ihrer Lehre von der »Weltvollendung« noch weniger eines Konsenses fähig ist als hinsichtlich der Grundüberzeugungen im Umkreis der Lehren von der Schöpfung und vom Heil in Christus. Es sollen im folgenden die wichtigsten Typen einer christlichen Eschatologie aufgeführt werden, auch wenn diese Information nicht jedem Leser gleich wichtig erscheint. Für eine kritische Auseinandersetzung fehlen hier Raum und fachliche Kompetenz.[65]

a) Traditionelle Apokalyptik

Obwohl das verheißene Gottesreich immer ausbleibt, hält die Apokalyptik daran fest, daß Gott nach einem vorbestimmten Plan den Kampf zwischen ihm und der sündigen Welt irgendwann ein-

---

[64] A.a.O. 250. Diese Kritik ist dem Leser schon vertraut. Vertraut ist ihm auch der Kern der Widerrede von *G. Altner,* Schöpfung am Abgrund 152: »Als ob die Aufklärung nicht längst schon den Aufbruch in das ›Licht des faktischen Tages‹ vollzogen und mit dem Pathos kritischer Schärfe nicht längst schon den Mächten, Geheimnissen und verpflichtenden Bindungen des menschlichen Lebens den Kampf angesagt hatte. Welch eine Aufklärung, die sich jetzt, nachdem sie längst am Werk war, von den Folgen ihres Aufbruchs aus der Unmündigkeit drücken und sie dem Christentum anlasten will. Und welch unkritischer Optimismus, immer noch zu meinen, daß nun, nachdem die katastrophalen Folgen abendländischer Emanzipation über uns hereinbrechen, der Mensch von Natur vernünftig und gut sein könne. Nein, Christentum und Aufklärung stehen Seite an Seite gemeinsam vor der Erfahrung, daß sie gescheitert sind, ›daß der Gott, gegen den sie sich prometheisch erheben, in seiner Abwesenheit am mächtigsten ist‹.«

[65] Nach Abwägung aller Argumente glaubt der Verf. sich für das letzte der hier vorgestellten Modelle, für den »Ansatz der eschata im Tod«, entscheiden zu sollen. Auch dieses Modell sagt nicht »die Wahrheit« aus, aber es stellt das für heutiges Denken am meisten angemessene Interpretament dar. Überblicke über den Stand der gegenwärtigen Eschatologie finden sich bei *W. Kreck,* Die Zukunft des Gekommenen 14–76; *Ch. Schütz,* Allgemeine Grundlegung der Eschatologie, in: Mysterium Salutis V, 553–700; *G. Greshake – G. Lohfink,* Naherwartung, Auferstehung, Unsterblichkeit 11–37.50–81; *A. Vögtle,* Das Neue Testament und die Zukunft des Kosmos 11–19; *J. Ratzinger,* Eschatologie. Tod und ewiges Leben (Kleine Kath. Dogmatik, hrsg. von J. Auer und J. Ratzinger, Bd. IX), Regensburg ³1978, 17–64; *M. Schloemann,* Wachstumstod und Eschatologie 27–42. Zum Begriff »Eschatologie« vgl. Art. Eschatologie, in: *K. Rahner* u. *H. Vorgrimler,* Kleines theologisches Wörterbuch (Herder-Bücherei 108/109), Freiburg–Basel–Wien ⁵1965, 100–102; der Artikel beginnt mit einer Definition: »Eschatologie (griech. eschata = die letzten Dinge) ist die theologische Lehre von den letzten Dingen. Sie ist nicht eine vorwegnehmende Reportage ›später‹ erfolgender Ereignisse, sondern der für den Menschen in seiner geistigen Freiheitsentscheidung notwendige Vorblick aus seiner durch das Ereignis Christi bestimmten heilsgeschichtlichen Situation auf die endgültige Vollendung dieser seiner eigenen, schon eschatologisch bestimmten Daseinssituation.« A.a.O. 102: »Eschatologisch als Eigenschaftswort meint in der heutigen Theologie die Gegenwart insofern, als in Jesus Christus die Endzeit angebrochen ist (›eschatologisches Handeln Gottes‹); auch dort, wo es von vermeintlich rein Zukünftigem steht, meint es die Zukunft, insofern sie die Gegenwart deutet (›eschatologische Aussagen der Schrift!‹).«

mal beenden und seine totale Herrschaft aufrichten wird. Dabei heftet der Blick sich vor allem auf geschichtliche Ereignisse und Entwicklungen, die sich als Zeichen des bevorstehenden Endes interpretieren lassen. Die traditionelle Apokalyptik hat sich meist leichtfertig darüber hinweggesetzt, daß das Neue Testament selbst nachdrücklich vor allen Versuchen gewarnt hat, das Ende zeitlich vorauszuberechnen. Die Apokalyptik neigt dazu, sich pessimistische Zukunftsprognosen zu eigen zu machen, sie trotz ihrer Ungesichertheit zu verabsolutieren und sie dann von ihrem vorgefaßten Denk- und Vorstellungsschema her auszulegen.[66]

b) Teleologische Eschatologie

Die herkömmliche katholische und protestantisch-orthodoxe Theologie hat Eschatologie verstanden als »Lehre von den letzten Dingen«. Sie versuchte auf der Basis der Schrift und der kirchlichen Überlieferung »künftige, zumindest tendentiell *dinghaft* vorgestellte Ereignisse, die *zuletzt,* am Ende der Geschichte, eintreffen werden«, lehrmäßig zu beschreiben.[67] Menschliche Leiblichkeit und Welthaftigkeit sind nach dieser Lehre eindeutig auf die Möglichkeit endgültigen Heils ausgerichtet. Doch ist in den neugierigen Spekulationen über die mögliche konkrete Gestalt der Endereignisse weniger die Sinnspitze der biblischen Aussagen als vielmehr eine Art »Physik der letzten Dinge« angezielt worden. Man verkannte freilich nicht, daß die endgültige Erfüllung durch die Begnadung des Menschen bereits auf eine geheimnisvolle Weise begonnen hat; die Zeit der Kirche wurde verstanden als abschließende Zwischenzeit, die irgendwann in die allen erfahrbare Erfüllung des Reiches Gottes überführt werden soll.

c) Heilsgeschichtlich-realistische Eschatologie

Sie versucht den ganzen Ablauf der Geschichte in einer einheitlichen Schau zu umfassen: Zeit und Geschichte bewegen sich von Anfang an auf das zentrale Ereignis des Todes und der Auferstehung Jesu Christi zu. In ihm hat sich die Zeit gewendet und der neue Äon seinen Anfang gefunden. Was sich hier an Jesus Christus in repräsentativer Weise ereignet hat, das wird einst in der Parusie

---

[66] *M. Schloemann,* Wachstumstod und Eschatologie 28, verweist beispielhaft auf *H. Lachenmann,* Entwicklung und Endzeit, Hamburg 1967, und: Welt in Gott, Hamburg 1960. Obwohl H. Lachenmanns Veröffentlichungen noch vor der Verschärfung der ökologischen Krise liegen, prognostiziert er ein unmittelbar bevorstehendes Ende. Die drohende Selbstvernichtung durch Atomwaffen ist für ihn das unzweideutige Zeichen dafür, daß wir hart vor der »Schwelle« existieren.

[67] *G. Greshake – G. Lohfink,* Naherwartung, Auferstehung, Unsterblichkeit 12.

sich ins Universale ausweiten und definitiv erfüllen: die neue Schöpfung. Heilsgeschichte und Weltgeschichte werden im Bild zweier konzentrischer Kreise gesehen, in deren Mitte die Heilsgeschichte immer weiter in den äußeren Kreis der Weltgeschichte ausstrahlen und auf das allgemeine Heil hin wirksam werden.[68] Auf jeden Fall wird für das Ende der Geschichte eine Erlösung, Vollendung, Verwandlung oder Verklärung des gesamten bestehenden Universums erwartet.[69]

d) Futurische Eschatologie

Sie versucht das säkularistische Zukunftsverständnis und die christlich-eschatologische Zukunftshoffnung in einen möglichst engen Zusammenhang zu bringen. In ihrer radikalen Form vertritt sie die Überzeugung, daß das eschatologische Heil des kommenden Gottes sich nur zusammen mit der Humanisierung der Erde verwirklichen kann, ja, daß sie damit sogar identisch ist. Man sieht das christlich verstandene Heil darin, daß »die Welt dem Menschen zur Heimat wird«.[70] Noch nicht abgeschlossen ist die Diskussion über Pierre Teilhard de Chardin, der in einem umfassenden evolutiven Prozeß das menschliche und das göttliche Handeln auf die Heraufführung des eschaton hin am Werk sieht. Jürgen Moltmann ist zwar entschieden darauf bedacht, die Zukunft Gottes und die Zukunft der menschlichen Geschichte in einem »praktischen« Wahrheitsverständnis zusammenzudenken, doch sind für ihn die beiden Zukunftsbewegungen nicht identisch; er hält an der Differenz zwischen Gott und Welt eindeutig fest. Johann B. Metz, der selbst die »Theologie der Hoffnung« nachdrücklich favorisiert hat, ist angesichts der heraufkommenden ökologischen Katastrophe skeptischer geworden und bekennt: »Der Wärmestrom der Teleologie, der unser Bewußtsein getragen hat, versiegt immer mehr. Die teleologische Zuversicht auf eine zunehmende Versöhnung von Mensch und Natur ist gebrochen, und jetzt, da sie vergeht, merken wir erst, wie tief und nachhaltig sie uns bestimmt hat – bis in unsere

[68] Vgl. besonders O. *Cullmann*, Christus und die Zeit, Zollikon–Zürich ³1962; *Ders.*, Heil als Geschichte. Heilsgeschichtliche Existenz im Neuen Testament, Tübingen 1965.
[69] Dabei werden die neutestamentlichen Untergangstexte teilweise ignoriert, teilweise im Sinne der Verwandlungs- und Vollendungshypothese interpretiert. Vgl. *A. Vögtle*, Das Neue Testament und die Zukunft des Kosmos 31–35.16–19.
[70] *Th. Lorenzmeier*, Glaube und Wirklichkeit bei Gerhard Ebeling, in: Theologie und Unterricht. Festgabe für H. Stock, Gütersloh 1969, 27–44, hier 43. Weitere Hinweise bei *M. Schoemann*, Wachstumstod und Eschatologie 30–33, und bei *G. Greshake – G. Lohfink*, Naherwartung, Auferstehung, Unsterblichkeit 24–34 (G. Greshake); hier vor allem eine Auseinandersetzung mit J. Moltmanns Versuch, »Gott und die Geschichte zusammenzudenken«, und mit der Theologie der Revolution und der Befreiung.

philosophischen und theologischen Interpretationen der Zukunft hinein.«[71]

e) Auf Ethik reduzierte Eschatologie (existentiale Eschatologie)

Rudolf Bultmann geht davon aus, daß Weltende und Parusie nicht, wie erwartet, eingetreten sind, daß die Geschichte weitergelaufen ist und daß sie nach Überzeugung jedes zurechnungsfähigen Menschen auch weiterlaufen wird.[72] Im Gegensatz zu Oscar Cullmanns Auffassung ist nach seinem Verständnis der neutestamentlichen Aussagen Jesus Christus nicht die Mitte, sondern das Ende der Geschichte. Es gibt keine mit Christus anhebende und auf eine letzte Kulmination ansteigende Linie. Das eschaton besteht nach Bultmann darin, daß uns Christus zu verantwortlichem Handeln in der Geschichte befreit hat. Die eschatologische Stunde der Parusie ereignet sich nicht am Ende der Geschichte, sie ist vielmehr jenes Ereignis innerhalb der Geschichte, durch das uns Christus die Möglichkeit der eigenen Entscheidung eröffnet hat. »Der Sinn der Geschichte liegt ja in der Gegenwart, und wenn die Gegenwart vom christlichen Glauben als die eschatologische Gegenwart begriffen wird, ist der Sinn der Geschichte verwirklicht... Und du kannst ihn nicht als Zuschauer sehen, sondern nur in deinen verantwortlichen Entscheidungen. In jedem Augenblick schlummert die Möglichkeit, der eschatologische Augenblick zu sein. Du mußt ihn erwecken.«[73]

Eine radikal existentiale Interpretation der eschatologischen Predigt legt auch Herbert Braun vor.[74] Die Naherwartung Jesu hat sich nach seiner Meinung als Irrtum herausgestellt, und darum sollte man mit der Vorstellung, daß Jesus doch noch irgendwann einmal wiederkomme, endgültig aufräumen. Jesus wollte mit seiner Verkündigung vom bevorstehenden Ende der Welt einfach die Verantwortlichkeit schärfen. Er wollte den Menschen davor warnen, sich selbst zu verfehlen.[75]

---

[71] Erinnerung des Leidens als Kritik eines teleologisch-technologischen Zukunftsbegriffs, in: Evang. Theologie 32 (1972) 338–352, hier 338; vgl. *M. Schoemann,* Wachstumstod und Eschatologie 32 f.

[72] Geschichte und Eschatologie im Neuen Testament, in: Glauben und Verstehen III, Tübingen 1960, 91–106; *Ders.,* Neues Testament und Mythologie, in: Kerygma und Mythos I, Hamburg ²1951, 15–48, hier 18 f.

[73] *R. Bultmann,* Geschichte und Eschatologie im Neuen Testament, 1958, 184. *F. Gogarten,* Verhängnis und Hoffnung der Neuzeit. Die Säkularisierung als theologisches Problem, Stuttgart 1953, bes. 169–188, geht über die anthropologische Interpretation des Begriffs Eschatologie hinaus und bezieht den geschichtsphilosophischen Horizont mit ein. Vgl. dazu *W. Kreck,* Die Zukunft des Gekommenen 63–68.

[74] Jesus. Der Mann aus Nazareth und seine Zeit (Themen der Theologie 1) Stuttgart 1969.

[75] A.a.O. 59.61. Vgl. dazu *G. Greshake – G. Lohfink,* Naherwartung, Auferstehung, Unsterb-

f) Vertikalistische Eschatologie

In der neueren protestantischen Theologie ist mit der apokalyptischen Raumvorstellung auch die apokalyptische Vorstellung von Zeit und Geschichte aufgegeben worden. Karl Barth hat kein Interesse an einer endgeschichtlichen Eschatologie. Der »ewige Augenblick« ist qualifizierte Zeit: Er fällt mit keinem geschichtlichen Augenblick zusammen, sondern steht allen geschichtlichen Augenblikken als ihr »transzendentaler Sinn« gegenüber. »Das Ende« ist jederzeit nahe. In seiner Auslegung von Röm 13,11 ff betont er, daß die Ewigkeit die Aufhebung aller Zeit ist, und schreibt: »Gellen denn gar niemandem die Ohren? Will das unnütze Gerede von der ›ausgebliebenen‹ Parusie denn gar nicht aufhören? Wie soll denn ›ausbleiben‹, was seinem Begriff nach überhaupt nicht ›eintreten‹ kann? Denn kein zeitliches Ereignis, kein fabelhafter ›Weltuntergang‹, ganz und gar ohne Beziehung zu etwaigen geschichtlichen, tellurischen oder kosmischen Katastrophen ist das im Neuen Testament verkündete Ende, sondern wirklich das *Ende,* so sehr das Ende, daß die 1900 Jahre nicht nur wenig, sondern nichts zu bedeuten haben, was seine Nähe oder Ferne betrifft, so sehr das Ende, daß schon Abraham diesen Tag sah und sich freute.«[76] Hier hat sich das vertikale Geschichtsverständnis gegenüber dem horizontalen durchgesetzt. Die biblischen bzw. theologischen Aussagen über das »Ende« werden zu bloßen »Chiffren«, die nur die »souveräne Transzendenz« Gottes gegenüber der Nichtigkeit des Geschöpfes zum Ausdruck bringen und zugleich bezeugen, daß der Mensch vom Heilshandeln Gottes »je nur ›tangential‹ im Begegnungsaugenblick« berührt wird.[77]

lichkeit 54: »Die eschatologische Predigt Jesu wird (bei H. Braun) auf reine Ethik reduziert. Aus der lebendigen Hoffnung des Neuen Testaments wird *Verantwortlichkeit.* Vom zukünftigen Heil ist nicht mehr die Rede.« (G. Lohfink) – Eine ebenso »konsequente« Eschatologie hatte schon *F. Buri,* Die Bedeutung der neutestamentlichen Eschatologie für die neuere protestantische Theologie, Zürich und Leipzig 1935, vorgelegt. A.a.O. 172: Wir erwarten nicht eine in Bälde eintretende kosmische Weltvollendung, sondern sehen »in jedem einzelnen aus der Ehrfurcht vor dem Schöpfungsgeheimnis heraus geborenen Verhalten die eschatologische Möglichkeit der Erlösung in Christus, als des Freiwerdens von der Weltangst zu tätigem und leidendem Wirken im Sinne der Ehrfurcht vor dem Leben Wirklichkeit werden«. *W. Kreck,* Die Zukunft des Gekommenen 18 f, interpretiert präzis: »Der tiefste Gehalt der Eschatologie, ihr eigentliches Anliegen ist nach Buri der Wille zur absoluten Lebensvollendung ... Dieser Zusammenhang von Eschatologie und Ethik zeigt uns die Gegenwartsbedeutung der Eschatologie: Statt die hoffnungslos überholten Vorstellungen des Neuen Testaments vergeblich zu repristinieren, gilt es, den Willen zum Leben in einem Begriffs- und Vorstellungsmaterial zum Ausdruck zu bringen, das unserem heutigen Wirklichkeitsverständnis entspricht.« Vgl. auch *A. Vögtle,* Das Neue Testament und die Zukunft des Kosmos 14–16.

[76] *K. Barth,* Der Römerbrief, München ⁹1954, 484.
[77] *G. Greshake – G. Lohfink,* Naherwartung, Auferstehung, Unsterblichkeit 15.

Vielleicht noch schärfer ist dieser Ansatz von Emil Brunner herausgearbeitet. Eine auseinandergezogene Zeit, die Jahrhunderte und Jahrtausende umfaßt, gibt es nur auf Erden, nicht aber in der Ewigkeit. Wir leben in einer vergänglichen Zeit. Aus der Erfahrung der irdischen Zeit ist das »Todesdatum« für jeden Menschen verschieden; denn es gehört ja der geschichtlich vergehenden Zeit an. Ganz anders ist es mit dem »Auferstehungstag«: Er gehört der Ewigkeit an. Darum ist er »für alle derselbe und ist doch vom Todestag durch kein Intervall von Jahrhunderten getrennt – denn es gibt diese Zeitintervalle nur hier, nicht aber dort, in der Gegenwart Gottes, wo ›tausend Jahre sind wie ein Tag‹«.[78]

Diese Interpretation ist schon beim frühen Paul Althaus grundgelegt.[79] Er ist nicht an der herkömmlichen »endgeschichtlichen« Eschatologie interessiert. Vollendung der Geschichte ist für ihn nicht ein geschichtlicher Endzustand. Vielmehr wird der Ertrag der Geschichte im »Jenseits der Geschichte erhoben«.[80] Die Geschichte schreitet nicht seit Christus fort, um sich in zeitlicher Vollendung zu erfüllen. »Wir erreichen die Vollendung nicht, indem wir die Längslinie der Geschichte bis zu ihrem Ende durchziehen, sondern indem wir überall Senkrechte auf ihr errichten.«[81] Mit diesem Bild will Althaus das Verhältnis von Zeit und – wie er, im Unterschied zu Gerhard Lohfink, noch undifferenziert formuliert – »Ewigkeit« verdeutlichen. Das Jenseits der Geschichte ist jedem Augenblick der Geschichte gleich nahe. Obwohl wir als einzelne nacheinander sterben, ist die Parusie für alle eine »gleichzeitige« Erfahrung: »Alle Senkrechten, die wir auf der Zeitlinie errichten, um auf die Ewigkeit, die Parusie, die Vollendung zu stoßen, treffen sich im Überzeitlichen in einem Punkte. Was sich uns in ein Nacheinander menschlicher Tode, des Endes von Geschlechtern, Völkern, Zeiträumen zerlegt, das ist, von dort aus gesehen, der gleiche Akt und das eine, ›gleichzeitige‹ Erlebnis der Aufhebung der Geschichte, des Eintritts der Geschichte in die Ewigkeit.«[82]

---

[78] *E. Brunner,* Das Ewige als Zukunft und Gegenwart (Siebenstern-Taschenbücher 32), München 1967, 167. Vgl. *G. Greshake* – *G. Lohfink,* a.a.O. 62: Das eschaton wird »hier nicht mehr am Ende einer langen horizontalen Zeitlinie angesetzt, sondern vertikal im Tod der vielen einzelnen«.

[79] Die letzten Dinge. Lehrbuch der Eschatologie, Gütersloh 1922, ⁷1957. Im folgenden wird die 1. Auflage zitiert, weil in den späteren die anfänglich kühnen Thesen deutlich zurückgenommen sind. P. Althaus kommt nahe an die im folgenden vorzustellende Aufassung von G. Lohfink heran.

[80] A.a.O. 64.

[81] A.a.O. 84.

[82] A.a.O. 98. *W. Kreck,* Die Zukunft des Gekommenen 40–42, weist darauf hin, daß P. Althaus den Abstand seiner Eschatologie von der jüdisch-biblischen durchaus erkennt, daß

Damit ist der Übergang geschaffen zu einer letzten Konzeption von Eschatologie, die im folgenden darzustellen ist.

g) Der Ansatz der Eschata im Tod

Die Dialektik von Zeit und Ewigkeit, wie sie von der neueren protestantischen, vor allem von der dialektischen Theologie in verdienstvoller Weise herausgearbeitet wurde, gerät in die Gefahr, Geschichte und menschliches Handeln in ihr zu entwerten. Um dieser Gefahr zu begegnen, greift Gerhard Lohfink auf den Begriff »aevum« zurück, den die mittelalterliche Theologie, vor allem Thomas von Aquin, der Zeit (tempus) und der Ewigkeit (aeternitas) gegenübergestellt hat. »Zeit« ist für Thomas das ständige Dahinfließen geschichtlicher Augenblicke, »Ewigkeit« die Seinsweise Gottes, in der er sein gesamtes Sein in einem alles umgreifenden Jetzt besitzt. Zwischen beiden steht nach Thomas das »aevum«. In ihm gibt es nicht mehr die fließende Abfolge einzelner geschichtlicher Augenblicke wie in der Zeit, in ihm gibt es aber auch nicht, wie in der Ewigkeit, die Unveränderlichkeit: Dem Dasein im aevum kann Veränderung zukommen. Die Blässe dieser Vorstellung stammt wohl davon her, daß sie entwickelt worden ist, um den Glauben an die Existenz der Engel einsichtiger zu machen.

Lohfink nimmt seinen Ausgangspunkt beim Menschen, der im Tod seine zeitliche Existenz hinter sich läßt und als neue Schöpfung vor Gott lebt. Statt von »aevum« spricht er von »verklärter Zeit«. Diese unterscheidet sich von geschichtlicher Zeit dadurch, daß es in ihr nicht mehr ein Früher und ein Später gibt: Sie faßt die gesamte Existenz des Menschen in einem einzigen Jetzt zusammen. »Verklärte Zeit« unterscheidet sich aber auch von Ewigkeit, insofern diese neue Existenzweise des Menschen »durch die Zeit konstituiert« ist, insofern alles, was der Mensch in seiner lebensgeschichtlichen Entfaltung je als aktuale Gegenwart erlebt hat, in sie eingebracht ist: »Die verklärte Zeit eines Menschen ist die Gesamtsumme seiner zeitlich-irdischen Existenz. Sie ist die Ernte der Zeit, sie ist gesammelte Zeit. Die ganze Geschichte eines Menschen von der Zeugung bis zum Tod ist *hineingezeitigt* in das tota simul der neuen, von Gott geschenkten, verklärten Zeitlichkeit.«[83] Was hier »verklärte Zeit« genannt wird, ist nicht nur das Ergebnis des ständigen Hineingezeitigtwerdens menschlichen Daseins in seine jen-

---

er aber die Differenz nicht in der Sache, sondern »hinsichtlich der Denkstruktur« sieht. *Althaus* bezeichnet seine Eschatologie im Unterschied zur herkömmlichen theologischen als »axiologische« Eschatologie.

[83] *G. Greshake – G. Lohfink*, Naherwartung, Auferstehung, Unsterblichkeit 67 f.

seitige Vollendung, sondern auch der »Prozeß selbst, in dem die gesamte Geschichte dieses Menschen vor Gott hingebracht wird«. Dieses differenzierte Verständnis des Begriffs »verklärte Zeit« evoziert zugleich die Vorstellung, daß mit der Geschichte der vielen einzelnen »*die Geschichte als ganze*« in die von Gott gewährte neue Daseinsweise hineingezeitigt wird.[84]

An diesem Punkt trifft sich Gerhard Lohfink mit der Auffassung heutiger Systematiker über die Auferstehung des Fleisches (H. Urs von Balthasar, K. Rahner, L. Boros, vor allem G. Greshake).[85] Im Tod gelangt nicht eine rein geistige Subjektivität in den Zustand der Endgültigkeit, sondern »eine Person, d. h. eine Freiheit, die so geworden ist, wie sie ist, durch ihre Ekstase in Leiblichkeit, Welt und Geschichte hinein. Jede geschichtliche Begegnung und Tat hat sie bleibend innerlich geprägt.«[86] Während seines gesamten Daseins verwirklicht sich der Mensch in Leiblichkeit und Weltlichkeit hinein und versammelt diese in sich als inneres Moment seiner Verfaßtheit als Mensch. Jede einzelne menschliche Subjektivität ist also zutiefst und bleibend geprägt durch Weltlichkeit und Geschichtlichkeit. So betrifft auch die Zukunft, in die Gott den Menschen im Tod hineinführt, »nicht eine rein geistige, welt- und geschichtslose Seele, sondern die *konkrete* Subjektivität, in deren Konkretheit die Welt für immer eingeschrieben, geborgen, aufgehoben ist«.[87] Leiblichkeit ist nicht dem Menschen von außen hinzugefügte physizistische Körperlichkeit, sondern das Medium, in dem der Mensch als Subjekt sich konkret lebensgeschichtlich auszeitigt, und zwar in wesenhaften Relationen zu anderen Subjekten (Generation, Kommunikation, Solidarisation). Leiblichkeit und Weltlichkeit, aber auch alle sozialen Kommunikationen sind dem Subjekt für immer »eingeschrieben« und werden von ihm im Tod als »Ernte der Zeit« in die endgültige Seinsweise mit übernommen.[88] Dieses Verständnis

---

[84] A.a.O. 69 f.

[85] Vgl. *G. Greshake,* Auferstehung der Toten. Ein Beitrag zur gegenwärtigen theologischen Diskussion über die Zukunft der Geschichte (Koinonia 10), Essen 1969; *Ders. – G. Lohfink,* Naherwartung, Auferstehung, Unsterblichkeit 113–120; vgl. besonders die sehr präzise Auseinandersetzung mit der These neuerer evangelischer Theologen »Auferstehung des Leibes, nicht Unsterblichkeit der Seele«, a.a.O. 98–113.

[86] *G. Greshake – G. Lohfink,* a.a.O. 116.

[87] A.a.O. 116.

[88] Vgl. *W. Breuning,* Tod und Auferstehung in der Verkündigung, in: Concilium 4 (1968) 77–85, hier 81: »Gott liebt mehr als die Moleküle, die sich im Augenblick des Todes im Leib befinden. Er liebt einen Leib, der gekennzeichnet ist von der ganzen Mühsal, aber auch der rastlosen Sehnsucht einer Pilgerschaft, der im Lauf dieser Pilgerschaft viele Spuren in einer Welt hinterlassen hat, die durch diese Spuren menschlich geworden ist; einen Leib, der sich mit der Fülle dieser Welt immer wieder vollgesogen hat, damit der Mensch nicht kraftlos und spurlos in dieser Welt lebe ... Auferweckung des Leibes

von Auferstehung, das in der gegenwärtigen katholischen Theologie auf ein breites Einverständnis stößt,[89] ist offensichtlich von großer Bedeutung für die gegenwärtige Diskussion über die Zukunft des Kosmos. Karl Rahner hat darauf hingewiesen, daß der theologische Begriff »Vollendung« nicht im Hinblick auf die materielle Welt als solche, sondern nur im Hinblick auf personale Freiheitsgeschichte sinnvoll anzuwenden ist. Diese personale Freiheitsgeschichte begreift allerdings »das materielle Geschehen als inneres und äußeres Moment ein«.[90] Die Materie, die nicht bei sich selbst ist und sich selbst nicht zu durchlichten vermag, ist so sehr auf den Geist zugeordnet, daß sie nur in der Verbundenheit mit ihm ihre Positivität verwirklichen kann. Aus sich selbst heraus haben die Materie und ihre evolutive Entfaltung keinen erkennbaren Sinn.[91] Allein der Mensch mit seiner Vernunft und seiner Freiheit vermag dem Prozeß der Evolution Sinn und Ziel zu geben. Er, der in dieses Evolutionsgeschehen unabdingbar hineingebunden ist, ist zugleich »Träger des Logos, des Sinns, der Zukunft. Im Menschen ist also die Materie als in einem ›Punkt‹ *ihrer selbst* versammelt, um hier Sinn und Ziel zu empfangen«. Zwar vermag eine einzelne konkrete Subjektivität in ihrem »Leib« nur ein Materie-Konkretum zu umfassen und zu determinieren. Aber indem dieser Leib mit der Totalität der Materie in einem engeren und weiteren Sinn verflochten ist, ist »durch eine determinierte Leiblichkeit von vorneherein die ganze Welt in die eigene Subjektivität einbezogen«.[92] Daß Materie auf den Geist hingeordnet ist und dieser sich in Materialität verwirklicht, gilt darum nicht nur »für den Leib des Menschen, sondern auch für die materielle Welt, insofern diese gleichsam der ›Großleib« des Menschen ist«.[93]

heißt, daß von all dem Gott nichts verlorengegangen ist, weil er den Menschen liebt. Alle Tränen hat er gesammelt und kein Lächeln ist ihm weggehuscht. Auferweckung des Leibes heißt, daß der Mensch bei Gott nicht nur seinen letzten Augenblick wiederfindet, sondern seine ganze Geschichte.« *Ders.*, Systematische Entfaltung der eschatologischen Aussagen, in: Mysterium Salutis V, 779–890, bes. 864–890. Ähnlich *K. Rahner*, Auferstehung des Fleisches, Kevelaer 1965, 19: »Der konkrete Mensch, er, nicht eine Idee, nicht ein Postulat, nicht ein Teil von ihm, er, der konkrete Partner Gottes zu seinem Heil oder Unheil, hat eine absolute Bedeutung.«

[89] Vgl. *G. Greshake – G. Lohfink*, Naherwartung, Auferstehung, Unsterblichkeit 113–120.
[90] *K. Rahner*, Immanente und transzendente Vollendung der Welt, in: Schriften zur Theologie VIII, Einsiedeln–Zürich–Köln 1967, 593–609, hier 596. Vgl. *Ders.*, Die Einheit von Geist und Materie im christlichen Glaubensverständnis, in: Schriften zur Theologie VI, Einsiedeln–Zürich–Köln 1965, 185–214.
[91] Vgl. *G. Greshake*, Auferstehung der Toten 373–378, im Anschluß an *W. Bröker*, Der Sinn von Evolution, Düsseldorf 1967.
[92] *G. Greshake*, a.a.O. 376.
[93] *G. Greshake – G. Lohfink*, Naherwartung, Auferstehung, Unsterblichkeit 169. In der hier zitierten 3. Auflage ihres Buches (131–184) bieten die beiden Autoren wertvolle Präzisie-

Von hier aus wird man auch die Untersuchung von Anton Vögtle über »Das Neue Testament und die Zukunft des Kosmos« würdigen können. Der Freiburger Exeget befragt hier die hauptsächlichsten Stellen des Neuen Testaments, die dem Wortlaut nach von kosmischen Katastrophen, vom Vergehen des Himmels und der Erde und von einem neuen Himmel und einer neuen Erde sprechen, nach ihrer eigentlichen Aussageintention. Sein Ergebnis: »Unter eigentlich kosmologischem Aspekt verzichtet das NT auf eine lehrhafte Aussage.«[94] Auch für Gerhard Lohfink ist die Frage, ob die zeitliche Welt überhaupt ein Ende findet, nicht zu entscheiden. Man könne sie völlig offenlassen, sie sei »überhaupt keine echte theologische Frage. Theologisch legitim ist nur die Frage nach der *Schöpfung* und nach der *Vollendung* der Welt, nicht aber die Frage nach einem *zeitlichen* Anfang und einem *zeitlichen* Ende derselben.«[95] Vollendung der Welt ist jedenfalls nicht identisch mit Ende der Welt. Darin decken sich die Auffassungen von Vögtle auf der einen, von Lohfink und Greshake auf der anderen Seite. Wenn man die respektable Untersuchung von Vögtle am Ende trotzdem ein wenig unbefriedigt aus der Hand legt, hat das seinen Grund darin, daß nach seiner Auslegung der einschlägigen Stellen das erlösende Handeln Gottes in Jesus Christus zwar die Menschen betrifft, ausdrücklich auch die Erlösung der menschlichen Leiblichkeit einschließt, daß aber von einer Einbeziehung des materiellen Universums in die Auswirkungen des Christusgeschehens nicht die Rede ist. Vögtle formuliert behutsam. Wenn er den neutestamentlichen Texten die Intention abspricht, über das zukünftige Schicksal des Universums eine lehrhafte Voraussage zu machen, hat er die »Auswirkungen des Christusgeschehens auf den physischen Bestand des vorfindlichen Universums« im Auge. So kann er feststellen, daß sich weder für Jesus selbst noch für die urchristliche Verkündigung »der Glaube an eine künftige, den Zustand des Universums verändernde Auswirkung des Christusgeschehens begründen (lasse): sei es im Sinne einer restitutio in integrum, einer überhö-

---

rungen ihrer Position, die ihnen die scharfe Kritik J. Ratzingers, Eschatologie, Tod und ewiges Leben (Kleine Katholische Dogmatik, hrsg. von J. Auer und J. Ratzinger, Bd. IX), Regensburg 1977, ³1978, abverlangt hat. Daß die Kritik weithin auf Mißverständnisse, Mißdeutungen und Unterstellungen begründet war, kann nur mit Verwunderung zur Kenntnis genommen werden.

[94] A.a.O. 233.
[95] Vgl. *G. Greshake – G. Lohfink,* Naherwartung, Auferstehung, Unsterblichkeit 72 f, Anm. 111; vgl. a.a.O. 149 (nur in der 3. Aufl.), wo außerdem auf die divergierende Auffassung von J. B. Metz hingewiesen wird. Ähnlich wie G. Lohfink auch *G. Greshake,* Auferstehung der Toten 402–410.

henden Erneuerung, sei es im Sinne einer spontanen Neugestaltung, einer ›verklärenden Umwandlung‹ des Kosmos oder gar eines evolutiven, in eine höchste personale Einigung des ganzen Universums ausmündenden Prozesses – und wie dergleichen Redeweisen lauten mögen«.[96] Dies alles läßt sich gewiß so sagen und muß vermutlich auch so gesagt werden. Aber kann man denn von »Erlösung des Leibes« reden, ohne deren Relevanz für das materielle Universum mit zu bedenken? Materialität hat nur Sinn auf leiblich verfaßte menschliche Subjektivität hin. Sie wird also auch in ihr Heil wie in ihr Unheil mit eingeschlossen sein. Diese Einsicht öffnet sich doch wohl nicht nur der theologischen Spekulation. Immerhin ist es der Exeget Gerhard Lohfink, der zu einer sinnvollen Interpretation christlicher Naherwartung dadurch gekommen ist, daß er – in ausdrücklicher Verifizierung der »Auferweckung Jesu als (des) eschatologischen Realmodells« – die eschata im Tod der einzelnen Menschen anheben läßt. Das materielle Universum ist in einem so fundamentalen Sinn Medium der menschlichen Freiheitsgeschichte, daß es aus der Vollendung des Menschen nicht ausgeschlossen sein kann.[97]

[96] Das Neue Testament und die Zukunft des Kosmos 232 f.
[97] Zustimmend referiert die Auffassung von G. Lohfink und G. Greshake auch *W. Breuning,* Systematische Entfaltung der eschatologischen Aussagen, in: Mysterium Salutis V, 779–890, hier 885–887. Nach *O. H. Steck,* Welt und Umwelt 191, beschränkt sich das Heilsgeschehen nicht auf die Menschen, sondern bezieht alles Geschaffene ein. Allerdings verzichte das Neue Testament auf nähere Angaben darüber, wie die vorfindliche Schöpfung durch die eschatologisch neue Welt abgelöst werde. (Wenn Steck hier A. Vögtle zustimmt, übersieht er, daß dessen Ergebnis sich keineswegs nur auf das »Wie« der Heraufkunft einer eschatologischen neuen Welt bezieht.) Die kosmologischen Aussagen des Neuen Testaments zielen nur auf »die transzendent-überlegene Beziehung des Christusgeschehens zum Bereich der vorfindlichen Welt und bringen damit das souveräne Herrsein Gottes wie im Schöpfungsgeschehen so auch im soteriologischen und eschatologischen Geschehen zur Geltung« (191). Vgl. dazu auch a.a.O. 214–219.

3. Kapitel
MENSCHLICHE SPERRUNG GEGEN DEN GÖTTLICHEN SCHÖPFUNGS- UND HEILSWILLEN

Die Welt, in der wir leben, entspricht offensichtlich nicht dem Zustand, in dem sie von Gott gewollt und geschaffen ist. Dies haben die Menschen aller Zeiten erfahren. In der Heiligen Schrift wurde diese Erfahrung artikuliert in der Rede von der allgemeinen Sündhaftigkeit, vom Leidcharakter des Daseins und vom Sterbenmüssen. Altes und Neues Testament dokumentieren in vielfältiger Weise, daß die Sünde nicht nur die innere Ordnung des personalmenschlichen Daseinsvollzugs verwirrt und zerstört, sondern daß sie sich auch im sozialen Bereich auswirkt. Weil der Mensch in organischer Solidarität als Ganzes erschaffen worden ist, wurden durch die Sünde auch jene Kräfte verwundet, durch die unter den Menschen Liebe und Gemeinschaft begründet und entfaltet werden. Doch der Mensch ist nicht nur sozial, sondern auch natural bestimmt. Und so mußte vom Zerwürfnis der Sünde auch sein Verhältnis zu den Tieren und den Dingen mitbetroffen werden. Gewiß stammt die Sünde aus der Freiheit der menschlichen Person. Doch erfaßt sie in ihren Folgen alle Dimensionen menschlicher Existenz, auch die leibhafte und naturhafte. Was wir die Umwelt des Menschen nennen, das vollzieht und entfaltet sich nicht ohne jede Beziehung zum Menschen nach unabhängigen eigenen Gesetzlichkeiten. Nach der biblischen Schöpfungserfahrung sind alle Kreaturen in ihrem Sein und in ihrem Daseinsvollzug dem Menschen als seine lebendige Umwelt zugeordnet und nehmen an den Auswirkungen seiner Freiheitsentscheidungen teil. Wenn der Mensch mit Gott nicht im Frieden lebt, dann bringt er auch Unfrieden in seine Umwelt. »Nicht aus dem Staube geht Unheil hervor, nicht aus dem Akkerboden sproßt die Mühsal, sondern der Mensch ist zur Mühsal geboren...« (Ijob 5,6 f). Wer aber mit Gott im Frieden lebt, der steht auch »im Bunde mit den Steinen des Feldes, und die Tiere des Feldes werden Frieden mit (ihm) halten« (Ijob 5,23). Freilich kann man diese Stelle ähnlich wie Gen 1,31 (Alles ist »sehr gut«) oder die Vision des Tierfriedens in Jes 11 nur als Verheißung verstehen. Die Verfluchung der Erde in Gen 3, 17 dagegen will den letzten Grund für die tatsächliche Entordnung und Zerstörung der menschlichen Umwelt sichtbar machen. Die Mühsal, die der Erdboden dem Menschen bei seiner Selbstversorgung abverlangt, wird auf dessen Sünde zurückgeführt.[1] Was hat es näherhin damit auf sich?

I. BIBLISCHER BEFUND

Das Alte Testament ist voller Hinweise auf die Sünden der Menschen. Die biblischen Urgeschichten (Gen 3–11) bieten eine eindrucksvolle Darstellung vom Einbruch der Sünde in das Menschengeschlecht und von ihrem lawinenartigen Anwachsen – angefangen vom Ungehorsam der ersten Menschen im Paradies über den Brudermord Kains, die Vermischung der Elohimwesen der oberen Welt Gottes mit den Menschen bis hin zur Vertilgung der Menschheit in der Sintflut und der Zerschlagung ihrer Einheit nach dem frevlerischen Turmbau.[2] Die Menschen vermochten offenbar nicht einzusehen, daß Ungehorsam und Verblendung ihr Leben zerstören müssen. Gott freilich blieb nicht verborgen, »daß auf der Erde die Schlechtigkeit des Menschen zunahm und daß alles Sinnen und Trachten seines Herzens immer nur böse war« (Gen 6, 5).

Die eindrucksvollste Darstellung haben wir zweifellos in der Sündenfallgeschichte von Gen 3.[3] Die eigentliche Versuchung des Menschen bestand darin, daß die Schlange ihm in Aussicht stellte, die Dinge der Welt bis ins letzte hinein erkennen und über sie verfügen zu können. Es schien sich dem Menschen die Möglichkeit aufzutun, die Grenzen seines eigenen Wesens zu überschreiten, die Abhängigkeit von Gott zu überwinden und sich mit den geschaffenen Dingen zu begnügen. »Erkenntnis von Gut und Böse« meint nicht nur einen intellektuellen Vorgang, sondern schließt den Zu-

---

[1] *K. M. Meyer-Abich,* Zum Begriff einer Praktischen Theologie der Natur 16: »... die menschliche Grundbefindlichkeit war immer schon bestimmt durch den Sündenfall, der ja nicht von ungefähr durch das Bild der Versetzung von einer Art der Naturbefindlichkeit in eine andere (nämlich aus dem Garten, der kultiviert und bewahrt werden sollte, in die Landwirtschaft, in der es widerständige Steine und Disteln gibt) beschrieben wurde...« Vgl. auch *F. A. Schaeffer,* Das programmierte Ende 48 f, wo die verschiedenen Dimensionen aufgeführt werden, in die hinein sich die Sünde des Menschen ausgewirkt hat: Trennung des Menschen von Gott, innere Zerrissenheit des Menschen, Trennung vom Mitmenschen, Trennung von der Natur und schließlich Spaltung der Natur in sich selbst.

[2] Vgl. *G. von Rad,* Theologie des Alten Testaments I, 167–170.

[3] Vgl. *H. Groß,* Theologische Exegese von Genesis 1–3, 435–438.

276

gang zur Verfügung über alle Dinge und ihre Geheimnisse mit ein. Die hebräische Formel für »Gutes und Böses« ist in diesem Zusammenhang nicht moralisch zu verstehen, sondern betrifft das, was »dem Leben förderlich und hinderlich« ist. Durch den Genuß der Frucht hoffen also die Menschen die Fähigkeit zu erlangen, »für sich selbst zu entscheiden, was ihrem Leben frommt und was nicht«. Die Faszination, unter die sie durch diese Hoffnung geraten, läßt sie vergessen, daß sie die Möglichkeit des Lebens nur von Gott gewinnen können und daß sie das Leben zerstören, wenn sie es an Gott vorbei in selbstherrlichem Zugriff an sich reißen wollen.[4] Nach der Tat fürchtet sich der Mensch vor Gott, und er begründet seine Furcht mit dem Hinweis auf die Scham: »Da geriet ich in Furcht, weil ich nackt bin, und versteckte mich« (Gen 3,10). Man kann die aufbrechende Scham deuten als »Zeichen des aufgetretenen Risses in der eigenen Leiblichkeit, im Verhältnis zur Kreatur«.[5] Der Verlust an Würde, den die Menschen durch die Sünde erlitten haben, tritt schließlich darin zutage, daß keiner die Schuld auf sich nehmen will: Der Mann schiebt sie ab auf die Frau, die Frau auf die Schlange.

Der Fluch Gottes trifft nicht nur die Schlange, auch der Erdboden wird um des Menschen willen verflucht. Die Frau trifft der Fluch im Wesen ihres Mutterseins, den Mann trifft er in dem, was er durch seinen Ungehorsam eigentlich anstrebte: Die freie Verfügung über die Dinge der Welt ist ihm künftighin nur noch in Mühsal und Schmerzen möglich; nur widerwillig wird ihm die Erde geben, was er zum Leben braucht; sie ist ihm fremd geworden. Die enge Verbindung zwischen Mensch (adam) und Erde (adama) hat einen Bruch bekommen. Nachdem die Erde gar Bruderblut getrunken hatte, wird das Verhältnis zwischen dem Menschen und ihr völlig zerrüttet. Kaum vermochte er Erz und Eisen zu schmieden, da bildete er auch schon das Schwert und begann damit zu töten (Gen 4,22-24). Die Menschen sind anders geworden: Ihr Zusammenleben nimmt neue Formen an, sie schließen sich zusammen zu wirtschaftlichen Zwecken und schließlich zu einem titanischen technischen Werk.[6]

[4] *H. J. Stoebe,* Gut und Böse in der Jahwistischen Quelle des Pentateuch, in: Zeitschrift für die alttestamentliche Wissenschaft 65 (1953) 188–204, hier 201.
[5] *H. Groß,* Theologische Exegese von Genesis 1–3, 436.
[6] *G. von Rad,* Theologie des Alten Testaments I, 173: »In wunderbarer Hellsichtigkeit zeichnet hier die alte Sage das Urbild aller menschlichen Kultur und ihrer tragenden Grundkräfte: ökonomischer Zusammenschluß, ein vitales unbefangenes Großseinwollen (mit einem Beisatz von Angst) läßt die Menschen ein technisches Riesenwerk erstellen, das die Sage freilich aus unverkennbar skeptischem Abstand betrachtet, denn sie sieht in

Die sündhafte Freiheitstat des Menschen ist nicht nur in den politischen (D. Sölle), sondern in den naturalen (d. h. in den ökologischen) Kontext eingedrungen. In seinem Buch »Die Folgen der Freiheit« legt Wolf-Dieter Marsch eine Interpretation der Sündenfallgeschichte vor, die exegetisch akkurat ist und die intendierte Aussage zugleich in einer hilfreichen Weise aktualisiert. Die Faszination der Versuchung liegt darin, daß dem Menschen die faktische Allwissenheit-Allmacht-Grenzenlosigkeit als »gut«, als für sein Dasein förderlich und darum erstrebenswert erscheint. »Sündenfall« ist also »eine ganz normale, gar nicht schicksalhafte freie Tat der Neugier, des Probierenwollens, des Experimentierens – in dem intentionalen Bewußtsein: So schlimm kann es mit diesem verbotenen Grenz-Überschreiten doch gar nicht sein... Dann aber kommt die Verantwortung für die Folgen... Entfremdung zwischen den Geschlechtern..., zwischen den stammesverbundenen Mitmenschen... und dann auch zwischen Menschen und Natur...« Kein Wunder, daß die mit dieser Tat initiierte Geschichte einen ganz anderen Verlauf nimmt, als der Mensch unter der Faszination der Versuchung es sich erhofft hatte: nicht Erkenntnis und herrscherliche Verfügung und Selbstruhm, sondern Torheit, Vergeblichkeit und Erniedrigung.[7] Auch Norbert Lohfink rechnet Verderbnis und Zerstörung der Welt zu den Folgen der Freiheit: Die Flut komme ja letztlich nicht von außen; sie sei das, was die Gewalttätigkeit des Menschen selbst mit der Welt anrichte. Aber er verweist darauf, daß der Wille Gottes, den Menschen und seine Welt zu erhalten, doch größer sei als alles, was Menschen mit ihrer Sünde in der Welt anrichten können. Damit sei zwar die gewalttätige Zerstörung des Kosmos nicht entschuldigt, aber die Hoffnung sei doch noch beständiger und machtvoller als die Zerstörung. »Begreifen wir angesichts dessen, was uns heute von der Zerstörung unserer Umwelt her droht, welch unheimlich kühne Aussage in dieser Verheißung, keine Flut mehr zu senden, steckt?«[8]

Das Neue Testament bezeugt in gleicher Weise, daß die menschliche Sünde zerstörend in den Daseinszustand und in die Geschichte der übrigen Kreaturen hineingewirkt hat. Die Welt liegt im ar-

diesem Titanismus die schwerste Bedrohung des Verhältnisses der Menschen zu Gott, ja, sie sieht in dem kulturellen Riesenwerk einen Angriff auf Gott selbst.«

[7] Vgl. *W.-D. Marsch*, Die Folgen der Freiheit 113 f.

[8] *N. Lohfink*, Unsere großen Wörter 217. Auch *H. Groß*, Theologische Exegese von Genesis 1–3, 437, verweist darauf, daß in die göttliche Strafsentenz hinein mit V. 15 das sog. Protoevangelium eingefügt ist: Der Kampf mit der satanischen Macht wird weitergehen, aber der Kampf wird »zugunsten der Menschheit ausgehen«.

gen, das Unkraut wuchert überall, der Fürst der Finsternis sitzt im Regiment. Eine der eindrucksvollsten Aussagen haben wir in Röm 8,19–22: Die Schöpfung ist der Nichtigkeit und der Verderbnis (mataiotes und phthora) unterworfen. Beide termini, die ungefähr dasselbe bedeuten, weisen wohl doch über eine bloß moralische Verderbnis aufgrund des schlechten Gebrauches seitens der Menschen hinaus auf eine wirkliche Verschlechterung, die nach dem Fluch Gottes in den Weltdingen mächtig wurde und der die Menschheit nun wie einer Knechtschaft unterworfen ist.[9] Die Knechtschaft, die der Zustand der Vergänglichkeit ausübt, hat ihre Entsprechung in der Freiheit, die in der »Herrlichkeit der Kinder Gottes« (doxa) besteht (8,21). Beim Menschen ist der Tod die Folge seiner freien Entscheidung; die außermenschliche Schöpfung ist ohne ihren eigenen Willen, ohne eigene Entscheidung der Nichtigkeit unterworfen. (Ob die Unterwerfung auf Adam oder unmittelbar auf Gott zurückgeführt wird, ist für unseren Zusammenhang ohne Bedeutung.) Auch Anton Vögtle entscheidet sich nach sorgfältiger Erwägung der von den Exegeten vorgebrachten Gründe für die von den Exegeten zumeist vertretene Ansicht, nach der die Unterwerfung der Schöpfung unter Nichtigkeit und Vergeblichkeit in Gen 3,16 f als »verderbliche Auswirkung des Falles Adams auf die Schöpfung« vorgestellt wird.[10] Freilich wird auch in Röm 8,21.24, wie in Gen 3, die Verheißung vernehmbar, daß die Schöpfung der Nichtigkeit »auf Hoffnung hin« unterworfen ist: Mit gespannter Sehnsucht erwartet die Schöpfung die Offenbarung der Söhne Gottes.[11]

Daß die Welt nach der Auffassung des Neuen Testaments durch die Sünde des Menschen ins Zwielicht geraten ist, zeigt sich darin, wie der Begriff Kosmos hier verwendet wird. Kosmos meint bei den Synoptikern wie auch bei Paulus und Johannes das Weltall als Inbegriff alles Geschaffenen und die Erde als Wohnstätte der Menschen sowie als Schauplatz ihrer Geschichte. Bei Paulus aber erscheint die von Gott geschaffene Welt zugleich als Inbegriff des Bösen, als der Sünde verfallene Welt und bei Johannes – fast in einer Personifikation – als der heilsgeschichtliche Widersacher des Erlösers, als eine »gewaltige Kollektivperson, die durch den (Be-

---

[9] Vgl. *H. M. Biedermann*, Die Erlösung der Schöpfung beim Apostel Paulus (Cassiciacum VIII, 3/2), Würzburg 1940, 72–78.

[10] Das Neue Testament und die Zukunft des Kosmos 195.

[11] Vgl. *R. Schnackenburg*, Christliche Existenz nach dem Neuen Testament, Bd. II, München 1968, 9–32, bes. 12–18 (Die Existenz des Christen inmitten einer noch dunklen und bösen Welt). Vgl. *Ders.*, Christ und Sünde nach Johannes, a.a.O. 97–122.

herrscher dieser Welt) repräsentiert wird«.[12] Mit diesem zweiten Verständnis von Kosmos erscheint bei Paulus und Johannes nicht ein völlig neuer Kosmos-Begriff, wir haben es hier vielmehr mit einer allerdings sehr bedeutsamen heilsgeschichtlichen Präzisierung bzw. Korrektur des erstgenannten Begriffs zu tun. Kosmos meint also im Neuen Testament die von Gott geschaffene Welt, die durch die Sünde aus der Ordnung Gottes gefallen ist und nun unter seinem Gericht steht.[13]

II. THEOLOGISCHE AUSLEGUNG

Die Theologie sieht das Zerwürfnis, das die Sünde in die Welt bringt, bereits als Möglichkeit in der Schöpfung selbst angelegt. Gott ruft die Welt aus dem ursprünglichen Nichtsein heraus. Aus dem Nichts aber hängen den Kreaturen eine Reihe von Unvollkommenheiten nach. Die Schwächen und Mängel der Endlichkeit sind nicht die Folgen der Sünde, sie haften den Kreaturen als unverlierbare Zeichen der Erinnerung an das Nichts an. Die Gutheit, die den Kreaturen in der Genesis zugeschrieben ist, bedeutet nicht ihre Vollkommenheit. Insofern gehört das Übel zur Welt von Anfang an. Denn »Übel« ist, was einer Kreatur in ihrer Vollkommenheit abgeht. Thomas von Aquin sagt: »Die Gutheit Gottes hängt nicht so an diesem Universum, daß er nicht ein besseres oder noch weniger gutes hätte machen können.«[14] Das Übel als »Mangel an Vollkommenheit« gehört also durchaus zur Welt; es wird fast zur »göttlichen Stiftung«. In diesem Sinne kann man Joseph Bernhart zustimmen: »Die Welt ist defektiv von Natur, vom Schöpfer als defektive erschaffen. Diese Tatsache beweist nicht gegen, sondern für Gott, weil gerade das Mangelsein und die Seinsmängel zugleich auch desiderium sind und als solches Anzeige einer erfüllten Wirk-

[12] *H. Sasse,* Art. Kosmos, in: Kittel, Theologisches Wörterbuch zum NT III, 867–896, hier 895.

[13] *A. Auer,* Kirche und Welt 499: Die in Jesus Christus mit Gott versöhnte Welt heißt im Neuen Testament nicht mehr Kosmos. »Der aus der heidnischen Philosophie stammende Begriff Kosmos bezeichnet nur die von Gott geschaffene und dann der Sünde und dem Tod verfallene Welt. Die durch Christus neu gewordene Welt wird mit Ausdrücken aus der Apokalyptik und aus dem alttestamentlichen Schöpfungsglauben gekennzeichnet«: Reich Gottes, kommende Welt, neuer Himmel und neue Erde. Vgl. den Exkurs über den »Welt«-Begriff in 1 Joh 2,15–17 bei *R. Schnackenburg.* Die Johannesbriefe (Herders Theologischer Kommentar zum NT XIII/3) Freiburg 1953, 117–120, sowie den Art. Welt im Ev. Kirchenlexikon III (1959), 1756–1761.

[14] Quaest. disp., quaest. 3 De pot. art. 16.

licheit.«[15] In die gleiche Richtung weist die Unterscheidung, die Alexandre Ganoczy zwischen »Negation« und »Negativität« trifft. Mit »Negationen« bezeichnet er menschliche Tätigkeiten wie »Verneinung und Kritik, Eingrenzung und Auflehnung, Fehler und Sünde«, während der Begriff »Negativität« das Umfeld von »Nichtigkeit«, »Endlichkeit«, »Sterblichkeit«, »Übel« und »Bösem«, also »wesentliche oder zuständige Mängel der Existenz« abdeckt.[16] Diese Unterscheidung läßt sich für jede Situation anwenden. Sie kann einem z. B. in den Sinn kommen, wenn man etwa die Analyse der neuzeitlichen Entwicklung studiert, die Friedrich Wagner in seinem Buch »Die Wissenschaft und die gefährdete Welt« vorlegt und die wie eine apokalyptische Vision anmutet. Er stellt »Fortschritt und Rückschlag«, »Progreß und Regreß« in Kernforschung, Weltraumfahrt, Kybernetik und Genetik einander kritisch gegenüber. Vielleicht gehört es zu den konstitutiven Negativitäten, daß jedem Fortschritt ein Rückschlag, jedem Progreß ein Regreß folgt. Zu den Negationen aber gehört es, wenn die Wissenschaft – so ist die Meinung von Wagner – überall die dem Menschen gesetzten Grenzen überschritten hat, auf den Gebieten der Makrophysik, der Mikrophysik, der Biologie genauso wie der Ökologie und der Kybernetik. Die tödlichen Gefahren der Kernenergie sieht er nicht nur in ihrer militärischen, sondern schon in ihrer friedlichen Nutzung. Die Erforschung des Weltraums mag mancherlei Gewinn für die Menschheit bringen, aber man kann die gleichen ballistischen Raketen, die uns in den Weltraum tragen, auch mit Atomköpfen ausrüsten und damit zu einem Kriegsmittel von verheerender Vernichtungskraft machen. Die kybernetischen Entwicklungslinien beginnen harmlos beim Entwurf einer Schachmaschine und enden bei der Nutzung für die Kriegsplanung und für die Idee einer Regierungsmaschine. Im Umkreis der Biologie geht es um phantastische Pläne der Gen-Manipulation und um eine genetische Strahlenbelastung, die – nach Wagner – für die Menschheit auf die Dauer gefährlicher werden kann als die somatische eines Atomkrieges.[17]

Sünde im biblischen und im theologischen Sinn ist die Freiheitsentscheidung tatsächlicher Negation, die durch die Negativitäten der Endlichkeit und der Ambivalenz alles Geschaffenen konstitutiv ermöglicht ist. Umstritten ist unter den Theologen allerdings, ob

[15] *J. Bernhart*, Chaos und Dämonie, München 1950, 38; *Ders.*, Aus einem unveröffentlichten Tagebuch, in: Hochland 145 (1952/53) 118.

[16] *A. Ganoczy*, Der schöpferische Mensch und die Schöpfung Gottes 147–162, hier 147.

[17] Vgl. *F. Wagner*, Die Wissenschaft und die gefährdete Welt. Eine Wissenschaftssoziologie der Atomphysik, München 1964, 115–188 und 264–296. 202–213. 214–225. 225–240. 297–312. 313–330.

die Negativitäten sich auch in der naturalen (kosmischen) Dimension finden oder ob sie auf den Freiheitsraum des Menschen beschränkt sind.[18]

Augustin vertritt in seinem Buch über den »Gottesstaat« die Ansicht, die Sünde liege nicht in den Dingen, sondern im Menschen.[19] Was er damit meint, führt er konkret aus: »Die Habsucht ist doch nicht ein Gebrechen, das am Golde haftet, sondern ein Gebrechen eines Menschen, der das Gold verkehrt liebt unter Abkehr von der Gerechtigkeit, die dem Golde unvergleichlich sollte übergeordnet werden; und die Unkeuschheit ist nicht ein Gebrechen schöner und lieblicher Leiber, sondern einer Seele, die leibliche Schönheit verkehrt liebt und die Mäßigung hintan setzt, durch die wir uns höheren Werten geistiger Schönheit und unvergänglicher Leiblichkeit angleichen; und die Ruhmsucht ist nicht ein Gebrechen des Menschenlobes, sondern einer das Menschenlob verkehrt liebenden Seele, die das Zeugnis des Gewissens verachtet; und der Hochmut ist nicht ein Gebrechen dessen, der Macht verleiht, noch auch der Macht selbst, sondern einer Seele, die ihre eigene Macht verkehrt liebt und die gerechtere eines Mächtigeren geringschätzt.«[20]

Habsucht, Unkeuschheit, Ruhmsucht und Hochmut sind Fehlhaltungen des Menschen. Darin kann man Augustin sicherlich zustimmen. Aber ist damit auch alle Verderbtheit dem Menschen allein zugeschrieben? Mindestens ist bei Augustin nicht ausdrücklich die Rede davon, inwieweit Gold, leibliche Schönheit, Menschenlob und Macht der »Nichtigkeit« und der »Verderbnis« unterworfen sind. Otto Semmelroth meint, der Mißbrauch habe die Welt so vergiftet, daß ihr Gift auf den Menschen, von dem es eigentlich herkam, nun auch aus der Welt immer wieder entgegenströmt. Aber er präzisiert seine Aussage sofort: »Richtiger wäre freilich zu sagen: nicht der Welt wohnt dieses Gift inne, sondern dem Menschen, der mit vergiftetem Herzen, in einer Art geistiger Allergie, im Gebrauch der Welt immer wieder krank wird.«[21]

Unklar bleibt für unsere Frage die Auffassung von Paul Althaus. Er spricht von einer so starken Durchflochtenheit der Ordnungen mit Sünde, daß man daran zweifeln müsse, ob man im Ernst noch von Ordnungen Gottes reden könne. Böser Wille habe die ursprüngliche Ordnung in seinen Dienst gestellt, sei in ihr System geworden, und wir alle tragen durch unser Tun zur Erhaltung der Un-

[18] Vgl. *A. Auer*, Weltoffener Christ 109–121.
[19] De civ. Dei XV,22 CSEL 40/II, 108.
[20] De civ. Dei XII,8 CSEL 40/I, 578.
[21] Kirche und Welt, in: Geist und Leben 28 (1955) 351–360, hier 354.

ordnung bei.[22] Wenn man nun annimmt, daß »Nichtigkeit« und »Verderbnis« in den Dingen selbst angelegt sind, was bedeutet das dann? Zunächst bedeutet es jedenfalls einen gewissen Verlust der Sinntransparenz der Welt. Die Dinge erscheinen so, als stünden sie in sich selbst; das Gottgeheimnis in ihnen tritt zurück. Sie sind mehr oder weniger unfähig, Gottes Herrlichkeit sichtbar zu machen. Sie sind nicht mehr untrügliche Zeichen Gottes, sie können zu Verlockungen werden. Johannes Pinsk versucht es konkret zu sagen: Das Gold ist in seinem Glanz und seiner Pracht ein Bild göttlicher Pracht und Herrlichkeit; aber sein »Fluch« vermag den Menschen bis in die tiefste Verworfenheit fortzureißen. Der Wein soll das Herz des Menschen erfreuen, der »Teufel« des Weines aber vermag den Menschen fast zum Tier zu machen. In der menschlichen Geschlechtlichkeit liegt die Teilnahme an Gottes Schöpferkraft und Schöpferwonne, aber eben darin auch die Möglichkeit der Zerstörung und Verwahrlosung.[23]

Man könnte weitere Beispiele nennen: Macht ist dem Menschen gegeben als Anteilschaft an Gottes Macht und treibt ihn doch immer wieder in die Leidenschaft politischer Zerstörung. Die Schönheit im Antlitz des Menschen ist eine Stätte des Offenbarwerdens göttlicher Schönheit und wird doch vielen zum Anlaß törichter Eitelkeit. Das Wissen, in dem der Mensch an Gottes Selbsterkenntnis teilhat, macht ihn oft überheblich und stolz.

»Nichtigkeit« und »Verderbnis« meinen weiterhin die Widerspenstigkeit der Kreaturen gegen den menschlichen Formwillen. Man spricht von der Feindschaft der Dinge gegen den Menschen, vom Haß der Elemente, von der Tücke des Objekts, vom Aufstand der Mittel. Überall stößt der Mensch auf Widersetzlichkeit – der Mann in seiner Arbeit, die Frau in den Schmerzen der Geburt.[24]

Auf das schöpfungsmäßig angelegte Übel und auf seine Verschärfung durch die menschliche Sünde antwortet die Kreatur mit der »Schwermut«. Insofern die Schwermut der Dinge (und des Menschen) Sehnsucht nach dem Vollkommenen, Ewigen und Ab-

[22] *P. Althaus*, Theologie der Ordnungen, Gütersloh ²1935, 55–62. Ähnlich *G. Wehrung*, Welt und Reich, Stuttgart 1952, 199; anders 27: »Alle Kreatur Gottes ist gut, also auch alle kreatürlichen Kräfte. Die Gefahr liegt in uns, in unserer inneren Unreinheit, unserem Unglauben, darin, daß wir unheilig mit der Kreatur umgehen.« – Damit ist nicht viel gewonnen. Denn gut ist ja auch der Mensch, von dem gesagt wird, daß er von der Sünde zutiefst zersetzt sei. Wir können nur deswegen unheilig mit der Kreatur umgehen, weil die Negativität in ihr selbst angelegt ist.

[23] Vgl. *J. Pinsk*, Hoffnung auf Herrlichkeit, Kolmar o. J., 31 f.

[24] Wo an die Existenz des Teufels als einer persönlichen Macht geglaubt wird, wird man unter »Nichtigkeit« und »Verderbnis« eine gesteigerte dämonische Mißbrauchbarkeit der Dinge sehen. Die Theologie war immer der Meinung, daß der Teufel die Menschen

soluten ist, ein schmerzliches Ungenügen also am Endlichen, ein Gefühl der Vergänglichkeit, gab es sie schon vor der Sünde.[25] Der Mensch spürt diese »Stimmungen« der Kreatur deutlich genug. Sunt lacrimae rerum, auch die Dinge haben ihre Tränen, sagt Vergil, und Dante spricht von der grande tristezza, die nicht nur ein Produkt der Poeten ist. Selbst Paulus, den man für einen naturfremden Menschen hält, »weiß« um das »Seufzen und In-Wehen-Liegen« der Kreatur.[26]

Im theologischen Verständnis von Paul Tillich betrifft der »Fall« den Menschen und mit dem Menschen auch die Natur. Die endlose Freiheit des Menschen ist in den Rahmen eines universalen Schicksals eingebettet, darum gibt es keinen individuellen »Fall«: »Adam *und* Eva *und* die Natur... sind am Fall beteiligt.«[27] Darum gibt es für Tillich auch keine Heilung des menschlichen Leibes und keine gerechte soziale und wirtschaftliche Ordnung ohne die Heilung der zerfallenen Natur. Es ist zwar der Mensch, bei dem die Wende zur Sünde wie zur Erlösung ansetzt, aber seine Sünde und seine Erlösung sind von Unheil und Heil der Natur nicht zu trennen.[28]

meist nicht direkt, sondern über die Geschöpfe versucht, indem er ihnen, wie im Paradies, eine selbstherrliche Verfügung über sie suggeriert und ihre Rangordnung durch eine künstliche Beleuchtung verschiebt.

[25] *R. Guardini,* Vom Sinn der Schwermut, in: Ders., Unterscheidung des Christlichen, Mainz ²1963, 502–533, hier 523 f: Schwermut ist »das Heimverlangen aus der Zerstreuung in die Sammlung des Inbegriffs. Aus der Preisgabe des äußeren Daseins in die... Hut des Heiligtums. Aus dem Oberflächlichen in das Geheimnis der Urgründe.« Vgl. *P. Tillich,* Auch die Natur trauert um ein verlorenes Gut, in: In der Tiefe ist Wahrheit, Religiöse Reden, 1. Folge, Stuttgart ⁴1952, 78 f: »Schelling sagt mit Recht, daß ein Schleier von Traurigkeit über alle Natur gebreitet ist, eine tiefe, unstillbare Schwermut über alles Lebendige... Der dunkelste und tiefste Grund in der menschlichen Natur ist Sehnsucht..., ist Schwermut. Sie – vor allem – schafft das Mitfühlen des Menschen mit der Natur. Denn auch in der Natur ist der tiefste Grund Schwermut. Auch die Natur trauert um ein verlorenes Gut.«

[26] Über den Ausdruck dieser Stimmung in der Deutschen Romantik vgl. *M. Schmaus,* Von den Letzten Dingen, Münster 1948, 338 f. – Hingewiesen sei auch auf die Überlegungen über das »Erleiden des Wachstums« und das »Erleiden der Minderung«, in: *P. Teilhard de Chardin,* Der göttliche Bereich. Ein Entwurf des inneren Lebens (P. Teilhard de Chardin, Werke), Olten und Freiburg i. Br. 1962, 69–98.

[27] *P. Tillich,* Systematische Theologie II, Stuttgart ³1958, 39. Die Aussagen von Gen 3 und Röm 8 stellen »poetisch-mythische Ausdrucksweisen« dar. Aber P. Tillich meint, es sei überhaupt nur poetische Einfühlung imstande, in das innere Leben der Natur einzudringen. Man könne Mensch und Natur, die beide sich ineinander hineinerstrecken, gar nicht voneinander scheiden. Darum könne man nicht nur, sondern müsse den Ausdruck »gefallene Welt« gebrauchen und »den Begriff Existenz als Gegensatz zu Essenz auf das Universum wie auf den Menschen anwenden« (a.a.O. 51).

[28] Vgl. *P. Tillich,* Erlösung in Kosmos und Geschichte, in: Ders., Offenbarung und Glaube, Schriften zur Theologie II (Gesammelte Werke VIII), Stuttgart 1970, 240–251, hier 244 f. Vgl. besonders *P. Tillich,* Auch die Natur trauert um ein verlorenes Gut, in: In der Tiefe ist Wahrheit, Religiöse Reden, 1. Folge, Suttgart ⁴1952, 73–82. Wenn Tillich im Hinblick

III. ZUSAMMENFASSUNG

Bei unseren Überlegungen stand die Frage im Vordergrund, ob und inwieweit Sünde als personale Tat des Menschen sich im Bereich seiner naturalen Eingründung auswirkt. Nun ist die Rede von der Sünde – im Unterschied zur Rede von der Schuld – fast ausschließlich der religiösen Sprache vorbehalten und stellt hier die theologische Dimension schuldhaften menschlichen Fehlverhaltens in den Vordergrund. Verantwortung und Schuld betreffen zwar zunächst und unmittelbar das Menschliche, aber sie treffen darin auch seinen tragenden Grund. Darum haben Heilige Schrift und Überlieferung in der Sünde immer ein Zuwiderhandeln gegen den göttlichen Willen gesehen. Aber diese theologische Betrachtung darf den menschlichen Erfahrungsgehalt nicht zum Verdunsten bringen. Darum ist die Betonung der menschlich-weltlichen Dimension der Sünde auch theologisch durchaus legitim. Die Hauptbegriffe für Sünde im Alten Testament etwa machen deutlich, daß hier Sünde nicht nur in theologischen Zusammenhängen zu Gesicht gekommen ist; Sünde spielt nicht in einem besonderen, eben dem »religiösen« Raum, es bedarf zu ihrer Benennung auch nicht einer eigenen Sprache. Sünde wird vielmehr »an dem Ort ihres Inerscheinungtretens erfaßt und mit Hilfe einer den Phänomenen adäquaten Sprache qualifiziert«.[29] Sobald aber Jahwe sich dessen annimmt, was da geschieht, sobald er es als Ausdruck für den Bruch des Volkes mit ihm ansieht, bekommt der Begriff einen theologischen Klang.

Norbert Lohfink faßt seine Abhandlung über »Die Sünde aller Menschen und die Sünde der Auserwählten nach der Priesterschrift des Alten Testaments« unter der Überschrift »Gewalt« zusammen. Die Berechtigung dafür sieht er in der Tatsache, daß in dem Begriff »hamas« die Sünde als Gewalttat gekennzeichnet ist und daß dieser Begriff alle Bedrückung, Unmenschlichkeit und rücksichtslose Vergewaltigung des Nebenmenschen meint. Die Sünde des Menschen als Menschen besteht darin, daß er einem Mitmenschen ein Unrecht antut. Unrecht im zwischenmenschlichen Bereich wirkt sich aber auch auf die Natur zerstörerisch aus.

auf die Natur von »Fluch«, im Hinblick auf den Menschen von »Entfremdung« spricht, dann scheint auch dies wieder zu bestätigen, was *A. Ganoczy* mit seiner Unterscheidung von »Negativität« und »Negation« vorstellen will. Vgl. dazu die sorgfältige Interpretation bei *K. Stock*, Tillichs Frage nach der Partizipation von Mensch und Natur, bes. 29 f. Harte Kritik an dieser Auffassung übt *E. Drewermann*, Der tödliche Fortschritt 75.

[29] *H. Knieriem*, Die Hauptbegriffe für Sünde im Alten Testament, Gütersloh 1965, 184.

Auf diese Weise wird jene Ordnung untergraben, die Gott der Welt als Möglichkeit mitgegeben hat und die der Mensch auf seinem Weg durch die Geschichte konkret erforschen und verwirklichen soll. So wird Unrecht gegen den Menschen und die Natur (oder dem Kosmos) zur Sünde vor Gott: »Sie fordert den Schöpfergott heraus, denn sie zerstört seine Schöpfung...«[30]

Es fällt auf, daß auch in der großen christlichen Tradition die theologische Dimension der Sünde eher mit eingeschlossen als ausdrücklich thematisiert ist.[31] Als einziges Beispiel sei die Bestimmung des Thomas von Aquin erwähnt: »Gott wird von uns ausschließlich (!) dadurch beleidigt, daß wir gegen unser eigenes Wohl handeln – Non enim Deus a nobis offenditur, nisi ex eo quod contra nostrum bonum agimus.«[32] Die traditionelle Lehre von »zeitlichen Sündenstrafen« weist in die gleiche Richtung. Wir begegnen zwar in der Heiligen Schrift der Vorstellung einer rächenden Gerechtigkeit Gottes. Doch wird schon in der Weisheitsliteratur des Alten Testaments deutlich, daß die Sünde ihre Sanktion in sich selbst hat (Schema »tun – ergehen«). Man kann natürlich sagen, Gottes Gerechtigkeit gewährleistet die sittliche Ordnung. Von einem »Verhängen« der Sündenstrafen kann man aber nur insofern sprechen, als Gott jene Gesetze und Strukturen der Welt geschaffen hat, in denen er dem Menschen die Möglichkeit eines sinnvollen Lebens eröffnet. Handelt der Mensch gegen diese Gesetze und Strukturen, zerstört er sein eigenes Dasein; er frustriert sich selbst, indem er die Entfaltung seiner eigenen Möglichkeiten und damit das Glücken seines Daseins unterbindet. Er bekommt in seinen eigenen konkreten Erfahrungen die Gegenprobe zu seinen Freiheitsentscheidungen serviert. Gott bedarf keiner eigenen »Strafagenturen« (K. Rahner).

[30] N. Lohfink, Unsere großen Wörter 209–224, hier 216. Vgl. auch 218.221 f.
[31] A. Auer, Ist die Sünde eine Beleidigung Gottes? Überlegungen zur theologischen Dimension der Sünde, in: Theologische Quartalschrift 155 (1975) 53–68.
[32] Summa contra gent. III, 122.

4. Kapitel
DIE BEDEUTUNG DES CHRISTLICHEN GLAUBENS FÜR DIE GRUND-ORIENTIERUNG MENSCHLICHEN HANDELNS IN WELT UND UMWELT[1]

I. DER AUFTRAG

1. Schöpfung als göttliche Beauftragung des Menschen

Wenn wir von »Schöpfung« sprechen, bringen wir den Glauben zum Ausdruck, daß Gott durch sein »Wort« eine Anfangsgestalt von Welt erschaffen und dem Menschen aufgetragen hat, die in dieser Anfangsgestalt eingeschlossenen Möglichkeiten durch die Geschichte hindurch auszukundschaften und soweit als möglich zu verwirklichen. Hier ist der theologische Ort von Wissenschaft, Technik, Wirtschaft und Kultur. Der Mensch ist befähigt und verpflichtet, die Anfangsgestalt der Welt jener Vollendungsgestalt entgegenzuführen, die ihr als Möglichkeit eingestiftet ist. Insofern die tatsächliche Gestalt der Welt (esse reale) über die je mögliche bessere Gestalt (esse melius) immer unterwegs bleibt zu der geschichtlich nie erreichbaren Vollendungsgestalt (esse perfectum), bleibt der geschichtliche Auftrag des Menschen stets aktuell. An der unaufhebbaren Spannung zwischen der aktuellen Wirklichkeit und ihrer möglichen besseren Gestalt entzündet sich jede geschichtliche Dynamik und jede sittliche Verbindlichkeit. Davon war schon die Rede. Thomas von Aquin sieht die Gesamtheit des geschaffenen Seins von einem vitalen Drang nach Entfaltung und Entwicklung durchflutet. Die Dinge sind nicht nur dazu da, daß sie sind, sondern daß sie sich erfüllen, und darum müssen sie tätig werden. »Jedes Ding ist seiner eigenen Tätigkeit und seiner Vollendung wegen da.«[2] Wenn Seiendes auf ein vollendetes Ziel hingeordnet ist, dann muß es auch, sofern man an der Sinnhaftigkeit der Welt festhält, auf eine Betätigung hingeordnet sein. Im Glauben an die Erschaffung der Welt durch das »Wort« ist das dynamische Verständnis selbst noch der Materie begründet. Es gibt in dieser Welt nichts

---

[1] Vgl. zum Folgenden die wichtigen Überlegungen bei *O. H. Steck,* Welt und Umwelt 85–171. 193–225; außerdem *A. Auer,* Ethische Implikationen von Wissenschaft.

[2] Summa theol. I, 65, 2.

Leblos-Untätiges, alles ist auf Entfaltung und Erfüllung zugeordnet. Welt wird letztlich also dadurch ermöglicht und verwirklicht, daß Gott Ja sagt zu ihr und in diesem Ja sich der Welt in radikaler Weise bleibend zuwendet.[3]

Odil H. Steck hat nachdrücklich und eindrucksvoll herausgestellt, daß der in der Geschichte handelnde Mensch sich »im Raum des Schöpferwirkens und der Heilsnähe Gottes« bewegt.[4] Wenn der biblische Mensch das elementare Wunder erfährt, am Leben zu sein, dann erfährt er darin das schöpferische Handeln und die Heilszuwendung seines Gottes. Am Leben zu sein – also nicht etwa nicht zu sein, ist ihm freie Gewährung und persönliche Zuwendung des Schöpfers. Welt ist für ihn nicht ein neutraler Bereich, der durch Gesetzmäßigkeiten reguliert ist, sondern ein Geschehen, in dem Gott ihm Leben zuwendet.[5] Die biblischen Schöpfungsaussagen zielen nicht primär auf Vergangenheit, auf »den Anfang«, sondern auf die Tiefendimension, in der die gegenwärtige konkrete Lebenswelt gründet. Welt und Umwelt sind in radikaler Weise vom Schöpfergott getragen und durchwaltet. Alles, was darin geschieht, ist von ihm veranstaltet, damit menschliches Leben und überhaupt jegliches Leben gefördert wird. Im Unterschied zu heutigem Denken, wonach die von uns erhobenen Ansprüche an die Natur als letzte Werte gelten, sieht der biblische Mensch alle Sinngestalten und Ordnungsstrukturen der Welt in der göttlichen Gewährung von Leben begründet. Nicht der Mensch selber stiftet den Sinn der Welt und des Lebens, er ist ihm vorgegeben als grundlegender und alles bestimmender Rahmen, innerhalb dessen sich seine Freiheit entfaltet.[6]

[3] *A. Deißler,* Die Bundespartnerschaft des Menschen mit Gott als Hinwendung zur Welt und zum Menschen – eine unüberholbare Botschaft der frühen altbundlichen Offenbarung, in: Weltverständnis im Glauben, hrsg. von J. B. Metz, Mainz 1965, 203–223, hier 208: »Der alleinige, welttranszendente, unfaßliche, in seiner Selbsthabe absolut unabhängige und sich unendlich selbst genügende Gott hat sich in Freiheit zum Menschen als seinem geschöpflichen Bundespartner herniederneigen und mit ihm eine ewige Gemeinschaft begründen wollen. Dieser göttlichen ›Urtat‹ entspringt alle Geschichte ...« Vgl. auch *B. Stoeckle,* Ich glaube an die Schöpfung, Einsiedeln 1966.

[4] *O. H. Steck,* Welt und Umwelt 201.99.103 f. 124–130.131–153.

[5] *O. H. Steck,* a.a.O. 104: »In den Schöpfungsaussagen Israels ist ... der Mensch mit allem Lebendigen voll einbezogen in ein stetiges Geschehen göttlicher Lebensvergabe und Lebensausstattung, das als solches (!) in sich selbst Sinn und Wert gewährter Lebensermöglichung trägt und insofern ›sehr gut‹ ist ..., lebensdienlich, verläßlich und absolut vertrauenswürdig.«

[6] *O. H. Steck,* a.a.O. 149: »Der Mensch ist ... Statthalter Gottes des Schöpfers auf Erden. Er wirkt hier, an ihn gebunden und an ihm orientiert, herrscherlich zur Wahrung stetiger Sinnverwirklichung des Schöpfungsgeschehens im Blick auf die Bezüge des Geschaffenen – bis hin zur Lebenserhaltung gefährdeter Tierwelt.«

2. Epochale Dimension der Erfüllung des Auftrags

Der geschichtliche Auftrag des Menschen erfüllt sich je nach den gegebenen Möglichkeiten auf verschiedene Weise. Es konnte nicht bleiben, wie es am Anfang war, als der Mensch noch viel unmittelbarer in das Naturgeschehen eingebettet und ihm weithin preisgegeben war, als er seine Kräfte voll dafür einsetzen mußte, sich zu ernähren und überhaupt am Leben zu bleiben. Trotz aller technischer und wirtschaftlicher Fortschritte blieb es bis weit in die Neuzeit herein dabei, daß der Mensch eben seinen Bedarf deckte und sich, soweit als eben möglich, gewisse Verfeinerungen seines Lebens gewährte. Jedenfalls war der Mensch in früheren Phasen der Geschichte für seine Selbstverwirklichung mehr auf den Weg nach innen verwiesen – auf Glaube, Meditation, philosophische Reflexion, Askese, Caritas. Die neuzeitlichen Fortschritte der Wissenschaft und der Technik haben unaufhaltsam dazu geführt, daß der Mensch in ganz neuer Weise seine Daseinsmöglichkeiten verantwortlich gestalten muß. Er muß die Identität mit sich selbst und die Kommunikation mit anderen ungleich stärker als früher durch das Medium der Weltverwirklichung zu erreichen versuchen. Das Rad dieser Entwicklung läßt sich nicht zurückdrehen. Man wird im Gegenteil damit rechnen müssen, daß es unter dem immer stärker werdenden Gefälle mit zunehmender Schnelligkeit weiterrollt. Die Forderung nach einer Reintegration des Menschen in die Natur, die in der heutigen ökologischen Diskussion gelegentlich anklingt, gelegentlich auch ohne Umschweife und lautstark erhoben wird, ist – wenn man sie beim Wort nimmt – naiv und illusionär. In der Spaltung des Atoms einen frevlerischen Einbruch in die Natur und eine übermütige Entweihung ihrer Geheimnisse zu sehen, hat nichts zu tun mit biblischem Schöpfungsglauben. Wenn der Schöpfer seiner Welt solche Möglichkeiten einerschaffen hat, dann wohl nur in der Absicht, daß der Mensch sie auf seinem Weg durch die Geschichte entdecken und für die Förderung seines Daseins verantwortlich einsetzen soll. Es mag noch lange dauern, bis der Mensch die ungeheuren und uns in der Tat unheimlich erscheinenden Kräfte der Natur so unter seine Kontrolle gebracht hat, daß er sie ohne unvertretbares Risiko konkret zum Einsatz bringen kann. Aber zu bewältigen sind solche Probleme nur dann, wenn der Mensch die Überzeugung hat, daß diese Kräfte letztlich nicht der Zerstörung, sondern seinem Wohl dienen sollen.

3. Grundorientierungen im Vollzug des Auftrags

Wenn die Welt dem Menschen von Gott für die Dauer der Geschichte übergeben ist, dann bedeutet dies, daß der Mensch für sein Handeln in der Welt geschichtlich haftbar und religiös verantwortlich ist. Er darf mit den Dingen der Welt nicht willkürlich umgehen, sondern muß dafür sorgen, daß er die Kontrolle über sie nicht verliert und daß sie nicht zerstörerisch werden. Für den Glaubenden sind Welt und Umwelt jenes Ereignis der Lebensgewährung, in dem Gott sich ihm frei und schöpferisch zuwendet und in das er selbst einbezogen ist, damit er den Willen Gottes in der Welt durchsetze. Dies kann er nur in der Weise tun, daß er die Sachgesetze und Ordnungsstrukturen der Welt sich zunutze macht, um ihren Sinn optimal zu erfüllen.

Das unmittelbare geschichtliche Ziel der göttlichen Lebenszuwendung ist geglücktes Menschsein. Nach biblischem Schöpfungsglauben ist die Welt auf den Menschen hin erschaffen, und darum muß alle wissenschaftliche Erkenntnis und alle technische Beherrschung der Natur im Dienste menschlicher Selbstverwirklichung stehen. Der Mensch ist mit Geist und Freiheit ausgestattet und darum selbstwertige Person. Heutige Vorstellungen, man müsse das »biologische Flickwerk« Mensch durch genetische Züchtung eines Übermenschen überwinden, und ähnliche prometheische Einfälle stehen im Widerspruch zum biblischen Verständnis des Menschen, demzufolge Sinn und Grenze des Menschseins von Gott verfügt sind.

Alle biblischen Schöpfungsgeschichten gipfeln in der Aussage, daß Gott sich dem Menschen zuwendet und ihn zu seinem verantwortlichen Statthalter in der Welt macht. Der Schöpfungsglaube vermittelt allerdings keine Vorgabe an Wissen darüber, wie das Leben des einzelnen und die Geschichte im ganzen konkret zu gestalten sind. Der Glaubende muß genauso wie der Nichtglaubende und mit ihm zusammen nach optimalen Mitteln und Wegen sinnvoller und fruchtbarer Daseinsgestaltung suchen. Gott hilft dem Glaubenden nicht dadurch, daß er ständig in der Welt interveniert, um ihm über seine Aporien hinwegzuhelfen. Darin besteht die Würde des Menschen, daß Gott ihm die Verantwortung für die Geschichte voll überträgt. Aber der Glaube an die Schöpfung versichert dem Menschen, daß er sich nicht täuscht, wenn er Vertrauen hat, und daß es ein Sinnzentrum aller Wirklichkeit gibt, von dem her alles Sein und Leben mit ihrer Existenz zugleich auch ihren Sinn und Wert empfangen. Die geschichtliche Auffindung und Durchsetzung dieses Sinns steht allein bei der engagierten Vernunft und der engagierten Liebe der Menschen.[7]

Als Grundorientierung ergibt sich aus dem Schöpfungsglauben schließlich auch der Verzicht auf die immanentistische Beschränkung. Der Mensch ist zwar in die Geschichte eingewiesen und muß hier seinen Auftrag verantwortlicher Weltgestaltung einlösen. Aber er ist nach seiner Herkunft und nach seinem Ziel über sich selbst und seine Welt hinausgewiesen. Er muß sich richten nach dem Sinn, den Gott seinem Dasein in der Welt und der Welt als ganzer vorgegeben und eingestiftet hat. Er weiß seine Freiheit nur in der Gemeinschaft mit dem freien Gott gesichert.[8]

II. DIE VERHEISSUNG

Der christliche Glaube impliziert nicht nur einen Auftrag, sondern auch eine Verheißung. Welt und Umwelt sind nicht nur Raum des göttlichen Schöpferwillens, sondern auch »Raum der Heilsnähe Gottes«.[9] Der Gott, der in Jesus Christus nahe wird, ist derselbe, der Welt und Mensch ins Dasein gerufen und sich ihnen bleibend verbunden hat.

1. Der Eintritt Gottes in Welt und Geschichte

Wie immer man auslegen mag, was »Menschwerdung« meint – die Inkarnation ist zum Stiefkind der gegenwärtigen Theologie geworden –, dies ist als entscheidendes Ereignis festzuhalten, daß in Jesus Gott selbst unmittelbar in die konkrete geschichtliche Lebenswelt der Menschen eingetreten ist. Der Sinn der Welt ist nunmehr so zu sehen, wie er sich in dieser Selbstmitteilung Gottes erschließt. Das Neue besteht darin, daß der Mensch sich selbst und seine Geschichte nicht mehr nur von der Schöpfung her, sondern auf die Zukunft des in Jesus Christus angebrochenen Reiches hin

---

[7] Vgl. *A. Auer*, Ethische Implikationen von Wissenschaft 324.

[8] *A. Ganoczy*, Der schöpferische Mensch und die Schöpfung Gottes 123: Hier gibt es keine Konzession. »Nach christlichem Glaubensverständnis ist Gott der Ermöglicher, Träger, Herausforderer und Vollender jeglicher Freiheit. Der Mensch ist nur insofern frei, als er durch Gott ›in Anspruch genommen‹ ist und sich dementsprechend als ›bleibende Bezogenheit und Verdanktheit der Schöpfung auf ihren Schöpfer hin‹ (J. B. Metz) verhält.« Vgl. a.a.O. 134–138: »Theozentrik des menschlichen Schaffens.«

[9] *O. H. Steck*, Welt und Umwelt 201. Wenn das Neue Testament auch »keine thematisch selbständigen Schöpfungsaussagen« bietet, weil es ganz auf die Bezeugung des Handelns Gottes in Jesus Christus ausgerichtet ist, sollte doch das Gewicht seiner Aussagen nicht unterschätzt werden. Vgl. *K. H. Schelkle*, Theologie des Neuen Testaments, Bd. 1 (Schöpfung), Düsseldorf 1968.

verstehen kann und soll. In Jesus Christus ist endgültig offenbar geworden, daß das Ereignis der Schöpfung in der Vollendung des Heils seine Erfüllung findet. In den Zeichen, die Jesus setzt, werden Dinge der menschlichen Lebenswelt immer wieder zum Medium der Verheißung ihrer endgültigen Gestalt.[10] Die evolutive Dynamik der Welt zielt nicht mehr nur auf immanente Entfaltung und Vollendung, sondern auf Heil hin. Die neue, der Welt durch Jesus Christus vermittelte Dynamik ist eine Kraft, die jede Kreatur aus der Vorläufigkeit und Beengtheit der Geschöpflichkeit und aus aller Entordnung durch die Sünde der »Freiheit der Herrlichkeit der Kinder Gottes« (Röm 8,21) entgegentreibt. Dieser Drang duldet erst recht keine endgültige Befriedigung mehr bei vordergründigen Sinnzielen, sondern hält jede Kreatur auf Christus als das letzte Sinnziel hin in Unruhe. Es kann in der Welt nichts sein und geschehen, was ohne Beziehung zu Christus wäre.

2. Die Zusage einer absoluten Zukunft

Nach christlichem Verständnis liegt die entscheidende Wende der Geschichte in der Auferstehung Jesu. Hier wird dokumentiert, daß Welt und Mensch in eschatologischer Endgültigkeit von Gott angenommen sind: Sie sind auf dem Weg in eine absolute Zukunft. Diese absolute Zukunft schließt die innerweltliche Zukunft nicht aus, sondern ein. Das bedeutet ein Doppeltes: Alles, was die geschichtliche Zukunft noch bringen wird, alle Chancen und Gefährdungen, aller Glanz und alles Elend der Wissenschaft und der Technik, sind bereits vom Horizont der absoluten Zukunft umfangen. Zum andern aber geht die Geschichte weiter, und der Mensch muß sich in ihr engagieren, weil er die durch die Schöpfung gestifteten Möglichkeiten soweit als möglich durchsetzen muß. »Wer im Glauben um die letzte Bestimmung der Welt weiß, ist zu kritischer Distanz gegenüber den Faszinationen menschlicher Selbstmanipulation gehalten; er darf den utopischen Visionen eines paradiesischen Zeitalters nicht trauen. Aber diese kritische Distanz gegenüber den Faszinationen wissenschaftlich-technischer Zukunftspläne hindert wiederum nicht seine effektive Präsenz in den Verantwortlichkeiten dieser Welt.«[11]

Wenn der Christ von »Auferstehung des Leibes« spricht, meint er die Einbringung der konkreten Geschichte in die absolute Zu-

---

[10] Vgl. *O. H. Steck*, Welt und Umwelt 203 f.
[11] *A. Auer*, Ethische Implikationen von Wissenschaft 326. Vgl. auch *O. H. Steck*, Welt und Umwelt 214–219, und *A. Ganoczy*, Der schöpferische Mensch und die Schöpfung Gottes 171–174.

kunft. Es geht also, wie bereits dargetan wurde, um die Vollendung der konkreten Existenz und des konkreten Werks, das ein Mensch in seinem Leben vollbringt. Das bedeutet keine Entwertung, sondern die höchstmögliche Aufwertung der gegenwärtigen Welt und Umwelt und des menschlichen Handelns darin. Das Leben jedes einzelnen Menschen und die Geschichte der Menschen im ganzen erhalten im Lichte dieser Verheißung ihren wahren Rang. Es bleibt nicht nur die selbstlose Liebe, mit der Menschen ihr Werk vollbringen, vielmehr wird ihr Leben mitsamt dem vollbrachten Werk als ganzes in ein neues Dasein hineingezeitigt. Die Pastoralkonstitution des II. Vatikanischen Konzils über »Die Kirche in der Welt von heute« formuliert es kurz und prägnant: »Die Liebe und ihre Werke bleiben« (Nr. 39). Die Konstitution bringt damit zum Ausdruck, daß der Christ, der an die Auferstehung des Leibes und an die Verklärung der Welt glaubt, auch an die Vollendung des technischen Werkes in der Weltverklärung und an die Erfüllung des durch die Vermittlung der Technik heraufgeführten Ereignisses der universalmenschlichen Sozialisation in der »Communio sanctorum« glauben darf.[12]

3. Grundorientierungen christlichen Handelns in Welt und Umwelt

Die Sinnspitze der neutestamentlichen Botschaft geht auf das Kommen Gottes in Jesus Christus und auf seine Bedeutung für das Heil des Menschen in der Geschichte und in ihrer Vollendung. Aus dieser Botschaft ist keine Verheißung für eine fortschreitende Humanisierung der Welt zu entnehmen. Es findet sich darin aber auch kein Hinweis darauf, daß die gegenwärtige Überlebenskrise der Menschheit oder irgendeine künftige Katastrophe als Zeichen des bevorstehenden Endes der Geschichte gedeutet werden darf. Wer die Botschaft des Neuen Testaments anzunehmen vermag, ist – wie der an die Schöpfung Glaubende – an jene Tiefendimension der Welt verwiesen, die in Jesus Christus als dem Sinnzentrum aller Wirklichkeit erschlossen ist. Für das Handeln des Christen in Welt und Umwelt bedeutet dies: Er nimmt im Glauben dieses Sinnzentrum wahr, in der Hoffnung vertraut er sich ihm an, in der Liebe

---

[12] *K. Rahner*, Über die theologische Problematik der »neuen Erde«, in: Schriften zur Theologie VIII, Einsiedeln–Zürich–Köln 1967, 580–592, hier 590, interpretiert diese Aussage folgendermaßen: Die Geschichte (mit den darin vollbrachten Werken der konkreten Liebe) bleibt selbst »als vom Menschen getane und nicht nur ihr moralisches Destillat, das die Geschichte als ausgepreßten ›Treber‹ hinter sich ließe; die Geschichte selbst geht ein in die Endgültigkeit Gottes, nicht bloß der Mensch, der einmal Geschichte getrieben hat und dann, nachdem die ›Rolle‹ . . . gespielt ist, diese als das wesenlos Gewordene hinter sich ließe«.

wendet er ihm sein Leben, seine Verbundenheit mit den Mitmenschen und seine Eingründung in die Welt zu. Daß Gott in Jesus Christus zum Menschen und zur Welt Ja gesagt hat und die endgültige Erfüllung dieser Bejahung gewährleistet, gibt dem Glaubenden die Kraft, nicht nur den unvermeidlichen Begrenztheiten der Welt, sondern auch den immer wieder hervortretenden Auswirkungen menschlicher Torheit und Überheblichkeit gegenüber gelassen zu bleiben. Er weiß, daß Gott sich nicht mehr, wie im AT, hinter den Leiden der Welt verbirgt, sondern daß er sie in Jesus Christus selbst übernimmt.[13]

III. DIE WARNUNG

Der christliche Glaube impliziert außer einem Auftrag und einer Verheißung schließlich auch eine Warnung an den Menschen. Es war schon die Rede davon: Altes und Neues Testament lassen keinen Zweifel darüber, daß die Welt im argen liegt, daß der Mensch durch die Sünde immer neue Unordnung und Zerstörung in seinem personalen Lebensbereich anrichtet und daß seine Sünde sich auch in die soziale und naturale Dimension hinein auswirkt. Der glaubende Mensch erfährt in seiner Lebenswelt nicht nur die liebende Zuwendung Gottes, er hat auch »Gegenerfahrungen« (O. H. Steck), er stößt auf »Negativitäten« (A. Ganoczy). Indem der Mensch die ihm von Gott zugewiesene Stellung in der Welt mißbraucht, dient sein Handeln nicht der Durchsetzung des göttlichen Schöpfungswillens, sondern willkürlicher und anmaßender Selbstverherrlichung.

Die biblischen Aussagen über die Sünde implizieren eine nachdrückliche Warnung an den Menschen, die ihm von Gott gesetzten Grenzen nicht zu überschreiten. Man hat die Sündenfallgeschichte von Gen 3 als Durchbrechung der verfügten Grenzen, als Schritt in die »unreflektierte Grenzenlosigkeit« ausgelegt.[14] Nun ist es gewiß äußerst schwierig, die gesetzten Grenzen klar zu markieren. Im Umkreis unserer Thematik sind sie aber – darüber sollte es keinen Streit geben – auf jeden Fall überschritten, wenn der Mensch sich

[13] *O. H. Steck,* Welt und Umwelt 213: Für den Glaubenden wandelt sich »durch die Teilnahme am Leiden Gottes in Christus ... die Erfahrungs-, Erkenntnis- und Handlungsperspektive im Blick auf die natürliche Welt und Umwelt ... Er nimmt die Leidensgestalt des eigenen Lebens in seiner Hinfälligkeit wie in der Anfeindung des Glaubens nicht als Infragestellung seines Lebens und Lebenssinnes, sondern in Geduld und Hoffnung als Lebenszeichen seiner Aufnahme in das Heil Christi wahr.«
[14] *W.-D. Marsch,* Die Folgen der Freiheit 58.

in utopische Weltverbesserungsträume flüchtet und unter Einsatz aller technischen Mittel blindlings an ihre Verwirklichung herangeht. Die Grenzen sind auch dort überschritten, wo der Mensch irreversible Fakten schafft, ohne die Verantwortung für die Folgen übernehmen zu können. Sie sind generell schon dort überschritten, wo technische Projekte nicht grundsätzlich so lange im strengen Bereich des Experiments gehalten werden, als die Auswirkungen nicht überschaubar und kontrollierbar sind. Die gefährlichen und teilweise zerstörerischen Folgen, die etwa in der bisherigen maximalen Nutzung der vorhandenen Energieressourcen hervorgetreten sind, stellen in der Tat eine hinreichend drastische Warnung dar. Der Mensch muß anerkennen, daß ihm eine Grenze gesetzt ist, und muß in nüchterner Selbstbescheidung versuchen, sie zu erkennen.

Durch die biblische Botschaft und seine eigenen Erfahrungen sollte der Mensch auch gewarnt sein, die Ambivalenz des wissenschaftlichen und technischen Fortschritts auf den verschiedenen Lebensgebieten naiv zu verkennen. Offenbar hängt es mit der unaufhebbaren Spannung zwischen wissenschaftlich-technischen und personal-sozialen Kategorien zusammen, daß jeder Fortschritt im Technisierungsprozeß Rückschläge in der menschlichen Lebenswirklichkeit zeitigt. Der Mensch bleibt bei seinen Entscheidungen so lange unverantwortlicher Naivität verhaftet, als er nicht die Rückwirkung möglicher Fortschritte auf sich selbst und die Natur zu kalkulieren vermag.

Vor allem aber sollte der Mensch – wenn schon nicht durch die beschwörenden Appelle aus der Heiligen Schrift, so doch durch seine eigenen Erfahrungen – davor gewarnt sein, sich in einem radikalen Autonomismus in sich selbst zu verkapseln und sich dem göttlichen Schöpfungs- und Heilswillen zu verweigern. »Es fällt niemand aus sich selbst heraus, wenn er nicht zuvor aus Gott herausgefallen ist« (Ernst Wiechert). Tatsächlich hat sich die neuzeitliche Freiheitsgeschichte in einem erheblichen Maß als menschliche Verweigerung gegenüber der von Gott verfügten Sinnorientierung vollzogen. Die Heilige Schrift läßt keinen Zweifel darüber, daß der Mensch die Fixierung auf eine radikale Selbstorientierung aus eigener Kraft nicht aufheben kann. Nur in der Annahme der liebenden Zuwendung Gottes können auf die Dauer in der Welt Ordnung und Friede wachsen.[15]

---

[15] *O. H. Steck*, Welt und Umwelt 215: »Wenn Gott bleiben soll, der als welttranszendenter Schöpfer unverfügbar alles Lebendige gewährleistet ..., dann ist dem Glaubenden die Aussage des Neuen Testaments nur folgerichtig, daß die heile und gerechte Lebenswelt Gottes nicht sein kann, solange (der autokratische Drang des Menschen nach eigener

Es wird alles davon abhängen, daß die Christen die in der christlichen Botschaft implizierten Warnungen vernehmen und sich auf ihren Auftrag und auf die ihnen zuteil gewordene Verheißung zurückbesinnen.

Selbstbestimmung) in all seinen Erscheinungen und Materialisationen bis hinein in die natürliche Welt in Kraft ist. Anders gewendet: Dann ist es folgerichtig, daß das Neue Testament diese Wahnwelt . . . nicht endlicher Vollkommenheit, sondern ihrem Ende zugehen sieht, an dem Gott richtet und vernichtet . . .«

SCHLUSSÜBERLEGUNG
ZUR RECHTFERTIGUNG
DES METHODISCHEN VORGEHENS

Mancher christliche Leser dieser Untersuchung wird sich längst irritiert gefragt haben, welchen Stellenwert hier das Christliche eigentlich habe. Da wird in einem breiten 1. Teil mit den Mitteln vernünftiger Argumentation ein Modell eines ökologischen Ethos entwickelt und dann in einem 2. Teil nach der Bedeutung des christlichen Glaubens für ein solches Ethos gefragt. Wird hier nicht die christliche Reflexion der rationalen Argumentation in einer so äußerlichen Weise angehängt, daß sie zum beliebig austauschbaren und damit zum verzichtbaren ideologischen Überbau entleert wird? Müßte nicht, wie es ja auch weithin geschieht, zunächst der christliche Glaube in seiner ökologischen Relevanz entfaltet und von hier aus auf dem Weg der Schlußfolgerung, der Anwendung, der Explikation oder wie immer man das nennen mag und nennt, zu konkreten material-ethischen Orientierungen und Normen vorangeschritten werden? Führt nicht jedes andere Vorgehen zur nutzlosen Verschleuderung des Christlichen?

Dies ist keineswegs der Fall. Dem kritischen Frager ist zu antworten, daß der ethische Anspruch des Christlichen, der im Hinblick auf eine Statuierung spezifisch christlicher Normen offensichtlich überzogen wurde, zurückgenommen, dafür aber um so intensiver in andere Richtungen vorangetrieben wird. Theologische Ethik heute sieht weithin in der konkreten Sittlichkeit nicht mehr einen von ihr in authentischer Zuständigkeit zu verwaltenden bloßen Anwendungsbereich des christlichen Glaubens. Das Sittliche, soweit es das menschliche Weltverhalten betrifft, erscheint ihr vielmehr zunächst als Schöpfung der gesellschaftlich-geschichtlichen Vernunft des Menschen: Es steht also in deren authentischer Kompetenz. Angesichts der Aporien freilich, die sich für jede autonom entwickelte Ethik hinsichtlich ihrer letzten Begründung unweigerlich einstellen, impliziert die »Autonomisierung des Sittlichen« gerade nicht die Abdankung der Theologie. Entgegen der in der neuzeitlichen Freiheitsgeschichte immer wieder vertretenen Auffassung sind Autonomie und Theonomie des Sittlichen gerade nicht inkompatibel, vielmehr sind sie konstitutiv aufeinander verwiesen. »...Besonderheit und Unersetzlichkeit des Theologischen (bestehen) eben darin..., daß es erst in Wahrheit zur Sprache bringt, was jeden Menschen in seinem konkreten Dasein unbedingt angeht...«[1] Die Theologie hat auf dem besonders heiß umkämpften Terrain des Sittlichen die Frage ihrer authentischen Kompetenz neu durchdacht. Dabei hat sich ergeben, daß der spezifische und originäre Beitrag der christlichen Religion nicht in der Statuierung konkreter material-ethischer Normen, sondern in der Vermittlung eines neuen Sinnhorizonts zu sehen ist. Unter diesem Aspekt kann und muß die Theologie allerdings einen unvertretbaren Beitrag leisten. Denn der christliche Sinnhorizont stellt nicht nur für das konkrete ethische Handeln neue Motivationen bereit, sondern bringt in den Prozeß der Herausbildung ethischer Orientierungen und Normierungen unablässig den kritischen und stimulierenden Effekt der Botschaft Jesu ein.

1. Der neue Sinnhorizont

Der Mensch ist so geartet, daß er es nicht unterlassen kann, unablässig nach dem Sinn seines Daseins im allgemeinen und im besonderen nach dem Sinn der Weltlichkeit seines Daseins zu fragen. Die Systeme der Ethik weisen aus, daß das menschliche Fragen auf seinem Weg durch die Geschichte zu sehr verschiedenartigen und verschiedenwertigen Antworten gekommen ist. Für den christlichen Sinnhorizont ist mit Nachdruck festzustellen, daß er durch Gott eröffnet worden ist. Eine solche Vorstellung ist für den neuzeitlichen Menschen, der sich selbst für den authentischen Sinnstifter seines Daseins hält, schwer oder gar nicht erträglich. Vielleicht macht ihn die Erfahrung, daß seine eigenen Sinnentwürfe immer fragwürdiger werden, für das christliche Angebot zugänglicher. Auf jeden Fall muß die christliche Botschaft darauf bestehen, daß der letzte Sinn des menschlichen Daseins in der Welt von Gott gestiftet und dem menschlichen Handeln in der Welt als Orientierungsrahmen vorgegeben ist.

Der christliche Sinn von Welt und Umwelt erschließt sich dem Glauben – dies ist im 2. Teil dieser Untersuchung aufgewiesen –

---

[1] *G. Ebeling*, Studium der Theologie. Eine enzyklopädische Einführung (Uni-Taschenbücher 446), Tübingen 1975, 146. Vgl. zum folgenden *A. Auer*, Autonome Moral und christlicher Glaube, Düsseldorf (1971) ²1984.

aus dem Anfang, aus der Mitte und aus der Zukunft der Geschichte Gottes mit dem Menschen.

Sinn aus dem Anfang: Israel erklärt sein Leben in der Welt aus der fortwährenden geschichtlichen Zuwendung Gottes. Sein Leben erscheint ihm nicht als eigenes Gemächte, sondern als ein Geschenk, in dem sich ihm der Schöpfer persönlich vermittelt. Es wertet die Welt nicht als neutralen sachlichen Befund, sondern als das sinnenhaft wahrnehmbare Medium des sein Leben unablässig konstituierenden Ereignisses göttlicher Treue. Mit der Rede von der »Schöpfung« interpretiert es jene Tiefendimension, in der die Welt von der sie schlechthin überragenden Wirklichkeit Gottes her aus dem Nichts gerufen, im Dasein erhalten und auf Entfaltung hin vorangedrängt wird. Als Sinn, der aus dem Anfang kommt, erkennt Israel, daß der freie und lebendige Gott einen freien und lebendigen Menschen in seiner Welt will. Israel vermag, über seine Erfahrung reflektierend, in seiner Welt durchaus Sinngestaltung und Ordnungsstrukturen zu erkennen, aber es erkennt darin Stiftungen und Verfügungen seines Gottes, der mit dem Leben selbst auch jenen fundamentalen Rahmen verordnet, in dem es seine Möglichkeiten entfalten kann und soll. Für Israel liegt in solchen Vorbestimmtheiten die Befähigung und die Beauftragung zu sinnvollem Handeln in der Welt. Das alttestamentliche Bundesvolk betrachtet sich nicht als sein eigenes Geschöpf.[2] Die Glaubenserfahrung, daß es sich nicht selbst ermächtigte, sondern von Gott ermächtigt wußte, hat seine Einsicht in die Sonderstellung des Menschen in der Welt nicht ausgehöhlt, sondern überhaupt erst begründet. Dadurch wurde das Werk der Schöpfung »sehr gut« (Gen 1,31).

Sinn aus der Mitte: Als die Zeit erfüllt war, drängt die in der Schöpfung begonnene Selbstmitteilung Gottes in eine neue Dimension. Der Gott der Schöpfung tritt in Jesus Christus in die Welt der Menschen ein und offenbart ihr eigentliches Ziel. Der Horizont, in den hinein der Schöpfer dem Menschen Leben gewährt, wird klarer bestimmt. Die am Anfang vollzogene göttliche Sinnsetzung wird durch Vorstellungen wie die vom »Reich Gottes«, vom »ewigen Leben«, von »Herrlichkeit«, von »dem neuen Himmel und der neuen Erde« verdeutlicht. Der gläubige Einsatz in der Welt zielt

---

[2] *O. H. Steck,* Welt und Umwelt 141. A.a.O. 147: »Nicht der Mensch setzt (den orientierenden) Sinn- und Wertbezug, sondern Jahwe als Spender allen Lebens ... Innerhalb dieses vorgegebenen Rahmens wird das Wirken des Menschen in der ihm geschaffenen Lebenswelt statt an autonome Zielsetzungen deshalb in den Schöpfungstexten an Ermächtigungen gewiesen, die Jahwe unter Wahrung seines Gesamtgeschehens Schöpfung für alles Lebendige dem Menschen gibt ...«

nicht mehr nur auf die Entfaltung ihrer naturalen Möglichkeiten, sondern auf ihre Erfüllung im Heil.

Zwar wird im Neuen Testament die sittliche Forderung an den Menschen auch aus dem Schöpfungsglauben begründet, sie erscheint aber doch mehr noch als Frucht der Neuschöpfung. Es ist vor allem die Teilnahme des Glaubenden am Tod und an der Auferstehung Jesu, die in ihm die sittliche Kraft weckt. Im Leiden und im Sterben Jesu wird deutlich, daß die »Leidensgestalt der natürlichen Welt und Umwelt und alles Lebendigen in ihr«[3] nicht dem Schöpfer, sondern dem sich ihm verweigernden Menschen anzurechnen ist; es wird aber zugleich deutlich, daß diesem sündigen Menschen und der von ihm zerstörten Welt die Möglichkeit des Heils eröffnet ist und eröffnet bleibt. Aus diesem Glauben kann dem Menschen die Kraft zuwachsen, die von ihm selbst verschuldete Not in Freiheit und Liebe zu ertragen, alles ihm Mögliche zu ihrer Minderung beizutragen und ihre schließliche Überwindung dem Heilswillen Gottes zu überlassen.

Sinn aus der Zukunft: Die letzte Erfüllung des in Jesus Christus eröffneten Heils wird sich nicht in der geschichtlichen Fortdauer der menschlichen Welt und Umwelt vollziehen. Sie kommt keinesfalls durch menschliche Anstrengungen zustande. Gott allein, der am Anfang der Geschichte den Sinn gesetzt und ihn in ihrer Mitte geoffenbart hat, vermag diese Erfüllung zu gewähren. Die Hoffnung auf eine erfüllte Gestalt der Welt hält den Glaubenden aufrecht, wenn er in der Geschichte immer wieder erträumte oder ersonnene Vorstellungen utopischer Reiche scheitern sieht. Er glaubt an die in Jesus Christus eröffnete »Sinnzukunft der Schöpfungswelt« (O. H. Steck) und schöpft aus diesem Glauben die Kraft, an den vorgegebenen und durch die eigene Torheit und Bosheit fortwährend verschärften Begrenztheiten nicht zu verzagen, sondern mit Zuversicht, Entschlossenheit und Phantasie auszukundschaften, wo in der Wirklichkeit seines Lebens und der Geschichte noch Handlungs- und Rettungsperspektiven zu entdecken sind, die nur von ihm in angestrengter Bemühung entdeckt und verwirklicht werden können, die aber spätestens in der geglückten Verwirklichung als Elemente göttlicher Lebenszuwendung erfahren werden.

Aus der Wahrnehmung des neuen Sinnhorizonts ergeben sich zwei wichtige Folgerungen. Zunächst ist es dem Menschen verwehrt, in seiner vorfindlichen Welt den letzten erfüllenden Sinn seines Daseins zu finden. Er muß diese vielmehr überschreiten auf die

[3] *O. H. Steck,* Welt und Umwelt 212.

in Jesus Christus eröffnete Gemeinschaft mit Gott hin. Die Maßstäbe, die Gott dem Menschen gesetzt hat, überschreiten alle Möglichkeiten seiner Selbstverwirklichung und der Entfaltung der ihm zugewiesenen natürlichen Lebenswelt. Die öffentliche Präsentation des christlichen Sinnhorizonts kann und soll also zunächst dazu beitragen, daß sich die Menschen bei ihrer Suche nach dem Sinn ihres Daseins nicht innerweltlich verschließen. Zum andern aber ergibt sich aus dem gleichen christlichen Sinnhorizont, daß der Mensch durch seine Leibhaftigkeit in diese Welt eingewiesen und dazu ermächtigt und beauftragt ist, sie durch die Geschichte hindurch zu bewahren und zu entfalten. Denn in diese Welt hinein wendet sich das göttliche Schöpfungs- und Heilswirken dem Menschen zu. Darum muß sich der christliche Glaube auch darin bewähren, daß der natürliche Lebensraum des Menschen für das weitere geschichtliche Vorhaben Gottes erhalten bleibt.[4] Gottes Vorhaben aber ist immer der freie und liebende Mensch in seiner Welt.

2. Das neue Ethos

Der neue Sinnhorizont wirkt sich für das ökologische Ethos in zwei Dimensionen aus: Er stellt für das konkrete Handeln des Christen neue Motivationen bereit und bringt in den Prozeß der Herausbildung ethischer Orientierungen und Normierungen unablässig den kritischen und stimulierenden Effekt der christlichen Botschaft ein.

Die bedeutsame Erklärung der Deutschen Bischofskonferenz zu Fragen der Umwelt und der Energieversorgung »Zukunft der Schöpfung – Zukunft der Menschheit« (1980) handelt von der *christlichen Motivation* unter dem Stichwort »Spiritualität unseres Verhaltens zur Welt«. Eine Spiritualität christlichen Weltverhaltens – so heißt es da – lebt aus den Grundworten Annahme und Antwort, Freisein und Loslassen. Darüber hinaus ist von einer Spiritualität der vier Kardinaltugenden (Maß, Klugheit, Starkmut, Gerechtigkeit) und vom »Geist der ›evangelischen Räte‹« (Armut, Gehorsam, Jungfräulichkeit) die Rede. Dies ist ein sinnvolles Konzept und sollte durch weitere Konkretisierung fruchtbar gemacht werden.[5]

---

[4] *O. H. Steck,* Welt und Umwelt 219–224: »Die Bewahrung der natürlichen Welt und Umwelt als Handlungsziel des Glaubens.«

[5] In Teil III, 1 heißt es: Wie diese Spiritualität im einzelnen verwirklicht wird, »kann hier nicht breit geschildert werden. Aber lohnte es sich nicht, über diese Anstöße nachzudenken, als einzelne, in Gemeinden, Gruppen und Kreisen, unter denen, die sich aus christlicher Überzeugung einsetzen in Politik, Wirtschaft, Technik, unter allen, die beunruhigt sind über die Zukunft unseres Planeten und fragen, wie ein wirksamer Beitrag zu einer

Hier soll eine Interpretation angedeutet werden, die sich unmittelbar aus dem Kontext der theologischen Überlegungen (Teil 2) ergibt. Eines der bedeutsamsten Interpretamente für das, was man christliche Existenz nennt, ist die biblisch wohl fundierte Lehre von den sog. göttlichen Tugenden (Glaube, Hoffnung, Liebe). Die uns Heutigen schwer zugängliche Formel »göttliche Tugenden« meint die von Gott geschenkte Fähigkeit und die damit gegebene Verbindlichkeit, den christlichen Sinnhorizont anzunehmen, in ihm Stand zu fassen und das ganze menschliche Dasein in ihm zu versammeln.

Der *Glaube* befähigt den Menschen, seine konkreten Erfahrungen auf den vom Schöpfer gestifteten Sinn der Welt, der in Jesus Christus definitiv eine persönliche Gestalt findet, zu beziehen und darin zu verstehen. Von ihm her begründet sich das Urvertrauen in die Welt, das diese selbst nicht zu wecken und schon gar nicht zu gewährleisten vermag, dessen der Mensch aber als seines tragenden Grundes bedarf. Dem Glaubenden erscheint sein eigenes Dasein mit den konkreten gemeinschaftlichen und naturalen Eingebundenheiten und lebensgeschichtlichen Entfaltungen als Medium unablässiger Zuwendung göttlicher Liebe, als insgesamt geschenkt und verdankt. Dieser Glaube ermuntert ihn dazu, alles daran zu messen, ob es zu jener Freiheit und zu jener Liebe führt, die Jesus Christus als den Sinn alles Geschaffenen vorstellt. Er nimmt ihn nicht aus Welt und Geschichte heraus, sondern verpflichtet ihn, sein Handeln in ihnen möglichst sachgerecht und wirksam zu gestalten, weil er eben dadurch den Weltwillen und die Weltliebe Gottes geschichtlich durchsetzt. In der unmittelbaren Anstrengung des Handelns wendet er seine volle Aufmerksamkeit dem Werk zu. Auf dem Grund seines Bewußtseins kann ihm aber die ganze Weite des christlichen Sinnhorizonts gegenwärtig sein, wenn sein Glaube lebendig ist. Lebendig aber wird der Glaube nur, wenn er auch immer wieder bewußt – vor allem in der Meditation – mit den vielen kleinen und oft scheinbar belanglosen Stoffen des täglichen Handelns ins Gemenge gebracht wird. Nur durch solche Übung weitet sich der geistliche Blick für den Sinn konkreter Entwicklungen der Menschheitsgeschichte, auch noch für den Heilssinn scheinbar negativer und gefährlicher Phasen oder Richtungen. Aus der Freude über die Berufung zur schöpferischen Mitarbeit an Gottes Werk

neuen Lebenseinstellung und einem neuen Lebensstil aussehen könnte?« – Auch in der vorliegenden Darstellung kann kein ausgeführtes Modell einer ökologisch orientierten Spiritualität vorgelegt werden. Es bedarf dafür einer zusätzlichen und unmittelbar auf die religiöse Praxis gerichteten Untersuchung.

wächst ein neuer »goût de vivre« (P. Teilhard de Chardin), ein neuer Geschmack am Leben, eine neue Lebens- und Weltlust. Hier findet der Mensch von seinem scheinbar bedeutungslosen und peripheren Ort in der Welt und von aller Art bedrohlicher Verirrung immer wieder in die Mitte, auf die auch sein eigener kleiner Dienst hinstrebt. Nur auf diesem Weg kann das Ganze des Daseins neu gesehen, unter die letzten Maßstäbe gebracht und dann auch in die tiefere Verantwortung des Glaubens genommen werden.

Was christliche *Hoffnung* bedeutet, umschreibt Kol 1,27 mit der prägnanten Kurzformel: »Christus in euch – die Hoffnung auf Herrlichkeit.« Diese Formel zielt nicht primär auf einen bestimmten Zustand der gesellschaftlichen oder wirtschaftlichen Verhältnisse, sie verheißt nicht die Möglichkeit einer progressiven Verbesserung und Vervollkommnung der menschlichen Lebenswelt. Sie zielt auf einen neuen Himmel und eine neue Erde, die in Gottes letzter Heilstat heraufgeführt werden. Es ist das Verdienst der neueren Theologie der Hoffnung, die Vorstellungen von Heil, Rettung und Vollendung aus ihrer allzu individualistischen Verengung herausgeholt zu haben. Die biblischen Bilder vom Königreich Gottes, von der Stadt Gottes, vom heiligen Mahl und von der festlichen Hochzeit greifen auf Grundgestalten menschlichen Zusammenlebens zurück und zielen auf eine erfüllte Gestalt des Menschen und seiner Lebenswelt. In der Auferstehung Jesu Christi ist diese erfüllte Gestalt an der entscheidenden Stelle bereits durchgesetzt. Jesus Christus ist die »prädestinierte Welt« (P. Teilhard de Chardin).

Die christliche Hoffnung lebt aus dem Glauben an die von Gott verheißene Erfüllung. Sie bewirkt einen stärkeren Freiheitseffekt als »ein Glaube des Menschen an sein eigenes idealisiertes Zukunftsbild ..., (als) das Selbstgespräch des tätigen Menschen mit seinem eigenen verbesserten Ebenbild«. Es kommt nur darauf an, daß sich die christliche Hoffnung nicht nur als »stabilisierende«, sondern als »mobilisierende« Kraft bewährt.[6] Weil die Vision des eschatologischen Friedens (Jes 65,25) nicht nur eine »denkmögliche«, sondern real »mögliche« Utopie darstellt, vermag sie den Menschen zu ermutigen, »neue Modelle des Mensch-Welt-Verhältnisses zu konzipieren und zu realisieren. Diese Modelle sind sicher nicht mit der eschatologischen Versöhnung identisch, sie weisen aber in die Richtung der eschatologischen Utopien.«[7] Der Mensch vermag zwar die verheißene Versöhnung nicht selbst heraufzufüh-

---

[6] *A. Ganoczy,* Der schöpferische Mensch und die Schöpfung Gottes 177 f.
[7] *G. Liedke,* Von der Ausbeutung zur Kooperation 55 f.

ren, aber er kann und muß Schritte auf dieses Ziel hin planen und vollziehen.[8] Allzu optimistisch mag manchem die Auffassung Pierre Teilhards de Chardin sein, für den es, jedenfalls auf weite Sicht, nur ein Vorwärts in der Entwicklung des menschlichen Fortschritts gibt. Er kennt zwar »die Tentakel einer rasch wachsenden, schon beinahe monsterhaft werdenden Gesellschaft«, aber er sieht in den wachsenden Schwierigkeiten nicht eine unvermeidliche Naturkatastrophe, vor der man sich nur in die Unmittelbarkeit zu Gott verabschieden kann. Er bewertet die gegenwärtige Phase als »Zwangsphase«, vertraut aber darauf, daß die Menschheit durch sie hindurch zu einer neuen »Freiheitsphase« kommt.[9] Diese Zuversicht scheint noch ungestört von dem Scheitern des wissenschaftlichen und technisch-ökonomischen Fortschrittsglaubens, das seit einem Jahrzehnt immer deutlicher sichtbar wird und die euphorischen Zukunftsprognosen erheblich gedämpft hat. Die Krise, die heraufgezogen ist, ist eine wirkliche Überlebenskrise. An ihr muß sich die christliche Hoffnung konkret bewähren. Bewährung kann bedeuten, daß die Hoffnung sich durch alle gegenläufigen Erfahrungen hindurch als Urvertrauen in einen guten Gang der irdischen Dinge durchhält. Die Verheißung einer erfüllten Welt schließt aber die Möglichkeit einer katastrophalen Beendigung der menschlichen Geschichte und eines totalen Zusammenbruchs der ökologischen Systeme nicht aus. Man nimmt die massive Herausforderung durch die bereits angerichtete ökologische Verwüstung nicht ernst genug, »wenn die Überlebenskrise als das mögliche Ende der Geschichte ausgespart bleibt«.[10]

In der christlichen *Liebe* tritt der Mensch in die durch Jesus Christus eröffnete Friedensmöglichkeit der Welt ein, um sie geschichtlich in seiner Umwelt zu verwirklichen. In 1 Joh 4,7 f ist ge-

---

[8] A.a.O. 61 f, wo auch auf konkrete Aktivitäten im Bereich der evangelischen Kirche hingewiesen ist. Vgl. auch *H. Adam,* Auf dem Weg zu einem humanökologischen Gewissen 129–131.

[9] *P. Teilhard de Chardin,* Die Zukunft des Menschen, Olten–Freiburg 1963, 168.

[10] *G. Altner,* Zwischen Natur und Menschengeschichte 164. Auch *M. Schloemann,* Wachstumstod und Eschatologie 20, sieht die Theologie »zur Reflexion des möglichen Wachstumstodes« herausgefordert. Für den Christen sei »die Bedrohung durch den Wachstumstod nicht nur eine Aufforderung zum Handeln, sondern auch eine Erinnerung an den Vorbehalt Gottes, dessen Welthandeln durch keine theologische Theorie garantiert ist . . .« Auf der anderen Seite kann man aber auch mit *H. E. Tödt,* Schöpferische Nachfolge in der Krise der gegenwärtigen Welt, in: Lutherische Rundschau (1970) 421, sagen, die christliche Hoffnung ermutige zum ökologischen Engagement, weil »Christi Sterben für die Menschheit signalisiert, daß ein Ende der Weltgeschichte in einem kollektiven Selbstmord (der auch ökologischer Natur sein könnte, G. L.) nicht der endgültige Wille Gottes mit seiner Kreatur sein kann«. (G. L. = G. Liedke, der in seiner Untersuchung »Von der Ausbeutung zur Kooperation« [S. 62] die Stelle aus H. E. Tödts Artikel zitiert.)

sagt, daß der Urgrund der Liebe in Gott ist: »Geliebte, laßt uns einander lieben! Die Liebe stammt von Gott, und jeder, der liebt, ist aus Gott geboren und versteht Gott.« In Jesus Christus strömt die Liebe aus der Innerlichkeit Gottes der Menschheit entgegen und ermöglicht die liebende Antwort des Menschen an Gott, die christliche Brüderlichkeit und auch den ehrfürchtigen und verantwortlichen Umgang mit der Natur. Nimmt man dieses Verständnis der Liebe in allen ihren Dimensionen ernst, dann erkennt man in ihr das Grundgeheimnis der gesamten geschaffenen Wirklichkeit. Sie ist das tragende Gefälle, das Menschheit und Welt durch die Geschichte hindurch zu Einheit und Frieden voranbringt. Für Teilhard de Chardin besteht kein Zweifel, daß der sich entwickelnden Welt letztlich nur in ihrer Verflechtung »von oben her« ein innerer Zusammenhalt gesichert ist. Diesen Zusammenhalt sieht er in Jesus Christus gewährleistet: Er ist die »prädestinierte Welt«. In ihm ist der Zielpunkt der Evolution in die Wahrnehmbarkeit menschlich-geschichtlicher Existenz eingetreten und verbürgt nun endgültig das Sinnziel der ganzen Weltbewegung. Friede und Einheit in Menschheit und Welt geschehen freilich nicht mehr wie der kosmische Prozeß von selbst, sondern beruhen auf der freien Entscheidung des Menschen. Er muß den Frieden, zu dem er in Jesus Christus befreit ist, auch der Welt vermitteln, in die er hineingegründet ist.[11]

Der christliche Sinnhorizont wirkt sich nicht nur als neue Motivation für das konkrete Handeln des Christen aus, sondern *auch als kritisierender und stimulierender Effekt, der – soweit er wirklich aktuiert wird – unablässig in den Prozeß der Herausbildung ethischer Orientierungen und Normen einströmt.* Wohlgemerkt, aus dem Sinnhorizont ergibt sich nach der Auffassung auch der deutschen Bischöfe nicht unmittelbar ein detailliertes ökologisch-ethisches Modell.[12] In ähnlicher Selbstbeschränkung äußern sich die Bischöfe zur Friedensfrage. Hinsichtlich des militärischen Beitrags zur Frie-

[11] Einen beachtenswerten und originellen Beitrag zu einem christlich begründeten ökologischen Ethos hat *G. Altner,* Die Trennung der Liebenden – Variationen über den Ursprung des Lebens, vorgelegt.
[12] Erklärung der Deutschen Bischofskonferenz »Zukunft der Schöpfung – Zukunft der Menschheit« III,2: Aus der Annahme der Grundverhältnisse der Schöpfungsordnung »ergibt sich nicht unmittelbar ein energie- und umweltpolitisches Konzept«. Immerhin werden dann etliche »Konsequenzen« genannt, deren Entstehung freilich in diesem Zusammenhang hermeneutisch nicht reflektiert wird (was auch nicht erwartet werden kann: Wahrung des Grundbestandes der Schöpfung in seinem ganzen Reichtum; Schonung der Tiere; keine Engführung auf das Energieproblem; Maximen für die Fragen der Energiegewinnung; Verantwortung für das Wie der Auseinandersetzung; Bedeutung des einzelnen; komplexe Situation der Entscheidungsträger).

denssicherung stellen sie fest, daß auch dieser Bereich »den ethischen Grundsätzen verantwortlichen politischen Handelns« nicht entzogen ist. Sie beschränken sich aber auf die Nennung von Prinzipien und die Erarbeitung von Kriterien – Prinzipien und Kriterien sind freilich die Grundlagen des Handelns –, um dann in Übereinstimmung mit dem Zweiten Vatikanum die wichtige Feststellung zu treffen, daß hier unter Christen verschiedene Antworten möglich sind: »Oftmals wird gerade eine christliche Schau der Dinge den Christen eine bestimmte Lösung in einer konkreten Situation nahelegen. Aber andere Christen werden vielleicht, wie es häufiger, und zwar legitim, der Fall ist, bei gleicher Gewissenhaftigkeit in der gleichen Frage zu einem anderen Urteil kommen. Wenn dann die beiderseitigen Lösungen, auch gegen den Willen der Parteien, von vielen anderen sehr leicht als eindeutige Folgerung aus der Botschaft des Evangeliums betrachtet werden, so müßte klar bleiben, daß in solchen Fällen niemand das Recht hat, die Autorität der Kirche ausschließlich für sich und seine eigene Meinung in Anspruch zu nehmen. Immer aber sollen sie in einem offenen Dialog sich gegenseitig zur Klärung der Frage zu helfen suchen; dabei sollen sie die gegenseitige Liebe bewahren und vor allem auf das Gemeinwohl bedacht sein.«[13]

Das kirchliche Lehramt scheint von einem monologischen zu einem dialogischen Selbstverständnis hin in Bewegung zu kommen. Diese Aussage gegen alle Mißverständnisse abzusichern, ist in diesem Zusammenhang nicht möglich.[14] Nach Paul VI. hat sich Johannes Paul II. mit überraschender Entschlossenheit geäußert, indem er in bisher nie gewagter Deutlichkeit die Autonomie der Wissenschaft herausgestellt hat. In dem »Statut einer christlichen Intellektualität«, das er in seiner großen Rede im Kölner Dom anläßlich seines Deutschlandbesuchs entworfen hat, stellt er mit Nachdruck Autonomie und Freiheit der Wissenschaft heraus. Mit dem Zweiten Vatikanum betont er ausdrücklich »die Unterschiedlichkeit der Erkenntnisordnungen von Glaube und Vernunft«; er anerkennt »die Autonomie und Freiheit der Wissenschaften« und tritt für »die Freiheit der Forschung« ein. Er ist davon überzeugt, daß die ge-

[13] *Gaudium et spes* Nr. 43, zitiert in: Gerechtigkeit und Frieden. Wort der Deutschen Bischofskonferenz zum Frieden, 1983 (1,3).
[14] Vgl. die Erläuterungen zu der wichtigen Antrittsenzyklika Pauls VI. bei *A. Auer,* Was heißt »Dialog der Kirche mit der Welt«? Überlegungen zur Enzyklika »Ecclesiam suam« Pauls VI., in: Wahrheit und Verkündigung. Festschrift für M. Schmaus, hrsg. von L. Scheffczyk, W. Dettloff, R. Heinzmann, München–Paderborn–Wien 1967, Bd. II, 1508–1531.

schichtliche Belastung des Verhältnisses zwischen Kirche und Wissenschaft weitgehend abgebaut und einem »partnerschaftlichen Dialog« gewichen ist. In diesem Zusammenhang stellt der Papst ein Dreifaches fest. *Erstens:* Durch die zunehmende Funktionalisierung ist heutige Wissenschaft in eine Legitimationskrise geraten. In diese Orientierungskrise unserer gesamten wissenschaftlichen Kultur sind wissenschaftliche Aussagen allzu partikular, als daß sie umfassende Antworten auf die Frage nach dem Sinn anbieten könnten. »Die einzelne Wissenschaft kann die Sinnfrage nicht beantworten, ja sie nicht einmal im Rahmen ihres Ansatzes stellen.« – *Zweitens:* Trotzdem rät die Kirche in dieser Situation nicht zu Vorsicht und Zurückhaltung, sondern »zu Mut und Entschlossenheit«. Die technisch-wissenschaftliche Kultur steht nicht im Gegensatz zur Schöpfungswelt Gottes, aber sie kann sich zu solchem Gegensatz entwickeln, wenn sie sich nicht am Wohl des Menschseins orientiert. »Technische, auf Weltveränderung gerichtete Wissenschaft rechtfertigt sich durch ihren Dienst am Menschen und an der Menschheit... Die personale Menschenwürde (ist) jene Instanz, von der aus alle kulturelle Anwendung technisch-wissenschaftlicher Erkenntnis zu beurteilen ist.« – *Drittens:* Die Erfassung dieser fundamentalen Orientierung nach der personalen Würde des Menschen ist »nicht erst durch den Glauben möglich. Sie ist auch der natürlichen Vernunft nicht verschlossen, die wahr und falsch, gut und böse unterscheidet und die Freiheit als Grundbedingung menschlichen Daseins erkennt.« Der Papst begrüßt es freilich, daß immer mehr Wissenschaftler mit einer »immanenten Beschränkung« unzufrieden sind und nach der »einen und ganzen Wahrheit« fragen, die sich aus dem Glauben ergibt und in der menschliches Leben sich erst erfüllen kann.[15]

Im Hinblick auf die hier behandelte Thematik eines ökologischen Ethos wie überhaupt für das Grundverständnis von Ethos und im besonderen von christlichem Ethos ist eine solche Position ebenso gewichtig wie hilfreich. Sie legitimiert auch das hier gewählte Vorgehen, zunächst ein Modell eines ökologischen Ethos vorzustellen und dann die Probleme aus dem christlichen Sinnhorizont heraus zu betrachten und zu werten. Die Situation ist hier besonders schwierig. Wir haben es nicht, wie etwa bei der Ehe- und Familienmoral, mit einem ethischen Bereich zu tun, der in einer lan-

[15] Ansprache an Wissenschaftler und Studenten im Kölner Dom am 15. 11. 1980, in: Johannes Paul II. in Deutschland (Verlautbarungen des Apostolischen Stuhles, Nr. 25, hrsg. vom Sekretariat der Deutschen Bischofskonferenz).

gen Tradition gründlich reflektiert, dessen Verbindlichkeit in einem konkreten Normengefüge festgeschrieben und in einem wohl durchdachten und begründeten System präsentiert ist. Im Umkreis der Ökologie haben wir es zunächst mit einer ethischen Sensibilisierung zu tun, die sich, wie in Teil 1, Kapitel 1 festgestellt, in bedrängenden Situationsanalysen, in mannigfachen Rettungs- und Zukunftsentwürfen, in Konzepten alternativen Lebens und – am präzisesten – in den staatlichen Programmen einer Umweltpolitik niederschlägt. Wissenschaftliche Stellungnahmen aus dem Umkreis der philosophischen und theologischen Ethik befinden sich noch im Frühstadium der Problembewältigung. Ähnlich verhält es sich mit den kirchenamtlichen Verlautbarungen.

An all diesen Versuchen, die ethische Vernunft im Hinblick auf verantworteten Umgang mit der naturalen Lebenswelt des Menschen zu artikulieren, sind auch Christen beteiligt, d. h. Menschen, die aus ihrem christlichen Sinnhorizont heraus leben, ein bestimmtes Verständnis von Welt und Geschichte in sich entwickeln, sich um bestimmte Wertorientierungen und Grundhaltungen bemühen und sich engagieren, all dies mitsamt den darin implizierten Unterscheidungen zwischen Gut und Böse, Richtig und Falsch und mitsamt ihren aus dem Nachdenken über geglücktes und mißglücktes Handeln gewachsenen Einsichten in die ökologische Diskussion und in die umweltpolitische Planung einzubringen. Die christlichen Kirchen und die Christen als einzelne sind davon überzeugt, daß die Würde des Menschen letztlich begründet ist in seiner Unmittelbarkeit zu Gott und in seiner Gottebenbildlichkeit. Dies bedeutet keine Bedrohung der Autonomie des Menschen, sondern macht erst ihre eigentliche Ermöglichung einsichtig. Der Mensch verfügt über das Ganze seines Daseins in Freiheit, aber er weiß sich dabei geborgen und in Pflicht genommen durch den, der ihn als sein Ebenbild ins Dasein gestellt hat. Wo diese religiöse Begründung der menschlichen Grundwerte entfällt, da erscheint – und dies ist noch der günstigste Fall – das Sittliche als das Letzte, und damit entsteht die Gefahr, daß das Soziale zum Höchstwert erklärt wird. Der Historiker Golo Mann hat solchem totalen Humanismus (in einer Rundfunkansprache) sein Mißtrauen ausgedrückt: »Es ist ein Humanismus, der nicht über sich hinausweist auf ein anderes, wie eine abgeschnittene Blume. Man weiß nicht, wie lange sie hält.«

Kirchen, Theologien und einzelne Christen bringen das Wort ihres Glaubens mit dem Wort der Vernunft ins Gespräch: Das ist Dialog zwischen Kirche und Welt. Unsere Darstellung hat ergeben, daß die ersten ethischen Impulse und die ersten ethischen Modelle im Bereich des Umweltverhaltens nicht von den Kirchen und nicht von den Theologien ausgegangen sind. Aber Kirchen und Theologien greifen diese Impulse und Modelle auf – wie es schon die Apostel zu ihrer Zeit getan haben –, setzen sich aus ihrem christlichen Verständnis von Wirklichkeit heraus mit gefährlichen Elementen sowie mit naiv optimistischen und hoffnungslos pessimistischen Engführungen kritisch auseinander und ermuntern alle positiven Ansätze zu einem verantworteten Umgang mit der Schöpfung. Im Laufe der Zeit wird sich eine verlässigere Einsicht in Prinzipien, Kriterien, Modelle und Normen rechten Umweltverhaltens herausbilden. Die Theologen werden darangehen, die gewonnenen ethischen Einsichten in systematischen Entwürfen darzustellen und zu begründen. Man wird von einer »christlichen Umweltethik« sprechen. Dagegen ist nichts einzuwenden. Auch früher hatten die Kirchen, besonders die katholische, »ihre« Moral; sie war nicht einfach aus der Offenbarung genommen, sondern ist ursprünglich in einem Prozeß gesellschaftlich-geschichtlicher Erfahrung und Reflexion entstanden, wurde dann aber von der Kirche nach Abstoßung der von ihr nicht annehmbaren Elemente übernommen und konnte auch leicht übernommen werden, weil sie mit den christlichen Glaubensaussagen im Einklang stand. In einem Zeitalter, das von einer naiven zu einer kritisch bewußten Moralität vorandrängt, wird man, ohne die innere Einheit des christlichen Ethos damit zu gefährden, deutlich machen müssen, welche Inhalte nach dem Ausweis der Heiligen Schrift und der kirchlichen Tradition eindeutig aus der Offenbarung zu begründen und darum unverzichtbar sind. Andere Inhalte müssen mit dem Aufweis ihrer rationalen Stimmigkeit als unverzichtbar begründet werden. Die Begründung ruht auf ihrer praktischen Bewährung in der Vergangenheit und auf ihrer Praktikabilität in der Gegenwart.

Die wichtigste Quelle der sittlichen Erkenntnis ist die Erfahrung. Auf dem Weg über ihre gründliche Reflexion stößt der Mensch auf jene Ordnungsstrukturen und Sinngestalten, die er im Glauben als von Gott der Welt eingestiftet erkennt. Wir gehen von derselben hartnäckigen Voraussetzung aus, die Gerhard von Rad in der alttestamentlichen Weisheitsliteratur aufgefunden hat: »Es ist eine geheime Ordnung in den Dingen, in den Abläufen; sie muß ihnen freilich erst mit großer Geduld und durch allerlei schmerzliche Erfahrungen abgelauscht werden.« Theologische Ethik muß allezeit bleiben, was die Erfahrungsweisheit Israels war: »der angestrengte Versuch zur rationalen Auflichtung und Ordnung der Welt, in der sich der Mensch vorfindet, der Wille zur Erkenntnis und Fixierung der Ordnungen in den Abläufen des menschlichen Lebens ebenso wie bei den natürlichen Phänomenen«.[16]

Der Unterschied zwischen der alten Weisheit und heutiger theologischer Ethik liegt darin, daß der Weisheitslehrer den weltlichen Erfahrungsbereich im wesentlichen noch selbst zu überblicken, zu ordnen und zu bewerten wußte. Angesichts der zunehmenden Komplexität heutiger Lebenswirklichkeit bedarf es »für eine rationale Auflichtung und Ordnung der Welt« in der Regel einer Erfahrungskompetenz und eines Sachwissens, die dem Theologen abgehen. Darum muß er den Dialog suchen mit allen, die entweder Erfahrungskompetenz oder Sachwissen oder beides zusammen aufzuweisen haben. Aus diesem Verständnis heraus wurde zunächst das Modell eines Umweltethos, das hier vorgestellt ist, der gegenwärtigen ökologischen Diskussion »abgelauscht«. Dann wurden die wesentlichen »Mysterien des Christentums« in ihrer ökologischen Relevanz vorgestellt, damit diejenigen, welche den christlichen Sinnhorizont in die ökologische Diskussion einbringen wollen, eine Orientierung haben. Im konkreten Vollzug ökologischen Denkens und Handelns wird meist ein unruhiges Hinundhergehen zwischen rationaler und christlicher »Auflichtung und Ordnung« der Welt, selten eine erfahrbare Einheit zwischen beiden sein. Doch hat auch das unruhige Hinundhergehen seine Dignität und auch seinen Frieden. Wer die äußere Trennung in dieser Untersuchung zwischen Teil 1 und 2 als dualistische Aufspaltung versteht, hat nicht richtig gelesen.

Ökologisches Ethos heute ist noch weit davon entfernt, wirkliches Ethos zu sein, d. h. eine tragende Ordnungsgestalt, in der die menschlichen Verbindlichkeiten gegenüber der naturalen Lebenswelt als selbstverständliches und überschaubares Gefüge von Vertrautem, Geregeltem, allgemein Anerkanntem und Geübtem verfaßt sind, eine »Heimstätte menschlichen Seinkönnens und darin ordnende Wirkkraft menschlichen Lebens«.[17] Auch der Beitrag der Theologie und der christlichen Kirchen steckt noch in den Anfängen. Dabei geht es für die Kirchen nicht nur um einen Dienst an der Welt, sondern auch um die eigene Verwirklichung. Das Wort Kirche kommt vom griechischen »kyriake« = dem Herrn gehörig; zu ergänzen ist »oikia« = Haus. Kirche ist das dem Herrn gehörende Haus, wobei Haus nicht nur den steinernen Bau, sondern auch Familie oder Gemeinde meint. Das Wort »oikia«, das uns in

[16] G. von Rad, Theologie des Alten Testaments I, 433 f, 438.
[17] W. Korff, Theologische Ethik 48 f.

der Bezeichnung »Ökologie« begegnet, bezeichnet das Gesamt aller menschlichen Beziehungen und Tätigkeiten im Haus. Haus kann Wohnstätte einer kleinen Gemeinschaft sein; es gibt aber auch »das Haus der Welt«. »Kyriake oikia« könnte Kirche interpretieren als das Haus der Welt, insofern es dem Kyrios, dem Herrn, zugehört. Diese Auslegung käme in die Nähe der Formel, in der Origenes, mit der Doppelbedeutung des Wortes »kosmos« spielend, den Sinn der Kirche interpretiert: »ho kosmos tou kosmou he ekklesia«, d. h., die Kirche ist die Ordnungsgestalt der Welt, »die zu ihrer Eigentlichkeit, zu ihrem eigentlichen Sinn gelangte Welt«.[18] Die Formel des Origenes ist unbestritten. Für die hier vorgelegte Interpretation von »kyriake oikia« (Kirche) erwartet der Verfasser keine allgemeine Zustimmung der Theologen. Wohl aber weiß er sich einig mit all denen unter ihnen, die sich darum mühen, die Forderung des englischen Religionsphilosophen Friedrich von Hügel einzulösen – nämlich mitzuhelfen, daß das Haus der Kirche auch für den heutigen säkularisierten Menschen »intellektuell, ethisch und ästhetisch wieder bewohnbar« wird.

[18] Vgl. Teil 2, Kapitel 2, Anm. 51 (oben S. 258 f).

Literaturverzeichnis

Die hier aufgeführten Untersuchungen werden im
Textteil nur mit Verfasser und Titel zitiert.

Adam, H., Auf dem Weg zu einem humanökologischen Gewissen, in: O. Schatz
(Hrsg.), Was bleibt den Enkeln? Die Umwelt als politische Herausforderung,
Granz–Wien–Köln 1978, 109–132.

Althaus, P., Die letzten Dinge. Lehrbuch der Eschatologie, 7. Aufl. Gütersloh
1957.

Altner, G., Zwischen Natur und Menschengeschichte. Perspektiven für eine
neue Schöpfungstheologie, München 1975.

Altner, G., An der Überlebensgrenze, in: zur debatte 7 (1977) 8–9.

Altner, G., Atomenergie. Herausforderung an die Kirchen. Texte, Kommentare,
Analysen, hrsg. unter Mitarbeit von G. Richter (Grenzgespräche 7), Neukirchen-Vluyn 1977.

Altner, G., Schöpfung am Abgrund. Die Theologie vor der Umweltfrage,
2. Aufl. Neukirchen-Vluyn 1977.

Altner, G., Die Trennung der Liebenden – Variationen über den Ursprung des
Lebens, in: Evangelische Theologie 37 (1977) 69–83.

Altner, G., Anthropologische und theologische Überlegungen zum Mensch-Natur-Verhältnis, in: O. Schatz (Hrsg.), Was bleibt den Enkeln? Die Umwelt als
politische Herausforderung, Graz–Wien–Köln 1978, 81–107.

Amery, C., Das Ende der Vorsehung. Die gnadenlosen Folgen des Christentums, 2. Aufl. Reinbek bei Hamburg 1974.

Amery, C., Wie werden unsere Enkel leben?, in: O. Schatz (Hrsg.), Was bleibt
den Enkeln? Die Umwelt als politische Herausforderung, Graz–Wien–Köln
1978, 13–26.

Auer, A., Kirche und Welt, in: Mysterium Kirche in der Sicht der theologischen
Disziplinen, hrsg. von F. Holböck und Th. Sartory, Salzburg 1962, Band II,
479–570.

Auer, A., Weltoffener Christ. Grundsätzliches und Geschichtliches zur Laienfrömmigkeit, 4. Aufl. Düsseldorf 1966.

Auer, A., Ethische Implikationen von Wissenschaft, in: Wissenschaft an der
Universität heute, hrsg. von J. Neumann (Festschrift »500 Jahre Eberhard-
Karls-Universität«, Bd. II), Tübingen 1977, 291–334.

Barnet, R. J., Die mageren Jahre. Zukunft ohne Überfluß, Berlin–Frankfurt–
Wien 1982.

Barth, K., Der Römerbrief. Unveränderter Nachdruck der ersten Auflage von
1919, Zürich 1963.

Baumgärtner, F., Sicherheit und Umweltschutz bei der nuklearen Entsorgung.
Herausgeber: Der Bundesminister für Forschung und Technologie, Bonn
1979.

Beinert, W., Christus und der Kosmos. Perspektiven zu einer Theologie der Schöpfung, Freiburg–Basel–Wien 1974.

Benoit, P., Les épîtres de Saint Paul aux Philippiens, à Philémon, aux Colossiens, aux Éphesiens (La Sainte Bible), Paris 1953.

Binswanger, H. Ch. – Geissberger, W. – Ginsburg, T. (Hrsg.), Der NAWU-Report. Wege aus der Wohlstandsfalle. Strategien gegen Arbeitslosigkeit und Umweltkrise, Frankfurt 1978.

Binswanger, H. Ch., Umweltschutz im Rahmen eines Neukonzepts von Wirtschaft und Gesellschaft, in: Christliche Wirtschaftsethik vor neuen Aufgaben. Festgabe für Arthur Rich, hrsg. von Th. Strohm (Veröffentlichungen des Instituts für Sozialethik an der Universität Zürich 7), Zürich 1980, 209–222.

Birnbacher, D. (Hrsg.), Ökologie und Ethik, Stuttgart 1980.

Birnbacher, D., Sind wir für die Natur verantwortlich?, in: Ders. (Hrsg.), Ökologie und Ethik, Stuttgart 1980, 103–139.

Buess, E., Der Streit um die Kernenergie. Eine Stellungnahme aus christlich-theologischer Sicht (Zeitbuchreihe POLIS, Neue Folge, Bd. 2), Basel 1978.

Cobb, J. B. (jr.), Der Preis des Fortschritts. Umweltschutz als Problem der Sozialethik. Mit einem Geleitwort von K. Scholder, München 1972.

Cramer, F., Fortschritt durch Verzicht. Ist das biologische Wesen Mensch seiner Zukunft gewachsen? Frankfurt 1978.

Dantine, W., Humanität und Kreatürlichkeit. Erwägungen im Bereich der Schöpfungstheologie, in: Humane Gesellschaft, hrsg. von T. Rendtorff u. A. Rich, Zürich 1970, 61–74.

Dembowski, H., Ansätze und Umrisse einer Theologie der Natur, in: Evangelische Theologie 37 (1977) 33–49.

Dreier, W., Kontrolliertes statt chaotisches Wachstum, in: zur debatte 7 (1977) 13–16.

Drewermann, E., Der tödliche Fortschritt. Von der Zerstörung der Erde und des Menschen im Erbe des Christentums (reihe engagement), Regensburg 1981.

Dubos, R., Die Wiedergeburt der Welt. Ökonomie, Ökologie und ein neuer Optimismus, Düsseldorf–Wien 1983.

Dumas, A., Planung und Verheißung. Das Evangelium in der Industriegesellschaft, Düsseldorf 1978.

Engelhardt, H. D., Umweltfaktoren und Krankheitsbedingungen, in: Handbuch der christlichen Ethik, hrsg. von A. Hertz, W. Korff, T. Rendtorff, H. Ringeling, Freiburg–Basel–Wien 1978, Bd. 2, 60–72.

Feinberg, J., Die Rechte der Tiere und zukünftiger Generationen, in: D. Birnbacher (Hrsg.), Ökologie und Ethik, Stuttgart 1980, 140–179.

Feuling, D., Hauptfragen der Metaphysik. Einführung in das philosophische Leben, Salzburg–Leipzig 1936.

FitzRoy, F. R. und *Weizsäcker, E. v.,* Einige politisch-ökonomische Fragen im Umweltschutz, in: Humanökologie und Umweltschutz (Studien zur Friedensforschung 8), hrsg. v. E. von Weizsäcker, Stuttgart–München 1972, 95–121.

Foley, G., Sind wir am Ende? Amerikanische Zukunftsprognosen, in: Frankfurter Hefte 26 (1971) 741–749.

Forrester, J. W., Der teuflische Regelkreis. Das Globalmodell der Menschheitskrise, Stuttgart 1972.

Fraser-Darling, F., Die Verantwortung des Menschen für seine Umwelt, in: D. Birnbacher (Hrsg.), Ökologie und Ethik, Stuttgart 1980, 9–19.

313

Friedgood, H. B., Unmenschliche Menschheit, in: Humanökologie und Umweltschutz (Studien zur Friedensforschung 8), hrsg. von E. von Weizsäcker, München–Stuttgart 1972, 13–35.

Furger, F., Freiwillige Askese als Alternative, in: Überleben und Ethik, hrsg. von G.-K. Kaltenbrunner, Freiburg–Basel–Wien 1976, 77–90.

Gabor, D., Colombo, U., King, A., Galli, R., Das Ende der Verschwendung. Zur materiellen Lage der Menschheit. Ein Tatsachenbericht an den Club of Rome, mit Beiträgen von Eduard Pestel, Stuttgart 1976.

Ganoczy, A., Der schöpferische Mensch und die Schöpfung Gottes (Grünewald-Reihe), Mainz 1976.

Gehlen, A., Der Mensch. Seine Natur und seine Stellung in der Welt, 5. Aufl. Bonn 1955.

Gerwin R., So ist das mit der Kernenergie. Von der Kernspaltung zum Strom, 2. Aufl. Düsseldorf und Wien 1978.

Gese, H., Zur biblischen Theologie. Alttestamentliche Vorträge (Beiträge zur evangelischen Theologie, hrsg. von E. Jüngel u. R. Smend, Bd. 78), München 1977.

Glück, A., Anpacken statt Aussteigen. Plädoyer für eine Vorwärtsstrategie, Hanns-Seidel-Stiftung München 1982.

Görgmaier, D. (Hrsg.), Energie für morgen – Planung von heute, München 1978.

Grawe, J., Möglichkeiten und Grenzen neuer Technologien der Energiegewinnung, 3. Aufl. Stuttgart 1980.

Greshake, G., Auferstehung der Toten. Ein Beitrag zur gegenwärtigen theologischen Diskussion über die Zukunft der Geschichte (Beiträge zur ökumenischen Spiritualität und Theologie 10), Essen 1969.

Greshake, G. und *Lohfink, G.,* Naherwartung, Auferstehung, Unsterblichkeit. Untersuchungen zur christlichen Eschatologie, 3. Aufl. Basel–Wien 1978.

Groß, H., Theologische Exegese von Genesis 1–3, in: Mysterium Salutis II, 421–439.

Grupe, H., Kernenergie in Baden-Württemberg. Bedeutung – Probleme – Aufgaben. Herausgeber: Ministerium für Wirtschaft, Mittelstand und Verkehr Baden-Württemberg, o. O. 2. Aufl. 1978.

Hartkopf, G. – Bohne, E., Umweltpolitik I. Grundlagen, Analysen und Perspektiven, Opladen 1983.

Hasenclever, W.-D. und *C.,* Grüne Zeiten. Politik für eine lebenswerte Zukunft, München 1982.

Heintzeler, W. – Werhahn, H.-J. (Hrsg.), Energie und Gewissen, Stuttgart 1981.

Hengsbach, F., Neuer Lebensstil – Veränderung durch Verzicht, in: Geist und Leben 51 (1978) 213–225.

Höffe, O., Sittlich-politische Diskurse, Frankfurt 1981.

Hommes, J., Naturrecht, Person, Materie – das Anliegen der Dialektik, in: Naturordnung in Gesellschaft und Wirtschaft, hrsg. von J. Höffner, A. Verdross, F. Vito, Innsbruck–Wien–München 1961, 60–74.

Hornung, K., Überleben in Freiheit. Entscheidungsfragen politischer Ordnung an den »Grenzen des Wachstums«, in: Überleben und Ethik, hrsg. von G.-K. Kaltenbrunner, Freiburg–Basel–Wien 1976, 112–140.

Huber, J. (Hrsg.), Anders arbeiten – anders wirtschaften. Dualwirtschaft: Nicht jede Arbeit muß ein Job sein (fischer alternativ – hrsg. von R. Brun – Magazin Brennpunkte, 10. Jg., Bd. 18), Frankfurt 1979.

Huber, J., Wer soll das alles ändern? Die Alternativen der Alternativbewegung (Rotbuch 229), 2. Aufl. Berlin 1980.

314

Huber, J., Die verlorene Unschuld der Ökologie. Neue Technologien und superindustrielle Entwicklung, Frankfurt 1982.

Hübner, J., Schöpfungsglaube und Theologie der Natur, in: Evangelische Theologie 37 (1977) 49–68.

Illich, I., Entschulung der Gesellschaft. Entwurf eines demokratischen Bildungssystems, Reinbek 1973.

Illies, J., Umwelt und Innenwelt. Bewußtseinswandel durch Wissenschaft (Herder-Bücherei 487), Freiburg–Basel–Wien 1974.

Inglehart, R., The silent revolution. Chancing values and political styles among western publics, Princeton 1977.

Iserland, O. (Hrsg.), Die Kirche Christi. Grundfragen der Menschenbildung und Weltgestaltung, Einsiedeln–Köln 1956.

Jonas, H., Das Prinzip Verantwortung. Versuch einer Ethik für die technologische Zivilisation, 2. Aufl. Frankfurt 1980.

Journet, Ch., L'Église du Verbe Incarné. Essai de Théologie spéculative, T. I, 2. Aufl. Brügge 1955, T. II, Brügge 1951.

Kade, G., Ökonomische und gesellschaftliche Aspekte des Umweltschutzes, in: Gewerkschaftliche Monatshefte 5 (1971) 3–15.

Käsemann, E., An die Römer (Handbuch zum Neuen Testament, hrsg. von G. Bornkamm, Bd. 8 a), 3. Aufl. Tübingen 1974.

Kaltenbrunner, G.-K. (Hrsg.), Überleben und Ethik. Die Notwendigkeit, bescheiden zu werden, Freiburg–Basel–Wien 1976.

Kampits, P., Natur als Mitwelt. Das ökologische Problem als Herausforderung für die philosophische Ethik, in: O. Schatz (Hrsg.), Was bleibt den Enkeln? Die Umwelt als politische Herausforderung, Graz–Wien–Köln 1978, 55–80.

Katholische Aktion Österreichs (Hrsg.), Wie heute leben? Auf der Suche nach christlicher Lebensweise. Behelf zum Schwerpunktthema der Kath. Aktion Österreichs, Wien 1979.

Keel, O., Die Welt der altorientalischen Bildsymbolik und das Alte Testament. Am Beispiel der Psalmen, Zürich–Einsiedeln–Köln 1972.

Keil, G., Der sanfte Umschwung. Neue Lebens- und Arbeitsformen für eine menschliche Welt, Düsseldorf–Wien 1982.

Kluxen, W., Moralische Aspekte der Energie- und Umweltfrage, in: Handbuch der christlichen Ethik, hrsg. von A. Hertz, W. Korff, T. Rendtorff, H. Ringeling, Bd. 3, Freiburg–Basel–Wien 1982, 379–424.

Knizia, K., Energie, Ordnung, Menschlichkeit, Düsseldorf–Wien 1981.

Korff, W., Technik – Ökologie – Ethik (Kirche und Gesellschaft, hrsg. von der Kath. Sozialwissenschaftlichen Zentralstelle Mönchengladbach, Nr. 91), Köln 1982.

Korff, W., Wachstum oder Konsumaskese? Aus der Sicht der Sozialanthropologie, in: A. Rauscher (Hrsg.), Alternative Ökonomie? (Mönchengladbacher Gespräche 4), Köln 1982, 170–193.

Kreck, W., Die Zukunft des Gekommenen. Grundprobleme der Eschatologie, München 1961.

Kuss, O., Der Römerbrief. Dritte Lieferung (Röm 8,19–11,36), Regensburg 1978.

Lehmann, K., Kreatürlichkeit des Menschen als Verantwortung für die Erde, in: Internationale katholische Zeitschrift COMMUNIO 7 (1978) 39–54.

Liedke, G., Von der Ausbeutung zur Kooperation. Theologisch-philosophische Überlegungen zum Problem des Umweltschutzes, in: Humanökologie und

Umweltschutz (Studien zur Friedensforschung 8), hrsg. v. E. von Weizsäcker, Stuttgart–München 1972, 36–65.

Liedke, G., Im Bauch des Fisches. Ökologische Theologie, 2. Aufl. Stuttgart–Berlin 1981.

Link, Chr., Die Erfahrung der Welt als Schöpfung, in: M. von Rad (Hrsg.), Anthropologie als Thema von psychosomatischer Medizin und Theologie, Stuttgart–Berlin–Köln–Mainz 1974, 73–127.

Link, Chr., Die Welt als Gleichnis. Studien zum Problem der natürlichen Theologie (Beiträge zur evangelischen Theologie, hrsg. von E. Jüngel und R. Smend, Bd. 73), München 1976.

Lohfink, N., Die Priesterschrift und die Grenzen des Wachstums. Karl Rahner zum 70. Geburtstag, in: Stimmen der Zeit 192 (1974) 435–450.

Lohfink, N., »Macht Euch die Erde untertan?«, in: Orientierung 38 (1974) 137–142.

Lohfink, N., Schöpfung und Heil, in: zur debatte 7 (1977) 9–11.

Lohfink, N., Unsere großen Wörter. Das Alte Testament zu Themen dieser Jahre, Freiburg–Basel–Wien 1977.

Lohmann, M. (Hrsg.), Gefährdete Zukunft. Prognosen amerikanischer Wissenschaftler, München 1970.

Loretz, O., Die Gottebenbildlichkeit des Menschen, München 1967.

Marsch, W.-D., Die Folgen der Freiheit. Christliche Ethik in der technischen Welt, hrsg. von M. Schibilsky u. H. Przybylski, Gütersloh 1974.

Mast, C., Aufbruch ins Paradies. Die Alternativbewegung und ihre Fragen an die Gesellschaft (Texte und Thesen – Sachgebiet Gesellschaft, Bd. 124), Zürich 1980.

Matt, A. (Hrsg.), Versiegen die Quellen? Panel-Gespräch internationaler Persönlichkeiten, Genf und Disentis 1974.

Matthöfer, H. (Hrsg.), Zur friedlichen Nutzung der Kernenergie. Eine Information des Bundesministers für Forschung und Technologie, Bonn 1977.

Meadows, D. u. a., Die Grenzen des Wachstums. Bericht des Club of Rome zur Lage der Menschheit, Stuttgart 1972.

Means, R. L., Warum sich um die Natur sorgen?, in: F. A. Schaeffer, Das programmierte Ende. Umweltschutz aus christlicher Sicht, Wuppertal 1973, 89–96.

Menke-Glückert, P., Das Umweltprogramm der Bundesregierung, in: Humanökologie und Umweltschutz (Studien zur Friedensforschung 8), hrsg. von E. von Weizsäcker, Stuttgart–München 1972, 122–134.

Mesarović M. und *Pestel, E.,* Menschheit am Wendepunkt. 2. Bericht an den Club of Rome zur Weltlage, Reinbek 1977.

Metz, J. B., Christliche Anthropozentrik. Über die Denkform des Thomas von Aquin, München 1962.

Meyer-Abich, K. M., Zum Begriff einer Praktischen Theologie der Natur, in: Evangelische Theologie 37 (1977) 3–20.

Müller, A. M. K., Die präparierte Zeit. Der Mensch in der Krise seiner eigenen Zielsetzungen, Stuttgart 1972.

Müller, R., Zur Ethik von Gesamtsystemen. Zehn Thesen, in: Überleben und Ethik, hrsg. von G.-K. Kaltenbrunner, Freiburg–Basel–Wien 1976, 55–76.

Mußner, F., Christus, das All und die Kirche. Studien zur Theologie des Epheserbriefes (Trierer Theologische Studien 5), Trier 1955.

Mynarek, H., Der Mensch – Sinnziel der Weltentwicklung, München–Paderborn–Wien 1967.

Noller, G., Die ökologische Herausforderung an die Theologie, in: Evangelische Theologie 34 (1974) 586–601.

Passmore, J., Den Unrat beseitigen. Überlegungen zur ökologischen Mode, in: D. Birnbacher (Hrsg.), Ökologie und Ethik, Stuttgart 1980, 207–246.

Picht, G., Umweltschutz und Politik, in: Humanökologie und Umweltschutz (Studien zur Friedensforschung 8), hrsg. von E. von Weizsäcker, Stuttgart–München 1972, 80–94.

Portmann, A., Naturschutz wird Menschenschutz, Zürich 1971.

Purtill, R. L., Umweltschutz und Ethik: Kann man Bäumen Rechte zusprechen?, in: Grundfragen der Ethik, Düsseldorf 1977, 141–152.

Rad, G. v., Das erste Buch Mose. Genesis 1–12,9 (Das Alte Testament Deutsch), Göttingen 1949.

Rad, G. v., Theologie des Alten Testaments. Band I, 5. Aufl. München 1966.

Rad, G. v., Weisheit in Israel, Neukirchen-Vluyn 1970.

Rauscher, A. (Hrsg.), Alternative Ökonomie? (Mönchengladbacher Gespräche 4), Köln 1982.

Remmert, G., Schöpfungsauftrag und Umweltkrise, in: Stimmen der Zeit 194 (1976) 117–127.

Renn, O., Die alternative Bewegung: Ursprünge, Quellen und Ziele, in: A. Rauscher (Hrsg.), Alternative Ökonomie? (Mönchengladbacher Gespräche 4), Köln 1982, 11–59.

Rich, A., Das »Humanum« als Leitbegriff der Sozialethik, in: Humane Gesellschaft, hrsg. von T. Rendtorff und A. Rich, Zürich 1970, 13–45.

Rock, M., Umweltschutz. Eine Herausforderung an die christliche Ethik (aktuelle information, hrsg. von der Abt. Öffentlichkeitsarbeit im Bischöfl. Ordinariat Mainz, H. 8), Mainz 1979.

Rock, M., Theologie der Natur und ihre anthropologisch-ethischen Konsequenzen, in: D. Birnbacher (Hrsg.), Ökologie und Ethik, Stuttgart 1980, 72–102.

Roos, L., Die Erfahrung der Grenze. Sozialethische Überlegungen zur Krise des Fortschrittsdenkens, in: Internationale Katholische Zeitschrift COMMUNIO 4 (1975) 308–322.

Sachsse, H., Technik und Verantwortung. Probleme der Ethik im technischen Zeitalter, Freiburg 1972.

Sachsse, H., Der Mensch als Partner der Natur. Überlegungen zu einer nachcartesianischen Naturphilosophie und ökologischen Ethik, in: Überleben und Ethik, hrsg. von G.-K. Kaltenbrunner, Freiburg–Basel–Wien 1976, 27–54.

Schaeffer, F. A., Das programmierte Ende. Umweltschutz aus christlicher Sicht, Wuppertal 1973.

Schatz, O. (Hrsg.), Was bleibt den Enkeln? Die Umwelt als politische Herausforderung, Graz–Wien–Köln 1978.

Scheffczyk, L., Die materielle Welt im Lichte der Eucharistie, in: Aktuelle Fragen zur Eucharistie, hrsg. von M. Schmaus, München 1960.

Scheffczyk, L., Schöpfung und Vorsehung (Handbuch der Dogmengeschichte, hrsg. von M. Schmaus, J. R. Geiselmann und A. Grillmeier, Bd. II 2a), Freiburg 1963.

Scheffczyk, L., Einführung in die Schöpfungslehre, Darmstadt 1975.

Schipperges, H., Der Mensch und sein Lebensraum. Programme und Ergebnisse der Stuttgarter Naturforscherversammlung 1976, in: Medizin – Mensch – Gesellschaft 2 (1977) 55–59.

Schipperges, H., Auf dem Wege zu einem ökologischen Zeitalter? Wegweisung einer Medizin am Scheidewege, in: Scheidewege 7 (1977) 222–237.

Schlier, H., Christus und die Kirche im Epheserbrief (Beiträge zur historischen Theologie 6), Tübingen 1930.

Schlier, H. und *Warnach, V.,* Die Kirche im Epheserbrief (Beiträge zur Kontroverstheologie), Münster 1949.

Schlier, H., Die Zeit der Kirche, Freiburg 1956.

Schlier, H., Der Brief an die Epheser. Ein Kommentar, 6. Aufl. Düsseldorf 1968.

Schloemann, M., Wachstumstod und Eschatologie. Die Herausforderung christlicher Theologie durch die Umweltkrise, Stuttgart 1973.

Schmaus M. und *Grillmeier, A.* (Hrsg.), Handbuch der Dogmengeschichte, Bd. II: Der Trinitarische Gott. Die Schöpfung. Die Sünde, Freiburg–Basel–Wien 1963.

Schmitz, Ph., Kernenergie und christliche Ethik, (Rabanus-Maurus-Akademie, Eschenheimer Landstr. 21) Frankfurt 1982.

Scholder, K., Grenzen der Zukunft. Aporien von Planung und Prognose, Stuttgart–Berlin–Köln–Mainz 1973.

Schottlaender, R., Ethische Urteilskraft als Überlebensbedingung, in: Überleben und Ethik, hrsg. von G.-K. Kaltenbrunner, Freiburg–Basel–Wien 1976, 91–111.

Schwabe, G. H., »Ehrfurcht vor dem Leben« – eine Voraussetzung menschlicher Zukunft, in: O. Schatz (Hrsg.), Was bleibt den Enkeln? Die Umwelt als politische Herausforderung, Graz–Wien–Köln 1978, 165–199.

Siegwalt, G. (Hrsg.), Bedrohte Natur und christliche Verantwortung. Kirchliche Beiträge zu Themen des Umweltschutzes, Strasbourg–Frankfurt/M. 1979.

Spaemann, R., Technische Eingriffe in die Natur als Problem der politischen Ethik, in: D. Birnbacher (Hrsg.), Ökologie und Ethik, Stuttgart 1980, 180–206.

Spescha, P., Energie, Umwelt und Gesellschaft, hrsg. von der Schweizerischen Nationalkommission Justitia et Pax, Freiburg/Schweiz 1983.

Steck, O. H., Zwanzig Thesen als alttestamentlicher Beitrag zum Thema: »Die jüdisch-christliche Lehre von der Schöpfung in Beziehung zu Wissenschaft und Technik«, in: Kerygma und Dogma 23 (1977) 277–299.

Steck, O. H., Welt und Umwelt (Biblische Konfrontationen), Stuttgart–Berlin–Köln–Mainz 1978.

Stock, K., Tillichs Frage nach der Partizipation von Mensch und Natur, in: Evangelische Theologie 37 (1977) 20–32.

Stoebe, H. J., Gut und Böse in der Jahwistischen Quelle des Pentateuch, in: Zeitschrift für die alttestamentliche Wissenschaft 65 (1953) 188–204.

Stoeckle, B., Christliche Verantwortung und Umweltfragen, in: Stimmen der Zeit 192 (1974) 832–844.

Stuhlmacher, P., Erwägungen zum ontologischen Charakter der καινὴ κτίσις bei Paulus, in: Evangelische Theologie 27 (1967) 1–51.

Teutsch, G. M., Soziologie und Ethik der Lebewesen. Eine Materialsammlung (Europäische Hochschulschriften. Reihe XXIII, Theologie Bd. 54), Bern–Frankfurt 1975.

Teutsch, G. M., Neue Ansätze in Richtung einer humanökologischen Ethik, in: O. Schatz (Hrsg.), Was bleibt den Enkeln? Die Umwelt als politische Herausforderung, Graz–Wien–Köln 1978, 27–54.

Thürkauf, M., Technomanie – die Todeskrankheit des Materialismus. Ursachen und Konsequenzen der technologischen Maßlosigkeiten unserer Zeit, Schaffhausen 1978.

Thürkauf, M., Die Tränen des Herrn Galilei. Ein Naturwissenschaftler denkt, Zürich–Stuttgart 1978.

Tillich, P., In der Tiefe ist Wahrheit. Religiöse Reden, 1. Folge, 4. Aufl. Stuttgart 1952.

Track, J., Erfahrung Gottes. Versuch einer Annäherung, in: Kerygma und Dogma 22 (1976) 1–21.

Tribe, L. H., Was spricht gegen Plastikbäume?, in: D. Birnbacher (Hrsg.), Ökologie und Ethik, Stuttgart 1980, 20–71.

Vögtle, A., Das Neue Testament und die Zukunft des Kosmos, Düsseldorf 1970.

Wagner, F., Die Wissenschaft und die gefährdete Welt. Eine Wissenschaftssoziologie der Atomphysik, München 1964.

Wahlert, G. v., Biologie als Dienst am Menschen. Ansätze für eine anthropologische Grundlegung der Humanökologie – eine Problemanzeige, in: Humanökologie und Umweltschutz (Studien zur Friedensforschung 8), hrsg. von E. von Weizsäcker, Stuttgart–München 1972, 66–79.

Walther, Chr., Die Welt des Menschen verantworten – Bemerkungen zum Theorie-Praxis-Problem in der Theologie, in: Humane Gesellschaft, hrsg. von T. Rendtorff und A. Rich, Zürich 1970, 75–90.

Warnach, V., Kirche und Kosmos, in: Enkainia, hrsg. von H. Emonds, Düsseldorf 1956, 170–205.

Watrin, Chr., Ökonomie der »Alternativen« – eine Alternative?, in: A. Rauscher (Hrsg.), Alternative Ökonomie? (Mönchengladbacher Gespräche 4), Köln 1982, 123–145.

Weizsäcker, C. F. v., Der Garten des Menschlichen. Beiträge zur geschichtlichen Anthropologie, München–Wien 1977.

Weizsäcker C. F. v., Wege in der Gefahr. Eine Studie über Wirtschaft, Gesellschaft und Kriegsverhütung, 6. Aufl., München Wien 1977.

Weizsäcker, C. F. v., Deutlichkeit. Beiträge zu politischen und religiösen Gegenwartsfragen, München Wien 1978.

Weizsäcker, C. F. v., Die friedliche Nutzung der Kernenergie – Chancen und Risiken. Vortrag v. 9. 3. 1978 im Wissenschaftszentrum Bonn.

Weizsäcker, C. F. v., Diagnosen zur Aktualität, 2. Aufl. München–Wien 1979.

Weizsäcker, E. v. (Hrsg.), Humanökologie und Umweltschutz (Studien zur Friedensforschung Bd. 8), Stuttgart–München 1973.

Westermann, C., Schöpfung (Themen der Theologie, Bd. 12, hrsg. von H. J. Schultz), Stuttgart–Berlin 1971.

Westermann, C., Genesis 1–11 (Biblischer Kommentar. Altes Testament Bd. I/1), Neukirchen-Vluyn 1974.

White, L., Die historischen Wurzeln unserer ökologischen Krise, in: F. A. Schaeffer, Das programmierte Ende. Umweltschutz aus christlicher Sicht, Wuppertal 1973, 71–88.

Wildiers, N. M., Weltbild und Theologie. Vom Mittelalter bis heute, Zürich–Einsiedeln–Köln 1974.

Wolff, H. W., Anthropologie des Alten Testaments, 2. Aufl., München 1974.

Zihlmann, R., Auf der Suche nach einer kosmosfreundlichen Ethik, in: Überleben und Ethik, hrsg. von G.-K. Kaltenbrunner, München 1976, 17–26.